Rozmowy
z katem

Kazimierz Moczarski
Rozmowy z katem

wstęp
Norman Davies

opracował
Andrzej Krzysztof Kunert

Znak Horyzont
Kraków 2018

Projekt okładki
Jakub Sowiński

Opieka redakcyjna
Krzysztof Chaba

Opracowanie typograficzne
Irena Jagocha
Daniel Malak

Korekta
Małgorzata Biernacka
Katarzyna Onderka

Indeks
Artur Czesak

ISBN 978-83-240-4214-2

znak

Książki z dobrej strony: www.znak.com.pl
Więcej o naszych autorach i książkach: www.wydawnictwoznak.pl
Społeczny Instytut Wydawniczy Znak, 30-105 Kraków, ul. Kościuszki 37
Dział sprzedaży: tel. (12) 61 99 569, e-mail: czytelnicy@znak.com.pl
Wydanie XVIII (III Znak), Kraków 2018. Printed in EU

Od wydawcy

Historia wydania tej książki mogłaby być tematem osobnej pracy. Pierwszy fragment *Rozmów z katem* Kazimierza Moczarskiego ukazał się drukiem w warszawskiej „Polityce" w 1968 roku (nr 26), całość została opublikowana w odcinkach na łamach wrocławskiej „Odry" w latach 1972 (od nr. 4) – 1974 (do nr. 2), zaś pierwsze wydanie książkowe miało miejsce dopiero dwa lata po śmierci Autora, który zmarł 27 września 1975 roku w Warszawie.

W latach 1977–1985 Państwowy Instytut Wydawniczy opublikował łącznie pięć wydań tej książki (tłumaczenia ukazały się wówczas w 10 krajach), a w latach 1992–2002 Wydawnictwo Naukowe PWN kolejnych dziesięć edycji *Rozmów z katem* jako lektury szkolnej, już w kształcie integralnym (z przywróceniem fragmentów wyciętych przez cenzurę, m.in. autorskiego zakończenia), z tłumaczeniem na język polski przedmowy Andrzeja Szczypiorskiego do wydania niemieckiego, z przypisami i kalendarium życia Autora w opracowaniu Andrzeja Krzysztofa Kunerta.

Edycja niniejsza (siedemnasta), również opracowana przez A.K. Kunerta, zawiera – w wersji znacznie poszerzonej – przypisy i kalendarium życia Autora oraz przygotowany specjalnie do niej aneks.

WSTĘP

Rozmowy z katem Kazimierza Moczarskiego to książka niezwykła, dająca czytelnikowi wgląd w sprawy wielkiej wagi. W świetle stosunków międzynarodowych pokazuje, jak mylny jest panujący powszechnie pogląd, że II wojna światowa była prostym, dwubiegunowym konfliktem między Dobrem a Złem; między państwami demokratycznymi a ich faszystowskim wrogiem. Już choćby to, że *Rozmowy...* rozgrywają się w powojennym więzieniu, w celi, którą członek podziemnego ruchu oporu dzieli z nazistowskim zbrodniarzem wojennym, dowodzi, że natura konfliktu była bardziej złożona. W istocie wojnę w Europie toczyły nie dwie, lecz trzy siły – faszystowskie Państwa Osi, Związek Radziecki oraz obóz demokratyczny pod przywództwem Wielkiej Brytanii i Stanów Zjednoczonych. Fakt, że Związek Radziecki rozpoczął wojnę jako sojusznik nazistów, a po roku 1941 przystąpił do koalicji mocarstw zachodnich, nie zmienił głęboko zakorzenionej w Sowietach wrogości zarówno wobec faszyzmu, jak i demokracji. Po zwycięstwie w 1945 roku Stalin bez skrupułów potępił demokrację zachodnią, a jej przedstawicieli traktował z taką samą pogardą, jak pokonanych faszystów. W logice komunistycznej zatem decyzja o umieszczeniu w jednej celi Moczarskiego, żołnierza polskiego ruchu oporu, i generała SS Jürgena Stroopa, współodpowiedzialnego za likwidację getta warszawskiego, była całkowicie naturalna. Mimo iż Moczarski i jego współtowarzysze-akowcy z determinacją i poświęceniem walczyli z nazistami, komuniści bez wahania skazali go na karę śmierci jako kolaboranta.

W polskiej rzeczywistości los Moczarskiego dobitnie ilustruje determinację powojennego reżimu kontrolowanego przez ZSRR.

Moczarski należał do wykształconej, świadomej politycznie klasy społecznej, która w normalnych warunkach objęłaby po wojnie władzę, jednak została od niej odcięta. Z drugiej strony, Stalin, z którego rozkazu w latach 1938–1939 wymordowano większość przywódców Komunistycznej Partii Polski, nie dysponował wystarczającą liczbą wyszkolonych kadr administracyjnych. Wskutek tego przez kilkanaście lat od przejęcia wpływów przez Sowietów w 1944 roku w Polsce panoszyły się brutalna siła i matactwo, a stery władzy trzymała grupka polityków bezwzględnie posłusznych rozkazom z Moskwy.

W świetle tych uwarunkowań Moczarski godny jest najwyższego podziwu za to, jak wykorzystał sposobność dłuższego obcowania ze Stroopem. Rozmawiając z nim systematycznie przez kilka miesięcy, zdołał stworzyć sobie szczegółowy obraz nazistowskiego umysłu, a zapamiętując wypowiedzi współwięźnia – zachować zgromadzony materiał do późniejszej publikacji. Stworzony w ten sposób wizerunek „kata" zapada w pamięć bodaj równie mocno, jak okoliczności, w których powstawał. Stroop nie przejawiał ani śladu skruchy za popełnione zbrodnie. Działał na rzecz wprowadzania w życie utopii, w którą szczerze wierzył, i nie żałował niczego, z wyjątkiem zdarzeń, które doprowadziły do upadku III Rzeszy. Ponieważ, podobnie jak i jego współwięzień, czekał na wykonanie kary śmierci, mógł mówić najzupełniej otwarcie, bez przekłamań i przemilczeń. Rankiem w dzień rozstania powiedział raźnym głosem: „Do widzenia, Herr Moczarski, do zobaczenia niedługo u św. Piotra!".

Rozmowy z katem ukazywały się w rozmaitych edycjach w Polsce oraz w przekładach na języki obce. Pierwsze polskie wydanie książkowe z roku 1977 było oczywiście okrojone przez cenzurę. Niniejsze – kolejne już wydanie pełnej wersji książki Moczarskiego – jest zatem bardzo potrzebne jako wiarygodny dokument jednego z najbardziej znaczących epizodów dwudziestego wieku.

Norman Davies
15 września 2003
(tłum. Agnieszka Pokojska)

I. OKO W OKO ZE STROOPEM

Bo cóż by warte były bunty i cierpienia,
Gdyby kiedyś w godzinę zdobytej wolności,
Nie miały się przerodzić w cierpień zrozumienie [...]
Gdyby się lud gnębiony stawał gnębicielem
I w dłoń przebitą gwoździem chwytał miecz Piłata?

Antoni Słonimski, *Do przyjaciół w Anglii*

2 marca 1949 roku. Oddział XI Mokotowa, warszawskiego więzienia. Właśnie przeniesiono mnie do innej celi, gdzie siedziało dwóch mężczyzn. Ledwo drzwi przyryglowano, zaczęliśmy się „obwąchiwać" – jak to więźniowie. Ci dwaj mieli chwilowo przewagę w układzie stosunków wewnątrzcelowych, bo byłem do nich przekwaterowany. Co prawda i ja miałem jakieś szańce. Dla zanurzenia się w ochronnej rezerwie mogłem np. robić z siebie „słup soli" lub udawać „Janka z księżyca". Oni nie byli w stanie stosować podobnych praktyk, bo tworzyli konstelację, w ruchu.

– Sind Sie Pole?[1] – pyta starszy, niewysoki, szczupły, z żylastymi rękami, kartoflanym brzuchem i dużymi brakami w uzębieniu. Kurtka feldgrau, więzienne spodnie, drewniaki. Koszula rozchełstana.

– Tak. A panowie?

– Niemcy. My jesteśmy sogennante Kriegsverbrecher[2].

---

[1] Sind Sie Pole ? (niem.) – Czy pan jest Polakiem ?
[2] ... sogennante Kriegsverbrecher (niem.) – ... tak zwani przestępcy wojenni (zbrodniarze wojenni).

Rozpakowuję majdan, upycham graty. Starszy ułatwia te czynności, bez zachęty z mojej strony. Nie mówimy. Wszyscy przejęci. Ja wtedy tak mniej więcej myślałem: – Niemcy. Pierwszy raz w życiu będę z nimi bardzo blisko. Takich hitlerowców z lat okupacji pamiętam, jakby to było dzisiaj. Trudna sytuacja, ale w Mokotowie nieraz łączono w celach więźniów bez zaglądania w rubrykę narodowości. Niemcy. Dzieli mnie od nich wszystko – a więc i ciężar przeszłości, i postawa światopoglądowa. A łączy: interes ludzi w jednej celi. Czy taka więź sytuacyjna, nie wytworzona z dobrej woli, może być podobna do kładki nad przepaścią?

Przerywam błyskawiczne refleksje, bo nawyk czuwania alarmuje: dlaczego ten drugi hitlerowiec jest bierny i wtulony w okno? Niebezpieczny, czy się boi?

Przy zagospodarowaniu pomagał mi Gustaw Schielke z Hanoweru, długoletni zawodowy podoficer kryminalnej policji obyczajowej (Sittenpolizei). W czasie wojny SS-Unterstumführer[3], archiwista krakowskiego urzędu BdS, czyli dowódcy Policji Bezpieczeństwa i Służby Bezpieczeństwa[4] w Generalnej Guberni.

– Po sprawie? – pytam go.

– Nie.

– Długo w mamrze?

– W Polsce: 1 rok, 9 miesięcy i 27 dni. Przedtem siedziałem w obozach aliantów w Niemczech Zachodnich.

Jeszcze liczy dni, stawiając prawdopodobnie kreseczki na ścianie, z nadzieją, że opowie wnukom o więzieniu w Polsce – pomyślałem.

Ten drugi, co niepokoił mnie, był wysokim i nawet pozornie barczystym mężczyzną. Zasłaniając część okna, ustawiał się pod światło. Trudno go obserwować. Znałem te metody. Ma kompleksy śledcze, więzienne – skonstatowałem – ale zachowuje się fachowo.

---

[3] Unterstumführer (Unterstumführer w SS, SS-Unterstumführer w Waffen-SS) – najniższy stopień oficerski (odpowiednik stopnia Leutnant w Wehrmachcie), podporucznik.
[4] Befehlshaber des Sicherheitspolizei und der Sicherheitsdienst (BdS) im Generalgouvernement (niem.), Dowódca Policji Bezpieczeństwa i Służby Bezpieczeństwa w Generalnym Gubernatorstwie.

– Stroop – przedstawił się wreszcie. – Mein Name ist Stroop, durch zwei „o". Vorname: Jürgen. Ich bin General-leutnant. Po polsku: division-general... Enchanté, Monsieur[5].
Podniecony, miał czerwone uszy. Ja chyba także. Przybycie do obcej celi lub poznanie więźnia to wielka emocja.
Ledwo wymieniłem nazwisko, wtoczył się kocioł i zapach obiadu. Kalifaktorzy[6], również Niemcy, dali moim kompanionom znak, że nie jestem kapuś. Od dawna znali mnie z różnych okoliczności życia mokotowskiego.
Stroop dostawał, oficjalnie, podwójną porcję. Jadł z apetytem, systematycznie. Obiad w milczeniu. Zmuszam się do spokojnego połykania, aby nowi towarzysze nie spostrzegli, jak jestem poruszony.
Więc to jest właśnie Stroop, zaufaniec Himmlera, warszawski SS- und Polizeiführer[7], likwidator stołecznego getta i poprzednik ukaranego przez nas Kutschery[8]. Siedzi o metr i zajada obiad. Pięćdziesięcioletni. Starannie, jak na więzienie, ubrany. Ciemnopąsowa wiatrówka, pod szyją biały halsztuk z chusteczki kunsztownie zawiązanej. Spodnie beige[9]. Trzewiki brązowe, lekko sfatygowane, wyczyszczone na glans.

---

[5] Mein Name... (niem., franc.) – Moje nazwisko Stroop, przez dwa „o". Imię: Jürgen. Jestem generałem-porucznikiem. Po polsku: generałem dywizji... Bardzo mi miło, proszę pana.
[6] Kalifaktor – dawniej: kalefaktor (łac.), ubogi uczeń w szkołach zakonnych, który w zamian za utrzymanie palił w piecach, rąbał drwa i karał cieleśnie winowajców, w przenośni: pochlebca, donosiciel; w okresie PRL w gwarze więziennej kalifaktor – więzień funkcyjny, korytarzowy, często Niemiec.
[7] Warszawski SS- und Polizeiführer (niem.) – Der SS- und Polizeiführer (SSPF) im Distrikt Warschau, Dowódca SS i Policji na Dystrykt Warszawski.
[8] SS-Brigadeführer und Generalmajor der Polizei (Brigadeführer SS i general- -major /generał brygady/ policji) Franz Kutschera (1904–1944), Dowódca SS i Policji na Dystrykt Warszawski od września 1943 r., który podpisywał obwieszczenia o masowych egzekucjach publicznych w Warszawie, dokonywanych przez Niemców od 16 października 1943 r. Zlikwidowany 1 lutego 1944 r. przez żołnierzy oddziału specjalnego „Pegaz" Kierownictwa Dywersji (Kedywu) Komendy Głównej Armii Krajowej (późniejszy batalion „Parasol" Armii Krajowej). Oficjalny komunikat o tej akcji opublikowano na łamach centralnego organu prasowego AK „Biuletynu Informacyjnego" 24 lutego 1944 r. (nr 8), nazywając w nim Kutscherę „głównym organizatorem trwającego od kilku miesięcy wzmożonego terroru".
[9] Beige (franc.) – beżowe.

Schielke wiosłuje łyżką. Zjadł szybko, zanucił „In Hannover an der Leine, haben Mädchen dicke Beine"[10], i jakby od niechcenia spytał: – Dawno pan siedzi? Odpowiedziałem. Zaproponował wtedy, że umyje moją menażkę. Musiał się spotkać z odmową, bo takie usługi przyjmuje się z pilnej potrzeby albo z przyjaźni. Stroop obiadował wolno. W końcu podał Schielkemu dwie miski do umycia. Przedtem popuścił spodnie, zapinając je w pasie na jeden z rezerwowych guzików, przyszytych przez niego na „średnie" lub „większe" nafaszerowanie brzucha.

Schielke pucuje naczynia. Stroop milczący, przy stoliku podokiennym, oparty na łokciach, twarz w dłoniach. Mięsisty nos wystaje zza palców. Pozycja tragicznego mędrca.

Zainteresowała mnie ta kontemplacja. Wiązałem ją z fotografiami Stroopowskiego „ołtarzyka" na stoliku. Obok Biblii leżały tam dwie paczki listów z NRF[11], kilka książek, zeszyt, ołówki. Ale co mnie przede wszystkim uderzyło – to poliptyk fotograficzny rodziny Stroopa. Na kartonie pod każdym zdjęciem wykaligrafowane gotykiem napisy: „Unsere Mutter", „Unsere Tochter", „Unser Sohn" i „M e i n e   F r a u"[12]. W zakamarkach „ołtarzyka" – drobne pamiątki, m.in. piórko kraski ze smugą błękitu i listek. Zasuszony listek brzozy. Kontemplacja Stroopa wydawała się melancholiczna, więc pytam, o czym duma. Nie wykluczałem odpowiedzi: „o swoich sprawach", co oznaczałoby, że myśli o rodzinie i prosi, aby nie przeszkadzać. A Stroop rzekł:

– Zapomniałem, jak po polsku nazywa się ptaszek, którego mianem określają u was młode kobiety. Jakoś tak: szy... szy... szybka czy podobnie?

– Gdzie pan to słowo słyszał?

---

[10] „In Hannover..." (niem.) – „W Hanowerze, nad rzeką Leine, dziewczęta mają grube nogi".

[11] Nazwę utworzonego we wrześniu 1949 r. państwa: Bundesrepublik Deutschland (BRD) tłumaczono w Polsce początkowo jako: Niemiecka Republika Federalna (NRF), dopiero po nawiązaniu stosunków dyplomatycznych w 1972 r. wprowadzając właściwą nazwę: Republika Federalna Niemiec (RFN).

[12] „Unsere Mutter"... (niem.) – „nasza matka, nasza córka, nasz syn, m o j a   żona".

– Na spacerze, gdy więźniowie kryminalni z ogólnych cel zagadywali aresztantkę z klasa biustem, która pracuje w pralni. Nie mogę tego słowa spamiętać. Co dzień je powtarzałem. Brzmi jak: szybka, szczyrka...

– Może mówili: ścierka? Ale to nie ptaszek.

– Na pewno był ptaszek. I na pewno nie szczerka.

– Upiera się pan przy ptaszku, więc może sikorka?

– Tak – rozpromienił się – szykorka, szykorka, die Meise. Tamta młódka z pralni przeginała szyję niby szykorka.

– Jak generał sobie podje – zarechotał Gustaw Schielke – to robi się pies na młode baby. Nie te czasy, Herr General! A ponadto, jak żyję, nie widziałem szykorek z piersiami!

Generał zgromił Schielkego wzrokiem. Po raz pierwszy zobaczyłem ołów w oczach Stroopa.

*

Cela miała jedno łóżko, które można było podnosić i przytwierdzać na dzień do ściany (w żargonie więziennym zwane legimatą). Dotychczas spał na nim Stroop, a Schielke rozkładał siennik na podłodze. Przy końcu dnia musieliśmy ustalić nowy system spania. Stroop zwrócił się wtedy do mnie: – Idę na podłogę. Panu przysługuje łóżko, ponieważ pan jest członkiem narodu tu rządzącego i zwycięskiego, a więc narodu panów. (Powiedział: „Herrenvolk”).

Osłupiałem. To nie była ze strony Stroopa komedia, poza lub grzeczność. On po prostu ujawnił swój pogląd na stosunki między ludźmi. Wylazły z niego wpajane od dzieciństwa: kult siły i służalstwo – nieuchronny produkt ślepego posłuszeństwa.

Schielke poparł Stroopa. Uzasadniłem odmowę truizmem, że wszyscy więźniowie są równi w zakresie bytu więziennego. I do ostatnich dni ze Stroopem i Schielkem spaliśmy wszyscy na podłodze, na trzech siennikach.

Nie wykluczam, że Stroop uważał mnie – jeśli idzie o tę sprawę – za wariata.

*

Wkrótce po konflikcie z Schielkem na temat szykorki Stroop zaproponował obejrzenie książek. Miał ich około 180; większość z zasobów bibliotecznych więzienia. Wszystkie w języku niemieckim. Były tam dzieła naukowe (m.in. historyczne, geograficzne, gospodarcze), podręczniki szkolne, powieści, broszury i nawet druki propagandowe NSDAP[13]. Rzuciłem się na książki żarłocznie: objaw normalny w więzieniu. Początkowo przeglądałem teksty, ilustracje i mapy. Potem zaczytywałem się. No, i dyskutowaliśmy. Chłonąłem informacje o Niemczech oraz komentarze obu hitlerowców do zjawisk niezrozumiałych dla Polaka. Pogłębiałem znajomość niemieckiego. Słuchałem gawęd, naświetleń, opinii i – co jest nieuchronne – zwierzeń.

Słuchałem opowiadań o miastach i wsi niemieckiej, o górach, dolinach, lasach, o życiu nie tylko miast, ale i rodzin, i poszczególnych jednostek. Przeżywałem zapach sieni i kuchni, pokojów jadalnych i salonów, knajp i ogrodów, bitew i tęsknot za Heimatem[14]. Szedłem – były żołnierz Armii Krajowej – ślad w ślad za życiem hitlerowca Stroopa, razem z nim, koło niego i jednocześnie przeciw niemu*, choć jasne, że nie z dozorcami więziennymi*.

*

Jürgen Stroop. Ochotnik I wojny światowej. Były kombatant detmoldskiego pułku pruskiej piechoty. Współorganizator partii hitlerowskiej w księstwie Lippe. Maszeruje ulicami Norymbergi wśród ryków na cześć Hitlera. Pnie się – mimo słabego wykształcenia – po drabinie zaszczytów i protekcji SS-owskiej. Urzęduje w Münsterze i Hamburgu. Działa twardą ręką, często okrutnie i morderczo: w Czechosłowacji, Polsce, na Ukrainie i Kaukazie, w Grecji, zachodnich Niemczech, Francji i Luksemburgu. Kocha swoje i obce kobiety, ale tylko swoje dzieci. Rozmawia z politykami III Rzeszy, z Himmlerem i czołówką SS. Jeździ horchami i maybachami. Cwałuje konno

---

[13] Nationalsozialistische Deutsche Arbeiterpartei, NSDAP (niem.) – Narodowo-Socjalistyczna Niemiecka Partia Robotnicza.

[14] Heimat (niem.) – ojczyzna, ziemia rodzinna.

* Gwiazdkami zaznaczono fragment tekstu obecny w odpowiednim odcinku edycji *Rozmów z katem* na łamach „Odry" (1972, nr 4, s. 19), lecz usunięty przez cenzurę w pierwszych pięciu wydaniach książkowych w latach 1977–1985.

przez pola Teutoburskiego Lasu i Ukrainy. Nosi monokl i celebruje godność partyjnego generała. I nigdy nie powie inaczej o Hitlerze i Himmlerze, jak: Adolf Hitler i Heinrich Himmler; zawsze z imionami – w czym wyrażał się jego stale wiernopoddańczy stosunek do tych „wielkich ludzi Niemiec XX wieku".

Podążałem również za Stroopem w kwietniowe dni getta warszawskiego, choć trudno mi było czasem słuchać jego relacji z Grossaktion[15]. Czułem jeszcze dym tej dzielnicy mego miasta, pokonanej i palonej w 1943 roku.

Towarzyszyłem mu także w sierpniowym mordzie 1944 roku – na generale-feldmarszałku von Kluge, oraz w likwidowaniu jeńców – lotników USA na obszarze Reńskiej Marchii Zachodniej.

※

Dyskutowaliśmy o wielu sprawach – szczególnie w końcowym okresie wspólnego pobytu w celi.

Stroop nie był gadułą, ale miał tendencję do opowiadania o sobie, m.in. do chwalenia się. Wlazły w niego dygnitarskie nawyki! Lubił mieć swoją publiczność. Teraz Schielke i ja byliśmy jego jedynymi słuchaczami. Ta okoliczność pozwoliła mi na zdobycie wielu wiarygodnych, choć przekazanych słowem, materiałów.

Stroop nie opisywał chronologicznie swego życia. Czasem rozmawialiśmy godzinami o jednej kwestii. Innego dnia przeskakiwaliśmy z tematu na temat. Z tak prowadzonych rozmów starałem się skonstruować możliwie usystematyzowany tok książki.

Gustaw Schielke często patrzył z innego niż Stroop punktu widzenia na niektóre fakty i zjawiska. Był raczej prostolinijny psychicznie. I grały w nim relikty świadomości socjaldemokratycznej oraz związkowo-pracowniczej z okresu młodości. Prawdy wygłaszane mimo woli (a może nieraz w sposób zamierzony) przez Schielkego

---

[15] Grossaktion (niem.) – Wielka Akcja (Wielka Operacja), używana w sprawozdaniach Stroopa nazwa operacji „całkowitego zburzenia getta warszawskiego", którą na rozkaz Heinricha Himmlera z 16 lutego 1943 r. przeprowadzał on od 19 kwietnia do 16 maja 1943 r. (szerzej opowiada o niej niżej).

stanowiły odczynnik na jednostronność Stroopa. Były również narzędziem kontroli i uzupełnieniem Stroopowskich wynurzeń.

Początkowo układ stosunków w celi cechowała ostrożność połączona ze zdziwieniem, wywołanym niezwykłością bądź co bądź sytuacji, potem – dyplomatyzowanie i język podtekstów, wreszcie – otwarte, czasem brutalne, wypowiadanie niektórych opinii i wiadomości. Stąd dochodziło do spięć.

٭

Czy nasze rozmowy były szczere? Wydaje mi się, że w dużej mierze t a k – szczególnie gdy już się dobrze poznaliśmy. Proste i niekłamane są wyznania więźniów w obliczu ostateczności. Była to jednak szczerość bierna, polegająca na unikaniu okoliczności, które mogłyby spowodować przypadkowe „zakapowanie" więźnia. Ponadto panował w celi klimat niepisanej umowy, żeby w zasadzie nie poruszać najdrażliwszych spraw lub mówić o nich oględnie.

Byłoby nielojalne wobec Czytelnika, gdybym nie podkreślił, że dążyłem do szczerości, a przez to do wyłuskania możliwie pełnej prawdy o Stroopie i jego życiu. Moje zaszokowanie z chwilą znalezienia się z hitlerowcami, o czym piszę na początku, szybko przekształciło się w postanowienie: jeżeli już jestem ze zbrodniarzami wojennymi, to niech ich poznam, niech próbuję rozłożyć na włókna ich życiorysy i osobowość. Gdy to się uda, mam możność – choć w pewnym stopniu – odpowiedzieć s o b i e na pytanie, j a k i m e c h a n i z m h i s t o r y c z n y, p s y c h o l o g i c z n y, s o c j o l o g i c z n y d o p r o w a d z i ł c z ę ś ć N i e m c ó w d o u f o r m o w a n i a s i ę w z e s p ó ł l u d o b ó j c ó w, k t ó r z y k i e r o w a l i R z e s z ą i u s i ł o w a l i z a p r o w a d z i ć s w ó j O r d n u n g[16] w E u r o p i e i w ś w i e c i e.

٭

W czasie prawie dziewięciomiesięcznego pobytu ze Stroopem znajdowałem się więc oko w oko z ludobójcą. Stosunki między nami przebiegały w płaszczyźnie swoistej lojalności. Starałem się, choć to

---

[16] Ordnung (niem.) – porządek, ład.

z początku sprawiało mi niejaką trudność, widzieć w Stroopie tylko człowieka. On wyczuwał taką postawę, mimo że jasno akcentowałem inność oraz wrogość wobec myśli i działań, którym służył lub których dokonał. Stroop również nie próbował przechodzić na pozycję przyjaciela Polaków i ostrego potępiania własnych czynów. Ten wspólny pobyt stał się bodźcem i materiałem źródłowym do napisania niniejszej książki. Obraz, jaki przedstawiam, na pewno jest niecałkowity. I niewolny od moich komentarzy, choć usiłowałem tego unikać.

※

Czy wiernie przekazuję istotę słów i postaw Stroopa oraz Schielkego? Myślę, że t a k. Tym bardziej że wkrótce po opuszczeniu więzienia poczyniłem notatki i zapiski, a niektóre elementy wypowiedzi Stroopowskich sprawdziłem w archiwach i dostępnej dokumentacji historycznej. I nigdzie nie natrafiłem na ślad, że Stroop w rozmowach ze mną kłamał czy zbyt podbarwiał.

Pewne fragmenty *Rozmów z katem* mogą budzić nieporozumienie. Jeżeli podobne reakcje nastąpią, to będą – myślę – wywołane: albo n i e d o p a s o w a n i e m doświadczeń Czytelnika do opisywanych faktów, albo subiektywnymi t r u d n o ś c i a m i napisania tej relacji. Powtarzam: r e l a c j i, gdyż literaturyzowanie wydaje się być, w przypadku takiej książki, niewłaściwe.

I jeszcze jedna sprawa. Dotyczy d i a l o g ó w, stosowanych dość często w niektórych rozdziałach *Rozmów z katem*. Może tych dialogów być za dużo, jak na niektóre gusty. Lecz mój 255-dniowy wspólny pobyt[17] w trójkącie: Stroop, Schielke i ja (przez krótki czas był z nami czwarty współwięzień), charakteryzował się dialogiem – podstawową formą słownych kontaktów w niedużych celach. Jakże z tej formy nie korzystać, gdy idzie o prawdę?!

---

[17] Autor przebywał w jednej celi więziennej ze Stroopem od 2 marca do 11 listopada 1949 r., a zatem 255 (dwieście pięćdziesiąt pięć) dni. W poprzednich wydaniach powtarzano podaną błędnie liczbę 225 dni.

II. U stóp Bismarckowego Cheruska[1]

SS-Gruppenführer i General-leutnant der Waffen SS – Stroop, znany jako Jürgen, nosił przez 46 lat, do maja 1941, imię Józef, wyznaczone przez tradycję rodzinną, matkę (Katarzynę z domu Welther) i ojca, Konrada Stroopa, dowódcę policji księstwa Lippe-Detmold. Rodzice Józefa byli katolikami. Ojciec nie demonstrował swego wyznania, za to matka – jak wynikało z opowiadań Stroopa w celi – miała cechy dewotki. Do więzienia mokotowskiego nadchodziły w latach 1947–1952 listy, pisane sztywnym, gotyckim szryftem, w których Witwe[2] Käthe Stroop przesyłała synowi ewangeliczne błogosławieństwa – pomimo że był odstępcą od wiary (gdy został oficerem SS, zerwał z Kościołem rzymskokatolickim, deklarując się jako „Gottgläubig"[3]). Sądzę, że grzechów syna – za które siedział w Polsce, a przedtem w Landsbergu[4] – matka nie uważała za przestępstwa. Tak wynikało z jej listów, które Stroop dawał mi do czytania.

---

[1] Cheruskowie – jedno z najpotężniejszych plemion germańskich.

[2] Witwe (niem.) – wdowa.

[3] Gottgläubig (niem.) – wierzący w boga. Sformułowanie to oznaczało przynależność do „religii germańskiej", neopogańskiego kościoła III Rzeszy Niemieckiej, improwizowanej duchowej przybudówki nazizmu (określenie Richarda Grunbergera). W 1939 r. niemiecki rocznik statystyczny rejestrował jako gottgläubig prawie 3,5 miliona Niemców (5% populacji).

[4] W Landsbergu w Bawarii mieściło się po zakończeniu II wojny światowej amerykańskie więzienie nr 1 dla niemieckich przestępców wojennych. Więziony tam Stroop (skazany na karę śmierci przez Amerykański Trybunał Wojskowy w Dachau 21 marca 1947 r.) został ekstradowany do Polski 30 maja 1947 r.

Wydawałoby się, że dowódca policji księstwa Lippe-Detmold to członek elity rządzącej i wyższy specjalista w swej profesji. Tymczasem Konrad Stroop miał stopień starszego wachmistrza policji i dowodził tylko pięcioma policjantami. Te fakty określały jego poziom zawodowy i wyznaczały pozycję społeczną.

*

Księstwo liczyło przed I wojną ok. 150 tysięcy mieszkańców, ale do roku 1918 stanowiło samodzielne państewko kajzerowskiej Rzeszy. Książę Lippe-Detmold, mimo dynastycznej tradycji i rozległych koligacji, też nie był wielkim władcą. A jego szef policji – to w istocie komendant posterunku.

Co innego, że nie było potrzeby zatrudniać tam wielu stróżów bezpieczeństwa publicznego. Leniwy bieg czasu, przywiązanie do miejsc rodzinnych, ustalone obyczaje i brak nowoczesnych form gospodarki – stwarzały stan ustabilizowanej, dobrej (z punktu widzenia prawa karnego) moralności. W miasteczkach i wsiach wszyscy na oczach wszystkich, więc lęk przed opinią publiczną mógł nieraz paraliżować chęć popełnienia przestępstwa. Ponadto ruchliwsze elementy i amatorzy przygody emigrowali stale, czasami licznie, do niedalekich rejonów westfalsko-reńskich, gdzie przemysł rósł jak na drożdżach.

*

Oberwachtmeister[5] Konrad Stroop (wywodzący się z westfalskiej rodziny chłopskiej) mieszkał w 11-tysięcznym mieście Detmoldzie, przy Mühlenstrasse, prawie w centrum miasta. Dawny żołnierz, wytresowany w posłuszeństwie wobec Boga, dalekiego kajzera[6] i bliskiego Fürsta[7]-chlebodawcy. Całe życie wierny knecht[8]. W młodości

---

[5] Oberwachtmeister (niem.) – starszy wachmistrz.
[6] Kajzer (z niem. Kaiser) – cesarz.
[7] Fürst (niem.) – książę.
[8] Knecht (niem.) – dosłownie: parobek, tu – piechur w wojsku niemieckim, zwłaszcza pruskim i krzyżackim.

czasem burzył się – nie proletariacko, lecz b a u e r s k o[9]. Dener-wowała go od czasu do czasu pańska postawa szlachty i arystokra-tów, ale rozumiał ich władanie ziemią, bo najskrytsze marzenia Oberwachtmeistra Konrada Stroopa, jak relacjonował w celi syn, sprowadzały się do posiadania własnego bauerhofu[10].

Przypuszczam, że gdy 26 września 1895 przyszedł mu na świat syn, właśnie Józef, to żona, Käthe, mogła powiedzieć do męża pod grubą pierzyną, przy Mühlenstrasse:

– My co prawda nie jesteśmy jeszcze w towarzystwie, choć ksią-żę cię poklepuje, a mnie okazuje sympatię. Ale zrobię wszystko, i ty także, stary, żeby Józio stał się k i m ś. W Detmoldzie.

＊

Nieduży Detmold był od wieków stolicą owego państewka i re-zydencją książąt Lippe; nosili oni dawniej tytuł hrabiowski.

W przeciwieństwie do pobliskiego Lemgo, jedynego miasta han-zeatyckiego w księstwie, gdzie przy kupieckim skąpstwie założeń urbanistycznych ton nadają domy mieszczańskie, Detmold posiada stosunkowo dużo budowli reprezentacyjnych, dawnych książęcych, o charakterze użyteczności społecznej.

Poza placami, parkami, ogrodami, alejami spacerowymi, oran-żeriami, halą jazdy konnej itp. Detmold ma klasycystyczny gmach teatru, gdzie grywa się od półtora wieku opery. Ma Bibliotekę Kra-jową, Lippskie Muzeum oraz tzw. Heimatshaus[11] ze zbiorami z dzie-dziny kultury. Ma siedemnastowieczny budynek dawnej ad-ministracji księstwa i barokowy niegdyś pałac, przebudowany w XIX wieku i zajęty przez Nordwestdeutschen Musik-Akademie[12]. Ma inne zabytkowe domy, galerię obrazów, kolekcję gobelinów, zbiory por-celany, Stare i Nowe Miasto, ratusz, kościoły kilku wyznań, rynek oraz wiele urządzeń komunalnych – wśród nich studnię, o której wielo-

---

[9] Od: Bauer (niem.) – chłop.
[10] Bauerhof (z niem. Bauernhof) – zagroda wielkochłopska.
[11] Heimatshaus (niem.) – tu: muzeum regionalne.
[12] Nordwestdeutsche Musik-Akademie (niem.) – Północno-Zachodnia Nie-miecka Akademia Muzyczna.

krotnie wspominał mi Stroop, z rzeźbą boginki i sarny (tzw. Donopbrunnen). Ale przede wszystkim szczyci się Detmold, „mały, czysty, garnizonowy i stołeczny", zamkiem władców Lippe. Zamek w XVIII stuleciu zajmował jedną czwartą powierzchni miasta, leżącego w widłach Werry i Berlebecke. Nie lada instrumentem politycznej, społecznej i moralnej presji była taka obronno-zaczepna rezydencja władzy. Co słabszy mieszczanin musiał się był co dzień uginać wewnętrznie pod naporem kompleksu murów fürstowskich oraz przed siłą swego wyobrażenia o potędze feudała i kruchości własnej pozycji. Przez stulecia nie było dla mieszczanina z Detmoldu innej alternatywy jak bunt (a takie zjawisko zdarzało się w Lippe niezmiernie rzadko) lub koegzystencja z władzą. Wybierano prawie zawsze koegzystencję. Przeradzała się ona, w miarę przepływu pokoleń, w bezwzględne posłuszeństwo.

✻

Zgodnie z tradycjami Westfalii, zamek detmoldski to niegdyś „twierdza na wodzie", otoczona zalewami fos ochronnych. Gdy Stroop się urodził, fosy pozostały już tylko z dwóch stron zamku, którego trzon – jak mówił Stroop w celi – jest czteroskrzydłowy i sprawia „wrażenie potęgi przy jednoczesnym umiarze". Stroop nie znał się na architekturze i historii sztuki. Ale z jego dość szczegółowych opowiadań wywnioskowałem, że zamek wybudowano w stylu północnoniemieckiego renesansu z zachowaniem reliktów gotyku.

Po wyjściu z więzienia wpadła mi w ręce praca dra Gerharda Petersa, działacza kulturalnego w Lippe. Natrafiłem w niej na taki komentarz o wystroju rzeźbiarsko-architektonicznym zamku: „Frontony, wykusze, ornamenty, naturalistyczne i abstrakcyjne ozdoby wzbudzają w swej całości romantyczną radość życia, wyrażającą prawość i pewność siebie panującej rodziny".

I powiedzcie sami, jak należy ustosunkować się do tych detmoldczyków?! Bo jeśli w roku 1960 naukowiec z Lippe publikuje takie schlebiające opinie o byłych władcach kraiku, to co się dziwić, że inny detmoldczyk, hitlerowiec Stroop, nasączony w młodości wypowiedziami analogicznych doktorów, również głosił chwałę rodziny fürstowskiej i potrzebę posiadania dóbr rycerskich (na Ukrainie). Oraz że miał, podobnie do dra Petersa, zaklepany na fest gwóźdź w mózgu – jak mówi się w żargonie więziennym. Otóż uznania dla każdej władzy, o ile ta władza czuwa nad zachowaniem „Ordnungu", a więc kieruje twardo obywatelem.

*

Detmold gromadził zawsze pewną liczbę ludzi wykształconych – naukowców i półnaukowców, artystów, poetów, muzyków, duchownych, nauczycieli, a nawet dziennikarzy. Bo wychodziły tam dwa, czasami trzy dzienniki.

W Detmoldzie działały również regionalne towarzystwa naukowe, zespoły muzyczne, stowarzyszenia społeczne itp. Tu zorganizowano w 1802 roku pierwsze w Niemczech przedszkole dla dzieci, które istnieje po dziś dzień; założycielką jego była księżna Paulina zur Lippe z domu zu Anhalt-Bernburg, siostrzenica Katarzyny Wielkiej. Stroop tak opowiadał o akcji socjalnej fundatorki przedszkola:

– Księżna Paulina, czczona przez całe Lippe, nie kupiła sobie wówczas kilku sukien, a pieniądze, uzyskane dzięki tym wyrzeczeniom, przeznaczyła na ufundowanie przedszkola. Była przyjaciółką żony Napoleona, cesarzowej Józefiny.

– Przyjaciółką Józefiny! Fiu, fiu! Przyjaciółki często wzorują się na sobie. Czy wasza Paulinka nie przyprawiała mężowi rogów? – zażartowałem.

– Dlaczego pan sugeruje świństwa księżnie Paulinie? – zaperzył się Stroop.

– Przede wszystkim, naprawdę miłowany kochanek nie jest świństwem – odparłem. – A po drugie, mówiąc już poważnie, oceniam dodatnio działalność księżny w zakresie realnej pomocy matce i dziecku. Księżna zajmowała, na owe czasy, pozycję postępową. A to jest dużo.

I tu zaczęła się dyskusja „problemowa", „pryncypialna". Spory w celi są kwestią swoistego sportu. Więc i ja uległem tej manii czy potrzebie, aż do chwili, gdy przypomniałem sobie zdanie Puszkina, w którym radzi, żeby z niektórymi unikać dysputy.

*

Piękne są wzgórza Teutoburskiego Lasu, który ramieniem dotyka Detmoldu. Zielone zbocza spływają w doliny o ubogim pokładzie próchnicy. Pejzaż uroczy, ale ziemia kamienista. O kamieniach tak mi raz mówił Stroop:

– Znam się, Herr Moczarski, na glebie, gdyż byłem kiedyś Katasterinspektorem[13] w księstwie Lippe. Tam kamieni pełno i nie można ich się pozbyć, gdyż rosną w ziemi.

– Jak to rosną? Kamień nie jest żywą materią, więc nie rośnie.

– Myli się pan. Kamienie rosną w ziemi. Niedostrzegalnie dla oka. Co rok narasta otoczka i po kilkunastu czy kilkudziesięciu latach mały kamyczek staje się bryłą.

Wielokrotnie wracał Stroop do tego tematu. Wiedział, że nie podzielam jego zdania i znał moje uzasadnienie. Nie zdołałem go jednak nigdy przekonać. W końcu, gdy już był śmielszy w wypowiedziach, rzekł:

– Pańska teza, Herr Moczarski, o kamieniach świadczy, że pan nasiąkł myślą marksistowską.

*

W kamienistym Lippelandzie są piękne lasy, wspaniałe drzewa iglaste i liściaste, jeziorka, strumienie, romantyczne grupy skalne, wielkie polany i trochę terenów rolno-pasterskich. Dobry rejon łowiecki. A gdzie wielkie polowanie, tam koń, długie buty, pies. I czasami amazonka.

O polowaniu Stroop mało opowiadał. Nie był widać w kajzerowskich i weimarskich czasach dopuszczany ani on, ani jego ojciec, do takich konfidencji z potentatami – chyba że w charakterze ochrony... Ale o koniach: westfalskich, szwabskich, frankońskich, detmoldskich, wschodniopruskich, fryzyjskich, węgierskich, polskich, ukraińskich, poleskich i innych, oraz o końskich maściach, urodach, nawykach, o szkołach jazdy konnej i powożeniu końmi – nasłuchałem się całych epopei.

---

[13] Katasterinspektor (niem.) – inspektor pomiarowy przy spisie nieruchomości ziemskich, na podstawie którego wymierzano podatki gruntowe.

٭

Józef Stroop miał dzieciństwo pogodne, w stylu bauersko-miesz-czańskim. Ojciec był srogi, żołnierski, szowinistyczny i pachnący fajką. Lubił chodzić na piwo z towarzyszami, a gdy Fürst potraktował go lampką wina czy sznapsa, wracał do domu z licem nader rozpromienionym. Matka rządziła domem twardą ręką. Uznawała chłopskie tradycje męża policjanta, ale żyła już tylko miastem, kumami, wygodą sklepów, rajcowaniem na Marktplatzu oraz kazaniami Pfarrera[14]. Jej światopogląd utrwalały od lat: konfesjonał i poduszka na parapecie okna. Praktyczny sprzęt, taka poduszka okienna. Można się na niej oprzeć, nie urażając brzucha, i godzinami obserwować ulicę, wypatrywać znajomych, oficjalnie podglądać. Ta poduszka jest chyba elementem reakcji kobiet niemieckich na tradycyjną tam niewolę wspólnoty małżeńskiej. Umożliwia pozostawanie dolną częścią ciała w domu, a okiem, uchem i czasami słowem – poza nim.

Jedna norma – jak wspomniał Stroop – była przy tym w Detmoldzie przestrzegana. Mianowicie w czasie poduszkowego wyglądania niewiasta powinna mieć za sobą odsłoniętą albo całkiem przezroczystą firankę. W żadnym przypadku nie może zwisać za kobietą gęsta zasłona. Taki obyczaj – powtarzam za Stroopem – przyjęli mieszczanie od czasu, gdy pewna detmoldska Ehefrau[15] manifestowała wierność mężowi, wyglądając samotnie oknem małżeńskiego mieszkania, a jednocześnie z tyłu, za ciężką, zasuniętą kotarą, młody człowiek poczynał sobie z damą dość obcesowo.

Ten obyczaj (zakaz kotarowy, a nie figle mężatek) pamiętał – zdaniem Stroopa – okres palenia czarownic. Po wojnie trzydziestoletniej szaleństwo czarownicowe w Lippe osiągnęło szczyty. Zamordowano wówczas w Detmoldzie (który w roku 1648 miał 900 mieszkańców) aż dziewiętnaścioro czarownic i czarowników. Zarzut kontaktów z diabłem przypisano również owej krewkiej żonie leciwego mieszczucha, która (zapewne nie pierwsza pozorantka) wynalazła metodę kotary.

---

[14] Pfarrer (niem.) – proboszcz.
[15] Ehefrau (niem.) – żona.

Ale nie idzie o praktyki okiennej zdrady lub o historię wspomnianego obyczaju. Ani o dzieje okrucieństwa narodów europejskich.

Centralną kwestią, godną tu chyba uwagi, jest hipoteza, że stałe gwałty, aprobowane przez ludność w myśl dogmatu o bezdyskusyjnym posłuszeństwie wobec silnych przywódców, trwale deformowały (przy braku kontrdziałania wychowawczego) psychikę społeczeństwa. Przykładem takich gwałtów, może normalnych wówczas, jest wspomniana liczba zabiegów na czarownicach w Lippe. Liczba olbrzymia, bo dotycząca ok. 2% mieszkańców Detmoldu. To jakby spalono na stosach 26–28 tysięcy mieszkańców dzisiejszej Warszawy.

*

Raz kilkuletni Józef porwał matce okienną poduszkę; zjeżdżał na niej z braćmi po desce, na podwórku. Oszczędzał spodni. Matka mu tak za ten eksperyment wlała, że pamiętał do końca życia.

Od czasu do czasu Józef był wzorowo posłuszny i wyprężał się przed rodzicami. W czasie rozmów i gawęd więziennych o przeszłości i przygodach dzieciństwa Stroop zawsze podkreślał, że żołnierska dyscyplina ojca i reżim matki wyrobiły w nim charakter i ustrzegły od zbytniego rozrostu indywidualizmu.

– Befehl ist Befehl![16] Herr Moczarski. Władza ma rację (myślał zapewne o ojcu, o księciu Lippe i o Himmlerze), a Bóg to popiera (przypomniał sobie chyba matkę-dewotkę i Wotana[17]).

Drugie bicie, już nie w pupę, dostał Józef w czasie Bożego Narodzenia, na długo przed I wojną światową.

Według westfalsko-detmoldskiego obyczaju, rodzice kładli dzieciom świąteczne prezenty do pantofli. Rozgorączkowany Józef stwierdził, że jego „tufle" są puste, bo brat pożyczył sobie prezent. Pobił więc brata. W kotłowaninę dzieci wkroczyła matka. Brat miał zakrwawiony policzek, a Józef wściekłe oczy. Mutti dała Józefowi w papę – raz, drugi i trzeci. Ale nadszedł ojciec i pochwalił jasnookiego potomka za spranie „przywłaszczyciela", choć ten był słab-

---

[16] Befehl ist Befehl! (niem.) – rozkaz jest rozkazem!
[17] Wotan – w mitologii germańskiej bóg wojny, zwycięstwa i śmierci (odpowiednik skandynawskiego Odyna), postać z oper Richarda Wagnera.

szy. Oberwachtmeister wtajemniczył wówczas dzieci w metody niemieckiego działania: – Bij, synku, nieprzyjaciół jak najmocniej i bez litości, tak jak ja prałem wrogów Vaterlandu[18] i jak wygrzmociłem Knopfa, tego gołodupca spod lasu, za usiłowanie kradzieży kury Frau Direktor Müller!

Mama załamała ręce, ale potem przyznała mężowi rację. Syn zwyciężył przy pomocy ojca policjanta. Lecz mama była smutna. Może w pierwszej fazie awantury dostrzegła po raz pierwszy ołów w oczach chłopca.

*

Dzieciństwo biegło Józefowi raczej sielsko, choć nie wszystkie jego pragnienia były zaspokojone. Tato zarabiał skromnie, ale matka był oszczędna, więc wystarczało. No i sąsiedzi, mieszczanie oraz interesanci z Landu odwdzięczali się szefowi policji za pomoc, opiekę i legalną protekcję.

Dość wcześnie zaczęło się budzić u Józefa pożądanie dóbr doczesnych. Widywał eleganckie damy i wytwornych panów w parku książęcym. Frau S., żona Hoflieferanta[19] cygar, nosiła stale jedwabie, koronki, brylanty i miała powóz. Kolega szkolny, Kurt W., dysponował kucykiem, a Luiza, córka producenta mebli, jadła tyle czekolady, ile chciała.

Bogactwo jednak utożsamiało się u małego Stroopa z wielkim landem zaprzężonym w białe konie. Nigdy nie zapomniał widoku Jego Wysokości Fürsta Lippe-Detmold, wyjeżdżającego takim właśnie landem na urzędowy spacer po alejach parku zamkowego, aby przyjmować objawy szacunku i uległości. Często Stroop opowiadał w uniesieniu, jak wzdłuż trasy gromadzili się wystrojeni urzędnicy, ziemianie, oficjaliści, wojskowi, kupcy, renciści – z rodzinami. Panowie zginali się uroczyście lub bili w dach, trzaskając obcasami. Panie, zawsze chętne ceremoniom, dygały nisko, rozpościerając piórka szat. A ojciec, Oberwachtmeister, trzymał małego Stroopa za rękę, szepcząc:

---

[18] Vaterland (niem.) – ojczyzna.
[19] Hoflieferant (niem.) – dostawca dworu królewskiego.

– Patrz i zapamiętaj sobie. To nasz książę, nasz władca. Bądź mu zawsze, synku, posłuszny i wierny, jak ja.

I kłaniali się dworsko, kłaniali się nisko obaj Stroopowie. Józef przyrzekał w głębi serca, że będzie wierny „naszemu księciu" do końca życia, ale również postanawiał sobie, że kiedyś uplasuje się bliżej ośrodka władzy. Miał dosyć skromnego domu przy Mühlenstrasse i pieszej na ogół służby ojca. Chciał mieć konia, dużo dobrego jedzenia i salon w swoim przyszłym domu. (O majątku ziemskim jeszcze nie marzył).

Mamę bolało, że oni – Stroopowie – są tak blisko zamku i księcia, a tak daleko od społecznej czołówki miasta i okolicy. A okolica często przewalała się przez ulice Detmoldu kawalkadą powozów, konnych chevalierów oraz napchanych sprawunkami bryczek i karet. Po mieście kroczyły wtedy grupki ziemian i pięknych kobiet. Kupcy zginali się wpół, subiekci wynosili paczki i wdychali perfumy szlachcianek. Wszystkie poduszki w oknach były zajęte. Tłukły się później po Detmoldzie plotki o lepszym życiu.

✶

Ale najbardziej utrwalonym kultem cieszył się w Lippe m u n- d u r. Pod skrzydła księcia zjeżdżali się z całych Niemiec emeryci. Wśród nich wielu byłych wojskowych. Bo to i tanio, i dobry klimat, i szacunek dla orderu i stopnia oficerskiego.

Nie przypuszczam, aby zadomowił się w Detmoldzie jakiś spensjonowany generał. To za małe i za nudne miasteczko dla takich dygnitarzy. Myślę, że i Oberstów można tam było zliczyć na palcach obu dłoni. Ale majorów, kapitanów i Oberleutnantów[20], starszych wiekiem – spod Sedanu, i mniej posuniętych latami – z wojsk kolonialnych, z pułków huzarskich, ułańskich, artyleryjskich, jegierskich i piechocińskich – było wielu. Gdy się ci weterani zbierali w historycznych uniformach na wojskowo-rocznicowe obchody, na capstrzyki przy pochodniach i orkiestrze – całe miasto przychodziło.

---

[20] Niemieckie stopnie wojskowe: Oberleutnant (porucznik), Hauptmann (kapitan), Major (major), Oberstleutnant (podpułkownik), Oberst (pułkownik).

Ojcowie, kobiety i dzieci krzepili się mowami i gestami wojskowymi, śpiewali *Niederländisches Dankgebet*[21], *Wacht am Rhein*[22] i *Deutschland, Deutschland über alles*[23]. Przeżywali żołnierską historię kraju i księstwa.

*

Głęboko sięgały korzenie tradycji. Przecież pod Detmoldem Arminius-Hermann, książę germańskiego plemienia Cherusków, pobił w 9 roku n.e. wielotysięczną armię legionów rzymskich pod wodzą Varusa.

– Cheruskowie, najdzielniejsi z dzielnych Germanów, to nasi praojcowie – głosili mieszkańcy Lippe, wśród nich Stroop. – Jesteśmy z ich krwi. My, Kernland[24] Rzeszy, z Teutoburskiego Lasu!

Tym czysto teutońskim pochodzeniem pyszniło się Lippe. Chełpił się nim również ojciec Stroopa (choć zapomniał, że pochodził z Westfalii), chełpiła się matka i chełpił się aż po czubki przystrzyżonych włosów Józef (Jürgen) Stroop. Zaprzysiągł od dzieciństwa wierność Hermannowi Cheruskowi i rasie germańskiej, choć jeszcze wówczas teorie rasistowsko-pangermańskie nie osiągnęły apogeum. Ale pomnik Hermanna Cheruska już wznosił się nad księstwem Lippe. Kształtował dusze „narodu panów", był symbolem Germanii oraz wspomnieniem i jednocześnie – jak mówił Stroop – n a p o m n i e n i e m Niemców.

Zaczęto budować ten pomnik w roku 1838 na szczycie góry Grotenburg koło Detmoldu. Projektodawcą był Ernst von Bandel, jak miliony Niemców opanowany ideą wszechgermańską.

Do czasu wojny francusko-pruskiej budowa pomnika kulała. Zdołano tylko wystawić 28-metrowy cokół. Dopiero bismarckow-

---

[21] *Niederländisches Dankgebet* (niem.) – Holenderska modlitwa dziękczynna, niemiecka pieśń patriotyczna, powstała w XVII wieku w Niderlandach.
[22] *Wacht am Rhein* (niem.) – Straż nad Renem, niemiecka pieśń patriotyczna z 1840 r.
[23] *Deutschland, Deutschland über alles* (niem.) – *Niemcy, Niemcy ponad wszystko*, niemiecka pieśń z 1841 r. (znana także jako *Deutschlandslied*, *Pieśń Niemiec*), od 1922 r. niemiecki hymn narodowy.
[24] *Kernland* (niem.) – jądro kraju.

skie zwycięstwo nad Francją i złoto odszkodowań wojennych pozwoliły na szerszy gest. Reichstag dał 10 tysięcy talarów, kajzer Wilhelm I – 9 tysięcy, żelazny kanclerz[25] też coś dołożył z premii za swój triumf francuski. Wszyscy Fürstowie, grafowie, Freiherry[26], generałowie, wszyscy ziemianie, junkrzy, przemysłowcy, bankierzy, kupcy i bauerzy popuścili kiesę. Oni zawsze i z chęcią finansowali przedsięwzięcia, które umacniały nacjonalizm niemiecki. Tym bardziej teraz, kiedy mit Prus – które doprowadziły Niemców do zwycięstwa i pokazały, jak to zwycięstwo realizować – stał się przesłanką postaw wiernopruskich, wszechniemieckich i pangermańskich.

Figurę Hermanna Cheruska (26 metrów wysokości) pospiesznie wyklepano z miedzianych blach i postawiono na gotowym już cokole, a w roku 1875 ten 14-piętrowy pomnik odsłonięto wyjątkowo uroczyście. Obecny był cesarz Wilhelm I w świcie królów i książąt niemieckich. Miasto żyło w ekstazie nacjonalizmu, co mu zresztą łatwo przychodziło.

Kolosalny Hermann der Cherusker, z 7-metrowym mieczem wymierzonym w niebo, stanął na teutoburskim wyniesieniu z inicjatywy Detmoldu, z woli przywódców niemieckich i z pieniędzy zabranych Francuzom.

Znalazł się także, jako pozycja obrachunkowa, w kontach buchalteryjnych Fürsta Lippe, który uzupełniał swą pozycję feudalno-ziemiańską zdobyczami nowych czasów, kapitalizmu handlowo-przemysłowego.

Potęga pieniądza stokroć większa od miecza... Hermanna der Cheruskera – myślał pewnie Fürst, trawestując stare chińskie przysłowie, i tak kombinował, że „do jego kasy – opowiadał w celi Stroop – wpływały fenigowe opłaty za zwiedzanie pomnika". A pomnik był dowcipnie skonstruowany. Każdy patriotyczny pielgrzym, żeby stanąć tuż pod postacią Arminiusa, musiał wejść wewnętrznymi schodami potężnego cokołu na taras, skąd roztacza się widok na prager-

---

[25] „Żelaznym kanclerzem" nazywany był Otto von Bismarck (1815–1898), pierwszy kanclerz Rzeszy Niemieckiej w latach 1871–1890.
[26] Freiherr (niem.) – baron.

mańskie ziemie. Za dostęp do kolan księcia Cherusków musiał płacić aktualnemu księciu Lippe. Tych korzyści Stroop nie mógł przebaczyć swemu władcy.

– Powiedz pan sam, Herr Moczarski, czy to patriotycznie ciągnąć zyski z tych, którzy przywędrowali pod pomnik wielkiego Germanina dla wzmocnienia poczucia narodowego?

– Taka architektoniczna konstrukcja pomnika – zauważyłem – wymaga dozoru i remontów. Książę odpowiadał za pomnik, więc musiał pobierać opłaty na konserwację.

– On nie tylko wyrównywał koszty, ale robił na pomniku interesy przez wiele lat. Znam stan faktyczny od ojca.

*

Wróćmy jeszcze do pieniędzy Francuzów, za które postawiono pomnik Cheruska. To po raz drugi obywatele Lippe skorzystali z francuskiego złota, które przyniosła koniunktura wojenna.

W roku 1759 bowiem zdobyli oni w zamku detmoldskim brzęczące walory oceniane na milion guldenów. Były to fundusze większych francuskich jednostek wojskowych, których generałowie, po bitwie pod Minden, schronili się w zamku detmoldskim, skąd ich potem wyrzucono.

Nie jestem historykiem, lecz dziennikarzem. Mogę więc sobie pozwolić na bardzo prawdopodobne przypuszczenie, iż ów milion tak zasugerował władcę Lippe i armię Lippe (jeden batalion!) – dotychczas neutralnych w wojnie siedmioletniej – że zapomnieli o neutralności, gdy wróg osłabł, i zbrojnie zagarnęli zamek z guldenami.

Utwierdza mnie w tym przekonaniu dyrektor archiwum w Detmold, dr Erich Kittel, który w historycznym szkicu o tym mieście[27] pisze, że nie majątek wojsk francuskich, lecz wielkie generalskie bagaże wartości miliona guldenów zostały zdobyte przez „wojska połączone z Prusakami". O jakie wojska, które się „połączyły z Prusakami", może chodzić archiwiście z Detmoldu, jeśli przynależności tych wojsk zapomina wymienić? Moim zdaniem, tylko o będących

---

[27] Erich Kittel, *Geschichte der Stadt*, w pracy zbiorowej: *Führer durch die Stadt Detmold*, E. Hammann Verlag, Detmold (b.d.w.), s. 13 – przyp. aut.

na miejscu i pazernych na forsę wojaków Lippe oraz ich szefa, Fürsta. Nie wojując, zdobyli gotówkę! Można podziwiać zręczność ustawiania się rodu Lippe-Detmold tak w czasach pokoju, jak i wojny. Spryt i realizm książęcy bardzo imponował Stroopowi.

*

Józef Stroop nie był zdolnym uczniem, chociaż matka, chcąc w nim widzieć realizatora swoich marzeń, głosiła opinię, że to łebski i utalentowany chłopak. Był systematyczny, pilny, pedantycznie czysty, zawsze wyczesany. Staranny w kaligrafii, choć dość późno – mówił mi – nauczono go rozróżniać litery alfabetu. Miał dryg do kreśleń i rysunku (slogany, girlandki z dębowych liści i uzbrojenia). Stwierdziłem, że nie znał ojczystej literatury, choćby w skali uczniowskiej. Pojętny odbiorca antologii banałów, miał pogardę dla rówieśników o uzdolnieniach intelektualnych i skłonnościach do myśli humanistycznej. (Czytacze i talmudyści – tak ich określał w rozmowach więziennych). Uwielbiał siłę fizyczną, zapach uprzęży i siodła. Nęcił go mundur i rynsztunek wojskowy, ordery, odznaki, naszywki i dryl zewnętrzny.

Ale jednocześnie odwaga moralna i fizyczna nie zawsze znajdowały się w centrum jego istoty. Rozmawialiśmy kiedyś w celi o strachu, lęku, bojaźni. Schielkego wywołano właśnie do kancelarii więziennej. Stroop był jakiś rozluźniony i szczery. Wracając wspomnieniem do swych szczenięcych lat, opowiadał mi, jak pocił się ze strachu, gdy śladem kilku chłopców musiał przebiec po wystających kamieniach górskiej rzeki. A nawiązując do szkolnych przeżyć, mówił, że nie był w stanie przeciwstawić się presji jednego z nauczycieli, byłego wojskowego, gdy ten zażądał ujawnienia kolegi, który nauczycielowi zrobił psikusa. Stroop zdradził towarzysza. Nauczyciel dość okrutnie ukarał zakapowanego. Jak wynikało ze zwierzeń Stroopa, nie uważał on za stosowne, aby kiedykolwiek przeciwstawić się władzy. Ale nade wszystko, moim zdaniem, bał się nauczyciela-feldfebla[28]. Profesorom był zbyt oddany. Stąd przyszły konflikty z pewną małą częścią kolegów szkolnych.

---

[28] Feldfebel (z niem. Feldwebel) – sierżant (wachmistrz).

*

Mama znała cały Detmold. Jeszcze przed ślubem z Oberwacht-meistrem Konradem spotykała Księcia Pana, który utrzymywał bez-pośrednie kontakty z wieloma ludźmi w księstwie, z wszystkimi urzędnikami i ich rodzinami. Książę lubił Käthe Stroop, bo była lo-jalna, postawna i przystojna. Stroop po niej prawdopodobnie odzie-dziczył urodę. Był niewątpliwie męski, choć miał budowę astenicz-ną. Już jako dziecko, a później chłopak, górował wzrostem nad ró-wieśnikami. W wieku dojrzałym osiągnął 1 metr 82 cm.

Do szkoły powszechnej chodził w Detmoldzie, a po jej ukoń-czeniu zaczął 1 kwietnia 1910 roku pracować zarobkowo w inspek-toracie katastralnym księstwa Lippe (w dziale nie mierniczym, lecz podatkowym).

W swym SS-owskim życiorysie pisze Stroop, iż był wówczas Katasterwärterem[29] w lippskim „Regierungu"[30]. To brzmi, jakby był młodszym urzędnikiem w prezydium rady ministrów. Stroop miał pociąg do centralnych urzędów, a w Detmoldzie większość Amtów[31] to centralne – oczywiście w skali tego państewka.

Ponieważ w wielu kartach ewidencyjnych Stroopa, w aktach śled-czych polskich i amerykańskich oraz w teczkach więziennych i są-dowych, a ponadto w niektórych publikacjach[32] Stroop figuruje jako człowiek z wyższym wykształceniem, stwierdźmy (na podstawie rozmów ze Stroopem i posiadanych dowodów pisemnych), że Józef (Jürgen) Stroop posiadał n i ż s z e wykształcenie[33]. Zaczął bowiem pracować w urzędzie katastralnym po Schulentlassung[34], mając czter-

---

[29] Katasterwärter (niem.) – praktykant katastralny.

[30] Regierung (niem.) – rząd.

[31] Amt (niem.) – urząd.

[32] Np. w pracy Stanisława Piotrowskiego, *Sprawozdanie Juergena Stroopa o zniszczeniu getta warszawskiego*, Warszawa 1948, s. 41 – przyp. aut.

[33] Tak też podają Janusz Gumkowski i Kazimierz Leszczyński we wstępie do *Raportu Stroopa o likwidacji getta warszawskiego w 1943 roku*, „Biuletyn Głównej Komisji Badania Zbrodni Hitlerowskich w Polsce", t. XI, Warszawa 1960, s. 117 (*„Stroop otrzymał wykształcenie zaledwie w zakresie szkoły powszechnej"*).

[34] Schulentlassung (niem.) – ukończenie szkoły powszechnej (podstawowej).

naście i pół roku. Wszystkie inne „studia" były dokształcającymi, krótkimi kursami, tak w zakresie mierniczym, jak i policyjno-partyjnym SS.

☀

Ponieważ stanowił typ asteniczny, imponowały mu atletyczne ramiona i zapaśniczy tors. Dużo uwagi poświęcał sportom. Ćwiczył nieraz hantlami. Chętnie stawał na zbiórki szkolne. Nauczyciele gimnastyki chwalili go za wzorową postawę na baczność. Zwiedził w młodzieńczych wędrówkach okolice Detmoldu i księstwa. Był wrażliwy na piękno przyrody, ale najbardziej na żołnierskie i nacjonalistyczne tradycje swego narodu. Często opowiadał z dumą o tzw. drodze Hermanna Cheruska w Teutoburskim Lesie i o placu boju, gdzie „zostali wycięci w pień albo uciekli ci kruczowłosi Rzymianie". Wspominał o lippskich miejscach bitew (m.in. Karola Wielkiego przeciwko „frakcjonistom" Sasom), o pomnikach tamtejszej historii, którą – sądzę – widział jak ugładzony landszaft[35] z rycerskim wodzem na czele.

Nigdy się nie nudził w swoim miasteczku, gdzie łabędzie pływały po zamkowym kanale. Jeśli nie miał nic do roboty, szedł z kumplami na promenadę miejską. Były w Detmoldzie dwie lub trzy ulice czy aleje. Tam popołudniami wolno przechadzała się młodzież. Chłopcy i dziewczęta, oddzielnie. To był ich salon, miejsce flirtów, pożądań, prezentacji nowego stroju czy dorosłości. Jeśli było ciepło, we wszystkich oknach tkwiły poduszkowe damy.

Stroop był wysoki, smukły, ciemny blondyn, niebieskooki z brązowo-zielonymi refleksami i chodził – nie, on nie chodził, tylko kroczył – z charakterystyczną nieraz dla prowincji elegancją, która mu została do końca życia: lekko wachlował ramionami.

– Jaki on jest męski (miał orli i przy tym mięsisty nos), a jednocześnie paziowaty! – szeptały zapewne detmoldskie dziewczęta, wychowane w kuchniach i przy kościołach, pod ręką poduszkowych mam. Nawet córki miejscowych osobistości i okolicznych ziemian patrzyły na niego przymilnie, choć ambicja i przykaz rodziców

---

[35] Landszaft (z niem. Landschaft) – krajobraz, obraz przedstawiający krajobraz.

nigdy by im nie pozwoliły na bezpośrednią rozmowę czy spacer z Józiem Stroopem, synem Oberwachtmeistra. Stroop przejawiał od dzieciństwa predylekcję do koni, więc marzył o długich butach. Ojciec godził się na ten nabytek, sygnalizujący żołnierskie skłonności syna. Ale mama nie mogła dać pieniędzy. Józio więc długo oszczędzał. Przyjmował drobne roboty dodatkowe (również napiwki) i w końcu kupił buty. Codziennie czyścił je długo szuwaksem, spluwając na szczotkę. Gdy spacerował po Bismarckstrasse, Rynku i Langestrasse, stwierdzał, że cały ten „wunderschöne Stadt"[36] przegląda się w lustrach jego cholew.

O butach zapominał przy pomniku Hermanna Cheruska lub gdy całował w zagajach Teutoburskiego Lasu „złotowłosą" Martę z ustami „jak płatki róż". Stroop lubił Martę i miał szacunek dla róży, która była herbem księstwa Lippe. Rysunek tego kwiatu znajdował się również na tarczy miejskiej Detmoldu (stylizowana róża w gościnnej bramie murów obronnych).

＊

Las Teutoburski, Hermann der Cherusker i róża – symbole kraiku Lippe. Ale róża jest zbyt delikatna i poetycka, żeby mogła zostać na trwałe w sercu potomka żołnierzy Cheruska. Kto by pamiętał o różanych płatkach, jeśli miecz Hermanna wskazuje wyraźnie drogę. Róża niech pozostanie w herbie Lippe, niech ją opiewają poeci, literaci, pięknoduchy i indywidualiści.

– Dla ludzi z Lippe ważny był zawsze miecz... – powiedział raz Stroop.

Wpadłem mu wówczas w zdanie, kończąc:

– ...i powróz na niewolnika.

---

[36] Wunderschöne Stadt (niem.) – przepiękne (prześliczne) miasto.

III. POD SZTANDAREM KAJZERA

Księstwo Lippe-Detmold nie dysponowało w kajzerowskiej armii odrębnymi jednostkami taktycznymi i wystawiało przez wiele lat tylko jeden (III.) detmoldski batalion w 55. pruskim pułku piechoty. W początkach XX wieku, jak relacjonował Stroop, naczelne dowództwo postanowiło uformować z mieszkańców Lippe cały 55. pułk, a w razie wojny, dodatkowo, 256. rezerwowy Infanterie-Regiment[1]. Brały one udział w I wojnie światowej.

– Konflikt 1914–1918 sprowokowali – powtarzał wielokrotnie Stroop – skumotrzeni wrogowie Niemiec. Rzesza nigdy nie pragnęła i nie inspirowała wojen, zawsze tylko się broniła. Wilhelm II, gdy mu Francuzi z Anglikami przystawili pistolet do czoła, znalazł się w przymusowej sytuacji. Musiał chronić własne gniazdo, więc rozpoczął prewencyjne działania militarne.

Po wybuchu „narzuconej wojny" Józef Stroop, początkujący urzędnik katastralny z Detmoldu, zaciągnął się ochotniczo do 55. pułku piechoty. Było to 18 sierpnia 1914 roku. Miał wtedy niecałe 19 lat. Mama płakała. Ojciec, trochę markotny, chodził jednak dumny niby paw z bojowości syna. Księstwo żyło w nacjonalistycznym upojeniu i nienawiści do „śmiertelnego wroga".

W połowie września 1914 roku Stroop jest już w oddziałach bojowych na froncie zachodnim. Jadąc na linię walki, zobaczył po raz pierwszy Ren. – Przeprawialiśmy się przez tę wielkogermańską

---

[1] Infanterie-Regiment (niem.) – pułk piechoty.

rzekę w słoneczny dzień – opowiadał. – Niebo i oczy tamtejszych dziewczyn miały wtedy barwę „kornblumenblau"[2], zupełnie jak w piosence.

Myślę, że nie tylko wino (według słów reńskiego walca), ale i entuzjazm wojenny nasycał oczy Niemek aż do chabrowego błękitu.

*

Wkrótce Stroop poznał Francję. Poznał – to nieodpowiednie słowo. On liznął nieco Francji. Jego wiedza o tym kraju ograniczała się – tak wynikało z rozmów więziennych – do informacji wyniesionych ze szkoły podstawowej i wzbogaconych propagandą, sączoną latami pod pomnikiem Hermanna Cheruska.

– Francuzi to zgniłki i meteki[3] – powiedział tak, aby pokazać, że niby zna francuski. – Żadna rasa. Wszystko Mischlingi[4]. Anarchiści i niechluje. Kobiety brudne, choć troszczą się o podmywanie. Według moich doświadczeń – dodał – Francuzki to na ogół prostytutki.

I zaraz opowiedział wulgarną historyjkę o rzekomych przygodach jakiegoś żołnierza na okupowanych przez Rzeszę francuskich terenach, wyczytaną zapewne w propagandowym romansie.

A jednak Francja mu imponowała. Może dlatego, że został ranny w łopatkę pociskiem z broni francuskiej w październiku 1914 roku, pod La Bassée.

Jak on się musiał bać na zachodnim froncie! Minęło 35 lat, a Stroop nie był w stanie uniknąć w celi słów i gestów, które świadczyły, że mu we Francji skóra cierpła ze strachu.

Wyrwał się z ognia na głębokie tyły, do szpitala. Potem rekonwalescencja, która miała trwać krótko, bo rana nie była najcięższa. Ale Mutti zaczęła działać. Książę dbał o stosunki w sztabach ugrupowań, gdzie walczył jego Lippische Regiment, więc dzięki fürstowskiej protekcji szeregowiec Józef Stroop korzystał do lata 1915 roku z urlopu ozdrowieńczego. Często odwiedzał wtedy Detmold. Małe

---

[2] Kornblumenblau (niem.) – w kolorze modrym (żartobliwie – zalany w pestkę), tytuł popularnej piosenki niemieckiej.
[3] Le métèque (franc.) – wyrażenie pogardliwe: osiadły cudzoziemiec.
[4] Mischling (niem.) – wyrażenie pogardliwe: mieszaniec.

miasto – sława duża. Więc nie tylko dziewczęta w Mühlenstrasse podziwiały jego mundur i nadany w styczniu 1915 Lippische Militärverdienstmedaille mit Schwertern[5] oraz świeżutkie oznaki Gefreitera[6]. Mama wraz z kumoszkami, policjanci oraz konfidenci policjantów, emerytowani wojskowi, księża, dworzanie Fürsta i cały patriotyczny Detmold – piali nad bohaterstwem syna Oberwachtmeistra. Kancelaria księcia, ulegając muzyce nastrojów, działała. I dopiero po ośmiu miesiącach leczenia i wypoczynku przeniesiono Stroopa z Zachodu na front wschodni, znacznie wówczas bezpieczniejszy. Od 1 lipca 1915 służy w 256. rezerwowym detmoldskim pułku piechoty.

Przebywa ze swym oddziałem w Polsce i na Litwie, Białorusi, Polesiu i w Galicji, nieczęsto na pierwszej linii, bo książę Lippe starał się, żeby pułk nie poniósł dużych strat. Stroop awansuje jesienią do stopnia Unteroffiziera[7], a 2 grudnia 1915 dostaje za zasługi na froncie francuskim Żelazny Krzyż II klasy[8].

– Gdy mi uroczyście wręczano te odznaczenia – powiedział raz w celi – wydawało mi się, że jestem w germańskim niebie!

Stroop to zdyscyplinowany podoficer. Odpowiada mu życie koszarowe, regulamin służby wewnętrznej, ślęczenie nad wykazami kompanii i pułku. Kaligrafuje tam, kreśli. Nie wyobraża sobie lepszej szkoły życia niż pruski dryl. Zazdrośnie patrzy na monokl oficerski. Pije rozkazy z ust szefów. Brutalne połajanki i wymyślania oddaje z nawiązką szeregowcom. Wśród podwładnych ma pupilków – co nie skarżą się na ostre traktowanie i umieją organizować jedzenie.

❊

Trafia ze swoją kompanią do Brzeżan. Dostaje kwaterę w polskim domku. Nieźle mu się wiedzie, bo i tryb życia uregulowany, i oficerowie mniej naciskają. Żołnierze – wytrąceni przedtem z rów-

---

[5] Lippische Militärverdienstmedaille mit Schwertern (niem.) – Lippski Medal Zasługi Wojskowej z Mieczami.
[6] Gefreiter (niem.) – starszy szeregowiec.
[7] Unteroffizier (niem.) – kapral.
[8] Eisernes Kreuz II Klasse (niem.) – Żelazny Krzyż II klasy.

nowagi częstymi transportami i pierwszą linią frontu – wrócili do
normy, do kieratu codziennych zajęć. I jedzenia mają dużo.
Stroop lekko przytył. Chodził od czasu do czasu na deptak brze-
żański, gdzie spacerowała młodzież. Jak w Detmoldzie.
Zainteresował się tam dziewczyną. Poszedł za nią krokiem wywiadowcy. Mieszkała niedaleko ich kwatery.

– Nie wiedziałem – wywnętrzał się w celi – że jest kuzynką naszych gospodarzy i że czasem ich odwiedzała. Poznaliśmy się później. To była ładna dziewczyna i taka...

– Miła? – zagadnąłem, słysząc, że głos mu mięknie w sposób nie-
oczekiwany.

– Tak. Chodziliśmy na spacery. Świeciło słońce i księżyc był srebrny, ładny kraj...

– No i co?

– No i chodziliśmy tak z sobą. Rozmawialiśmy. Nigdy jej nie
pocałowałem w usta. Raz tylko w nosek, niech pan wierzy – ciągnął
rozmarzony. – Ona była dobra i tyle rzeczy wiedziała, i taka była
wykształcona, i taka kobieca, ta Lona C. Zamierzałem – jeśliby chciała
– pobrać się z nią, nawet może w Polsce zostać na stałe. Pisywałem
listy z Rumunii do niej, z Węgier, i nawet z Detmoldu. Jeszcze w roku 1922 z nią korespondowałem.

– Dlaczego pan się z Loną nie ożenił?

– Pragnąłem. Ale rodzice i przyjaciele z Detmoldu odradzili,
mówiąc o różnicy kultur. Dobrze zrobiłem, nie angażując się w to
małżeństwo.

– Czy dlatego, że Lona była kobietą z tak zwanej przez was „niż-
szej sfery”?

– Muszę się panu przyznać, że tak. Mając za żonę Polkę, Fran-
cuzkę czy Amerykankę, nigdy nie mógłbym znaleźć się w SS, a moje
dzieci byłyby mieszańcami.

Nieraz jeszcze wspominał Stroop w więzieniu Lonę C., chyba największą miłość swego życia. W Mokotowie wyobrażałem
sobie tę Lonę. Była z pewnością dziewczęco-naiwna, przezroczysta i promienna od wewnątrz. Może ją idealizowałem, ale każdy
ma prawo do fantazjowania, gdy mu z tym dobrze. Szczególnie w więzieniu.

❊

Stroop często wracał do przeżyć pierwszej wojny. Był zafascynowany lasami i bagnami Polesia, które uważał za naturalny park narodowy Europy. Szczególnie interesowały go żubry, łosie, żbiki i białorusko-poleskie konie chłopskie. Dawał im wysoką notę.

– Takie koniki niczego nie potrzebują, a są piekielnie wytrzymałe i silne – mówił. Nazywał je „panje-Pferde". Zwracał uwagę na ubóstwo mieszkańców Polesia przy potencjalnych walorach gospodarczych tego obszaru. Nie mógł zrozumieć przyczyn zacofania techniczno-cywilizacyjnego ludności i mówił o tych chłopach: „tamtejsi tubylcy to dzicz". Uważał, że są stworzeni na niewolników i że pod zarządem niemieckim osiągnęliby szczęście. Był zachwycony bogactwem Ukrainy, surowcami, czarnoziemem i fizyczną tężyzną oraz sprawnością kobiet.

Z Galicji przeszła jednostka Stroopa do Rumunii, w Karpaty. Opisywał nam szczegółowo front na szczytach i w śniegach, ciężkie warunki transportu i aprowizacji, pierwszą linię oraz luzowanie jej odcinków, bliskie i dalsze etapy, kantyny, zaopatrzenie, łączność i tęsknotę do kraju. Często był „unrasiert und fern der Heimat"[9], wojsko niemieckie śpiewało już wówczas to zdanie na melodię *Wołga, Wołga*. W celi często nucił swą niemiecką *Wołgę* Gustaw Schielke, szczególnie gdy był w dobrym humorze. Kpił wtedy sam z siebie i z nas, czasem nawet zaśmiewał się dobrotliwie, popluwając przez szczerbate zęby.

❊

Tęsknił Stroop w Karpatach do Lony C., do swojej „świętej z Brzeżan". Ale jednocześnie z zainteresowaniem obserwował karpacko-rumuńskie góralki, „brudne i dzikie, ale z najładniejszymi pod słońcem piersiami", jak mówił.

Raz, po obiedzie, zaczął męsko-konfidencjonalne zwierzenia.

– Chłopki rumuńskie sprzedawały nam mleko. Była zima. Mroźno. Ale mleko zachowywało letnią temperaturę, bo one nosiły butel-

---

[9] „Unrasiert und fern der Heimat" (niem.) – „Nie ogolony i z dala od ojczyzny".

ki bezpośrednio na piersiach, przysłoniętych, tamtejszym obyczajem, rozciętą bluzką, a na to kożuch. Można było pierś zobaczyć. Nie krępowały się tym. Do nas przynosiła mleko mężatka.

– Starsza od pana?

– Tak. Chyba o osiem lat, ale nie była chuda, jak inne góralki. Patrzyła na mnie z ogniem.

– Pewno czuła w panu samca?

Stroop się speszył i rzekł:

– Przecież jeszcze nie wiedziałem wówczas, co to jest stosunek z kobietą.

Raptem zarzucił mnie potokiem słów:

– Panie, to było około Bożego Narodzenia. Wyszliśmy z kwatery. Mróz cholerny, księżyc, gwiazdy. Przytuliłem ją i poszliśmy. Po dwóch godzinach wyszedłem z pasterskiej szopy jako pełnoprawny mężczyzna.

– Odprowadził ją pan potem w stronę domu, opierając się od czasu do czasu o opłotki? – zapytałem.

– Rumunkę? Nie! Nie odprowadziłem.

Tego dnia więcej nie rozmawialiśmy.

※

Niewiele opowiedział nam Stroop o swych obserwacjach i poglądach na temat armii niemieckiej w Rumunii i na Węgrzech. Ubogie to były relacje. Nawet nie znał dokładnie przebiegu działań wojsk kajzerowskich na tym obszarze. Wspominał za to, ale bardzo oględnie, że został drugi raz ranny. Przypuszczam, że chodziło o przypadkowe zadraśnięcie. A może się mylę. Opowiadał również o Bukareszcie, dokąd go odkomenderowano w 1918 roku na czteromiesięczny kurs topograficzny w Vermessungschule[10]. Od tej pory zaliczył siebie do kategorii „dyplomowanych topografów".

Stroop pędził na ogół w Rumunii życie tyłowego podoficera, między kompanią, kuchnią, maszynami, musztrą, rekwizycjami, kasynem podoficerskim i piwiarnią. Jednakże udekorowany został we

---

[10] Vermessungschule (niem.) – szkoła miernicza.

wrześniu 1916 roku odznaczeniem, które się nazywało: Fürstliche Lippische Verdienstkreuz[11].

– Rosła liczba blach na piersi generała – zauważył Schielke, który na I wojnie nosił belki w formacjach pionierów i budował mosty, nierzadko po pas w wodzie.

Często wspominał Stroop Węgry z roku 1918 i „wielkiego" Mackensena[12]. Do Madziarów czuł sympatię, choć ich krytykował.

– Czy można darować węgierskim idiotom – powiedział raz – że dopuścili do puczu Beli Kuna[13] w tym kraju cudownych majątków ziemskich, pięknych polowań, wspaniałych koni i kawaleryjskiej fantazji?

*

Stroop żywił kult dla feldmarszałka Augusta von Mackensena za talenty wojskowe i przede wszystkim za to, że trzymał żelazną ręką armię niemiecką na Węgrzech w roku 1918.

– Von Mackensen miał sylwetkę arystokraty i kawalerzysty – opowiadał. – Często chodził w mundurze huzarskim i futrzanej bermycy. Był doskonałym strategiem oraz trzeźwym politykiem ze szkoły bismarckowskiej. Nie pozwolił na przesiąkanie do armii wpływów obcego wywiadu, tzn. agitacji komuny, Żydów, masonów i liberałów. Oddziały Mackensena nie zostały pobite. Byliśmy z końcem roku 1918 w pełni sił militarnych i psychicznych, zabezpieczeni materiałowo i operacyjnie. Niezwyciężeni, musieliśmy wycofać się do Heimatu tylko dzięki kreciej robocie na innych frontach i wewnątrz Niemiec, prowadzonej od dawna przez Żydów, marksistów i mniejszości narodowe Rzeszy.

– Von Mackensen przybył do naszego eszelonu przed odjazdem do kraju – mówił dalej. – Oddaliśmy mu honory prawie cesarskie. Uroczystości tej nikt nie zakłócił jakimś wystąpieniem, podobnym

---

[11] Fürstliche Lippische Verdienstkreuz (niem.) – Książęcy Lippski Krzyż Zasługi.

[12] August von Mackensen (1849–1945), feldmarszałek niemiecki, w czasie I wojny światowej dowódca kolejno korpusu, armii i grupy armii na froncie rosyjskim, serbskim i rumuńskim.

[13] Bela Kun (1886–1939), współzałożyciel Węgierskiej Partii Komunistycznej w 1918 r., przywódca Węgierskiej Republiki Rad w 1919 r., stracony w ZSRR.

do warcholstwa frontowców innych naszych armii czy Mannscha-ftu[14] marynarki wojennej, częściowo skomunizowanego. Siwy Macken-sen przemówił krótko i wskazał cele...
– Artyleryjskie? – pytał Schielke.
– Nie. Wojskowo-polityczne. Uczył, jak mamy stać na straży p o r z ą d k u w ojczyźnie, której siły kiedyś muszą się w pełni odrodzić. Pożegnaliśmy go jak ojca. Potem sprawny załadunek do wagonów i z bronią, w oddziałach zwartych wróciliśmy koleją do Niemiec. Nie rozbiegliśmy się jak niektórzy. Ja, Herr Mo-czarski, skończyłem moją wojnę nie 11 listopada, ale dopiero 21 grudnia 1918 roku. Wróciłem do domu przed samym Bożym Narodzeniem.
– To późno. A jak was przywitało społeczeństwo Detmoldu?
– Opiekuńczo i bez pesymizmu, mimo że czasy nie były lekkie.
– Wspominał pan o wyjściu z armii w randze Vizefeldwebla[15]. Dlaczego nie mianowano pana po tylu latach oficerem?
– Byłem za młody.
Moje pytanie zrobiło przykrość Stroopowi. Dotknąłem tego, co uważał za skazę swego życia. Przecież on ukończył tylko szkołę pod-stawową.

✻

Stroop pewno myślał, idąc na wojnę jak na wesele i spacer po sąsiednich krajach, spichlerzach, kuchniach i łóżkach, że wróci do Lippelandu z listkiem wawrzynu Hermanna der Cheruskera oraz z ja-ką taką zdobyczą. A tymczasem przegrał swą pierwszą wojenną szan-sę. I zupełnie do jego świadomości nie docierał fakt, że powrót z Feld-zugu[16] oznaczał pewną dozę szczęścia. Przecież w I wojnie świato-wej straty Niemiec (zabitych i zaginionych) wynosiły ok. 2 milionów ludzi. A ilu zostało inwalidami?

---

[14] Mannschaft (niem.) – załoga (w marynarce i lotnictwie), żołnierze, masa żołnierska.
[15] Vizefeldwebel, właściwie: Unterfeldwebel (niem.) – sierżant.
[16] Feldzug (niem.) – kampania wojenna.

*

Czytelnicy mogą z tych skąpych na ogół informacji i opowieści wyciągnąć wniosek, że przeżycia Stroopa w latach 1914–1918 miały charakter łagodny, że nie doświadczał m ę k i fizycznej bitew, lazaretu, zawszenia, głodu, zimna, widoku trupów itp.

Tak nie było. Co prawda, pomijam wiele okoliczności ze służby Stroopa pod sztandarami Wilhelma II, ale nie chcę wracać do zdarzeń typowych, znanych. Według mnie, Stroop (choć nieraz udawało mu się leserować) dostatecznie poznał okrucieństwa i bóle wojny.

Jednakże Stroop miał we krwi kult w o j n y jako instrumentu porachunków i metody zagarnięcia dóbr dla swego kraju i dla siebie. Jego wyznania na ten temat charakteryzowały się wysokim poziomem sformułowań, odbiegającym od codziennego języka Stroopa. Widać było wyraźnie, jak ten posłuszny umysł przyswoił sobie w sposób mechaniczny słownictwo propagandy i szkoleń partyjnych NSDAP.

– Wojna jest selekcyjnym zabiegiem biologicznym i psychologicznym – mówił – koniecznym dla każdego narodu. Tylko ludzie o duszy rycerza mogą dostąpić przywileju odczucia i zrozumienia tej wyższej kategorii przeżyć, jaką jest wojna.

Ponadto nieraz powtarzał w celi, że wojna to najlepsze wrota do wolności.

Taka postawa rodziła w pewnej mierze sportowy stosunek do własnych przejść wojennych 1914–1918. Stąd niefrasobliwe wspominki o „wielkiej przygodzie żołnierskiej", że użyję terminologii Stroopa.

I jeszcze jedna uwaga: Stroop zakończył I wojnę z natychmiastową myślą o możliwie szybkim odwecie i zemście. O rewanżu na sąsiednich narodach, na Anglii i Rosji, oraz na „zdrajcach", którzy w roku 1918 „zadali Niemcom, od wewnątrz, Dolchstoss[17]", podpisali „niebywale krzywdzący traktat wersalski" i utworzyli w Rzeszy „rząd listopadowych demagogów i obcych agentów".

---

[17] Dolchstoss (niem.) – pchnięcie sztyletem, w przenośni: nóż w plecy.

IV. REDAKTOR

Mijały pierwsze uniesienia po powrocie do Detmoldu. Nadzieje więdły jak usta pięknej Marty po czterech latach oczekiwań na koniec wojny. Mundur Stroopa, w którym początkowo chodził do pracy w inspektoracie katastralnym, lekko wyszarzał; ot, taki półcywilny strój byłego kombatanta.

– Nastroje w Rzeszy – opowiadał Stroop – nie były dobre po przegranej, która przyniosła „hańbę Wersalu" i wstrząsy wewnętrzne.

Tak się jednak działo w tym zaściankowym księstwie, że – mimo ogólnokrajowego wzburzenia – ostre gromy nie uderzyły w Lippeland i w Detmold. To nie znaczy, że miejscowe społeczeństwo nie reagowało na „nowinki". Tam żyli również zwolennicy postępowych tradycji, humanitaryzmu, wolności i sprawiedliwości społecznej, trochę liberałów, sporo socjaldemokratów, którzy po wojnie sprawowali w Lippe władzę. Część mieszczaństwa uległa spauperyzowaniu. Nieliczny proletariat ruszał się za przykładem zagłębia Ruhry, a przede wszystkim sąsiedniego Bielefeldu, Essen, Dortmundu i Wuppertalu.

Ferment sytuacyjny i światopoglądowy przebiegał w Lippe żywo, lecz nieraz bałamutnie. Wskutek klęski odskoczyły zardzewiałe sprężyny. I tu począł działać książę.

Nie można odmówić inteligencji, zaradności i polityczno-gospodarczego sprytu ówczesnemu władcy Lippe-Detmoldu. Pochodził z rodziny, która umiała trafnie rozpoznawać sytuację, wiatr chwytać w żagle oraz chronić materialną podstawę rodu – folwarki, lasy i potencjał drobnoprzemysłowy „dóbr i interesów" dynastii Lippe-Detmold.

Wietrząc klęskę armii cesarskiej, książę Lippe („zawsze łaskawy, demokratyczny i ludzki" – jak charakteryzował go Stroop) już we wrześniu 1918 zakrzątnął się wokół rewolucji w jego samodzielnym państewku.

– Fürst nie przeciwstawiał się powszechnemu pyskowaniu – opowiadał raz Stroop – gdyż wiedział, że najwygodniej jest skierować nastroje rewolucyjne w kanał demokratycznego wygadania się. Stroop miał chyba rację, bo książę musiał rozumieć, że najbardziej ostre mowy na wiecach, w knajpach i piwiarniach nie mogą znaleźć organizacyjnego wyrazu w jego księstwie. Nie było tam większych grup proletariatu przemysłowego; wśród inteligencji rzadko kto ośmielił się być „bolszewikiem". Za to każdy z półchłopów i półmieszczan, który dzisiaj grzmiał, ile wlezie, na doradców kajzera, wielkich przemysłowców, książąt, grafów, Freiherrów i innych „wyzyskiwaczy", a nawet „krwiopijców" – jutro zapominał o wczorajszym uniesieniu, pochłonięty swą gospodarką chłopsko-mieszczańsko-warsztatowo-leśną.

Jednakże położenie stawało się groźne dla książąt. I dlatego Fürst „dobrowolnie" przyczynił się do zmiany struktury prawno-państwowej kraiku. Natychmiast po zawieszeniu broni, a więc 12 listopada 1918, księstwo przekształciło się w Freistaat (niezależne państwo) i otrzymało (w dniu opuszczenia przez Stroopa armii, tzn. 21 grudnia 1918) „eine republikanisch-parlamentarisch-demokratisch Verfassung"[1].

– Po powrocie do Detmoldu nie zauważyłem tam jakichś negatywnych zmian, poza generalnym minusem, tzn. stale rosnącym wpływem socjałów, żydo-bolszewików i masonów – opowiadał w celi Stroop – miasto zmodernizowało się i rozrosło do 17 tysięcy mieszkańców.

Przybyło kilka drobnych obiektów przemysłowych i silna grupa nowobogackich. Drogi zostały częściowo ulepszone. I co najciekawsze: w okresie wojny zrekonstruowano w Detmoldzie teatr spalony w roku 1912. Przykład z teatrem świadczy o znanym zjawisku, iż

---

[1] „Eine republikanisch-parlamentarisch-demokratisch Verfassung" (niem.) – „konstytucja republikańsko-parlamentarno-demokratyczna".

w I wojnie Niemcy prawie nie poniosły bezpośrednich strat wewnątrz kraju. Klęska militarna Detmoldu polegała na tym, że miecz Cherusków nie dostarczył zaplanowanych wpływów: cudzego złota. Pomnik Hermanna stał na miejscu, zakonserwowany. I dalej nauczał (mimo ostatnich doświadczeń), że jedyna droga do osiągnięcia teutońskich celów wiedzie przez żołnierkę.

– Pierwszy spacer, jaki odbyłem po powrocie do domu – wspomniał raz Stroop – był pielgrzymką do stóp wielkiego żołnierza-Germanina.

Tam, na pomnikowym wzgórzu wodza Cherusków, rozmyślał zapewne o słowach Mackensena na Węgrzech. Skrzydlaty hełm Hermanna i bermyca Mackensena wyraźnie się uzupełniały.

❊

Stroop zarabiał mało jako niewykwalifikowany pracownik urzędu katastralnego. Szefowie przydzielali mu nie najlepsze roboty, ale nie było w tym nawet cienia zamiaru dyskryminacji. Stroop był pedantyczny, sumienny, dobry w kaligrafii i kreśleniach. Nie buntował się. Więc udzielano mu nawet pochwał. Buty miał zawsze wyczyszczone. Ubranie wyszczotkowane, jak w koszarach. Ogolony, wyczesany, pachniał czystością. Bolała go (jak wynikało ze zwierzeń więziennych) niemożność dyrygowania ludźmi. Gdzie te czasy, kiedy rzucał przed dwuszeregiem żołnierzy głośne rozkazy, automatycznie wykonywane!

Na miejskiej promenadzie spotykał towarzyszy broni i ich dziewczyny. To one wytwarzały klimat glorii wokół podstrzyżonych głów byłych kombatantów. Zaczęły się romansiki. Odważne, bo już po szkole rumuńsko-góralskiej.

Stroop nienawidził „współsprawców" przegranej wojny. Raz na Paulinenstrasse udał, że nie zna i nie odkłonił się koledze z lat dziecinnych, Żydowi, Maksowi R., chociaż ten był inwalidą wojennym i szczycił się odznaczeniami bojowymi. – Maks sprzyjał marksistowskim tendencjom – wyjaśniał Stroop, który nie lubił również naukowców, profesorów, literatów, muzyków, lekarzy i dziennikarzy. Grupy te nadawały wówczas ton w Detmoldzie. Stroop pogardzał także „ceglarzami" i „koziarzami".

„Ceglarze" i „koziarze" to biedniejsza część ludności z przedmieść Detmoldu, z miasteczek i wsi Freistaatu: chłopi i półmieszczanie, posiadacze lub dzierżawcy chałupek i działek przyzagrodowych, którzy nie mogli sobie pozwolić na ogólnie przyjęty standard hodowlany, na krowę. Trzymali kozy. Stąd pogardliwe przezwisko „koziarze". „Ceglarzami" zwano ich dlatego, że migrowali sezonowo do bliskich rejonów przemysłowych, gdzie rósł popyt na niewykwalifikowaną siłę roboczą, szczególnie przy produkcji cegły i transporcie budowlanym.

„Ceglarze" i „koziarze" odczuli najdotkliwiej ciężary wojny. Licznie polegli za Vaterland.

Mimo niskich zarobków Stroop szybko wychodził z powojennej depresji. Pozostał mu przecież nimb kombatanta. Był posągiem na chwilowej emeryturze. W zamku książęcym miano zaufanie do Józefa Stroopa, na którym władza może polegać i który jest kawalerem Żelaznego Krzyża.

Wspólnota byłych żołnierzy nie rozpadała się. Wprost przeciwnie. Coraz mocniej czuli się związani nadzieją na odkucie się. Z podoficerami i oficerami obu detmoldskich pułków Stroop utrzymywał częste kontakty. Większość z nich mieszkała w księstwie Lippe. Niektórzy byli zamożnymi bauerami i wpływowymi urzędnikami. Kilkunastu miało sklepy.

Przybyli do Detmoldu emisariusze tajnych czy półtajnych związków wojskowych. Krążyły powielane rozkazy, pisemka, odezwy. Spotykano się pod pomnikiem Hermanna. Czasem Stroopa wzywali byli oficerowie frontowi. Stawał przed nimi na baczność, z gotowością cywilno-bojową.

– Ale zmęczyłem się wojną, trochę chorowałem i nie zaciągnąłem się do Freikorpsów[2].

---

[2] Freikorpsy – niemieckie ochotnicze formacje wojskowe, organizowane od grudnia 1918 r. do walki z rewolucją w Niemczech, uczestniczyły także w interwencji na Łotwie i w walkach z powstańcami śląskimi. Liczące w połowie 1919 r. około 400 tysięcy żołnierzy, składały się przeważnie z byłych młodszych oficerów frontowych, dobrze wyszkolonych i nastawionych nacjonalistycznie, często zmieniających się w awanturników i wykolejeńców.

Był, według mnie, za bardzo mieszczaninem i za bardzo detmold-czykiem, żeby się wtedy aż tak narażać.

*

Mieszkańcy Detmoldu, szczególnie kobiety, uważali Stroopa za coś w rodzaju oficera. Przyjął ten społeczny awans. Zaczął chodzić z monoklem w oku i z wilczurem. Oraz z pejczem. Małomiasteczkowa fama reklamowała jego odwzajemnioną miłość wojenną do jakiejś ognistej hrabianki węgierskiej. W ten sposób Lona C. z Brzeżan zmieniła, nic o tym nie wiedząc, narodowość i pozycję socjalną, gdyż familia Stroopa nie chciała ujawniać kompromitującego, według nich, uczucia syna do Słowianki.

Panny detmoldskie nie były zbyt oporne zalecankom zdemobilizowanych wojaków, szczególnie gdy nosili wstążki orderowe. Pamiętały same z opowiadań starszych sióstr i matek, jak „ciężko bez chłopa w okresie wojny". Chodziły z Józefem na spacery, szeptały po sieniach kamieniczek oraz – co śmielsze – słuchały słowików w poddetmoldskich zagajnikach. Stroop brał je na wojskową krzepę oraz żołnierskie komplementy. I stwierdzał, że w tych sprawach jest w domu, tzn. w rodzinnym Lippe, najłatwiej i najwygodniej.

*

Raz poznał Stroop pannę, trzy lata od niego młodszą, która mu zaimponowała. Pannę „z prawdziwego towarzystwa" – jak mówił Stroop – z kręgów intelektualno-protestanckich. Ojciec jej, Georg B., był z dziada pradziada członkiem elity duszpasterskiej Niemiec, naukowcem i pedagogiem.

Córka pastora czy nawet superintendenta, Käthe B., zakochała się od pierwszego wejrzenia w adonisie-kombatancie. Nie brała pod uwagę skromnego pochodzenia wybranka – to dobrze o niej świadczyło. Ale fakt, że nie dostrzegła intelektualnego poziomu Józefa Stroopa, dowodzi, iż uczony pastor nie zdołał przekazać córce swej wiedzy życiowej.

Rodzina panny liczyła się w mieście: dobra opinia, „piękne tradycje", niezłe dochody i pewien kapitał umieszczony w bibliotece, obrazach i urządzeniu domu.

Młodzi prowadzali się ze sobą dość długo. Miasto gadało, że Stroop dzielnie sobie z panną poczyna. Był w miarę nonszalancki. Na potańcówkach Käthe z oddaniem patrzyła mu w oczy.

Matce Stroopa przypadłaby do gustu synowa z takich kręgów społecznych, ale sprzeciwiała się małżeństwu ze względów pryncypialnych: Józef był katolikiem, a Käthe protestantką. Podobny związek byłby dla Frau Stroop grzechem śmiertelnym, więc zakazywała synowi kontaktów z Käthe. Znajdowała, nie wiedząc o tym, poparcie ojca panienki, który – mimo że duchowny – nie był tak dogmatyczny. Lecz przeciwstawiał się małżeństwu po pierwszej rozmowie z Józefem Stroopem.

Stroop, przemyślawszy sprawę (zawsze długo myślał), zaczął twardo realizować swój plan. Mając po stronie aktywów przychylność zadurzonej panny, ujrzał korzyści: wejście w ustosunkowaną rodzinę, posag i przyszłą masę spadkową po sędziwym pastorze.

Stało się, jak projektował. Po wielodniowych awanturach matka katoliczka ustąpiła. Przyszły teść – jak opowiadał Stroop – zmarł tymczasem. 5 lipca 1923 Stroop wziął ślub z Käthe B., urodzoną w Stendal.

Związek małżeński poprzedziły przygotowania posagowe. Wynajęto mieszkanie, kupiono jadalnię, sypialnię, salon, kapy, firanki. Wyposażono kuchnię, kredens i spiżarnię. Stroop zgłaszał coraz to nowe, ale niezbyt dużego formatu zapotrzebowania. Spełniano je. Spisano umowę i młodzi, po obrzędach obyczajowo-kościelnych, zlegli na łożu, gdzie romantycznej protestantce mąż katolik przekazywał doświadczenia nabyte od prawosławnej góralki rumuńskiej.

*

Stroop wkrótce zważniał. Zaczynał kroczyć z dużą godnością, ale zawsze wachlował ramionami. Składał wizyty rodzinie i sąsiadom, udawał się z żoną na spacer niedzielny do parku zamkowego, bywał w książęcej operze. Potrafił dąć w detmoldskie dudki – ale czy umiałby żyć inaczej?

W biurze coś niecoś awansował. Ponieważ Käthe skonstatowała, że mąż musi się dokształcać, Stroop chodził na parotygodniowe kursy i przygotowywał się przy pomocy żony do egzaminów urzędniczych.

W lutym 1928, czyli prawie pięć lat po ślubie, złożył inspektorski egzamin mierniczy. W dalszym ciągu mało miał wspólnego z przeprowadzaniem pomiarów, gdyż zajmował się głównie sprawami podatkowymi.

W tymże samym lutym żona obdarzyła go córeczką, Renatą. Potomek Cherusków i kawaler Żelaznego Krzyża pragnął (rzecz jasna) syna. Później, znacznie później, bolał nad tym, że dopuścił do nadania córce imienia Renate.

– Żona i jej rodzina – opowiadał w celi – uparli się przy tym imieniu, które wydawało mi się wówczas dość ładne. Ale po latach zrozumiałem, że Renate nie jest imieniem dla prawdziwej Niemki. Renate to coś francusko-śródziemnomorskiego. A ja jestem zwolennikiem imion nordyckich, jak Christina, Ingeborga, Sigrid. Mój syn urodził się, gdy już posiadałem odpowiednią wiedzę, i nazwałem go Olafem.

– Pańska matka i żona miały przecież ładne imiona. Obie Katarzyny. A teściowa nosiła imię Marii, matki Chrystusa – powiedział raz Schielke.

– Maria! Typowe imię żydowskie i Bóg mnie strzegł, że u nas tylko teściowa była Marią.

Opowiadając często o swoim małżeństwie, Stroop podkreślał powagę, znaczenie i rangę społeczną nieboszczyka teścia. Mówił o nim, jak o kimś bardzo bliskim, kto był głową j e g o rodziny (intelektualistów!). W celi Stroop uważał siebie za przedstawiciela rodu B.

*

Z zachwytem opowiadał o bibliotece zmarłego teścia. I tu trafił na mój czuły punkt. Ale gdy wypytywałem, jakie książki posiadał stary pastor, Stroop odpowiadał:

– Tam było bardzo dużo tomów, kilka tysięcy. To zbiór rodzinny, uzupełniany przez kilka pokoleń. Nie umiem panu bliżej scharakteryzować tych książek, ale widziałem je. Wiele w skórzanych oprawach. Inne miały złocone brzegi. Niektóre pożółkły i właściwie powinny znajdować się na ladzie sklepowej do owijania śledzi. Na ogół starzyzna.

– Co pan zrobił z biblioteką? Pewno ją umieściliście w małżeńskim apartamencie?

Połechtany słowem apartament, Stroop nabrał wigoru i zaczął opowiadać o swych sukcesach związanych z księgozbiorem, który był wiekowym dorobkiem rodziny B.

– Biblioteka była wspaniała – mówił. – Nigdy nie przypuszczałem, że książki mogą tyle kosztować. Co prawda, są ciężkie. Wskutek tej wagi i słabych sufitów w domu, gdzie mieszkaliśmy...

– I z braku forsy... – dorzuciłem.

– Tak, pieniędzy wówczas nie miałem za dużo. Więc chciałem sprzedać bibliotekę. I sprzedałem.

– A żona nie protestowała?

– Przecież ja byłem panem domu, a nie żona. I spadkiem żoninym również zarządzałem.

– Jak pan spławił bibliotekę?

– W Detmoldzie nikt nie chciał jej kupić. Napisałem do antykwariatu w Bielefeld. To była uczciwa firma i przysłała swego agenta-rzeczoznawcę. Siedział tydzień. Wszystko spisał, duplikat dla mnie i po rozmowie telefonicznej ze swym szefem zaproponował dobre kilka tysięcy marek. Ucałowałem żonę ze szczęścia i czym prędzej wziąłem zaliczkę. Następnego dnia przyjechała ciężarówka, załadowali książki, ale przedtem je popakowali, każdą z osobna. Nigdy nie myślałem, że taki szajs może być tyle wart.

– A czy tam były rzadko spotykane książki?

– Czy ja wiem? Nie znam się na tym. Ale były jakieś religijne czy filozoficzne szpargały z XVII wieku. I starsze również.

٭

Życie biegło mu w tym czasie – jak mówił w celi – „wspaniale", choć potrzeb materialnych nie miał całkowicie zaspokojonych. „Wspaniałe" życie! Wszystko ułożone, usystematyzowane, skontrolowane. Każdy fakt wykraczający poza normy obyczajów, nawyków i przesądów miasteczka – nosi stempel wariactwa lub skandalu. Na pewno takie „wspaniałe życie" jest ideałem wielu ludzi. – Każdy ma swoją przyjemność: jeden lubi wiersze, drugiemu pachną nogi – powtarzał nieraz w celi Gustaw Schielke.

Stroop trzymał dom żelazną ręką. Żonę traktował jak s w o j ą w ł a s n o ś ć. „Kinder, Küche, Kirche"[3] – oklepany frazes o kobietach niemieckich znalazł odbicie w małżeństwie Stroopa. W głowie miał myśli, jakie poddawała prasa. Łowił przy tym koniunkturę. Wierzył księciu i jego dworzanom, przemysłowcom, większym kupcom, dyrektorom, hofratom, emerytowanym oficerom i okolicznym ziemianom. Lecz przede wszystkim braci frontowej. W ten sposób trwał ciąg szkolenia ideologicznego, wpajany przez tradycję, rodziców, nauczycieli, dowódców i zwierzchników. Ordnung muss sein![4]

Wyrobił sobie wtenczas ostatecznie, a może tylko pogłębił, cnotę rezerwy wobec ludzi. Rezerwa – dobra rzecz, bo nie obnaża człowieka. A jednocześnie występowała u Stroopa inna cecha: starał się nie kłamać.

Stroop uformował ostatecznie w tym okresie swoją taktykę postępowania: mówić w zasadzie prawdę, ale dużo milczeć. I nie dać się sprowokować do wypowiedzi w niewygodnych sytuacjach.

Czy mu się udało tę metodę w pełni zastosować? Myślę, że nie, gdyż życie ma powaby i smutki rozprężające człowieka. Zdarzały się godziny, w których Stroop musiał opowiadać, chwalić się i głośno wspominać.

∗

Ze wszystkimi starał się żyć w latach 1922–1931 dobrze i rzadko komu się naraził. Czasem pełgał jak płomyczek, czasem ślizgał się wężowato, czasem pchał się do wyższych rejonów drabiny społecznej, towarzyskiej i urzędowej. Co prawda awanse (uzyskane przy pomocy stosunków mamy i znajomości żony) przynosiły nieduże efekty pieniężne. Ale dla Stroopa, oszczędnego Stroopa, każde 10 marek podwyżki czy nagrody było osiągnięciem pielęgnowanym w duszy przez miesiące.

---

[3] „Kirche, Küche und Kinder" (niem.) – „Kościół, kuchnia i dzieci", niemieckie powiedzenie ilustrujące zadania życiowe kobiet, przypisywane cesarzowi Wilhelmowi II (cytowane także w innej kolejności: „Kirche, Kinder und Küche", „Kinder, Küche und Kirche").

[4] Ordnung muss sein! (niem.) – Porządek (ład) musi być!

Politycznie wyżywał się tylko wśród byłych żołnierzy frontowych, zorganizowanych we wpływowe już kombatanckie Vereiny[5]. Zbierali się coraz częściej. Wypijali antałki piwa, śpiewali marsze, aż echo grzmiało po uliczkach Detmoldu. Wysłuchiwali referatów swych byłych dowódców. Czcili nie tylko Hermanna der Cheruskera, ale i Barbarossę, Wielkiego Fritza[6], Bismarcka, Hindenburga, Mackensena i Ludendorffa. Szczególnie to ostatnie nazwisko często wymieniał Stroop w więzieniu. Mówił o generale Erichu Ludendorffie[7] jako o „genialnym" organizatorze armii. Wyrażał się również ze szczególnym szacunkiem o Frau Doktor Mathilde Ludendorff[8].

– Jej myśl, to znaczy myśl Frau Doktor i jej męża, bardzo nam odpowiada. To ona przecież ujawniła prawdę o złowieszczej roli Kościoła katolickiego w Niemczech. Ona przywróciła nas prawdziwym bogom germańskim. Ona przypomniała czysty obyczaj pragermański oraz ujawniła zgniliznę chrystusowo-żydowskich pęt moralnych i organizacyjnych, jakie oplątywały organizm Rzeszy od dwunastu setek lat. Gdyby nie była babą, Frau Doktor Ludendorff, to zrobilibyśmy ją członkiem honorowym żołnierskich związków. Dzięki nauce, jaką miałem szczęście nabyć z książek Frau Doktor Ludendorff, udało mi się łatwo pokonać przesądy religijne, a potem wpisywać do rubryki wyznania: Gottgläubig.

– A co na to mama?

– Z Mutti miałem wiele przejść. Rugała mnie. Musiałem się z nią liczyć, bo to przecież nasza matka i miała wpływy w mieście, a książę ją lubił. Ale przecież byłem i jestem nowoczesnym, postępowym człowiekiem. I zdołałem – tu wypiął pierś – po żołniersku wyzwolić się z niewoli katolicyzmu.

---

[5] Verein (niem.) – związek.

[6] Wielki Fritz – Fryderyk Wilhelm (1620–1688), elektor brandenburski, twórca podstaw potęgi Prus (zwany Wielkim Elektorem i Fryderykiem Wielkim).

[7] Erich von Ludendorff (1865–1937), niemiecki generał, w czasie I wojny światowej szef sztabu wojsk niemieckich na Wschodzie (Ober-Ost) w latach 1914–1916, faktyczny szef Sztabu Głównego w latach 1916–1918.

[8] Mathilde Ludendorff z domu Spiess (1877–1966).

– Ale pan wierzy w Boga?

– Jasne. Lecz wierzę w prawdziwych bogów, w bogów naszych przodków germańskich. Oni kierują każdym czynem Niemca i nad nim czuwają.

– Czy nad panem także?

Nie odpowiedział.

*

Nie opuścił Józef Stroop żadnej uroczystości wojskowej lub kombatanckiej, jaka się odbywała w Detmoldzie. Musiał te zdarzenia silnie przeżywać, bo w trzydzieści lat później, w celi, opowiadał o nich tak, jakby miały miejsce wczoraj.

– Więc oni stali, ci spensjonowani oficerowie-bohaterzy, na miejscu honorowym, w pięknych mundurach, współczesnych i z XIX wieku. Bermyce, pikielhauby, kaszkiety, okrągłe czapki, szamerunki, ostrogi, pasy, ordery. Twarze marsowe. Posiwiałe wąsy. Sztandary. Chorągwie. Orkiestra. Werble. Ogień stu pochodni oświetlał naszą żołnierską wspólnotę. Zakończyliśmy uroczystość chóralnym odśpiewaniem *Niederländisches Dankgebet*. Mnóstwo osób zjechało się z całego księstwa. Wśród nich prawie wszyscy okoliczni ziemianie.

– Pan ich znał osobiście, tych właścicieli ziemskich?

– Tak. Przecież wielu z nich to oficerowie rezerwy. Niektórych znałem z kampanii wojennej, więc zapraszali mnie czasem do siebie. Fajne chłopy. Bardzo patriotyczni i z dużą brawurą. Świetnie jeżdżą konno. Dobrze piją i lubią męskie pohulanki.

– Brał pan udział w ich eskapadach?

– Oczywiście. Ale dopiero gdy wróciłem z wojny. Zapraszał mnie syn barona von O. oraz jedynak Freiherra von B. Ten miał ładną i odważną siostrę. Goniliśmy czeredą po lasach i polach. Nasze ziemiaństwo jest patriotyczne, szlachetne i nie dało sobie dmuchać w kaszę. Prawdziwi potomkowie Cherusków.

*

Pewnego dnia Stroop oświadczył, że był niegdyś d z i e n n i k a-r z e m. Przyznaję, że zastrzelił mnie tym wyznaniem. Nadawać się mógł bowiem, zależnie od okoliczności, na wiele nieprzewidzianych funkcji, nawet dygnitarskich i dobrze płatnych, ale żeby miał pracować jako redaktor, to już było dla mnie za wiele. Od dziennikarza wymaga się przecież pewnego quantum wszechstronnej wiedzy, inteligencji (która wyraża się m.in. szerokim wachlarzem szybkich skojarzeń) oraz skłonności do niezależnych wartościowań i do obiektywnej krytyki.

– Co pan redagował? Gazetę kompanijną w Bukareszcie?

– Nie. Prowadziłem pismo drukowane w księstwie Lippe przez byłych żołnierzy 55. i 256. pułków piechoty. Regionalny związek kombatancki wyznaczył mnie na redaktora. Cóż to za trudna robota! Żona pracowała tam również!

– Honorowo?

– Skądże znowu! Płacono nam. Żona dostawała nawet duży pieniądz, 100 marek miesięcznie.

– Nakład?

– Około 800 egzemplarzy. Pamiętam, jak w jednym z numerów opublikowaliśmy reportaż z życia byłego gefreitera, który w swoim bauerhofie produkował po wojnie konserwy i dorobił się grubej forsy. Po ukazaniu się reportażu ten kumpel pułkowy przysyłał mej żonie paki z puszkami mięsnymi. Tak, panie, prasa to potęga!

V. OBJAWIENIE W MONACHIUM

Józef Stroop wstąpił do ugrupowań hitlerowskich dopiero wiosną 1932 roku. A jak przejawiała się jego postawa wobec Führera w latach poprzednich? I tu Stroop musiał mieć coś na sumieniu „wzorowego nacjonalisty". Tak wyczuwałem z rozmów o przedświcie „ery Adolfa Hitlera". Sygnały „wielkiego ruchu" przenikły do Detmoldu na przełomie 1919 i 1920. – Przynieśli je byli wojskowi. Dumni byliśmy – opowiadał Stroop w celi – że żołnierz frontowy i kawaler Żelaznego Krzyża...

– Pan generał posiada również EK[1] z I wojny – wtrącił Schielke.

– Odznaczono mnie za Francję Żelaznym Krzyżem, ale drugiej klasy. Adolf Hitler zaś miał pierwszą klasę.

– Lecz on wyszedł z wojny Gefreiterem, a pan Vizefeldweblem. Mógłby więc pan stawiać w 1918 Hitlera na baczność!

– Führera? Ja? Nigdy! – wybełkotał, patrząc na mnie, jak na bluźniercę. Schielke uśmiechnął się i zaświstał. Chwilę nie mówiliśmy. Stroop machnął ręką. Rezygnował z potyczek słownych, gdy miał dwóch przeciw sobie.

Frontowcy traktowali Hitlera z sympatią, zrozumieniem i nadzieją. – Bo i kombatant, i wszechgermanin, i nienawidził żydokomuny – motywował Stroop. – Jasno klarował, czego chciał. Był dy-

---

[1] EK – Eisernes Kreuz (niem.) – Żelazny Krzyż.

namiczny i nie patyczkował się. Społeczeństwo niemieckie potrzebowało konkretnych celów politycznych i r u c h u, a nie zatęchłej kałuży weimarskiej. Lwia część narodu żądała nie bujd kosmopolityczno-żydowskich, nie liberalizmu, wiodącego zawsze do anarchii, ale żołnierskiego działania w polityce, w administracji, domu, życiu społecznym. Niezbędny był ruch masowy i jednocześnie z d r o w y w założeniach.

Zdrowy, to według Stroopa: nacjonalistyczny i ordnungowy. Takie cechy zawierała – jak mówił – „pionierska" działalność Hitlera, Göringa i Himmlera, gdy budowali partię w Monachium.

– O ile mi wiadomo, to nie Hitler założył waszą partię. On był siódmym, w kolejności przystąpienia, członkiem Deutsche Arbeiterpartei (przemianowanej wkrótce na NSDAP), którą stworzył Drexler[2] – przypomniałem.

– To są wszystko propagandowe bujdy, Herr Moczarski. Adolf Hitler był, jest i będzie pierwszym członkiem i założycielem NSDAP.

– Ale Röhm wstąpił do partii przed Hitlerem i zaagitował go nie tylko do ugrupowania Drexlera, lecz myślę, że i do wywiadu wojskowego.

– Adolf Hitler nigdy nie był agentem wywiadu – zdenerwował się Stroop.

– Dokładnie nie wiem – odpowiedziałem. – Ale, o ile znam historię oraz metody działań organizacyjno-politycznych, to kapitan Röhm powinien zwerbować Hitlera, i chyba zwerbował, do zwalczania marksistowskich ugrupowań robotniczych. Inwalida z I wojny, lecz aktywny i ambitny, Röhm był wówczas oficerem do spraw wywiadowczo-politycznych Reichswehry w sztabie armii w Monachium[3].

---

[2] Anton Drexler (ślusarz z Monachium) założył w marcu 1918 r. Freier Arbeiterausschuss (Komitet Niezależnych Robotników), a w styczniu 1919 r. – Deutsche Arbeiterpartei, DAP (Niemiecka Partia Robotnicza).

[3] Adolf Hitler był wówczas oficerem oświatowym (Bildungsoffizier) 41. Pułku Piechoty, a faktycznie agentem kpt. Ernsta Röhma, szefa wywiadu 7. Dywizji Piechoty w Monachium. Na polecenie Röhma wziął udział w otwartym zebraniu Deutsche Arbeiterpartei 12 września 1919 r. i po trzech dniach został siódmym członkiem tej partii, przemianowanej w lutym 1920 r. na Nationalsozialistische Deutsche Arbeiterpartei (NSDAP).

Stroop na to:

– Pan, przepraszam pana, nasączony jest kłamliwą informacją prasy żydowsko-komunistyczno-anglosaskiej. Wódz nie był nigdy, powtarzam, agenciakiem wywiadu. Röhm opowiadać mógł, co chciał. Röhm był świnią homoseksualistyczną.

– I za to poszedł pod chodnik w 1934 roku?[4]

– Tak. Röhm był zdrajcą ruchu i Führera. Hołdował zboczeniom niegodnym Germanina i szkoda, że tego pederasty wcześniej nie wykończono!

Do tej rozmowy włączył się Schielke, który znał nieźle świat homoseksualistów niemieckich. Służył przecież długo w Sittenpolizei, gdzie dysponowano kartotekami biernych oraz aktywnych pederastów. I oświadczył, że niewielu homoseksualistów w NSDAP potraktowano tak „niedelikatnie", jak Röhma.

– Pan, Herr Schielke, nazywa niedelikatnym traktowaniem czyny, które zawodowy policjant winien nazywać m o r d e m – zaatakowałem Sittenpolizistę.

– Zgadzam się, Herr Moczarski. Szpokojnie, szpokojnie! Więc stwierdzam, że tylko nielicznych pederastów-partyjniaków z a-m o r d o w a n o. Inni, a było ich wielu, pozostali przy życiu, działali, awansowali, powodziło im się. Niektórzy z homoseksualistów (jak np. słynny tenisista, arystokrata von Cramm) korzystali z protekcji, a nawet ze szczególnej ochrony superbonzów NSDAP.

Stroop nagle przerwał Schielkemu takim komentarzem:

– Tenisista von Cramm był bliskim kuzynem księcia Lippe z konnego SS, gdyż matka księcia pochodziła z rodziny von Crammów...

Ale Stroopowi nie udało się przerzucić dyskusji na inne tory, bo Schielke ciągnął nieustępliwie:

– Dzięki Göringowi ułatwiono von Crammowi wyjazd za granicę, mimo że facet (zgodnie z ówczesnymi przepisami) powinien siedzieć w mamrze. Prowadziłem dochodzenie w jego sprawie. Gdyby wobec wszystkich nazistów zastosowano takie antyhomoseksuali-

---

[4] Ernst Röhm, późniejszy szef sztabu i faktyczny dowódca Sturmabteilungen (SA), został zamordowany w czasie „nocy długich noży" 30 czerwca 1934 r.

styczne sankcje, jak wobec Röhma, to tysiące Parteigenossen[5] musiałoby umrzeć, gdyż „hańbili" partię.

❊

Rezultaty monachijskiego puczu Hitlera z 9 listopada 1923 zorganizowanego przy udziale Ludendorffa i zakończonego fiaskiem oraz trupami pod Feldherrnhalle[6], musiały zachwiać wiarę kombatanta Stroopa w powodzenie nacjonal-socjalizmu. Co prawda, raz czy dwa frazesował w celi o bohaterstwie i zasługach odznaczonych Blutordenem[7]. Była to jednak, moim zdaniem, deklamacja (on od początku wierny!), albo recytowanie tekstów wbijanych latami przez aparat propagandy.

Lecz z drugiej strony, agresywne mowy obrończe Hitlera przed sądem monachijskim (luty–marzec 1924) szybko mogły przywrócić Stroopa na łono Führera. W owych latach Stroop zastosował taką metodę w życiu osobistym, jak Hitler w życiu politycznym po wyjściu z więzienia: szedł drogą pozornego legalizmu. Czekać, nie wychylać się zbytnio, być formalnie lojalnym wobec aktualnej władzy, a po cichu robić swoje. Hitler co prawda jawnie wychylał się, ale – sparzony w 1923 roku – dążył do l e g a l n e g o objęcia stanowiska kanclerskiego. Legalne są gry, triki, szwindle i kłamstwa polityczne.

Z dalszych wynurzeń o tych czasach doszedłem do wniosku, że nie jest wykluczone, iż Stroop i jego towarzysze detmoldscy po prostu bali się przystępować zbyt wcześnie do NSDAP, pomimo że w masie, dzięki tradycjom i wychowaniu, byli potencjalnymi zwolennikami Hitlera. Dla nich Hitler to objawienie. Ale sytuacja nie rysowała się prosto.

– W Land Lippe od czasów rewolucji[8] – opowiadał Stroop – rządziła socjaldemokracja. Rosły wpływy komunistów. Książę przeja-

---

[5] Parteigenosse (niem.) – towarzysz partyjny.
[6] Feldherrnhalle (niem.) – położone w centrum Monachium mauzoleum bawarskich bohaterów wojennych.
[7] Blutorden (niem.) – Order Krwi, niemieckie odznaczenie ustanowione w marcu 1934 r. dla uczestników puczu w Monachium 9 listopada 1923 r.
[8] Mowa o wydarzeniach rewolucyjnych lat 1918–1919.

wiał skłonności liberalne. Nie można było lekceważyć lokalnej loży masońskiej. Większość ziemian także bała się początkowo przymiotnika socjalistyczny w nazwie partii hitlerowskiej. NSDAP rosła. W wyborach do Reichstagu w 1930 roku uzyskała niespodziewanie aż 107 mandatów (w 1924 miała ich 14, a w 1928 – 12). Toteż w tymże 1930 roku Freistaat Lippe rozkołysał się politycznie.

– Dotychczasowe partie ożywiły się i działały w kierunku niepożądanym dla naszej idei – relacjonował Stroop.

Osiągnął niedawno stopień starszego sekretarza mierniczego. Manifestował bezpartyjność i „obiektywizm ogólnonarodowy". Był rzecznikiem munduru i żołnierki, co było zawsze miłe przeciętnemu Niemcowi. Nie eksponował się politycznie. Może lękał się dotychczasowych szefów, których władza pochodziła także od świętych germańskich. Może Käthe (żona) doradzała, żeby „broń Boże, nie wychylał się". A może Stroop po prostu miał zmysł dyplomatyzowania, jak książę, i spryt, jak ów konserwiarz, którego Stroop reklamował w gazecie byłych kombatantów.

٭

Początek 1932 roku. Przebieg wydarzeń w całej Rzeszy wskazuje, że Hitler idzie w cuglach i z maczugą po władzę. Stroop zapisuje się... nie do partii, lecz do Beamtenbundu[9] przy NSDAP i otrzymuje w tej organizacji „zawodowej" numer członkowski 2 418.

W Detmold działają już silne komórki hitlerowców, przesiąknięte, niestety, „koziarzami" i „ceglarzami", ale – mówił Stroop – taki układ personalny szeregów NSDAP w Lippe uległ potem zmianie. Stroop decyduje się w końcu, wbrew matce i przy braku poparcia ze strony żony. Decyduje się, bo widzi pomyślną przyszłość, ale nie tę najdalszą. Nie żądajmy genialnej prospekcji!

Już zwalczył wątpliwości, odnalazł „prawidłowy kierunek", wkracza na nowoczesny szlak Cherusków i 1 lipca 1932 roku zaciąga się do SS, a potem – dopiero 1 września 1932 – do NSDAP. Jego

---

[9] Beamtenbund (niem.) – Związek Urzędników.

SS-Ausweis[10] miał numer 44 611, a partyjny – o wiele wyższy, bo późny: 1 292 297.

W kilkanaście lat potem, w Warszawie, sięgnie przed sądem do argumentów odciążających i usprawiedliwiających, że nie był nigdy politykiem, tylko wojskowym, nawet „zawodowym wojskowym", i że uległ patriotycznym elementom byłych kombatantów, którzy jego, „fachowca od wojskowości", prosili o wstąpienie do SS – „organizacji paramilitarnej".

Wyobrażam sobie, jaki on był wesoły i pełen nadziei w lipcu 1932 roku, gdy partia Hitlera zdobyła 230 mandatów w 608-osobowym Reichstagu. Deutsch-Nationale uzyskali tylko 40 miejsc, wielkokapitalistyczni liberałowie (Deutsche Volkspartei) – 7 miejsc, katolickie Centrum – 75 (lekki wzrost), pogardzani przez Stroopa socjaldemokraci – 133, a komuniści – 89 mandatów.

*

– Szalenie wówczas, w 1932 i 1933 roku, pracowałem – zwierzał się Stroop. – Oddałem się całkowicie partii i wodzowi. Ciągłe zbiórki, zebrania, podróże agitacyjne, musztry, ćwiczenia, kursy, szkolenia.

Przydał się w NSDAP taki systematyczny i kaligrafujący człowiek, ślepo zaangażowany, wierny i wierzący w każdą podaną odgórnie prawdę, m.in. w to, że będzie bój, a potem tłuste połcie w spichlerzu. Był jednym z pierwszych SS-owców w Lippelandzie. Został SS-Anwärterem[11] i mimo aspiranckiego stopnia kierował jednostką Sztafet Ochronnych[12] w Detmoldzie.

– Słuchali się was członkowie SS? Czy społeczeństwo się z wami liczyło?

– K i l k u SS-manów uspokoiliśmy. Tych, co byli za Hitlerem, ale gadali jak socjaliści. A co do społeczeństwa, bywało różnie.

Nie bardzo chciał na ten temat mówić, ale kiedyś wrócił do przeżyć z lat 1932–1933:

---

[10] SS-Ausweis (niem.) – legitymacja SS.
[11] SS-Anwärter (niem.) – kandydat na członka SS.
[12] Schutzstaffeln der Nationalsozialistischen Deutschen Arbeiterpartei, SS (niem.) – Sztafety Ochronne Narodowosocjalistycznej Niemieckiej Partii Robotniczej.

– Rozumie pan, że ideą Republiki Weimarskiej, inspirowanej przez Anglików, Francuzów, USA, socjaldemokrację, masonerię, międzynarodówkę żydowską i agentów sowieckich, było zanarchizowanie Rzeszy, a przez to Europy. Ostro przeciwstawiliśmy się tym usiłowaniom. W Detmoldzie również trzeba było uspokoić społeczeństwo i wprowadzić je na drogę porządku i rygoru. Najłatwiej szło z byłymi wojskowymi i bogatszymi mieszczanami oraz przemysłowcami. Z Żydami od razu rozprawiliśmy się, legalnie.

Tutaj rzuciłem pytanie „na rybkę":

– Legalnie? A jak było z rozbiciem kilku sklepów i z połamaniem kości jakiemuś Żydowi w podmiejskim zagajniku?

Stroop pobladł, zapeszył się, spojrzał podejrzliwie na mnie i szepnął Schielkemu do ucha: „Vorsichtig!"[13]. Nie miałem wówczas najlepszego słuchu (bolało mnie lewe ucho), ale słówko Stroopowskie dobiegło i natychmiast zareagowałem:

– Do jasnej cholery, czy pan myśli, że mogę być kapusiem?

Stroop, tłumacząc się gorąco, wyjaśnił sytuacyjny sens słowa Vorsichtig. Uwierzyłem, bo znaliśmy się już nieźle, i odpowiedziałem.

– Ja, Herr Stroop, świadkiem na pańskim procesie nie będę. Wie pan o tym dobrze. Ale pamiętam z prasy, że wasze bojówki nie ceregielowały się z przeciwnikiem. Zaprzeczy pan?

Poparł mnie Schielke i zaczął opowiadać historię drastycznych działań i zaniechań, do jakich „zmuszano" ich, policję kryminalną, w roku 1932/33. Opowiadał o terrorze wobec Żydów, nawet największych patriotów niemieckich. Mówił o gwałtach ulicznych, zatajonych częściowo przed opinią publiczną, o demolowaniu sklepów, biciu, paleniu mieszkań żydowskich.

– A my, stróże prawa i porządku – kończył swą relację Schielke – zmuszeni byliśmy nie reagować na bezprawie i z przymkniętymi oczami czuwać nad bezpieczeństwem gówniarzy z SA.

Ta szczerość zmiękczyła Stroopa. Nie chcąc się przeciwstawiać jednakiej postawie Schielkego i mojej, przyznał nam rację i odrobinę opowiedział o akcjach SS w Detmoldzie, „nakazywanych" przez par-

---

[13] Vorsichtig! (niem.) – ostrożnie!

tyjne władze hitlerowskie. A potem powtórzył po raz setny chyba – Befehl ist Befehl!

Pewnego razu, pod koniec wspólnego pobytu w celi, dotknąłem jeszcze raz przełomu 1932/33 i, przystosowując się do słownictwa Stroopa, rzuciłem mimochodem:
– Pan był mieczem Hermanna der Cheruskera. Tym mieczem Hitler, Goebbels, Göring i Himmler zaprowadzili porządek w waszym księstwie.

– Chyba zbyt zaszczytne porównanie – odpowiedział poważnie i po chwili namysłu dodał: – Musi pan zrozumieć, Herr Moczarski, że na nas – żołnierzach armii niemieckiej, zawodowych i rezerwistach, spoczywała odpowiedzialność za losy narodu. Reprezentowaliśmy honor germański i tak nas traktowały szerokie warstwy ludności, te najcenniejsze, bo patriotyczne.

Opowiadając o działalności politycznej w roku 1932/33, Stroop podkreślał jeden z elementów programu hitlerowskiego. Mianowicie: konieczność naprawiania „potwornych krzywd dyktatu wersalskiego”, odbudowania silnej armii, powrotu ziem „zagrabionych przez Francuzów, Belgów, Holendrów, Duńczyków, Włochów, Czechów, Polaków”. I „bezdyskusyjny nakaz sprawiedliwości dziejowej, nakaz nowych zdobyczy terytorialnych”, Lebensraumu[14], dla wielkiego „najkulturalniejszego, najbardziej cywilizowanego i najpracowitszego” społeczeństwa, które się „dusiło” w ówczesnych granicach Rzeszy.

Stroop nabrał w 1932 roku nacjonal-socjalistycznego sznytu. Łykał pigułki hitlerowskiej ewangelii, dławiąc się z zachwytu jak foksterier, który boryka się z kością kurczęcia. Już biegle posługiwał się partyjnym językiem. Chodził w długich butach, z pejczem i miał dwa wilczury. Zaniechał noszenia monokla. Nie dlatego, że mu się poprawił wzrok (zawsze miał zdrowe oczy), ale że monokl był źle widziany w partii. (Wróci Stroop w latach 1940. do monoklowych fasonów, gdy zostanie SS-owskim generałem. W celi także zakładał czasami monokl).

W Detmoldzie jeździł konno na partyjne kontrole, zebrania, ćwiczenia i spacery.

---

[14] Lebensraum (niem.) – przestrzeń życiowa.

– Skąd pan brał wierzchowca? – pytam raz.

– Od bauerów, ziemian i innych koniarzy. Oni się zgłaszali sami z pomocą.

Czuł narastające możliwości osiągnięcia władzy i miał jedno, jak się zwierzał w celi, skryte pragnienie: cwałować na czele oddziału SS-Reiterei po wzgórzach i dolinach Lippelandu. I żeby koniecznie dowódcą był on, syn Oberwachtmeistra. A za nim – kilku hrabiowskich i ziemiańskich synów oraz przyszłych spadkobierców bogatych kupców.

*

Pewnego niedzielnego dnia na korytarzu więziennym świąteczny spokój. Więc Stroop pokazywał w celi, jak się jeździ konno. Na przygiętych nogach kołysał się miarowo, raz stępa, raz truchtem, potem galopem, wreszcie cwałem. Wydawał okrzyki, cmokał, smagał wyimaginowanego rumaka oraz parskał i rżał jak koń.

*

Stroop nie był nigdy (i tego żałował) w k o n n y c h oddziałach SS. Ale je w księstwie Lippe aktywnie współorganizował.

Instytucje SS-Reiterei[15] to słabo dotychczas zbadane zjawisko III Rzeszy. Myślę, że zaciąganie się do jazdy SS stanowiło w dość dużym zakresie wyraz oportunizmu ludzi, którzy mieli coś do stracenia w politycznej grze i gospodarczych układach tamtych czasów. Konni SS-owcy, w większości arystokraci lub ziemianie, byli jednocześnie i sportowcami, i członkami elity partyjnej, jaką tworzyły Sztafety Ochronne. SS-Reiterei dawała wygodną płaszczyznę wyjściową dla przyszłego ustawiania się w polityce, w ewentualnym dygnitarstwie hitlerowskim, względnie w nieponoszeniu pełnej odpowiedzialności za hitleryzm. Stroop mógł to dobrze rozumieć, gdyż znał wszystko, co dotyczyło koni. Opowiadał mi raz, dlaczego jeden z książąt Lippe nie dzieli po wojnie losu SS-owców. Rozszyfrował jednocześnie podszewkę tego ustępu Wyroku Norymberskiego, który

---

[15] SS-Reiterei, Reiter-SS (niem.) – jazda SS (konne oddziały SS). Nie należy mylić z SS-Reiterstandarten, biorącymi udział w akcjach pacyfikacyjnych na terenach okupowanych.

w rozdziale dotyczącym SS, mówi: „Nicht mit eingegriffen sind die Mitglieder der sogennanten Reiter-SS"[16].

Stroop twierdził, że członkowie konnych formacji SS zostali dlatego wyłączeni z przynależności do Schutzstaffeln, które w Norymberdze uznano za organizację z b r o d n i c z ą, że „międzynarodówka" arystokratyczna, i jednocześnie wielkoobszarnicza, chroniła w ten sposób braci skompromitowanych (niekiedy tylko formalnie) współpracą z Himmlerem. Według Stroopa, ów młody książę Lippe zur Biesterfeld, jego znajomy i przez 3–4 lata SS-owski towarzysz (od 1933), wymigał się w ten sposób od odpowiedzialności. Przez konie do niewinności! Czy Stroop miał rację, nie umiem dać odpowiedzi.

*

W początku drugiego półrocza 1932 37-letni Józef Stroop żył na fali rosnącego powodzenia, komenderował i nakazywał. Maltretowano, a nieraz bito, „wszystkich tych bezkręgowców, tych mięczaków", których można było bić.

– Żydów u nas, w Detmoldzie i księstwie, było niedużo – mówił. – Szybko zostali wyrzuceni. Pan się pyta o masonów? Z ręką na sercu muszę powiedzieć, że masonów nie ruszałem, choć znałem wnętrze ich gmachu. Oni za dobrze byli z Fürstem, z ziemianami i z naszymi plutokratami. Katolików niewielu mieszkało w Detmoldzie. Podgryzaliśmy ich agitację ideologiczną. Zresztą naukowa działalność Frau Doktor Ludendorff przygotowała nam grunt.

– A niech mi pan naprawdę powie – rzekłem raz do Stroopa – czy działając antykatolicko w Detmoldzie, nie bał się pan trochę mamy, która była przecież aktywną katoliczką?

– Nie chciałem jej robić przykrości. Poza tym, ona znała wiele osób w mieście. A zresztą katolicy to przecież także w większości dobrzy,

---

[16] Międzynarodowy Trybunał Wojskowy w Norymberdze, uznając w procesie norymberskim SS za organizację przestępczą, określił jej części składowe w sposób następujący: „SS obejmuje wszystkich oficjalnych członków tzw. Allgemeine SS, członków Waffen SS, członków SS Totenkopfverbände i członków jakichkolwiek oddziałów policyjnych, którzy równocześnie byli członkami SS. Trybunał wyłącza tzw. Reiter-SS" (to ostatnie zdanie cytuje autor) – zob. *Materiały norymberskie. Umowa – statut – akt oskarżenia – wyrok – radzieckie votum*, oprac. Tadeusz Cyprian i Jerzy Sawicki, Warszawa 1948, s. 257.

choć nieraz mgliści, patrioci. Naturalnie nie mówię o jezuitach i o tych kanalijnych politykach papieskich w Niemczech. Ale w ogóle, tośmy tych pięknoduchów detmoldskich, całą tę bandę marksistowsko-katolicko-żydowską mocno podkręcili. Nic nie mieli później do gadania!

– Ale znacznie później, w 1933 roku? – zapytałem.

– Tak. Skończyliśmy ich w trzydziestym trzecim...

– Nie tak bardzo znów skończyliśmy – wtrącił się nagle Schielke. – Po co mamy tu, w celi, przesadzać! Chociaż hitlerowcy...

– Trzeba mówić: my, hitlerowcy – zgryźliwie przerwał Stroop.

– Sie haben Recht, Herr General[17] – przytaknął służbiście Schielke. – Ale nie jestem dzisiaj hitlerowcem, gdyż partii już dawno nie ma. Więc chociaż hitlerowcy przystrzygli mocno krzewy socjaldemokratyczne, jezuickie, masońskie, żydowskie oraz obce ideologicznie, a czasami i reakcyjne, to jednak część narodu nie dała się tak łatwo zglajchszaltować.

– Bo zawsze – odpowiedział gwałtownie Stroop – w każdym kraju są grupy warchołów, indywidualistów i głupców, którzy nie rozumieją, że wierność idei, że skoncentrowane, jednoosobowe kierownictwo i stuprocentowe posłuszeństwo są podstawą bytu narodowego. Wierność, wierność, wierność – oto cecha prawdziwego człowieka. „Meine Ehre heisst Treue"[18], napis wygrawerowany na honorowym sztylecie i honorowej szpadzie SS ma najszlachetniejszą ludzką i obywatelską treść.

– Pan mówi często o wierności – rzekłem. – To ładna i rzadko spotykana cecha. Ale komu należy być wiernym? Każdemu człowiekowi, każdej idei, każdej sprawie? Czy dobrze się stało, że pan był wierny ludziom, którzy doprowadzili wasz kraj do takiej klęski?

Stroop zdenerwował się.

– Przegraliśmy wojnę tylko dlatego – wyrzucał z pasją – że intrygi międzynarodówki: reakcyjnej, anglosaskiej, żydowskiej, socjalistycznej, komunistycznej, masońskiej i katolickiej, rozsadzały nasz naród. Byliśmy, jak się okazuje, za bardzo liberalni. Rzeszę zdołano pobić tylko

---

[17] „Sie haben Recht, Herr General" (niem.) – „Ma pan rację, panie generale".
[18] „Meine Ehre heisst Treue" (niem.) – „Mój honor to wierność".

przy pomocy części społeczeństwa niemieckiego, przy pomocy takich Canarisów[19], Gördelerów[20], Stauffenbergów[21], Thälmannów[22], Schumacherów[23], Niemöllerów[24], Klugów[25], Paulusów[26], Piecków[27], takich bezczelnych gówniarzy norweskich jak Wiluś Brandt[28] oraz wielu innych kanalii. Trzeba było ich mocniej trzymać przy pysku!

[19] Wilhelm Canaris (1887–1945), admirał niemiecki, szef wywiadu i kontrwywiadu wojskowego (Abwehry) do lutego 1944 r., czołowy przywódca antyhitlerowskiej opozycji w armii niemieckiej, aresztowany 23 lipca 1944 r. i powieszony w obozie koncentracyjnym Flossenburg 9 kwietnia 1945 r.

[20] Carl Gördeler (1884–1945), były burmistrz Lipska, komisarz rządowej komisji kontroli cen, czołowa postać antyhitlerowskiej opozycji w środowisku cywilnym, przewidywany przez spiskowców na stanowisko kanclerza Niemiec, aresztowany w sierpniu 1944 r. i stracony 2 lutego 1945 r. w Berlinie.

[21] Claus von Stauffenberg (1907–1944), pułkownik niemiecki, szef sztabu Armii Rezerwowej, wykonawca nieudanego zamachu na Hitlera 20 lipca 1944 r., rozstrzelany w nocy z 20/21 lipca 1944 r.

[22] Ernst Thälmann (1886–1944), przywódca KPD (Komunistycznej Partii Niemiec), więziony od 1933 r. i zamordowany w obozie koncentracyjnym Buchenwald w sierpniu 1944 r.

[23] Kurt Schumacher (1895–1952), działacz socjaldemokratyczny, poseł do Reichstagu, więziony od 1933 r. w obozach koncentracyjnych, po wojnie od 1946 r. przewodniczący SPD (Socjaldemokratycznej Partii Niemiec).

[24] Martin Niemöller (1892–1984), kapitan niemieckiego okrętu podwodnego w czasie I wojny światowej, pastor protestancki, antyfaszysta, w latach 1937–1945 więziony w obozach koncentracyjnych, po wojnie współprzewodniczący Światowej Rady Pokoju w latach 1961–1968.

[25] Günther von Kluge (1882–1944), feldmarszałek niemiecki, dowódca Grupy Armii „Środek" na froncie wschodnim w latach 1941–1943, następnie Grupy Armii „B" i całości sił niemieckich na froncie zachodnim w 1944 r., odmówił poparcia spiskowcom po nieudanym zamachu na Hitlera. O okolicznościach jego śmierci pisze autor w rozdziale XXIII.

[26] Friedrich von Paulus (1890–1975), feldmarszałek niemiecki, dowódca 6. Armii rozbitej pod Stalingradem w 1943 r., potem członek Komitetu Narodowego „Wolne Niemcy" w ZSRR.

[27] Wilhelm Pieck (1876–1960), od 1933 r. w ZSRR, po aresztowaniu Thälmanna przywódca KPD (Komunistycznej Partii Niemiec), po wojnie prezydent Niemieckiej Republiki Demokratycznej w latach 1949–1960.

[28] Willy Brandt, właśc. Herbert Frahm (1913–1992), działacz SPD (Socjaldemokratycznej Partii Niemiec), od 1933 r. na emigracji w Norwegii, a od 1940 r. w Szwecji, w czasie II wojny światowej korespondent prasowy, po wojnie przewodniczący SPD, kanclerz Republiki Federalnej Niemiec w latach1969–1974, laureat pokojowej Nagrody Nobla.

VI. Lippe „wyraża wolę narodu"

Czwarty kwartał 1932 roku przywlókł chmurę na czoło Wotana--Hitlera. Po sukcesie wyborczym NSDAP w lipcu 1932 naród niemiecki zaczyna przejawiać ślady otrzeźwienia. Spada koniunktura dla brunatnych koszul. W kraju rośnie napięcie, bo m.in. kryzys trwa, a liczba bezrobotnych dochodzi do sześciu milionów.

Prezydent Hindenburg rozwiązuje lipcowy parlament i po raz drugi w tym samym (1932) roku – w l i s t o p a d z i e – odbywają się wybory do Reichstagu. Przynoszą poprawę stanu posiadania komunistom (100 miejsc w Reichstagu) oraz konserwatywnej prawicy (54). Katolicy mają o 7 mandatów mniej niż w lipcu, a socjaldemokraci – o 12 (uzyskali 121 miejsc).

Najbardziej ujemne saldo posiadają hitlerowcy. W listopadzie 1932 stracili (w porównaniu z lipcem) ponad 2 miliony głosów i 34 fotele poselskie. Partia Führera znajduje się na niebezpiecznej krawędzi, ale jest najliczniejsza w Reichstagu (196 mandatów na 584).

– Przyczyną niepowodzeń NSDAP – mówił zdecydowanie Stroop – był wpływ obcych agentur degenerujących naród oraz niewojskowe metody działania naszej partii, zbyt liberalnej i lewicowej.

*

Stroop jest już ważną figurą w rodzinnym miasteczku. Od października 1932 dowodzi Sztafetami Ochronnymi (Führer des SS-Trupps in Detmold), mimo że nie ma żadnego stopnia SS-owskiego.

Ulega nastrojom. Czasem szaleje z wściekłości na „niepatriotycz-
ne masy, podjudzane z zewnątrz, które nie rozumieją mądrości Adolfa
Hitlera". Czasem ma chwile zwątpienia. Bo może Führerowi się nie
uda... i kto poprowadzi dalej byłych wojskowych, potomków ple-
mienia Cherusków? Ulgę i „busolę" znajduje w p o s ł u s z e ń s t w i e. Po co myśleć,
rozważać, przewidywać, borykać się z wątpliwościami?... Gdy się
już raz wstąpiło do partii, należy tylko być zdyscyplinowanym, wiernym wodzowi i stosować w razie potrzeby terapię pracy organizacyjnej. Po raz pierwszy usunięto wówczas ze szturmówek SA
w Land Lippe element „chwiejny i obcy doktrynalnie" albo o „nad-
werężonym kręgosłupie partyjnym" czy „stępionym ostrzu ideologicznym".

Mimo niepowodzeń Hitlera w listopadowych wyborach do
Reichstagu, Stroop był dumny z Freistaatu. – W naszym Lippe uzy-
skaliśmy w listopadzie 1932 roku o 1,6 procent głosów więcej od
przeciętnej krajowej.

Tę dumę wiązał z faktem, że na dwa tygodnie przed wyborami
odniósł „sukces partyjny". Mianowano go SS-mannem i jednocześnie SS-Scharführerem. Przeskoczył dwa stopnie: SS-Sturmmanna
i SS-Rottenführera[1]. Taki awans nie był czymś nadzwyczajnym. Znamy kariery ludzi, którzy w okresach burzy, walki i koniunktury błyskawicznie skoczyli – niezależnie od wartości osobistych – w krąg
najmożniejszych i decydujących.

*

W końcu listopada i w grudniu 1932 do kacyków hitlerowskich
w Lippe przybywają wyżsi funkcjonariusze partyjni. I to nie
z Münsteru, Bielefeld czy z SS-Gauleitung[2] Westfalen, lecz superbon-
zowie: z Monachium, z Brunatnego Domu.

---

[1] Scharführer (niem.) to odpowiednik sierżanta, zatem Stroop przeskoczył nie
dwa, lecz nawet trzy stopnie: Sturmmanna, Rottenführera (starszy szeregowiec)
i Unterscharführera (plutonowy).
[2] Gauleitung (niem.) – kierownictwo okręgowe.

Pewnego dnia strzelił w Stroopa – jak się wyraził – piorun. Na specjalnej odprawie – opowiadał w celi – zakomunikowano, że Adolf Hitler zwrócił uwagę na Freistaat Lippe-Detmold i zdecydował, dla dobra Niemiec, aby NSDAP wzięła 15 stycznia 1933 jak najbardziej aktywny udział w wyborach do Landtagu[3].

Przekazano fundusze z głównej kasy partii i to tak znaczne, że Stroopowi zakręciło się w głowie. Czołówka NSDAP zagwarantowała udział w akcji przedwyborczej. Wszystko do dyspozycji detmoldskich nazistów! Stroop wysłuchał dodatkowych rozkazów. Będzie je skrupulatnie wykonywać. Co prawda, czuje się nieco upokorzony, bo wskutek napływu „ludzi z góry" nie jest już jednym z głównych hitlerowców w Detmoldzie. Ale szybko się z tym godzi, połechtany łaskawością monachijskich sztabowców NSDAP, którzy mówią: „Lieber Parteigenosse[4] Stroop, musimy zrobić wszystko, aby m i a ż d ż ą c o wygrać regionalne wybory i pokazać, że nasz ruch jest nadal w ataku i wstępnym rozkwicie".

Stroop dwoi się, troi i usetnia. Dowodzi, organizuje, działa. Gorliwy, służbisty, „żołnierski", ofiarny.

*

Akcja wyborcza w księstwie Lippe rozpoczęła się niespotykaną k o n c e n t r a c j ą sił i środków oraz zastosowaniem wielu metod propagandowych. Miały one wpłynąć na ok. 100 tysięcy głosujących obywateli. Bezpośrednia agitacja objęła w s z y s t k i e miejscowości kraju Lippe. Rzucono do niej mówców, klakierów, reporterów, filmowców, kolporterów, paszkwilantów i gloryfikantów, bojówkarzy i łagodnych przekonywaczy, demagogów oraz spokojnych pseudonaukowców. Nie zapomniano o rozszerzeniu sieci informatorów i konfidentów. Nie pominięto czapki, papki i soli. Zadbano o transporty kiełbasy wyborczej, a w odległych wsiach hitlerowcy zainstalowali wielkie namioty dla zebrań „uświadamiających".

---

[3] Landtag (niem.) – parlament dzielnicowy (krajowy).
[4] „Lieber Parteigenosse..." (niem.) – „drogi towarzyszu partyjny..."

– W akcji wziął udział sam Adolf Hitler, sam Göring, sam Goebbels, a ponadto: dr Frick[5], Ley[6], Kerrl[7], Kube[8] i inni przywódcy narodu – opowiadał Stroop. – Heinrich Himmler był również obecny, ale jego zadania leżały w innej płaszczyźnie, nie agitacyjnej.

– Czy tam go pan poznał?

– Tak. I jego, i Adolfa Hitlera, i Goebbelsa, i naszego Hermanna[9], tego najwierniejszego paladyna Führera, i Prinza Augusta von Preussen...

– Prinz August Pruski był także pańskim towarzyszem i członkiem waszej partii, „robotniczej" i „socjalistycznej"?

– Tak. A dlaczego nie? Prinz był mądrym człowiekiem i rozumiał nowe czasy. Żeby pan widział, z jaką elegancją przemawiał każdego wieczora przed wyborami.

– Przecież to bogacz i wielki właściciel ziemski?

– No, Prinz August von Preussen to więcej niż Grossgutsbesitzer[10], ale gdyby go nawet tak traktować, to on był n a c j o n a l - s o c j a -l i s t y c z n y m - o b s z a r n i k i e m!

٭

Centralną kwaterę akcji wyborczej ulokowano w zamku Vinsebeck barona von Oeynhausena, gdzie zamieszkał Hitler[11]. Stroop

---

[5] Wilhelm Frick (1877–1946), minister spraw wewnętrznych Rzeszy Niemieckiej w latach 1933–1943, po wojnie skazany na karę śmierci wyrokiem Międzynarodowego Trybunału Wojskowego w Norymberdze i stracony 16 października 1946 r.

[6] Robert Ley (1890–1945), przewodniczący DAF (Deutsche Arbeitsfront, Niemiecki Front Pracy) od 1933 r., po wojnie popełnił samobójstwo 24 października 1945 r., oczekując na wyrok Międzynarodowego Trybunału Wojskowego w Norymberdze.

[7] Hans Kerrl (1887–1941), minister ds. wyznaniowych Rzeszy Niemieckiej od 1935 r., zmarł 15 grudnia 1941 r. w Berlinie.

[8] Wilhelm Kube (1887–1943), nadprezydent okręgu Brandenburgia w latach 1933–1936, w czasie wojny generalny komisarz (Generalkommissar) Białorusi, zastrzelony przez ruch oporu 22 września 1943 r. w Mińsku.

[9] Nasz Hermann – Hermann Göring.

[10] Grossgutsbesitzer (niem.) – właściciel wielkiego majątku, obszarnik.

[11] O udziale Hitlera i Goebbelsa w wyborach w Lippe pisze m.in. Alan Bullock, *Hitler. Studium tyranii*, Czytelnik, Warszawa 1969, s. 198–199.

brał udział w powitaniu Führera na dworcu kolejowym w Detmold. M.in. przeprowadził wstępną kontrolę kwiatów wręczanych „Wodzowi" przez delegację dzieci. Jak tam, na dworcu, Stroopowi oczy musiały wychodzić z orbit, a myśl biegła wyjątkowo szybko śledczo, wywiadowczo! Tak szybko, jak w dziesięć lat później podczas Grossaktion in Warschau.

Ze względu na znaczenie wyborów w Lippe Hitler odłożył wszystkie sprawy i przyjechał 5 stycznia 1933 do Detmoldu. Był w Lippe dziewięć dni i wygłosił szesnaście długich przemówień na masówkach przedwyborczych.

Goebbels zjawił się nieco później, ale już pierwszego wieczora agitował na trzech mityngach w małych wioskach. Najsympatyczniej (według Stroopa) był przyjmowany przez społeczeństwo Göring. Męski, postawny, „nasz Hermann", „bożyszcze kobiet" Lippelandu, otoczony legendą skrzydeł lotniczych z I wojny światowej. Hełm Hermanna Cheruska też miał skrzydła. Stąd skojarzenia miłe sercu mieszczek i chłopek księstwa Lippe-Detmold.

Wszędzie sale przepełnione. To duża atrakcja dla zakutej prowincji zobaczyć i usłyszeć znanych aktorów politycznej sceny Niemiec. Aktorów łaskawych, przymilnych, obiecujących protekcję. Aktorów, którzy z jednej strony sławili piękno Lippelandu, walory mieszkańców, chwałę Hermanna der Cheruskera, pragermańskość Teutoburskiego Lasu, a z drugiej – demonstrowali fotomontaż prawdy, kłamstwa i plotki nie tyle o „reakcji i konserwie", ile o socjaldemokratach i komunistach, „rozbijaczach narodu, Żydach i obcych agentach". Bo przecież nie prawica, ale socjaldemokraci rządzili w Lippe po I wojnie światowej. I nie konserwatyści, lecz członkowie SPD z księstwa Lippe – a wśród nich dwaj przywódcy: Drake i Fechenbach – byli zwalczani najzajadlej przez agitatorów i bojówkarzy oraz prasę hitlerowską.

„Niestrudzona praca narodowych socjalistów w Lippe zgotuje kres nieograniczonej władzy SPD i – jeśli los zechce – włączy Lippe do rzędu krajów takich, jak Anhalt, Turyngia, Braunschweig i Meklemburgia, którymi kieruje już duch narodowy i społeczny" – pisał w przedwyborczym reportażu „Illustrierter Beobachter" z 14 stycznia 1933.

Nałykali się wyborcy sloganów, przyrządzonych w rozmaitych sosach – od robotniczo-przemysłowego, poprzez bauerski, do obszarniczo-bankierskiego. Usłyszeli o „historycznych zadaniach narodowego socjalizmu", które polegają m.in. na tym, aby „mocą woli, nowa doktryna państwa XX wieku przekształciła się w Niemczech z teorii i przewidywań, opartych o historyczne rozpoznanie – w rzeczywistość"[12]. W słabo uprzemysłowionym i niezurbanizowanym Lippe chłopi stanowili większość. Główne więc uderzenie propagandowe nazistów przebiegało pod hasłami B a u e r s t a n d u[13]. Podbechtywano chłopską ambicję, mówiąc im mniej więcej tak: Rzesza zawsze stała na chłopie, na jego patriotyzmie i czynie wojskowym. On nas żywi i broni. Chłopi z Lippe są najczystszymi rasowo potomkami sławnych Cherusków, germańskich zwycięzców nad Rzymianami w Teutoburskim Lesie. Są najofiarniejsi, najbardziej odporni na agenturalne wpływy wrogości. Przecież oni, pod wodzą Vollmera, Ortsgruppenleitera NSDAP[14] ze wsi Müssen, potrafili sami rozgromić socjalistów w niedawnych wyborach gminnych, przygotowując grunt do walki o władzę w Landtagu.

– Ten Vollmer z Müssen był wzorem germańskiego bauera – opowiadał Stroop. – Wrośnięty w ziemię. Nacjonalista. Świetny gospodarz. Stary żołnierz. Rozumiał istotę naszego ruchu.

– Pan go znał? – zagadnąłem.

– Tak. Pogłębiałem jego wiedzę społeczno-polityczną. Natychmiast pojąłem, o co idzie. A jakim duchem był owiany, świadczy następujący fakt. Na pierwsze dni stycznia 1933 roku przypadała uroczystość srebrnego wesela małżonków Vollmer. Ale partia prowadziła akcję przedwyborczą i stary Vollmer był w niej zaangażowany 24 godziny na dobę. Więc zadecydował, że srebrnego wesela nie będą obchodzić. Takich chłopów mamy w Lippe! I dlatego nad Hermannslandem musiał w końcu załopotać sztandar ze swastyką Adolfa Hitlera.

---

[12] Wyjątek z tez programowych NSDAP z początku stycznia 1933 r. – przyp. aut.
[13] Bauerstand (niem.) – stan chłopski.
[14] Ortsgruppenleiter NSDAP (niem.) – kierownik miejscowej grupy NSDAP.

– Ale on trochę socjalistów potłukł w owym Müssen, ten pański Vollmer? – spytałem.

– No, były jakieś draki i kogoś pobito. Ale nas, dowództwo SS, powiadomiono dopiero potem, po fakcie.

– Herr Stroop – zezłościłem się – niech pan mnie nie czaruje. Jestem przekonany, że znał pan doskonale plan przedwyborczego terroryzowania ludzi w Müssen. Bo inaczej, co byłby z pana za szef Sztafet Ochronnych?

Stroop milczał, Schielke chichotał z zadowolenia, że „wygarnąłem" (jak później mówił) SS-Gruppenführerowi i generałowi-leutnantowi der Waffen SS.

✳

Zmasowanie sił NSDAP przy wyborach w Lippe przyniosło pewien sukces, jednak nie było mowy o m i a ż d ż ą c y m zwycięstwie. Naziści otrzymali 39,5% głosów. Odsetek głosujących na NSDAP w dniu 15 stycznia 1933 wzrósł (w porównaniu z listopadem ubiegłego roku) o 4,8% i – mimo fantastycznej propagandy – hitlerowcy nie osiągnęli teraz szczytu swych powodzeń, który był znamienny dla lipca 1932 roku.

W politycznej literaturze niemieckiej (hitlerowskiej i powojennej) niełatwo odnaleźć źródłowe dane z wyborów do Landtagu Lippe w dniu 15 stycznia 1933. Są to tylko fragmenty i uogólnienia; precyzji żadnych.

Historyczna kronika nazistów pt. *Das Dritte Reich* (autor: Gerd Rühle) zawiera, na stronicy 25 w tomie I, ustęp opatrzony wytłuszczonym śródtytułem: „Gewaltiger Wahlsieg der NSDAP über die Reaktion bei den Landtagswahlen in Lippe"[15]. Piszą tam, że na 21 mandatów NSDAP zdobyła 9. Reakcja (Deutschnationale) zdołała uratować tylko jeden mandat. W wyborach do Landtagu Lippe ruch narodowosocjalistyczny nie tylko „odrobił straty z 6 listopada 1932 r.", ale „wykazał, że jest w marszu rozwojowym".

---

[15] „Gewaltiger Wahlsieg..." (niem.) – „Wspaniałe zwycięstwo NSDAP nad reakcją w wyborach do parlamentu krajowego w Lippe".

Das Dritte Reich reklamuje „zwycięstwo nad reakcją", a nie pisze słowa o rezultatach walki z socjalistami (zdobyli również 9 mandatów), komunistami (2 mandaty – 11,2% głosów) i postępowymi demokratami. Oficjalna kronika hitlerowców nie mogła się przyznać do niepowodzeń w swych antylewicowych zamierzeniach. W końcowym zdaniu wspomnianego ustępu *Das Dritte Reich* zamieszcza komentarz: „Die moralische Wirkung des Wahlsieges in Lippe war von ausschlaggebender Bedeutung"[16]. I tu należy Gerdowi Rühle przyznać rację. Istotnie, rezultaty wyborów do Landtagu Lippe miały dla Hitlera olbrzymie znaczenie psychologiczno-propagandowe i to w skali ogólnokrajowej, a nawet międzynarodowej. Partia nazistowska osiągnęła bowiem wyniki, które pozwoliły Goebbelsowi twierdzić, że przezwyciężono k r y z y s (ujawniony w ubiegłorocznych, listopadowych wyborach do Reichstagu), że wstrzymano odpływ zwolenników, że społeczeństwo Rzeszy jest „za nami".

⁎

Na ówczesny k r y z y s polityki NSDAP składało się wiele elementów – wśród nich: wewnętrzna sytuacja w partii. Secesja Gregora Strassera (kierownika organizacyjnego) była jednym z objawów rozdarcia NSDAP. Gregor Strasser[17] zgłaszał rezygnację ze wszystkich funkcji partyjnych i mandatu do Reichstagu. Liczono się powszechnie z rozłamem. Strasser przyjął kurs na ewentualną współpracę z rządem Schleichera[18]. Hitler zaś sterował wyraźnie ku legalnemu zdobyciu władzy bez wiązania się ze Schleicherem i nie chciał odstąpić od linii NSDAP: k a n c l e r s t w o dla Hitlera.

---

[16] „Die moralische Wirkung..." (niem.) – „Moralne oddziaływanie zwycięstwa wyborczego w Lippe miało pierwszorzędne znaczenie".

[17] Gregor Strasser (1892–1934), poseł NSDAP do Reichstagu, kierownik pionu propagandy NSDAP w latach 1926–1932, kierownik organizacyjny NSDAP w 1932, w tymże roku ustąpił ze wszystkich stanowisk partyjnych, aresztowany i rozstrzelany podczas „nocy długich noży" 30 czerwca 1934 r.

[18] Kurt von Schleicher (1882–1934), generał niemiecki, ostatni kanclerz Republiki Weimarskiej w latach 1932–1933, zamordowany podczas „nocy długich noży" 30 czerwca 1934 r.

Ponadto NSDAP goniła resztkami funduszów. Pisze o tym Goebbels w książce *Vom Kaiserhof zur Reichskanzlei*. Dzień przed wyjazdem na przedwyborczą akcję do Lippe notuje on tam: „In der Organisation herrscht schwere Depression. Die Goldsorgen machen jede zielbewusste Arbeit unmöglich"[19]. Dodaje, że Hitler nosił się w tym czasie z myślą o samobójstwie. „Wenn die Partei einmal zerfällt, dann mache ich in drei Minuten mit der Pistole Schluss!"[20]

W przeddzień przyjazdu Hitlera do Detmoldu odbyło się w domu kolońskiego przemysłowca i bankiera, Kurta Freiherra von Schrödera, spotkanie Hitlera z Papenem[21]. Uczestniczyli w nim: Hess, Himmler i Keppler[22]. Hitler już się zdeklarował. Zgodnie ze swymi zasadniczymi tendencjami, „ideologią" i potrzebami finansowymi partii – chciał porozumienia, które zakończyłoby się obaleniem Schleichera i zgodą Hindenburga na kanclerstwo Hitlera. Należy przypuszczać, że konserwatyści, junkrzy i wielcy przemysłowcy Rzeszy postawili wtedy Hitlerowi następujący warunek: musicie wygrać wybory do Landtagu, aby pokazać krajowi, że jesteście w stałym Vormarschu[23] i jeżeli w tej sytuacji nie oddamy wam legalnie władzy, wy ją sami zdobędziecie czynem... „rewolucyjnym".

*

Ale wróćmy do przedwyborczej sytuacji w Lippe. Dla tamtejszych mieszkańców – przywiązanych do tradycji i na ogół dość nieruchliwych – skok, do jakiego ich skłaniał Hitler i jego ludzie (od Göringa, Goebbelsa aż do Stroopa), był trudny do zaakceptowania.

---

[19] „In der Organisation..." (niem.) – „W organizacji (partyjnej) panuje ciężka depresja. Troska o pieniądze sprawia, że każda celowa robota jest niemożliwa".

[20] „Wenn die Partei..." (niem.) – „Jeśli partia raz się rozpadnie, wówczas w trzy minuty skończę z sobą przy pomocy pistoletu".

[21] Franz von Papen (1879–1969), kanclerz Rzeszy Niemieckiej w 1932, wicekanclerz w latach 1933–1934, poseł i ambasador Rzeszy w Turcji w latach 1934–1944, po wojnie uniewinniony przez Międzynarodowy Trybunał Wojskowy w Norymberdze (1946), skazany przez sąd niemiecki na 8 lat pracy przymusowej (1947), zwolniony w 1949 r.

[22] Wilhelm Keppler (1882–1960), przemysłowiec, doradca Adolfa Hitlera ds. gospodarczych.

[23] Vormarsch (niem.) – marsz naprzód.

Większość obywateli Freistaatu miała wrodzone poczucie zgody na p o w o l n e ich urabianie. Prawie każde głupstwo przyjęliby za swoje, gdyby było sączone kropla po kropli przez nauczyciela, księdza, pastora, feldfebla, policjanta, popularnego rolnika, dobrze prosperującego kupca lub drobnego fabrykanta czy wybitnego rzemieślnika. Ale żeby tak nagle, to nie. Nigdy! To byłoby sprzeczne z ich naturą i obyczajem.

Ponadto część mieszkańców była aktywnie związana z tradycyjnymi partiami. Jedni dawali posłuch przyjaciołom z SPD czy KPD. Inni, działacze związków zawodowych, członkowie stowarzyszeń kulturalnych, sportowych itp., nie chcieli się zgodzić z perspektywą glajchszaltowania w ramach partii przyszłego dyktatora.

Toteż psychologiczna transfuzja, o jakiej marzył Hitler (i Stroop), była nie do przeprowadzenia w Lippe bez oporu, choćby drobnego. A zresztą, w miarę postępującego rozagitowania, rzadko kto się kwapił do przetoczenia mu światopoglądowej krwi, mimo że nazistowskie karetki pogotowia ideologicznego czekały pod niegasnącymi motorami.

W tej sytuacji sięgnięto do przemocy i zastraszenia. Stroop chętnie posłuchał rozkazu o „założeniu terroru". On zawsze twierdził, że partia jest zbyt delikatna i że „durni trzeba uszczęśliwiać wbrew ich początkowej woli", uszczęśliwiać rozkazem i siłą fizyczną, w imię „słusznych idei". Lubił akcje bezpośrednie. Często to podkreślał, posługując się terminem francuskim: action directe[24].

Rozpoczęto action directe. Brunatne koszule[25] i „trupie główki"[26] zaczęły się wyżywać. Bili, palili, porywali ludzi. Na Detmold padł strach, gdy rozniosła się wieść, że naziści zdemolowali spółdzielnię spożywców republikańskiego związku robotniczego i że

---

[24] Action directe (franc.) – akcja bezpośrednia.

[25] Brunatne koszule – strój organizacyjny członków Sturmabteilungen (SA) NSDAP.

[26] „Trupia główka" (niem. Totenkopf) – trupia czaszka na skrzyżowanych piszczelach na oznace SS, symbol i przedmiot kultu w SS, następnie także nazwa wydzielonej formacji SS (SS-Totenkopfverbände) grupującej oddziały pilnujące obozów koncentracyjnych, która jesienią 1939 r. liczyła już cztery pułki i została wówczas przekształcona w dywizję SS „Totenkopf" (patrz niżej przyp. 2 w rozdziale XI).

doszło do walki między hitlerowcami a członkami Reichsbanneru[27]. Pięć osób odniosło rany. Hitlerowcy wytłukli szyby w lokalu spółdzielczym i sąsiednich mieszkaniach. Strzelali, grzmocili pałkami, kijami, kastetami. Wygarnęli na ulicę sprzęty i papiery spółdzielni. Akta rzucali w ognisko. Szaleli z wściekłości i radości.

Stroop ze swym pocztem dowódcy Sztafet Ochronnych stał opodal i patrzał na ręce SA- i SS-mannów, czy nie za słabo biją, czy są żarliwi. (W kwietniu 1943 też będzie tak patrzał w palonym getcie Warszawy). A jeszcze dalej, uliczkami romantycznego Detmoldu przechadzali się w cywilu hitlerowcy wyższych szczebli, bacząc, czy Stroop i jego podkomendni wykonują rozkazy do końca. (W kwietniu 1943 Himmler, Krüger i inni również będą bez przerwy kontrolowali Stroopa, czy dobrze realizuje akcję ludobójczą w Warszawie).

✻

Nazajutrz po wyborach do Landtagu Stroop czyta artykuł Goebbelsa w „Der Angriff" pod tytułem *Signal Lippe!* Goebbels podkreśla tam ogólnoniemieckie znaczenie wyborów, nie ujawnia szczegółów akcji i dmie w róg narodowego triumfu. Artykuł staje się podstawą wyjściową bitwy politycznej najbliższych dni. NS-Reichspressesestelle[28] ogłasza, że NSDAP po przezwyciężeniu chwilowych trudności wchodzi w fazę dalszego rozwoju. Nazistowskie dzienniki, idąc za wytycznymi Goebbelsa, podnoszą wybory w Lippe do rangi r e-f e r e n d u m ludowego na rzecz oddania władzy Führerowi.

„Zwycięstwo w Lippe" wzmacnia sytuację Hitlera, Göringa i Goebbelsa w zakulisowych pertraktacjach z wpływowymi kołami, które stawiały na NSDAP. M.in. von Papen, konferując z prezydentem von Hindenburgiem, powołuje się na rezultat wyborów w Lippe i sugeruje, że mają one charakter testu politycznego, podobnie jak wybory uzupełniające w Wielkiej Brytanii i USA.

---

[27] Reichsbanner Schwarz-Rote-Gold (niem.) – niemiecka organizacja paramilitarna, mająca za zadanie ochronę instytucji Republiki Weimarskiej przed siłami reakcji, złożona głównie z socjaldemokratów, licząca w 1932 r. 3,5 miliona członków – przyp. aut.
[28] NS-Reichspressestelle, Nationalsozialistische Reichspressestelle (niem.) – Centralne Biuro Prasowe NSDAP.

Sukces NSDAP w Lippe jest na ustach wszystkich. Również za-
granica wyraża żywe zainteresowanie i niepokoi się „trikiem tak-
tyczno-wyborczym w Lippe", dzięki któremu hitleryzm może głosić, że jest „i zwycięski, i zaaprobowany przez naród niemiecki".
„Czasem zwykła pestka może zaważyć na polityce narodowej" –
pisał wówczas jeden z dzienników europejskich, rozumiejąc pod
„pestką" Freistaat Lippe z jego wyborami. Można by się zgodzić z takim uogólnieniem, ale pod warunkiem, że casus z „pestką" nie był
przypadkiem losowym, lecz narzędziem działania politycznego Hitlera, zaakceptowanym przez jego sojuszników czy nawet mocodaw-
ców. W wyniku tego działania zmontowano ów pozór prawdy, owe
„zwycięstwo w Lippe", roztrąbione przez propagandę przy braku
dostatecznej riposty ze strony niezafałszowanej informacji. Nastą-
piły posunięcia kameralne i matactwa polityczne, przy jednoczesnym
podawaniu masom ekscytujących używek. Jedną z nich był krzyk
o Lippe, które „wyraziło wolę narodu".
Działając szybko, doprowadzono do aktu z 30 stycznia 1933 roku.
Tego dnia władza w Rzeszy przeszła l e g a l n i e z dłoni 86-letniego
Paula von Hindenburga w ręce Adolfa Hitlera i jego zorganizowanych popleczników.

*

W chwili objęcia władzy przez Hitlera Sztafety Ochronne (SS)
liczyły w całych Niemczech ok. 52 tysięcy ludzi dobranych na podstawie „rasy i krwi". Niedużo, jak na himmlerowską armię. Ta armia
rozrośnie się wkrótce, posiądzie cały kraj i zajmie miejsce dawnej
pruskiej soldateski, która – według Mirabeau – była „właścicielem
Niemiec".
W granicach „pestki" Lippe (zaledwie 1215 km^2 i ok. 160 tysięcy
mieszkańców) działał Józef Stroop. Przyczynił się do sukcesu, który
ze swą datą – 15 stycznia 1933 – znalazł się w kalendarzu partyjnym
NSDAP, a później na liście dni uroczystych narodu i państwa.
I znów Stroop znajduje się w germańskim siódmym niebie. Jego
zasługi są znane. Po „udanej robocie" zdobył przychylność czołówki NSDAP, kontakty, stosunki i lepsze warunki bytu. Ma pieniądze.
Awansuje. Przeskakując znów jeden stopień w SS, zostaje 15 lutego

1933 SS-Truppenführerem[29]. Mieszczanie kłaniają mu się nisko. Żony i siostry detmoldczyków zabiegają u Gnädige Frau Stroop o protekcję u męża. A on często jeździ z wizytami po bauerhofach, dworach ziemiańskich, pałacach, zamkach i sam Fürst Lippe – jak Stroop zwierzał się w celi – zaprasza go do siebie. Zaprasza SS-Truppenführera Stroopa, syna swego byłego komendanta posterunku policji, na narady i konsultacje. Traktuje go kieliszkiem reńskiego, po którym Stroop wraca z licem tak rozpromienionym, jak przed laty jego ojciec, stary Oberwachtmeister Konrad.

Stroop posiada już kilka par długich butów i spodni galliffet. Jeździ konno, o ile mu na to pozwalają zajęcia. A roboty ma dużo, gdyż NSDAP chwyciła wielki wiatr i każe: działać, działać, działać! Nie dać ochłonąć wrogowi! Wykorzystać szansę, wzmóc ogień pościgowy! Maszerować! Bić, żeby drzazgi z pobitych leciały! Tymczasem nie ma czasu na awanse, ordery, premie. To jest przecież „wielki przełom, analogiczny do dni wojennych". Więc pomagajcie sobie sami wy – tam na dole drabiny partyjnej, jak możecie i umiecie!

Wydaje mi się (choć Stroop nigdy tego jasno nie powiedział w celi), że przyszły SS-Gruppenführer umiał w tych czasach pomagać sobie i rodzinie.

Z początkiem marca 1933 roku spotyka Stroopa „wielki zaszczyt i wysokie stanowisko". Zostaje mianowany dowódcą Policji Pomocniczej[30] Landu Lippe.

Dziesięć dni przedtem Göring włączył do regularnych sił policyjnych 50 tysięcy członków SA i SS, którzy mieli stanowić Policję Pomocniczą Rzeszy. Odkomenderowanym SA- i SS-mannom wydano broń, nałożono na rękawy białe opaski oraz zrównano ich w prawach z regularną policją, aby ją „uzdrowić".

Jak widzimy, Stroop wziął od tej pory również formalny udział w narastającej fali okrucieństw i bezprawia. Faktycznie kierował już przedtem w Land Lippe SS-owskim zespołem w długich butach, który

---

[29] Jeżeli Scharführer Stroop przeskoczył jeden stopień, zatem awansował na Hauptscharführera (starszego sierżanta). Truppenführer (niem.) – dowódca (oddziału).

[30] Hilfspolizei (niem.) – Policja Pomocnicza.

wrzaskiem, ekscesami, terrorem, maltretacjami i przestępstwem przyczynił się do utorowania Führerowi (i sobie) drogi do nieograniczonej władzy. Führerem der Hilfspolizei in Lippe pozostawał Stroop do połowy czerwca 1933. Zasilił swymi podwładnymi szeregi zawodowej policji, „wychowywał ją" i kształcił według „nowego ducha". W praktyce stanął ponad prawem.

Jako szef policji kraju Lippe miał Józef Stroop pod swymi rozkazami malutką kadrę starych policjantów, sporą liczbę „nowych policjantów", złożoną z członków nazistowskiej Policji Pomocniczej, oraz aktyw SS-owski. Była to w sumie duża grupa dyspozycyjna, gdyż od połowy stycznia 1933 Stroop kierował trzecim Sturmem (odpowiednik kompanii) V Sturmbannu[31] w 19. SS-Standarte[32].

☀

Ojciec Stroopa, Oberwachtmeister policji Konrad Stroop, obsługiwał kiedyś ten sam teren przy pomocy tylko pięciu urzędników. I również był wiernym szefem policji Lippe, ale w innych warunkach.

Między pozycją ojca a syna istniały dwie zbieżności: każdy z nich był szefem policji w księstwie Lippe oraz nie miał wyższych kwalifikacji w tym zawodzie (Józef Stroop nawet nie miał niższego wykształcenia policyjnego – w przeciwieństwie do ojca).

Różnica zaś między nim a Oberwachtmeistrem Konradem polegała na tym, że Józef Stroop stał się członkiem elity Lippelandu i poznał osobiście Hitlera, Göringa i Himmlera. Przede wszystkim – H i m m l e r a.

---

[31] SS-Sturmbann (niem.) – batalion SS.
[32] SS-Standarte (niem.) – pułk SS.

VII . Posłuszny, syty i dostojny

Nareszcie wybił sobie wrota kariery – po czternastu latach oczekiwań i zabiegów. Już nie popuści Stroop szansy, którą mu dał triumf NSDAP w Lippe. Wciągnie się na szczyty Czarnego Korpusu[1]. On go postawi na nogi i w życiu urządzi. Sam Himmler zwrócił uwagę na Stroopa podczas wyborów do lippskiego Landtagu. Będzie go pamiętał (wierność za wierność!) i wykorzystywał.

Lecz nie czas na awanse – NSDAP dopiero zaczynała przeobrażać kraj. – Byłem potrzebny w Lippe. Musieliśmy je przeczesywać – wspominał Stroop – wyławiać pasożytów i wrogów rewolucji narodowej oraz utrwalać zdobytą władzę.

Hitlerowcy wzięli się ostro za SPD i KPD. Spokojniejsze metody (choć nie najłaskawsze) zastosowano wobec chadeckiego centrum. Zaczęto coraz jawniej kokietować reakcję. Ale przede wszystkim realizowano wstępne fazy antyżydowskiego „programu na raty" – jak to określał Stroop. Następuje „aryzacja" majątków, a inteligencję pochodzenia żydowskiego poddaje się prześladowaniom coraz brutalniejszym. Otwarta grabież, znakowanie, wyniszczanie fizyczne i zagłada przyjdą „w odpowiednim czasie".

Znaczną część tych pilnych zadań dla księstwa Lippe-Detmold wykonał Stroop, szef tamtejszej Policji Pomocniczej. Jednocześnie zajął się poszerzaniem i szkoleniem kadr SS. Pracę ma spokojniejszą.

---

[1] Czarnym Korpusem nazywano SS od koloru mundurów i tytułu organu prasowego „Das Schwarze Korps".

On nie lubi „wariackich" improwizacji, czego wymagał przełom lat 1932–1933.

– W Lippe na ogół wszystko szło pomyślnie – opowiadał. – W jednej tylko sprawie mieliśmy kłopoty ze znaczną częścią opinii publicznej księstwa...

– ... liczyliście się z nią? Pan nie mówi serio! – przerwałem.

– Na serio – odpowiada Stroop – bo gdy wszyscy są przeciwni, to także źle.

– O co szło opinii?

– O suwerenność księstwa, które od stuleci, mimo że niewielkie, było samodzielnym krajem Niemiec. A tu nam szybko przydzielono Reichsstatthaltera[2]. I to nie odrębnego dla naszego Freistaatu, ale wspólnego: dla Lippe-Detmold i Lippe-Schaumburg. Wszyscy mieszkańcy byli oburzeni, a niektórzy nawet dotknięci do żywego.

– Pan też?

– Chyba i ja nie byłem zadowolony. Wychowałem się w poczuciu półsuwerennej autonomii naszego kraiku, choć dzisiaj rozumiem, że polityka partykularzy przynosiła Rzeszy tylko straty.

– A pan wie, że po wojnie Lippe znów jest w pewnej mierze samodzielne? Nie jak za czasów kajzerowskich czy weimarskich, ale alianci i Adenauer[3] przywrócili w NRF stan nieco zbliżony do 1932 roku. Uszanowali ideę samorządności poszczególnych krajów, a więc przyznali pewne wolności z dziedziny prawa państwowego.

– Nic mnie to nie obchodzi – szarpnął się, nagle rozdrażniony.

– Nie lubi pan wolności?

– Takiej? Nie lubię.

– No, to pan siedzi w mamrze.

– I pan też.

– Ale ja cenię każdą wolność.

---

[2] Reichsstatthalter (niem.) – namiestnik Rzeszy na terenie suwerennego kraju Rzeszy. Po dojściu nazistów do władzy w 1933 r. Reichsstatthalterami we wszystkich krajach zostali miejscowi okręgowi kierownicy (gauleiterzy) NSDAP.

[3] Konrad Adenauer (1876–1967), nadburmistrz Kolonii w latach 1917–1933 i po wojnie: 1945–1949, współtwórca Republiki Federalnej Niemiec i jej pierwszy kanclerz w latach 1949–1963, przewodniczący Unii Chrześcijańsko-Demokratycznej (CDU) 1950–1966.

*

Sytuacja Stroopa przedstawia się w latach 1933–1934 pomyślnie i obiecująco. Podtrzymuje kontakty z wyższymi rangą nazistami. Mają o nim dobrą opinię. Jest pilnym organizatorem partii i własnych interesów, co jest zjawiskiem n i e r z a d k i m.

Jednym z osobistych przeżyć Stroopa owych czasów, do którego często wracał w rozmowach więziennych, była „zwycięska Herbstparade"[4] w Norymberdze, w 1933. Jako młody stażem członek NSDAP – i zgodnie z tradycyjnymi postawami większości mieszkańców Lippelandu – reaguje z entuzjazmem na uroczystości, przemarsze, apele, mowy, na obecność Führera i jego sztabowców, na flagi, sztandary, strumienie piwa i stosy wurstów[5] oraz na „festen, gleichen Schritt"[6]. Nałykał się Stroop w Norymberdze tego „historycznego zwycięstwa" aż po denko czapki SS-owskiej.

– Wywiozłem stamtąd obtartą do krwi nogę – wspominał w celi Stroop. – Na Herbstparade 1933 roku sprawiłem sobie nowe buty. Szewc dał zbyt twardą skórę przy pięcie. Po powrocie do Detmoldu dałem mu w mordę, choć zaklinał się, że jest niewinny. Mówił: „Herr Truppenführer, pan nie zdążył przyjść do przymiarki, a rozkazał przysłać sofort ledwo wykończone die schwarzen Marschstiefel[7]...". Ale przecież to wina tego szewczyny. Przymiarka była czy nie, wszystko jedno. Dostarczenie niewygodnych butów na paradę to s a b o t a ż.

*

Stroop zostaje oficerem SS. Nominacja poprzedzona jest komplikacjami. Koledzy z münsterskiego SS-Abschnittu chcą, aby Stroop awansował normalnie, stopień po stopniu. Stroop uważa, że jego zasługi przy wyborach w Lippe przemawiają za awansowym wyróż-

---

[4] Herbstparade (niem.) – parada jesienna na corocznym wrześniowym zjeździe (Parteitag) NSDAP w Norymberdze.
[5] Würst (niem.) – kiełbasa, wędlina.
[6] „Festen, gleichen Schritt" (niem.) – „mocny, równy krok", słowa z *Horst-Wessel Lied*, hymnu NSDAP.
[7] „... sofort... die schwarzen Marschstiefel" (niem.) – „... natychmiast... czarne, długie buty".

nieniem. Staje okoniem. Przypomina kariery różnych „chłystków", jak mówił, którzy już dawno zostali SS-Hauptsturmführerami.

W końcu interweniuje Himmler, którego Stroop „przypadkiem" spotkał. „Treuer Heini"[8] zdziwił się, że zasłużony w lippskich wyborach Stroop jest tylko SS-Truppenführerem. Każe naprawić krzywdy, przesunąć Stroopa o trzy stopnie – jeden podoficerski, dwa oficerskie – i mianują go w marcu 1934 roku od razu SS-Hauptsturmführerem (odpowiednik kapitana)[9].

– To była dla mnie duża rzecz – rozmarzył się raz Stroop. Natychmiast sprawiłem sobie nowy mundur. Czarnosukienne patki na kołnierzu otoczone aluminium. Na lewej dwa błyszczące paseczki (tzw. Spiegellitzen) i trzy kwadratowe gwiazdki. Srebrny naramiennik na prawym barku.

Żona wniebowzięta. Matka także, ale trochę mniej. Mutti wolałaby, żeby Józio został kapitanem Wehrmachtu.

Stroop jest już za pan brat z dowództwem macierzystego XVII SS-Abschnittu, którego siedziba znajduje się w Münsterze. W skład Abschnittu wchodzą trzy SS-Standarten (pułki): 19., 72. i 82.

⁂

W 1934 roku państwo Stroopowie wraz z 6-letnią córeczką Renatą osiedlają się w Münsterze.

Stroop, szef sztabu XVII SS-Abschnittu, tkwi w centrum nazistowskiej roboty organizacyjnej i politycznej okręgu münsterskiego. Ma dostęp do kartotek SS, ochronnych i ofensywnych. Uczy się polityki. Przyjmuje meldunki i sprawozdania, inspiruje, szkoli, nakazuje, ocenia. Trzyma twardą ręką. Surowy i skrupulatny, nie pozwala na litość. „Każdy, kto nie z nami – jest przeciw nam!"

Jednocześnie stara się być elegancki, intelektualno-subtelny, a nawet dystyngowany. Otoczenie wyczuwa, że ma plecy. Koledzy

---

[8] „Treuer Heini" (niem.) – „wierny Heini" (Henryś, zdrobniałe imię Himmlera – Heinrich).

[9] Awansując do stopnia Hauptsturmführera (kapitana), Stroop przeskoczył w ten sposób (patrz wyżej, przyp. 1 w rozdziale VI) stopnie oficerskie Untersturmführera (podporucznika) i Obersturmführera (porucznika).

wiedzą, że zna osobiście Hitlera, Himmlera, Göringa. O tym ostatnim mówi: nasz Hermann. „Bracia z SS" liczą się z pełnym rezerwy detmoldczykiem, który daje do zrozumienia, że on – to ho! ho!
– Dopiero w Münsterze mundur mi dobrze uszyli. Tam lepsi krawcy. A wtenczas moje długie buty to zwierciadlany poemat do jazdy konnej!
– Bieliznę pan często zmieniał? – pytam.
– Codziennie. I dzień w dzień się kąpałem, jak każdy dżentelmen.
– Perfumował się pan też codziennie?
– Po kąpieli trzeba się zawsze natrzeć wodą kolońską – przytaknął.

Myślę, że ówczesny Stroop to skrzyżowanie „rewolucjonisty" z młodym, zadufanym dziedzicem. Częsty objaw u powodzeniowca, na którego partyjnych barkach „spoczywa ciężar idei, narodu i państwa". I który nieraz wraca ze śledczo-dochodzeniowych zakamarków SS do ramion wypielęgnowanej żony lub tuli dziecko.

*

W Münsterze rodzi się Stroopom w 1934 roku syn, pierwszy, Jürgen. Ale po kilku dniach umiera. Stroop zrozpaczony. Wini żonę za śmierć dziecka. Jeszcze w więzieniu w 1949 miał do niej pretensję, że „nie umiała prawidłowo urodzić pierworodnego".

Pamięć zmarłego syna, „świętą" dla niego, jak powtarzał w celi, wygrywa politycznie w wiele lat później. Wnosząc w 1941 roku o zmianę imienia Józef na Jürgen, motywuje pisemnie ten krok m.in. śmiercią syna Jürgena w 1934. Zmarłe dziecko podparło tezę o światopoglądowej czystości ojca. Bo Jürgen jest imieniem „czysto germańskim".

*

Z opowiadań o okresie, w którym Stroop zaczynał być ważny, utkwiła mi w pamięci jego relacja o wizycie u arcybiskupa Münsteru, hrabiego Clemensa Augusta von Galena[10].

---

[10] Clemens August graf von Galen (1878–1946), od 1933 r. biskup Münster, złożył przysięgę na wierność reżimowi, ale już od 1934 r. ostro występował przeciwko narodowemu socjalizmowi (teksty trzech jego antyhitlerowskich kazań

Jest rok 1934. Arcybiskup graf von Galen napiętnował właśnie eutanazję i potępił sterylizację. Miał w tym czasie nie najlepsze stosunki z NSDAP.

– Biskup von Galen to wielki pan, prawdziwy arystokrata i typ renesansowego księcia Kościoła – opowiadał Stroop. – Przyjął nas bardzo grzecznie, lecz dumnie.

Z dalszych opowiadań wynikało, że Stroop wraz z powinowatym arcybiskupa, członkiem dowództwa SS w Münsterze, przyszli do von Galena w celu wysondowania jego opinii i zamiarów oraz, myślę, nieoficjalnego zaszantażowania, że jeśli arcybiskup nie uspokoi się, to NSDAP ujawni dane r z e k o m o kompromitujące aparat proboszczowsko-zakonny. Szło, jak mówił Stroop, o jakieś nieobyczajności księży, mnichów i zakonnic, o przekroczenia dewizowe oraz interpretację prawa własności kościelnej.

Arcybiskup był łaskawy, a jednocześnie atakujący i od czasu do czasu władczy. Początek wizyty przyjemny, bo von Galen wspominał zasługi matki Stroopa, działaczki katolickiej z Detmoldu. W tej części rozmowy, która była zbliżona do dysputy teoretycznej, światopoglądowej, von Galen nie dał się przekonać o słuszności zapędów Rosenberga. Potępiał przepisy o sterylizacji i eutanazji. Atakował tendencje wprowadzenia religii starogermańskiej. Wyśmiał śluby małżeńskie przy wotanowskich ołtarzach czy ogniskach. Ostro krytykował pogrzeby bauerów SS-manów, których prochy rozsiewano po polach itp.

– Skąd Galen wiedział, że właśnie kilka dni przedtem wziąłem udział w SS-owskim pogrzebie – komentował ów fragment rozmowy Stroop. – To była podniosła uroczystość. Westfalski bauerhof. Właścicielowi dziedzicznej zagrody, członkowi SS, zmarł ojciec. Syn przywiózł prochy z krematorium, zebrał rodzinę i przyjaciół, zdjął kurtkę i czapkę SS-mańską, przypasał płótno do siewu, wsypał w nie prochy ojca i ruszył w pole, rzucając co kilka kroków garść popiołu. Z ziemi powstał i do ziemi wrócił jego ojciec. Piękna tradycja. Po-

z 1941 r. przytoczyła Zofia Kossak w konspiracyjnej broszurze *Sprawiedliwie...*, Warszawa 1943, 1944). W latach 1944–1945 więziony w obozie koncentracyjnym Sachsenhausen, po wojnie w 1946 r. mianowany kardynałem.

tem urządzono przyjęcie, jak nakazują starogermańskie obyczaje. Galen musiał wiedzieć, że ja tam byłem. Ale skąd? Patrz pan, jaki sprawny wywiad mają jezuici. Galen raz na chwilę wpadł w złość – dodał Stroop – a mianowicie, gdy wspomniał o zakusach na własność kościelną.

Gdy już oficerowie mieli opuścić komnatę arcybiskupa, von Galen rzekł (relacjonuję za Stroopem):

– Jednego wam Kościół, matka nasza, odmówić nie może, a to patriotyzmu. W niejednym jesteście zbałamuceni. Jednak Vaterland wszystkich jednoczy bez względu na przynależność organizacyjną. Wasza partia i kanclerz Hitler rządzą Niemcami. My, katolicy niemieccy – ciągnął Galen – zawsze modlimy się za naród, za rząd, za ojczyznę, Führera. Jako pierwszy biskup niemiecki złożyłem w październiku 1933 r. na ręce Göringa przysięgę na wierność. Nie zapominajcie o tym, meine Herren. Auf Wiedersehen, meine Herren![11]

– Więc jaki był arcybiskup von Galen według pana? – pytam. – Z wami czy przeciwko wam?

– Galen zwalczał niektóre nasze reformy, szczególnie w zakresie moralności nacjonal-socjalistycznej. Był papistą. Ale jednocześnie nacjonalistą!

– I szowinistą – wtrącił Schielke.

– Szowinizm jest skondensowaną miłością do własnego narodu. Dobry Niemiec nie może nie być szowinistą.

– Więc jaki był w końcu Galen?

– Dobry, bo nieposzlakowany nacjonalista. A jednocześnie łączył z niemieckim nacjonalizmem myśl i politykę papieską, rzymską, na której Niemcy wiele traciły przez stulecia. Ośrodek kierowniczy, któremu uległ von Galen, znajdował się poza Niemcami i dlatego Galen w sumie nam szkodził. Ale nie za bardzo.

I tu Stroop zaczął się rozwodzić. Krążył miarowo wzdłuż celi, której koloryt przypominał wtedy niektóre obrazy Renoira. Zachodzące słońce wciskało przez okno wiązki różowych promieni. Gdy Stroop w nie wkraczał z cienia – jego czerwonawa amerykańska kurtka nabierała gdzieniegdzie barw świeżej krwi. Ta sceneria świetlna,

---

[11] „Auf Wiedersehen, meine Herren!" (niem.) – „Do widzenia, moi panowie."

ruchoma, towarzyszyła wywodom Stroopa o katolicyzmie w Niemczech, reformacji, wierzeniach Germanów itp., wszystko w mieszance poglądów Ludendorffa, Rosenberga[12], Streichera[13], no! i przede wszystkim Hitlera. Z tej powodzi koncepcji i opinii zacytuję kilka.

– Pacelli[14], zły duch Papena, jedyny cudzoziemiec w Niemczech, o realnych i głębokich wpływach.

– Adenauer, „ein kleiner Mann"[15]. Więcej Rzymianin niż Niemiec. A właściwie to bardziej patriota kraju reńskiego niż Rzymianin i Niemiec. Róże i pieniądze były i są dewizą Adenauera, którego myśmy, ludzie Hitlera, zneutralizowali, pozwalając mu wygrać w 1938 roku proces sądowy przeciwko miastu Kolonii o prawie 300 tysięcy marek. Wszyscy wiemy, że istnieje tysiąc metod kupowania ludzi. Jednym daje się w łapę. Do innych można przegrać w karty lub obdarowuje się ich żony czy kochanki. Jest również taka kategoria, rzadka, którym pozwala się wygrać proces cywilny przeciwko władzy, będącej w okresie niezachwianego powodzenia.

Schielke, specjalista od przestępstw obyczajowych, wtrącił:

– Z łapownictwem czy finansowym oddziaływaniem na ludzi to jak ze zboczeniami seksualnymi. Pomysłowość jest tu nieograniczona i nie wiadomo, jaką metodą zaskoczy człowieka przestępca obyczajowy.

– Ale przestępcą jest i ten, co bierze, i ten, co daje – rzekłem cicho. – Jeżeli to, o czym pan opowiada, jest prawdą, to wasza partia, wasz rząd też współdziałał, jako strona, w całej m a c h i n a c j i.

---

[12] Alfred Rosenberg (1893–1946), „filozof" narodowego socjalizmu, po wojnie skazany na karę śmierci wyrokiem Międzynarodowego Trybunału Wojskowego w Norymberdze i stracony 16 października 1946 r. W powyższym fragmencie tekstu mowa o książce Rosenberga *Der Mythos des 20. Jahrhunderts* (*Mit XX wieku*, 1930), uważanej za drugą po *Mein Kampf* Adolfa Hitlera „biblię" narodowego socjalizmu (w latach 1930–1939 osiągnęła 156 wydań), potępionej przez Kościół.

[13] Julius Streicher (1885–1946), gauleiter Frankonii (z siedzibą w Norymberdze) w latach 1925–1940, założyciel i redaktor naczelny tygodnika „Der Stürmer" (najgłośniejszego na świecie pisma antysemickiego) w latach 1923–1945, po wojnie skazany na karę śmierci wyrokiem Międzynarodowego Trybunału Wojskowego w Norymberdze i stracony 16 października 1946 r.

[14] Eugenio Pacelli (1876–1958), nuncjusz Stolicy Apostolskiej w Berlinie w latach 1920–1930, papież Pius XII od 1939 r.

[15] „Ein kleiner Mann" (niem.) – wyrażenie pogardliwe: człowieczek.

– W polityce nie ma zasad moralnych – stwierdził Stroop, trochę zmieszany.

– Mam inne zdanie – odpowiedziałem.

Nikt nie zabrał głosu. Po chwili Stroop ciągnął dalej:

– Kościół katolicki jest światową, najgłębiej zakonspirowaną wspólnotą, kliką, zakonem oraz federacją rozmaitych ugrupowań, które pozornie są ze sobą na noże. Elementy te mogą się nawet wzajemnie zwalczać, ale w najistotniejszych sprawach zawsze będą kroczyć razem albo popierać się. Przykład ostatniej wojny na to wskazuje. W 1943 roku Heinrich Himmler mówił mi, że ma rzeczowe dowody zażyłej współpracy członków ścisłego sztabu papiestwa z najbardziej zakonspirowanym przywództwem masonów. To niezwykłe, wydawałoby się, współdziałanie miało na celu całkowite zniszczenie Niemiec w wojnie.

Stroop wygłaszał również swe poglądy na temat chrystianizmu, który (według niego) „jest nie tylko zespołem religii przesiąkniętych judaizmem, ale instytucją powstałą z inspiracji żydowskiej".

– A Chrystus? – pytam.

– Chrystus, bardzo mądry człowiek. Filozof, romantyk. Rasowo: północnordyk. Matka jego służyła przy świątyni i była popierana przez ważnego kapłana. Zaszła w ciążę z jasnowłosym Germaninem, jednym z żołnierzy plemion germańskich, które wędrowały trasą na północ od Karpat aż do Azji Mniejszej. Stąd Chrystus był blondynem i innym psychicznie od Żydów, którzy jego nauki „ufryzowali", przykroili do swych celów, a potem puścili na rynek międzynarodowy, aby upodlić i zmiękczyć człowieka przez wpajanie mu poczucia winy.

Słuchałem cierpliwie, nie przerywając. I przez chwilę zdawało mi się, że niczego w życiu nie znam, niczego nie wiem.

*

W okresie münsterskim (maj 1934–czerwiec 1935) ukształtował się Stroop jako członek elity SS-mańskiej. W sztabie XVII SS-Abschnittu nauczono go rozeznania „ideologicznego", tajników biurokracji partyjnej oraz „wyższych metod" prowadzenia śledztwa i stosowania terroru.

To chyba w Münsterze nastąpił u Stroopa początek szybkiego procesu deformacji, który bywa obserwowany tam, gdzie zjawia się błyskawiczna poprawa warunków bytowych, przyznawana ludziom o s ł a b y m   i n t e l e k c i e,   w a h l i w y m   r o z s ą d k u   i nie najtwardszym c h a r a k t e r z e; poprawa o cechach u p r z y w i l e j o-w a n i a   i   s e p a r a c j i od dotychczasowych środowisk.

– Nic tak nie izolowało hitlerowców, a szczególnie sztabowców z SS, od społeczeństwa – wyraził swój pogląd Schielke – jak guma opon samochodowych. Auto nie było wtedy przedmiotem powszechnego użytku w Rzeszy, a oni nic, tylko samochodami stale się rozjeżdżali. Zakonspirowane dochody i tajne premie dla SS-owców szybko ich odmieniały. Własne NSDAP-owskie zaopatrzenie, krawcy i szewcy SS, własne Heimy[16], szpitale, hotele, kurorty, kluby rasowych nordyków, zakamuflowane domy publiczne Lebensbornu[17] itp., wszystko to ich oddzielało od narodu. Jak byłem młody, to socjaldemokraci nieraz mi powtarzali, i chyba mieli rację, że zmienione bytowanie szybko przekształca świadomość.

＊

Przy końcu swej münsterskiej praktyki sztabowej Stroop awansuje do stopnia SS-Sturmbannführera (odpowiednik majora) i wkrótce przechodzi na ważny posterunek, do Hamburga. Jest czerwiec 1935, gdy Stroop obejmuje dowództwo 28. SS-Standarte (pułku) w tym mieście wielkiego portu, wielkiego handlu i wielkiego przemysłu. W mieście Hanzy, liberalnego mieszczaństwa i zorganizowanego od dawna proletariatu, przede wszystkim stoczniowego i marynarskiego. Hamburg nie był łatwym miastem dla hitlerowców, nie budził ich zaufania. Musieli je więc nasycić jednostkami uderzeniowymi. Jedną z nich dowodził Stroop.

---

[16] Heim (niem.) – dom.
[17] Lebensborn (niem.) – krynica, źródło życia. Nazwa założonego przez Himmlera stowarzyszenia społecznego, a jednocześnie jednego z urzędów SS, z zadaniem troski o hodowlę rasowo czystego gatunku ludzkiego: płodzenie przez SS-manów dzieci (ślubnych i nieślubnych) z wyselekcjonowanymi rasowo kobietami, a później także porywanie dzieci – uznanych za czyste rasowo – z krajów okupowanych i następnie wychowywanie ich w duchu narodowosocjalistycznym.

– Naszym miejscem postoju nie był sam Hamburg w jego historycznych granicach, lecz wielkie przedmieście, Altona, niegdyś samodzielne miasto Prus, niezależne od wolnego, hanzeatyckiego Hamburga – opowiadał Stroop.

– Pan, jako dowódca 28. pułku SS, trzymał Altonę w garści.

– Altony nie trzeba było pilnować. To willowa dzielnica. Mieliśmy zwróconą uwagę na śródmieście Hamburga i sektory portowe oraz przemysłowe.

Już byłem „im Bilde", jak mówią Niemcy, czyli zrozumiałem, o co mu szło. 28. SS-Standarte Stroopa była najprawdopodobniej jednostką interwencyjną zakwaterowaną w spokojnej dzielnicy do manewru i uderzenia tam, gdzie zachodziła potrzeba. Taki zły pies, uwiązany wśród róż, czerwonych dachów i zielonych okiennic. Spuszczano go w razie zagrożenia interesów NSDAP. Samo przeświadczenie, że 28. SS-Standarte stale czuwa, mogło wpływać uspokajająco na część hamburczyków.

Nie będąc, jak większość dowódców SS, w rozgardiaszu codziennych akcji politycznych, Stroop przydzielone miał inne zadania: była to m.in. praca s z k o l e n i o w a. U niego, w Altonie, przeprowadzano kursy, odprawy ideologiczne, „dyskusje", ćwiczenia itp. Tam też zbudowano ośrodek religijno-germański.

– Nasi uczeni – relacjonował Stroop – odkryli koło Bardowicku resztki drewnianej budowli pragermańskiej. Przenieśliśmy ją do Altony i zrekonstruowaliśmy. Ale były z tym kłopoty. Regulaminy przeciwpożarowe Hamburga zabraniały wznoszenia domów z materiałów łatwo palnych. Biurokraci hanzeatyccy zasłaniali się prawem i nie pozwalali budować z drewna. Musieliśmy wydać furę pieniędzy na przeciwogniową impregnację każdej belki, deski i gontu specjalnym płynem. Zaangażowaliśmy wysoko płatnych specjalistów i w końcu zrobiono, co chcieliśmy. W pięknym parku, wśród dębów, stanął prehistoryczny budynek...

– ... będący waszą świątynią?

– Tak. Wyposażyliśmy go w urządzenia wzorowane na muzealnych zabytkach germańskich. Była tam sala z ogniskiem i metalowym kotłem na łańcuchach. W tej sali udzielaliśmy ślubów według germańskiego rytuału, gromadziliśmy się...

– ... na nabożeństwa?

– No, nie na nabożeństwa, ale na coś w tym rodzaju. Na zebrania, akademie SS-mańskie itp.

Schielke słuchał z zaciekawieniem, marszcząc się coraz bardziej. W końcu jego poczucie gospodarności i oszczędzania spowodowało wybuch:

– Po jaką cholerę – krzyknął – zbudowaliście za ciężką forsę ów pseudozabytkowy „kościół"?! Impregnacja drzewa kosztowała dziesięć razy więcej niż postawienie nowoczesnego budynku! Ludzie ciężko pracowali, często za fenigi, a oni tysiące desek i gontów nasycali kosztownym płynem dla własnej fantazji. Marnotrawcy, Verrückten[18].

I w celi wybuchła awantura, po której Stroop z Schielkem nie rozmawiali ze sobą chyba przez trzy dni. Wyczułem, że Schielke nareszcie poczuł się samodzielnym człowiekiem. Wyrwał się, może na jakiś czas, z przyrodzonego Niemcom uwielbienia dla rangi generalskiej! To mógł być dla Schielkego przełom.

*

Stroop zajmuje w Altonie pół dużej willi. Dysponuje autem. Ma pieniądze. Jest odżywiony. Kucharka świetnie gotuje. Córeczka rośnie, ma już osiem lat. No, i żona rodzi w lutym 1936 roku syna, Olafa. Stroop radosny i dumny. Ma dowód, że jest dobrym reproduktorem. Co prawda już wcześniej wciągnął się w akcję Lebensbornu. Ale to zupełnie co innego mieć syna „nordyka" o skandynawskim imieniu Olaf, niż przyczyniać się do wzrostu SS-owskiego potomstwa metodą zakonspirowanych praktyk Lebensbornu. Co prawda lebensbornowe spotkania napełniają dreszczykiem cudzołożenia, dają smak hotelowych „łajdactw", zaspokajają ciągoty, stwarzają możność oficjalnego, choć zatajonego, przespania się z obiektem biurowego flirtu – ale to nie to, co spłodzenie syna z w ł a s n ą Käthe, na w ł a s n y m łożu, we w ł a s n y m mieszkaniu.

– Czy żona wiedziała, że pan był w Lebensbornie?

– Nigdy!

---

[18] Verrückten (niem.) – wariaci.

*

Rok 1936 jest dla Stroopa rokiem ustabilizowanego powodzenia i sytości. Nie tylko zdobywa (on często używał tego terminu) syna, ale i w dwa miesiące po urodzeniu Olafa otrzymuje stopień podpułkownika (SS-Obersturmbannführera). Później wysyłają go na miesięczny letni kurs jazdy konnej i powożenia pojazdami konnymi do SS-Reitschule[19] w Forst, nad Nysą Łużycką.

Jak wspomniałem, Stroop był miłośnikiem koni i konnej jazdy. Pobyt w Forst staje się dla niego wypoczynkiem, okresem odprężenia, wspominanym wielokrotnie. Często wracał do tego tematu. Pokazywał w celi, jak się kieruje wozem zaprzężonym w sześć koni. Jak się toczy ósemki, zakrętasy, wywija i strzela z bata. Wszystko w tempie zawodniczym. Oczy miał wówczas wesołe, twarz zaróżowioną, ruchy gimnastyka. Czasem tak donośnie krzyknął, niby na tego lewego siwka, co tak niesfornie wyłamywał się z toru, że strażnik więzienny stukał w żelazne drzwi celi i już w ciszy obserwowaliśmy dalej teatrum powoźnicze Stroopa.

*

Z Hamburga Stroop był delegowany na krótkie kursy języka rosyjskiego do SS-owskiej centrali w Berlinie. Już wówczas zaczęto go przygotowywać do przyszłej akcji na Wschodzie. Ale Stroop był antytalentem językowym i ani w ząb nie znał rosyjskiego, poza kilkoma najprymitywniejszymi określeniami. Lecz kazali się uczyć, to się uczył.

*

Jesienią 1937 Stroop wchodzi w skład wyższej elity SS-owskiej. Mianują go SS-Standartenführerem (odpowiednik pułkownika). Znalazł się nareszcie wśród tzw. dębowców. Określenie to pochodzi stąd, że oficerowie SS, poczynając od stopnia SS-Standartenführera wzwyż,

---

19 Reitschule (niem.) – szkoła jazdy.

mieli na obu patkach mundurowego kołnierza dystynkcje z różnych kombinacji listków dębu, urozmaiconych czasem kwadratową gwiazdką. Jeden Himmler miał zastrzeżony dla siebie wianuszek laurowy wokół Eichenlaubu[20]. Jest już więc „dębowcem". Wskoczył na ring arystokracji partyjnej. Cały czas dowodzi 28. SS-Standarte w Hamburgu-Altonie. Synek chowa się dobrze. Renata rośnie i stara się matkować Olafowi. Mieszkanie piękne. Zmienili jego wyposażenie.

– Nowe meble – zwierzył się raz Stroop – nabyłem od niemieckiego kupca, chyba dalekiego pochodzenia żydowskiego. Legitymując się obcym obywatelstwem, bodajże południowoamerykańskim, likwidował on w Hamburgu interesy, swoje i zlecone przez kilku emigrantów. Moi ludzie pomogli mu coś nieco. Prosił, abym kupił od niego meble, bo się bardzo śpieszył. Kupiłem je dość t a n i o i tego samego dnia ów wielki przedsiębiorca szybko się zaokrętował.

Z zadowoleniem i z dumą opowiadał Stroop w celi o Hamburgu, o przyjęciach, balach, rautach. O muzealnych budowlach. O towarzystwie hamburskim, tzn. o królach stoczniowych, magnatach transportu morskiego, wielkich kupcach wywodzących się z Hanzy, bankierach, inżynierach, lekarzach, uczonych, pisarzach itp. Ale przede wszystkim opisywał nam przepych i bogactwo miasta. Myślę, że to mu najbardziej imponowało w Hamburgu i wbiło się w pamięć. Ten luksus przyjęć w radzie miejskiej, w zarządach spółek i koncernów! Ci heroldowie w strojach hanzeatyckich, otrąbiający fanfarami przybycie dygnitarzy do sal i salonów ratusza! Owe trunki, owoce, mięsa, kobiety, stroje, biżuteria, auta! Lubi się te dostojeństwa i fasady życia; a im bardziej koronkowe i kosztowne, tym „ładniejsze".

Stronę finansową ma zaspokojoną. Żona wyelegantowana i otoczona brzęczącą wdzięcznością za urodzenie syna. Wyjeżdżają do kurortów. Wiedli oni chyba życie jedwabne, choć – jak wynikało z więziennych opowiadań Stroopa – czuli, że są na peryferiach wiel-

---

[20] Eichenlaub (niem.) – liście dębowe.

kiego świata hamburskiego, mimo że możni i nadający ton miastu tak miło uśmiechają się do Stroopów. Miło, lecz z rezerwą.

*

A stosunki Stroopa z proletariatem Hamburga? Mało o nich opowiadał. Może jego bezpośredni kontakt z kręgami robotniczymi był słaby. Na moje zapytanie bąkał, że SS nie miała trudności z robotnikami hamburskimi, że proces nazyfikacji przebiegał pomyślnie, że dokerzy, stoczniowcy i marynarze z „radością" przyjmowali Hitlera itp., itp.

Gdy raz zagadnąłem Stroopa, czy napotykał kolportowaną wśród robotników Hamburga prasę antyhitlerowską, odpowiedział:

– Tak, ale to były szmugle z zagranicy.

Na temat strajków nie okazywał chęci do rozmowy. A gdy spytałem, czy dowódcy SS (z Oberabschnittu-Nordwest[21] w Hamburgu, z Abschnittu-Altona i z poszczególnych Standarten) mieli jakąś specjalną ochronę, odpowiedział:

– Tak. Były jednostki SS czuwające nad naszym bezpieczeństwem.

– Stale?

– Stale.

– Gdy Hitler przyjeżdżał do Hamburga, to czy mieliście dużo roboty z jego ochroną?

– Nie tak znów wiele. Robotnicy serdecznie przyjmowali Adolfa Hitlera. Nawet entuzjastycznie.

– Myślę – odpowiedziałem – że pan przesadza. Ale niech mi pan jeszcze powie, czy robotnicy z poszczególnych zakładów wiedzieli, że Hitler przyjdzie akurat do nich, wtedy gdy były zaplanowane jego wizyty w fabrykach i stoczniach?

– Niekiedy tak. Ale najczęściej nie. Zresztą i nas wielokrotnie też zaskakiwano. Znając projektowaną trasę wizyty Adolfa Hitlera,

---

[21] Oberabschnitt-Nordwest (niem.) – Nadodcinek (do 1936 r. – Grupa) Północny Zachód z siedzibą w Hamburgu, w strukturze organizacyjnej SS odpowiednik okręgu wojskowego, składający się z kilku Abschnitte (odcinek, odpowiednik dywizji).

myśmy obsadzali te hale, które wódz miał zwiedzać. Lecz osobista ochrona Führera przeważnie zmieniała drogę i nieraz byliśmy w kłopotach.

– Widzi pan, z tego wynika, że i wam też Hitler nie wierzył... wam, swojej lejbgwardii[22].

– Nam to na pewno wierzył, ale czy Hamburgowi mógł ufać? – wyrwało się Stroopowi.

---

[22] Lejbgwardia (z niem. Leibgarde) – gwardia przyboczna.

VIII. NA CZELE BLOCK-STANDARTE[1]

Stroop na jednym zydlu, ja na drugim. Oparci plecami o zieloną ścianę – czytamy. Nie przeszkadza nam łażenie Schielkego i stukot drewniaków o asfalt podłogi. Przyzwyczailiśmy się do tych dźwięków, jak do zegara w rodzinnym domu. Schielke wędruje regularnie od ściany do ściany. Tak krąży wilk w klatce. Mimo to cela w bezruchu. Diabelska jednostajność. Jednak monotonia nie jest stanem najgorszym. Więzień doświadczony wie, że choć początkowo trudno sobie z nią poradzić, to w celi nieraz bywają zdarzenia bardziej przykre. Np., gdy okienko w drzwiach (tzw. judasz) zostanie raptem odsłonięte. Potem huk zasuwy, zgrzyt klucza i strażnik niespodziewanie zabiera (jak w tym przypadku) Stroopa. Zostajemy we dwóch – p o d n i e c e n i. A i Stroop, wychodząc, miał poczerwieniałe uszy i kark.

– Po co go wzięli? – pyta Schielke.

Dostał wypieków i z hanowerskiej niemczyzny przechodzi na dialekt berlińczyka. (Urodził się w Nowej Wsi – Nowawes – pod Poczdamem). Ledwo go rozumiem.

– Czy ja wiem. Może nic ważnego?

Sto przypuszczeń kotłowało się nam w głowach.

Stroop wrócił po dwudziestu minutach z przesłuchania śledczo--sądowego, jak się okazało. Małżowiny miał ciągle nakrwione, ale kark mu pobladł. Oszczędnie zrelacjonował rozmowę z sędzią i co

---

[1] Block-Standarte (niem.) – poczty jednostek (tu: jednostek SS) idące na czele parady (defilady).

zauważył na korytarzach. Później nikt się nie odzywał. Jeden z nas automatycznie zamiótł podłogę. Ułożyliśmy na nowo rzeczy, choć to było zbyteczne. Wziąłem się do prania chusteczek. To skuteczna metoda samouspokojenia, jak muzyka. Minęło pół godziny. Schielke zaczął śpiewać. Stroop podchwycił dźwięki, a potem przeszedł na *O! Du mein Vaterland!*[2]. Druga część tej pieśni, podobno starej i północnoniemieckiej, jest analogiczna do refrenu popularnego przed II wojną tanga *Violetta*. Stroop nucił, przymykając oczy. Schielke zasępiony. Ja też milczałem.

✻

Stroopowska pieśń przypomniała mi urlop z 1938 roku, nad Dniestrem, w Zaleszczykach. Wtedy również był wrzesień, pogodny.

Okna kawiarni nad rzeką błyszczą w mroku jak rząd latarenek. Orkiestra gra *Violettę*. Melodia dobiega wyraźnie. Dziewczyna wtóruje. Jest ze mną na łodzi, w jasnej smudze, wyściełającej atrament rzeki od kawiarni do nas. Światła i cienie, głosy muzyki, altu i wody, smaki powietrza i pocałunków, woń Dniestru, siół i skóry przygrzanej na plaży, gdzie w południe leżeliśmy na piasku. Dziewczyna miała imię piosenki: Violetta.

✻

W celi już odprężenie. Za oknem: niebo wczesnej jesieni i świergot jaskółek.

– Gdy w Norymberdze prowadziłem kolumnę sztandarową w Parteitagu, powietrze było tak klarowne jak dziś – zaczął wspominać Stroop. – Zjazd wielki. Setki tysięcy! Delegacje wszystkich komórek partyjnych i organizacji. Dowództwo NSDAP, rząd, armia, goście zagraniczni, młodzież.

– SS-owców dużo? – pytam.

– Wielu, ale nie ze względów ochronnych, tylko wychowawczych. Taki zjazd ma kolosalne znaczenie. Łączy dowództwo z masami. Każdy może zobaczyć Adolfa Hitlera...

---

[2] „O! Du mein Vaterland!" (niem.) – „O! Moja ojczyzno!"

– ... paradując w poddańczym marszu – wtrącił Schielke za-
czepnym tonem.

Spojrzeli na mnie. Potaknąłem Schielkemu głową.

– Eh, meine Herren! Mylicie się w ocenie defilujących – bronił
Stroop swego stanowiska. – Wszystkim Niemcom, bo wszyscy mieli
zaufanie do Adolfa Hitlera.

– Jawohl, Herr General! – znów przerwał Schielke. – Wszyscy
postawiliśmy na Hitlera.

– Tak – odparł Stroop. – Bujdą jest, że naród nie akceptował
naszych działań. Wszystkim Niemcom – ciągnął – niezbędne było
podparcie duchowe, jakie dawał marsz przed wodzem, skrzyżowanie spojrzenia, mistyczny kontakt z Adolfem Hitlerem, fluid,
płynący z jego postaci, gestu, oczu. Wielkość i nakaz emanowały
od Führera, gdy pozdrawiał nas, cośmy mieli szczęście defilować
przed nim.

– Chętnie pan jeździł na takie zgromadzenia? – pytam.

– Oczywiście. To zawsze coś nowego. Przerwa w codziennym
kołowrocie zajęć. Spotykałem w Norymberdze znajomych, nawiązy-
wało się kontakty, porównywaliśmy wyniki. Zawsze nas radowała
o r g a n i z a c j a zjazdu. Tylko w Niemczech umieją tak sprawnie
przeprowadzać wielkie imprezy. Naturalnie mówię o III Rzeszy.

– Chyba w IV będzie to samo. Jak pański syn dorośnie, też za-
chłyśnie się organizacją zjazdów – mówię.

– Daj Boże! – wzdycha Stroop.

– Mieliście dużo roboty z przygotowaniami do Parteitagu?

– Nie za bardzo. Naród był przyzwyczajony i do wielkich, i do
małych imprez. Ciągłość i systematyczność wbija taki nawyk
Ordnungu, że człowiek inaczej żyć nie umie. Myśmy już w Hamburgu wszystko z góry wiedzieli. Kiedy, gdzie i jak: przyjechać, iść
w Norymberdze na kwatery, nocować, jeść, odpoczywać, bawić się
i wyjechać. Na jakim odcinku i w jakiej minucie stanąć na zbiórce.
Taki porządek to rozkosz!

Tu pstryknął z zadowolenia palcami.

– Aprowizacja? – pytam.

– Doskonała. Restauratorzy przygotowali się. Również skiero-
wano do Norymbergi pociągi zbiorowego żywienia. Auta-sklepy,

auta-bary, auta-piwiarnie stały na ulicach i placach. Żadnych kłopotów z żarciem mimo tłumów ludzi.

– Jak było z tą kolumną sztandarową?

– Przed samym Parteitagiem dowiedziałem się, że SS-Reichsführer...

– ... Himmler?

– Tak. Że Reichsführer Heinrich Himmler nakazał, abym ja prowadził czoło p a r a d y S S i p o l i c j i. Fantastyczne wyróżnienie. Czoło parady to honorowy Block-Standarte.

– Pan szedł pierwszy w SS-owskiej defiladzie?

– Nie. Pierwszy maszerował Heinrich Himmler z osobistym sztabem. W odległości kilkudziesięciu kroków – ja. Za mną prostokąt, blok pocztów sztandarowych w szeregach jak struny. Chorążowie, chłopy wielkie, specjalnie dobrani. Nad nimi sztandary – chmura czerni, bieli, czerwieni, swastyk i orłów...

Stroop podniecił się. Gestykuluje. Nagle zaczyna maszerować pruskim krokiem defiladowym. W celi!!

– Tak, Herr Moczarski! Tak się szło! Parademarsch! – krzyczy, wyrzucając nogi niemal do wysokości nosa.

– A tak trzymałem szpadę – rękę wyciąga w dół i odchyla do przodu. – Ze szpadą ma się podczas defilady kłopoty. Można zawadzić o ziemię. Bałem się kompromitacji! Tak ją ściskałem, że bolało ramię.

– Miał pan szpadę SS od Himmlera?

– Tak. Reichsführer przyznał mi Ehrendegen der SS[3] – odpowiedział z nutą samochwalstwa. – Pięknie było w Norymberdze. Mundur paradny. Długie, błyszczące buty. Hełm. Głowa do góry. Wszyscy świeżo podstrzyżeni, krótko, po prusku. Idziemy jednym krokiem. Trąby, piszczałki, werble grają, ot tak!

I zaczął (przy oknie) buczeć i wybijać rytmy marsza. Stopą uderzał w podłogę, imitując wielki bęben. Nadgarstkiem i palcami dłoni stukał na blacie stolika. W drugiej ręce – łyżka. Wygrywał nią po kaloryferach i szybie melodię cymbałów, dzwonków, talerzy. Pogwizdywał, trąbił wargami, jodłował – coraz głośniej.

---

3 Ehrendegen der SS (niem.) – honorowa szpada SS.

– Herr General! Bitte etwas leiser, da Herr Oddżałowy kann gucken und uns Komplikationen tun[4] – zaniepokoił się Schielke.

„Keine Angst, keine Angst! Rosemarie!"[5] – odśpiewał w ferworze Stroop, ale ściszył głos i już spokojnie opowiadał:

– Maszerujemy jak machina! Wszystko musi ustąpić! Wyrzucam z gardła komendę. Oddaję honory szpadą. Adolf Hitler nas pozdrawia salutem ramienia. Niestety, stoi w samochodzie. Panie! Czy pan sobie wyobraża, jak by on wspaniale wyglądał na koniu. To byłoby piękniejsze niż parady przed Barbarossą, Fritzem Wielkim i Wilhelmem. Ale nasz Führer – głos Stroopa poszarzał – nie lubił koni.

– Dlaczego? – dziwię się.

– Nie wiem...

– Eh, tam! Herr General nie wie, a całe Niemcy wiedziały – tłumaczył Schielke – że nasz wzorowy wegetarianin nie znosił końskiego fetoru i że go podobno ogier kopnął w dzieciństwie. Stąd jego niechęć do koni.

Stroop milczał. Po chwili pytam:

– Dlaczego pan, Herr Stroop, uważa, że odbieranie defilady na rumaku jest takie piękne? I że Hitler powinien przyjmować Parademarsch nie w aucie, lecz na siodle?

– Bo z pojęciem wodza łączy się koń.

– Teraz? W epoce motoryzacji? Czy nie lepsza maszyna?

– Może pan ma rację. Lecz ja bardzo lubię konie. Koń to bojowa historia Germanów, natura, chłopski stan i ziemiaństwo, dowodzenie, szarża. Pan powinien to dobrze odczuwać, bo Polacy są narodem kawalerzystów.

– Byli, Herr Stroop, w ubiegłych wiekach i częściowo do lat przedwojennych. Ale w miarę postępu komunikacyjnego i u nas się zmieniło.

– Lecz duch w Polakach jest kawaleryjski – odparł Stroop. – I to mi się u was bardzo podoba, mimo że z wami walczyłem.

---

[4] Herr General!... (niem.) – Panie generale! Trochę spokojniej proszę, bo pan oddziałowy może nam uskutecznić jakąś komplikację.
[5] „Keine Angst..." (niem.) – „Nie bój się, nie bój się! Rosemarie!"

Nie chciałem dyskutować na ten temat, bo bardziej ciekawił mnie Parteitag. Więc pytam, co się dalej działo w czasie defilady.

– Minęliśmy wodza. Prujemy, jak grzmot, wśród zapchanych ulic Norymbergi. Wszystko udekorowane. Tłok nawet w oknach. Słyszę od czasu do czasu z tłumu, z balkonów, wołania: Hej, Stroop! Stroop!

– Panienki przypominały się panu? – pytam.

– Skądże! – obruszył się. – Krzyczeli, bo mnie powszechnie znano.

Podszedł do okna i wpatrywał się w skrawek nieba, które było – twierdził – tak piękne, jak w dzień jego partyjnego triumfu w Norymberdze. Na pewno piękniejsze, bo tutaj widzieliśmy błękit przez kraty. Stary Sittenpolizist, Schielke, skorzystał z okazji i szepnął mi do ucha, zataczając palcem kółko na czole:

– Oni wszyscy, ci Partei-Generäle⁶, to takie Kalbskopfy⁷. Kto go znał wówczas w Norymberdze?!

Stroop odwrócił się. Przedtem zerknął w szybę okienną, która zastępowała nam lustro. Przygładził śliną włosy na skroniach i tak wypiął klatkę piersiową, że guziki wyszarpywały się z dziurek.

– Czy żona była świadkiem pańskiego sukcesu w Norymberdze? – pytam.

– Nie! – szybko odpowiada, zdziwiony. – Przecież jest d a m ą i na takich zlotach nigdy nie bywała.

– Parteitag zbyt dla niej męczący?

– Nie za bardzo. W Norymberdze zjawiało się wiele zwariowanych bab. Ale sama hołota. Kulturalne kobiety nie przyjeżdżały na ten tłok, ścisk, chlanie piwa i sznapsa oraz powszechne poufalenie się. Meine Frau była żoną SS-Standartenführera i podobne h e c e nie dla niej!

– Hece? Przed chwilą mówił pan z entuzjazmem o marszu przed Hitlerem.

– Nie zna pan naszych stosunków i dlatego się pan dziwi. Parteitag miał dwie poważne imprezy: Parademarsch i posiedzenia kongresowe. Obie o charakterze męskim i polityczno-wojskowym. Po co tam kobiety? Reszta zjazdu to święto ludowe, coś w rodzaju jar-

---

⁶ Partei-Generäle (niem.) – partyjni generałowie, dostojnicy partyjni.
⁷ Kalbskopf (niem.) – cielęca głowa.

marku czy odpustu. A moja żona ani żadna z żon dowódców partii, SS i armii, nie chodziły na jarmarki.

– Żona nie brała udziału w zgromadzeniach NSDAP?

– W masowych? Nie. Nigdy bym na to nie pozwolił.

– A gdzie się spotykała z żonami pańskich kolegów, z członkiniami partii?

– W salonach!

Oczy Schielkego spotkały się z moimi, a Stroop mówił dalej:

– Słoneczny wrzesień zawsze przypomina mi to jedno z najpiękniejszych zdarzeń... Kolory sztandarów i mundur Führera... Wielokrotne „Heil-Sieg", a jeden Paradeschritt[8]. Ten huk bębni mi w uszach. Był samą siłą. Mój Block-Standarte...

Zamyślił się. A za oknem pieniste obłoczki. Cisza w celi. Nagle Stroop zaśpiewał: „Denn heute gehört uns Deutschland, und morgen die ganze Welt!"[9].

Próbowałem zagadywać Stroopa o polityczną stronę Parteitagu, o obyczajową, socjologiczną itp. Ale nigdy nie dostałem odpowiedzi. On nic, tylko: Marsz, marsz! Parademarsch! Führer, siła, zwartość, porządek.

٭

Słowa, że w Norymberdze wszystko, poza Herbstparade i kongresem NSDAP, było jarmarkiem i zjazdem hołoty, ubodły Schielkego.

Gdy zabrano Stroopa na spacer, Schielke zaczął się wywnętrzać:

– Patrz pan! Jaki arystokrata. „Generał". Wszystko, co poza nim, było hołotą. A ciężary największe kto ponosił i na froncie masami ginął? Słyszałeś pan – ciągnął coraz wściekłejszy – moją starą i wszystkie późniejsze Blitzmädel[10] nazwał hołotą. On, co z knechta

---

[8] Paradeschritt (niem.) – krok paradny, defiladowy.

[9] „Denn heute..." (niem.) – „Bo dzisiaj nasze są Niemcy, a jutro cały świat!", słowa z niemieckiego hymnu narodowego Deutschland, Deutschland über alles.

[10] Blitzmädel (niem.) – zmilitaryzowane kobiece oddziały niemieckiej pomocniczej służby łączności. Na ich mundurach widniał znak błyskawicy (Blitz), stąd nazwa „błyskawiczne dziewczyny", insynuująca także łatwość nawiązywania stosunków z mężczyznami. Taki tytuł nosi też jedna z książek Hansa Hellmuta Kirsta (Błyskawiczne dziewczyny, Wydawnictwo Bellona, Warszawa 1999).

stał się kuczerem[11] i wdrapał się na wóz, któryśmy ciągnęli, a oni nas poganiali.

– Co pana tak wzięło, panie Schielke?

– Bo ja dzisiaj coś niecoś wiem. Byłem kiedyś socjaldemokratą, póki nas nie wcielili siłą do NSDAP.

– Siłą?

– Siłą fizyczną to nie. Ale postawiono nas w przymusowej sytuacji: albo z nami, albo won z policji! Nie posiadałem innego zawodu! Gdybym chociaż burdel mógł otworzyć. Ale mnie, jako Sittenpolizistowi, nie wolno było tego zrobić. Na sklep brakło pieniędzy. Rodzina biedna. Miałem żonę, syna i długoletnie spłaty w socjaldemokratycznej spółdzielni mieszkaniowej.

– Lecz nie wszyscy łatwo się poddali.

– Wielu takich było?! A poza tym, co ja mogę, że Mutti nie urodziła mnie na bohatera? My nie jesteśmy zdolni do oporu wobec legalnej władzy. Władza jest święta.

– Każda?

– Oczywiście. Każda.

– Dlaczego pan to wszystko mówi, gdy nie ma Stroopa?

– Ma ciężką sprawę. A ponadto, czy pan chce kłótni? I tak dobrze, że szczerze w celi gadamy.

– A pan, Herr Schielke, bywał na Parteitagach?

– Byłem dwa czy trzy razy.

– Także pan maszerował?

– Nie... No! Powiem panu, co robiłem. Przecież byłem urzędnikiem policji kryminalnej, w cywilu. Więc kazali mi obserwować.

– Kogo? Złodziejaszków?

– Nie.

– Homoseksualistów?

– Też nie... No, kazali obserwować innych ludzi... Takich tam... Kazali raportować, co mówią wskazani do obserwacji oraz tłum, jak reagują, jakie są nastroje od kuchni itd.

– Cały czas pan obserwował?

---

[11] Kuczer (z niem. Kutscher, od Kutsche, powóz) – woźnica, stangret.

– Skądże! Wieczorami fest hulaliśmy. Panie! Zabawa była prima. Piwo. Sznaps. Śpiew. Tańce. Nieraz całą noc przebradziażyliśmy.

– Lorelaje? – uśmiechnąłem się.

– Co miały nie być? Były. Moja stara pozostała w Hanowerze, więc Blond-Venus szybko się znalazła. Blond-Venus mit Pflaumfedern[12]. Kilka dni ciągałem się za nią.

– Ale z pana dobry ogier – rzekłem.

– Oh! – westchnął. – Byłem kiedyś, byłem... „Es geht alles vorüber, es geht alles vorbei!..."[13] Dzisiaj tylko wrócić do domu.

Pomarkotniał. Ale, z natury pogodny, nie wytrzymał długo w melancholii i zaczął deklamować wierszyk: „Frau Gräfin hatte einen Lokai, der hatte nur ein einziges Ei"[14].

Nagle drzwi otwarto i wrócił Stroop.

– Wiecie co, panowie – rzekł od progu. – Znów widziałem na spacerze tę szykorkę z klasa biustem.

---

[12] Blond-Venus mit Pflaumfedern (niem.) – Blond Wenus ze śliwkowymi resorami.

[13] „Es geht alles...!" (niem.) – „Wszystko przechodzi, wszystko przemija!".

[14] „Frau Gräfin hatte einer Lokai..." (niem.) – „Pani hrabina miała lokaja, a ten miał tylko jedno, jedyne jajko".

IX. DACHAU, WILLA BENESZA I WANNA CHURCHILLA

Nieraz w małych celach rodzą się duże napięcia. Wzajemne oddziaływanie jest tak intensywne, że gdy więzień (nawet to ukrywając) przeżywa wzloty czy upadki – pozostali natychmiast reagują kłótniami, depresją, smutkiem lub euforią.

W tym dniu dogryzaliśmy sobie ze zdenerwowania i Stroop, wyprowadzony z równowagi brakiem papieru klozetowego, porównał więzienie z obozem koncentracyjnym.

– W Konzentrationslager Dachau – mówił – każdemu zapewniono szczoteczkę do zębów, mydło, papier klozetowy...

Cholera mnie wzięła:

– Bajki pan opowiada! I to w 1949 roku, gdy już prawie wszystko wiadomo o waszych zbrodniach obozowych. Jak można porównywać kacety z powojennymi więzieniami?!

– Idzie o lata przed II wojną, Herr Moczarski. Sam widziałem w Dachau na półkach więźniów szczoteczki do zębów, równo ułożone i papier higieniczny w ustępach.

– W jakim charakterze pan tam był? Czy czasami...

– W takich oddziałach SS nigdy nie służyłem – przerywa pośpiesznie. – Odkomenderowano mnie z Hamburga do SS-Führerschule[1] M-D...

– M-D? Co to znaczy?

– München-Dachau.

---

[1] SS-Führerschule, inna nazwa: Junkerschule (niem.) – szkoła oficerska SS.

– Dlaczego dwie nazwy?

– Bo SS-Führerschule umieszczono w Dachau, niedaleko Monachium. Jako Standartenführer zostałem tam wysłany na trzeci z kolei kurs szkoleniowy, w styczniu i lutym 1938 roku. Trwał sześć tygodni. W szkole poznałem organizację i urządzenia obozu, ulokowanego w tej samej miejscowości. Raz złożyliśmy wizytę komendantowi Lagru. Wtedy widziałem szczoteczki i papier do podcierania.

– To obóz był dla was pomocą warsztatową, warsztatem wzorcowym?

– N i e! Program wyszkolenia nie obejmował tych tematów.

– Góra uznała, że pan musi wyszlifować wiedzę nacjonal-socjalistyczną i wysłano pana na wyższe kursy? – ciągnę kwestię.

– Chyba tak. Należało się trochę pouczyć i przygotować do odpowiedzialniejszych zadań. Führerschule do tego się nadawała. Odseparowanie, nastrój klasztorny...

– ... i koszarowy – podchwytuję.

– Panu idzie o dyscyplinę? Racja! Trzymali nas krótko. Służyłem za kajzera w pruskim wojsku, gdzie uczono żelaznej karności. Ale dryl, posłuszeństwo i wpajanie porządku stało w szkole SS o wiele wyżej niż w armii fryderycjańsko-wilhelmowskiej. Takie wychowanie jest najlepsze.

– Lecz chyba szkolny reżim za bardzo niwelował was psychicznie?

– Czy to co złego? W ujednoliceniu pomagało umundurowanie ćwiczebne, bez dystynkcji. M.in. dzięki temu panowało wśród elewów braterstwo.

– Dawali ostro w kość, to trzymaliście sztamę. Ale, wracając do szkoły, na czym polegały zajęcia?

– Każdą minutę wypełniano. Program kładł nacisk na sprawność fizyczną, wychowanie polityczne, umiejętność führerowania i wiedzę organizacyjno-biurową SS. Wszystko w stopniu najwyższym.

– Chyba z wyjątkiem sprawności fizycznej, bo nie byliście młodzieńcami. Wiele pan miał wtedy lat?

– Czterdzieści dwa i pół. Ich war damals[2] ein „sztary byk", jak mówią Polacy.

---

[2] Ich war damals... (niem.) – Byłem wówczas...

– Najmłodszy pan nie był... Czego od was wymagano w kwestiach ideologicznych?

– Wielu przedmiotów uczyliśmy się i przypominali. Ale głównie szło o gruntowną znajomość *Mein Kampfu*[3], *Mitu XX wieku* Rosenberga oraz dzieła o rasach i o bauerstandzie Waltera Darré[4]. Wykłady i seminaria obejmowały m.in. biografię Adolfa Hitlera, doktrynę narodowosocjalistyczną, poszerzony kurs historii NSDAP oraz teorię rasizmu.

❋

Stroop znał się (w rozumieniu hitlerowskim) na rasach. W kilka dni po moim przybyciu do celi powiedział:

– Pan jest „dynaria".

I zaczął analizować moje cechy antropologiczne. Widzę, że jest SS-owskim specjalistą do spraw rasowych. Pytam o elementy typu dynarskiego. Stroop chętnie tłumaczy. Sięga do książek (przypominam, że miał ich w celi około 180), pokazuje ilustracje, uczy rozpoznawania poszczególnych ras, grup, rodzajów, odchyleń od normy itp. Na każdego człowieka, posąg czy wizerunek patrzy z punktu widzenia rasy „nordyckiej".

Jego ideałem był człowiek wysoki, smukły, jasny, długogłowy, o wąskim czole. I bez włosów na skórze, z wyjątkiem głowy, pach i narządów płciowych. Stroop trochę odbiegał od tego wzorca.

– Czoło mam za szerokie – wyznał pod koniec naszego wspólnego kiblowania. – Ktoś z moich przodków musiał dogonić niecałkowitą „nordyczkę".

– Czy to nie wszystko jedno? – pyta Schielke.

– Absolutnie nie!

Stroop chciał, jak wywnioskowałem z opowiadań i z zachowania się w więzieniu, koniecznie wyglądać na stuprocentowego „nordy-

---

[3] Wydanie pierwsze *Mein Kampf* (*Moja walka*) Adolfa Hitlera w dwóch tomach opublikowano w latach 1925–1927. Do 1942 r. łączny nakład wszystkich wydań tej „biblii" narodowego socjalizmu sięgnął 8 milionów egzemplarzy.

[4] Mowa o książce *Das Bauerntum als Lebensquell der nordischen Rasse* (*Chłopstwo jako źródło życia rasy nordyckiej*, 1929) Walthera Richarda Darré (1895–1953), ministra wyżywienia Rzeszy i Reichsbauerführera (wodza rolników Rzeszy) w latach 1933–1945, po wojnie więzionego w latach 1945–1950.

ka", do czego predestynowały go: niebieskawe oczy z zielonymi refleksami, ciemnoblond włosy, wzrost i asteniczna budowa ciała. Ale przeszkadzało: zbyt szerokie, według niego, czoło. Żeby dosięgnąć ideału, strzygł się nad uszami możliwie krótko, a gdy tam mu włosy odrosły, przygładzał je śliną. Przywykł do tych gestów. Często zwilżał wargami palec i dotykał skroni. Potem przeglądał się w „lustrze" – szybie okna otwartego do wewnątrz celi – i spacerował wojskowym krokiem, wachlując ramionami, spreparowany na wąskoczołego.

※

Jeśli idzie o „nordyckie" ciało, Stroop był inaczej podfabrykowany – na stałe. Któregoś dnia, w kąpieli, zauważyłem na śródpiersiu Stroopa liczne punkciki – ślady po sztucznie usuniętych włosach. Skórę miał na ogół słabo zarośniętą, ale chciał się pozbyć wszystkich „małpich futer".

※

Stroop wierzył w hitlerowską teorię ras, w przyrodzoną „wyższość krwi germańskiej". Pierwsze nasączenie odebrał, jak wspomniałem, z książek Frau Doktor Ludendorff. Potem wrósł w nauki partyjnych fachmanów i w praktyki Himmlera.

– Heinrich Himmler – powtarzał nieraz w celi – był jednym z najlepszych znawców ras. Poza głębokimi wiadomościami posiadał twórczą intuicję i odwagę poszukiwań naukowych. Wysłał m.in. grupę specjalistów z SS do Tybetu.

– W celach szpiegowskich? – wtrąciłem.

– Skądże?! Tylko do badań antropologiczno-rasowych i językowo-runicznych. Rozmawiałem z uczestnikami ekspedycji. Opowiadali, że dalajlama po raz pierwszy w życiu pozwolił się wtenczas fotografować w swojej komnacie. Właśnie Niemcom! I niech pan sobie wyobrazi, że wszystkie klatki filmu, na których miał być dalajlama, zostały prześwietlone siłą jego oczu czy jakichś nieznanych zmysłów. Sąsiednie klatki udały się i zrobiono z nich odbitki. Ale te z dalajlamą Tybetańczycy zniszczyli w niewytłumaczony sposób, bez dotykania. Wracając do Heinricha Himmlera, to on był naprawdę opoką nauki o rasach...

Z więziennych dyskusji i zwierzeń na tematy rasowe wyrobiłem sobie opinię, że Himmler obdarzał Stroopa poparciem nie tylko za zasługi w Lippe i za posłuszeństwo, ale chyba i dlatego, że byli jak bliźniacy – ze stemplem „nauki runicznej" i wiary w „arystokratyzm krwi nordyckiej". Lecz Himmler był majstrem, a Stroop – podmajstrzym, a może tylko czeladnikiem.

✻

Co najmniej trzy czwarte czasu szkolnego w Dachau pochłaniały – według Stroopa – kwestie nie intelektualne, lecz formalno-organizacyjne. Ćwiczono tam i zwracano szczególną uwagę na postawę w sensie fizycznym (siła zewnętrzna i elegancja), na pedantyczną czystość, zachowanie się w służbie SS i w czasie zebrań towarzyskich, na słownictwo rozkazodawcze, stosunek do przełożonych i kolegów, na umiejętność panowania nad szeregami SS-mańskimi, terenoznawstwo, sport itp.

– SS-Führerschule doskonaliła nas także – mówił Stroop – w praktyce kancelaryjnej. Ćwiczyliśmy pisanie, składnię, gramatykę (ich trzeba było tego d o u c z a ć?! – KM) oraz słownictwo specjalistyczne, korespondencję, zarządzanie urzędem, gospodarzenie przedsiębiorstwem SS itp. Badano i rozwijano drogą dyskusji i ćwiczeń – ciągnął – pewne cechy naszego charakteru. Ale przede wszystkim szło o z d y s c y p l i n o w a n i e p a r t y j n e.

– O ślepe posłuszeństwo starszemu rangą.

– Nie o ślepe, ale o lojalne! Poza tym pomija pan inną stronę zagadnienia, mianowicie zdolność trzymania podwładnych w dystansie, „za mordę", jak mówią Polacy. Tego nauczano w SS-Führerschule. Kierownictwo dbało również o naszą geistige Frische[5], o Wille[6], i o opanowanie strachu oraz takich słabości, jak litość i współczucie.

– Litość i współczucie są szkodliwe?

– W wojsku, polityce i życiu publicznym na pewno tak! – stwierdził tonem graniczącym z pychą.

– A konieczność postępowania moralnego?

---

[5] Geistige Frische (niem.) – młodość ducha, świeżość ideologiczna.
[6] Wille (niem.) – wola.

– Nakazem działań patriotycznych, narodowych, jest s k u t e c z-
n o ś ć, a nie tak zwana moralność – wyrecytował jednym tchem.
– Więc nie uznaje pan miłości bliźniego i uczuć samarytańskich?
– Uznaję, ale tylko wobec Niemców, którzy budowali z nami
Rzeszę Adolfa Hitlera!

*

Z Dachau wrócił Stroop do Hamburga jako dyplomowany członek grupy przywódczej SS. Jego dyplom miał formę Beurteilungu[7]
i zawierał następujące opinie: „rzetelny, żołnierski, surowy", „zdecydowanie silna wola", „bojowe i idealistyczne pojmowanie życia,
pozwalające sprostać każdej sytuacji", „żywotna pilność w dziedzinie światopoglądowej", „porządny nacjonal-socjalista"[8]. Jeśli idzie
o poziom intelektualny, Stroop został w Dachau tak oceniony: „Potrafił, mimo skromnego wykształcenia szkolnego, sam przyswoić
sobie dużo wiadomości"[9]. Wreszcie piszą tam: „Dzięki niestrudzo-
nej operatywności oraz sprawności w wyglądzie i w postawie będzie
w k a ż d e j s y t u a c j i na w ł a ś c i w y m p o z i o m i e[10] (podkreś-
lenie moje – KM).

*

Wkrótce po powrocie Stroopa z Dachau do Hamburga – Hitler
zagarnia Austrię i wprowadza Niemców w nacjonalistyczną ekstazę.
– Cały naród szalał z radości. Popiłem sobie, co rzadko mi się
przytrafiało – powiedział w celi Stroop. – Zalałem się w pechę!
– Czym pan najchętniej spłukiwał gardło? – zagaduję. – Piwem,
winem czy wódką?

---

[7] Beurteilung (niem.) – świadectwo opiniodawcze. Fotokopia w zbiorach
Głównej Komisji Badania Zbrodni Hitlerowskich w Warszawie [obecnie: Instytut
Pamięci Narodowej] – przyp. aut.
[8] „Ehrlich, soldatisch, straff ", „ausgeprägte Willensnatur", „kampffrische, idea-
listische Lebensauffassung, die allen Lagen gerecht wird", „rege Fleiss in den welt-
anschaulichen Gebieten", „anständiger Nationalsozialist" – przyp. aut.
[9] „Hat sich uber seine einfache Schulbildung hinaus ein gutes Wissen selbst
angeeignet" – przyp. aut.
[10] „Durch seine unermüdliche Einsatzbereitschaft und Gewandheit in Form
und Haltung wird er jeder Lage sich gewachsen zeigen" – przyp. aut.

– Wszystkim. Nie należę do żadnej z alkoholowych grup moich rodaków. Ani do Wein-Deutschów, ani do Schnaps-Deutschów, ani do Bier-Deutschów. W młodości piłem przeważnie wino, bo Lippe leży 150 km od Renu, oraz piwo. Produkujemy w Detmoldzie od setek lat wyśmienite Bier vom Falkenkrug. Nie gardziłem sznapsem, nawet go lubiłem, szczególnie od I wojny. Jestem nowoczesny Niemiec. Wszystkie napoje alkoholowe chętnie pijałem, ale w m i a r ę!

– W piciu musi być Ordnung?

– Tak jest!

*

Zdarzenia roku 1938 podniecały Stroopa nie tylko przez sukces austriacki. Wciągnięto go bowiem do tajnych przygotowań w Sudetenlandzie i Egerlandzie (powtarzam za Stroopem niemieckie nazwy tych terenów)[11]. Wkrótce po „studiach" w Dachau opracowuje szczegóły planu zorganizowania XXXVII SS-Abschnittu w mieście obcego państwa – Czechosłowacji, w Libercu, który Niemcy przechrzcili na Reichenberg. Zaczyna interesować się problematyką czechosłowacką, próbuje czytać opracowania dostarczone przez centralę SS.

– Coś niecoś nauczyłem się z tych profesorskich kompendiów przesyłanych z Berlina – opowiadał Stroop. – Ale (z braku czasu) przestudiowałem tylko mapy i listy podejrzanych na moich przyszłych terenach.

– Podejrzani to kryminaliści?

– Nie. Żywiołów przestępczych było tam niedużo. Szło o Żydów, marksistów rozmaitej maści oraz o członków wielkiej dywersji, o czeską piątą kolumnę, która w Sudetenlandzie operowała jeszcze za czasów Austrii, atakując niemiecki stan posiadania.

– Przecież Czechy wraz z terytoriami sudeckimi są od wieków obszarami słowiańskimi.

---

[11] Sudetenland, Egerland – niemieckie nazwy przygranicznych obszarów Czechosłowacji, zamieszkanych również przez mniejszość niemiecką. Eger – niemiecka nazwa miasta Cheb.

– Skądże? – oburzył się. – Sudetenland i Egerland stanowiły od tysięcy lat pragermańskie ziemie. Większość Czechów pochodzi z jakiejś mieszaniny germańsko-celtyckiej, a nie z plemion słowiańskich. I, jak nieraz bywało w celi, Stroop wygłosił „referat" oparty na hitlerowskiej *Geschichte des deutschen Volkes*[12]. Słuchałem cierpliwie. Gdy wyładował akumulator „wiedzy", spytałem:

– No, dobrze, dobrze! Ale niech pan powie, dlaczego Czesi, ci rzekomo nie-Słowianie, mówią słowiańskim językiem?

– Bo ich podbiły i zasymilowały, częściowo wyrzynając, plemiona słowiańskie, które z Azji Środkowej przywędrowały południową odnogą swej ekspansji na Europę – odpowiedział bojowo.

Tego dnia opanował mnie rzadko osiągalny stan zerowych napięć emocjonalnych, o których Leopold Staff pisze: „Nie czuję się szczęśliwy ani nieszczęśliwy. Jestem czymś poza wszystkim, acz tkwię w świata łonie"[13]. Obojętnie reagowałem więc na opinie i tony Stroopa, dziś impulsywnego. Ale westchnąłem: Och! Mensch Meier[14]. Schielke w śmiech, a Stroop przestał uświadamiać.

✳

W jakiś czas potem Stroop chełpliwie i z wigorem podkreślał, że wojna rozpoczęła się dla niego we wrześniu 1938 roku.

– Opuściłem wtedy dom i od tego czasu moje życie rodzinne było samotnością albo koczowaniem z żoną i dziećmi. W okresie Monachium zmobilizowano mnie do akcji sudeckiej. Wraz z osobistym sztabem...

– Czy z hamburskiej 28. SS-Standarte?

– Nie. Pułkiem hamburskim SS już od powrotu z Dachau praktycznie się nie zajmowałem. Ten kilkuosobowy sztab, jako komórka specjalna, miał pod moim dowództwem, po wejściu naszej armii do Sudetów i Czeskiego Lasu, jak najszybciej zorganizować odcinek SS w Reichenbergu.

– W Libercu – sprostowałem.

---

[12] *Geschichte des deutschen Volkes* (niem.) – *Historia narodu niemieckiego*.
[13] Cytat z wiersza Leopolda Staffa *Wieczór*, z tomu *Łabędź i lira* (1914).
[14] Mensch Meier (niem.) – określenie ironiczno-żartobliwe: naiwny człowiek.

– Nie, panie, to miasto nazywało się zawsze Reichenberg, tylko Czesi zeslawizowali je na Liberec.

– Herr Stroop, pan się myli. Lecz jeżeli nie chce się pan zgodzić z historyczną prawidłowością miana Liberec, to niech pan uzna s i ł ę, która pozwala dzisiaj Czechom nazywać miasto, jak chcą, oraz wymagać, aby inni respektowali ich nomenklaturę geograficzną – powiedziałem dość ostro.

Stroop chwilę pomyślał, przymknął oczy i, otwierając je, odpowiedział:

– Przekonał mnie pan. Oni z w y c i ę ż y l i. Oni mają r a c j ę!

– No!... Więc od września 1938 czekał pan nad granicą niemiecko-czeską, aby zorganizować SS w Libercu.

– Tak. Cały czas byłem w pogotowiu bojowym i w kontakcie z ludźmi Henleina[15]. Czekaliśmy tylko na rozkaz z Berlina, aby wkroczyć do Sudetów. Kilka razy mieliśmy...

– ... wtargnąć do Czech...

– Może pan to nazwać wtargnięciem... I zawsze w ostatniej chwili nas odwoływano. Niech pan sobie wyobrazi, że (aby osiągnąć ten Liberec) wjechałem na teren Sudetów kilkanaście godzin przed oficjalnym wkroczeniem naszej armii. Pomyłka zrozumiała. W czasie obrad Hitlera z Mussolinim, Chamberlainem i Daladierem panował z obu stron granicy bałagan, szczególnie u Czechów. Ich spoistość rozkruszała się od końca sierpnia. W nocy z 30 września na 1 października 1938 przejechaliśmy granicę autem. Droga trzeciorzędna. Wsie uśpione. Nawet nie spostrzegłem linii dzielącej oba państwa. Krajobraz i domy takie same. Ani śladu żołnierzy ČSR lub celników. Po kilkunastu kilometrach, w sadzie, przy płocie, cienie dwóch postaci. To nasi, henleinowcy, z grup konspiracyjno-wojskowych. Informują, że wkroczenie wojsk generała von Loeba do Sudetów ustalono na tenże sam dzień, 1 października, lecz dopiero o godzinie 13 czy 14. Mieli radiową wiadomość. Zalecają uciekać. Co prawda, władze czeskie ewakuują

---

[15] Konrad Henlein (1898–1945), założyciel i następnie przywódca Partii Niemców Sudeckich (SdP), potem gauleiter NSDAP na terenie Sudetów w Protektoracie Czech i Moraw w latach 1939–1945, po wojnie aresztowany przez aliantów, popełnił samobójstwo.

się, ale mogą nas jeszcze rozwalić. Szybko wycofaliśmy się. Ponownie wkroczyliśmy w kilkanaście godzin potem.

– Miał pan stracha w tej nieudanej nocnej podróży?

– Pewno! To nie przelewki. W dodatku „ciemno, zimno i do domu daleko".

– Poza tym, nie miał pan bezpośredniego oparcia w większej grupie własnej. A walka w pojedynkę, czy w kilku, nie jest najprzyjemniejsza.

– Tak. Wolę chodzić w oddziale.

– Jak się traci poczucie uzbrojonej wspólnoty, na obcym terenie, człowiek gubi się. Niemcy nie lubią walki w lesie. Czujecie się wtedy nieswojo.

– My boimy się? Nigdy!

– Bez przesady! Niemcy, o ile wiem, mieli na ogół trudności z lasem w czasie wojny. Prawda, Herr Schielke?

– Tak, tak – odpowiedział berlińskim akcentem hanowerczyk. – Co prawda, to prawda. Na każdy leśny oddział partyzancki przeznaczaliśmy w Generalnej Guberni kilkakrotnie większe od waszych siły. I przed zapadnięciem zmroku wycofywaliśmy się z lasu na nową postawę wyjściową.

– Skąd pan wie? Przecież całą wojnę spędził pan wygodnie w Krakowie, w kancelarii Bierkampa[16] – ironizował Stroop.

– Całe szczęście. Przynajmniej nikogo n i e   z a b i ł e m! – odgryzł się Schielke. – A stan faktyczny znam od młodszych kolegów oraz z raportów segregowanych w krakowskim archiwum. My, Niemcy, do takiej partyzancko-nocnej roboty nie bardzo się nadajemy. Ale i nie lubimy chodzić z gołymi rękami na zdobycie broni. Jak poniektórzy.

❖

Stroop nie zagrzał długo miejsca w Libercu. Coś niecoś począł montować przy XXXVII Abschnitcie SS, lecz wkrótce znalazł się

---

[16] Walther Bierkamp (ur. 1901), dr, SS-Brigadeführer, Dowódca Policji Bezpieczeństwa i Służby Bezpieczeństwa (BdS) w Generalnym Gubernatorstwie od lipca 1943 r. do stycznia 1945 r. z siedzibą w Krakowie.

na ważniejszej funkcji i w luksusowym uzdrowisku. Zostaje organizatorem oraz p.o. dowódcy („mit dem Führung beauftragt") XXXVIII SS-Abschnittu w Karlovych Varach. Ma stanowisko. Rządzi i wygodnie żyje w słynnym kurorcie.

Po wstępnych kłopotach (lęk przed ewentualnym podziemiem czeskim) zaczyna się czuć jak feudał. Zajmuje letnią rezydencję prezydenta Benesza[17] na lokal dowództwa SS. Sam rekwiruje pobliską willę Czecha, któremu udało się wyjechać za granicę. Do luksusowo urządzonego mieszkania sprowadza rodzinę.

– Córkę zaraz umieściłem w szkole w Karlsbadzie – opowiadał.

– Renate miała wówczas 10 i pół roku. Poszła o jedną klasę wyżej, niż należało.

– Przeskoczyła jedną klasę? W jaki sposób mógł pan to zrobić? – pyta Schielke.

– W niemieckich szkołach Sudetenlandu uczniowie byli w październiku 1938 roku na niższym poziomie niż w Rzeszy. A Renate chodziła przedtem do pierwszorzędnej szkoły hamburskiej i dobrze się uczyła. W Karslbadzie poznali się na jej umiejętnościach. Dyrekcja sama przesunęła Renate do wyższej klasy.

– Dyrekcja liczyła się z panem, ważnym szefem SS. Przecież od razu chyba pokazaliśmy tam silną rękę – odpowiada Schielke.

– Pan myśli, że córka przeskoczyła klasę przez protekcję? – zaperzył się Stroop.

– Tak! – przyłączyłem się do Schielkego. – Nie wyobrażam sobie, aby jakikolwiek dyrektor szkoły przyjął, bez rozkazu lub presji, ucznia z innej uczelni do klasy wyższej niż należy. Ale czego się nie robi dla k o l o n i a l n e g o g u b e r n a t o r a Karlovych Varów!

– Sudety kolonią? – czuję w głosie Stroopa wściekłość. Mówi jednak spokojnie, nawet lodowato: – Pan żartuje, Herr Moczarski. Tam gruba większość autochtonów to Niemcy. Myśmy tylko odebrali naszą historyczną dzielnicę.

– Dla was Odra, Wisła, Dniepr, Wołga są pragermańskie. I rumuńskie Karpaty, bo trwonił pan tam swoje plemniki podczas I woj-

---

[17] Edward Benesz (1884–1948), prezydent Czechosłowacji w latach 1935–1938 i 1940–1948.

ny. Ararat również. Noe był Germaninem, prawie Wein-Deutschem, i upił się reńskim winem! Schielke zaczął się śmiać, coraz szczerzej. Stroop poczerwieniał ze złości. Ale kalifaktorzy przynieśli kocioł z obiadem i pogodziło nas wspólne napełnianie brzucha – „tej zmory, która tyle zła ludziom wyrządziła: to dla niego wyruszają na niespokojne morza spoiste okręty, by w obce ziemie nieść zbrodnię"[18].

✳

Wróciliśmy kiedyś do „czeskiej" rozmowy i szczegółowo omawialiśmy siedzibę Benesza w Karlovych Varach.

– Czy dom, gdzie zakwaterowaliście SS-owski urząd, był własnością Benesza? – zapytałem.

– Nie. To była wypoczynkowa rezydencja prezydenta Republiki Czechosłowackiej. Nie wiem, czy tam przyjeżdżał Masaryk[19]. Ale Benesz tak.

– Wybraliście sobie reprezentacyjny gmach. Architektonicznie ładny?

– Niezły i obszerny. W takim kurorcie prezydent państwa, które dzięki Wersalowi zagarnęło Karlsbad, musiał mieć prima budowlę. Tylko ona miała feler.

– Jaki?

– Pewne fragmenty były zbyt oryginalne i niepoważne. Na przykład okrągła czy raczej owalna salka. Co przyszło do głowy pepiczkom, że wybudowali taki okrąglak?

– To mogło być śmiałe i ładne rozwiązanie. Czesi mają starą kulturę architektoniczną. I dobrze, że nie stronią od nowoczesności.

– My sądzimy inaczej. Taki okrąglak jest i frywolny, i niewygodny. Kazałem go przebudować według tradycyjnego smaku. Zresztą karlsbadzka siedziba Benesza nie była znów taka najnowsza. A jeśli idzie o dzisiejsze, supernowoczesne budownictwo, to ta modernistyczna architektura, pudełka, szkło, aluminium, brak ozdób, ame-

---

[18] Cytat z *Odysei* Homera w przekładzie Jana Parandowskiego.
[19] Tomasz Masaryk (1850–1937), pierwszy prezydent Czechosłowacji w latach 1918–1935.

rykanizmy, kubizmy, ten Le Corbusier[20], czy jak się ów francuski Żyd nazywa – wszystko jest świństwem judaistycznym. Owalny pokój w Karlsbadzie byłby dobry dla paryskiego domu rozkoszy, gdzie nadzy mężczyźni uganiają się za gołymi dziwkami na wrotkach, a starcy podglądają przez ścienne wizjerki igraszki samców, którzy nie przeczuwają, że obserwowani są przez degeneratów.

– Skąd pan zna takie paryskie uciechy?

– Koledzy opowiadali – odpowiada, niezbyt klarownie.

– Był pan w Paryżu?

– Kilka razy w czasie wojny.

– Mniejsza z tym... Ale owalna forma sali czy pokoju może być piękna – bronię swego stanowiska.

– Nie dla nas. Więc kazałem przerobić część budynku. Poprawiliśmy Czechów. I z powodzeniem.

– Herr General – wtrącił się Schielke. – Czy to było pilne? Po kiego diaska wydawać forsę na przebudowę? To takie samo marnotrawstwo, jak przerabianie zamku w Sudetach, o czym pan opowiadał. I nie czekając na odpowiedź Stroopa, zwrócił się do mnie:

– SS-Abschnitt w Karlovych Varach za miliony marek unowocześnił na starą modę zamek czy wielki pałac w karlsbadzkim rejonie. Dla jakichś tam swoich celów. Prawda? Herr Stroop.

Stroop nie zaprzeczył.

– Zamek był w dobrym stanie i zamieszkany – szybko mówił Schielke. – Lepiej go było zostawić, jak stał, a nie pakować w 1939 roku mnóstwo pieniędzy na stworzenie dla SS siedziby w stylu jakiegoś gotyku czy innego Sans-Souci?![21]

– Co w zamku się mieściło? – pytam.

– Eh! – bąknął Stroop. – Kursy młodzieżowe. Poza tym urządziliśmy miejsce wypoczynkowe dla towarzyszy z SS.

– Dla wyższych czy dla Mannschaftu? – indaguje Schielke.

– Dla wyższych dowódców SS.

---

[20] Le Corbusier, właściwie Charles Jeanneret (1887–1965), światowej sławy architekt i urbanista.

[21] Sans-Souci (Sanssouci) – słynny zespół pałacowo-parkowy w Poczdamie z rokokowym pałacem z połowy XVIII w.

*

Któregoś dnia zapytałem, czy w skład SS-owskich oddziałów Stroopowskiego Abschnittu w Karlovych Varach wchodzili Niemcy z przedwojennej Rzeszy.

– Na ogół nie. Tylko wyżsi SS-führerzy i instruktorzy byli ze starego Reichu. Reszta to Niemcy sudeccy z oddziałów Henleina. Z początku były spore różnice w wyrobieniu, w kulturze osobistej, zwyczajach i języku. Potem wszystko się zatarło. Szybko się podciągnęli. Gdy po roku urządziliśmy w Marienbadzie wieczornicę taneczną dla oficerów SS, nikt by nie pomyślał, że Sudety były kiedyś terytorium czeskim, lecz że to przyjęcie w Hamburgu lub nawet przedwojenny bal u Fürsta Lippe. Kobiety w jedwabiach. Biżuteria. Wino. Tańce. Sehr elegant![22]

*

Długo pan mieszkał w Karlovych Varach? – spytałem kiedyś.

– Prawie rok. W początku października 1939 centrala przeniosła mnie do Poznania. Ale przez dwanaście karlsbadzkich miesięcy przyzwyczaiłem się do Sudetów, do pięknych okolic...

– I do kąpieli – dodał Schielke.

– Owszem. Korzystałem z karlsbadzkiej kuracji, mimo że byłem zdrów i nie zdegenerowany fizycznie, jak ci Żydzi, arystokraci, obżartuchy z całej Europy, plutokraci, bonzowie, ministrowie i międzynarodowi bankierzy, którzy przed wojną okupowali Karlsbad. Tamtejsze wody doskonale wpływają na samopoczucie cielesne. Brałem kąpiele zaordynowane przez SS-Arzta[23].

– Nie mieliście wtedy wielu kuracjuszy?

– Najpierw był konflikt z Czechami, potem wojna, więc kto miał przyjeżdżać na leczenie? – włączył się Schielke. – Trochę rannych żołnierzy i wyższych partyjniaków z Rzeszy. Jak mieszkało się na miejscu, to dlaczego nie popluskać się w wannach!

Stroop nie wiedział, czy Schielke żartuje. Zrobił niewyraźną minę, ale mogłem spodziewać się konfliktu między nimi. Milczeliśmy. Nie

---

[22] Sehr elegant (niem.) – bardzo elegancko.
[23] SS-Arzt (niem.) – lekarz SS-owski.

przerywałem chwilowej c i s z y, bo nauczyło mnie doświadczenie, że może ona niekiedy gasić więźniarskie niepokoje.

Dobiegło klekotanie drewniaków – konwojowany więzień przy kracie XI Oddziału Mokotowa. Brzęk kluczy i trzaskanie rygli. Kroki cichną, bo nieznany kumpel schodzi po kamiennych schodach. Odgłos rzeczywistości.

Nie chcąc, aby nasze zapeszenie pogłębiło się, zagadnąłem Stroopa:

– Zakłady lecznicze w Karlovych Varach na pewno są doskonałe. Mają kilkusetletnią tradycję.

– Niewątpliwie. Tam znają się na stosowaniu wód. I dysponują urządzeniami, które służą od wieków. Kąpałem się w starożytnej drewnianej wannie używanej niegdyś przez Churchilla, Aghę-Khana[24], królów i milionerów. Nazywaliśmy ją wanną Churchilla.

– Czy zauważył pan różnicę między „wanną Churchilla" a dzisiejszą wanną łazienkową?

– Jeśli idzie o kąpiel, to nie. Ale dotknięcie ciałem ścian „wanny Churchilla" jest szczególnie miłe. Urządzenie sprzed setek lat wytwarza poczucie więzi z dawnymi pokoleniami oraz pewność, że jest naprawdę dobre, że na pewno uzdrawia i pomaga.

– Czy pan nie snobizuje? – pytam.

– Ja, snob?! – denerwuje się Stroop.

Nie zdążyłem odpowiedzieć, bo Schielke zaatakował Stroopa:

– Ale ja nie mogłem się kąpać w „wannie Churchilla". Ani żaden szeregowiec z SS. Ani robotnik.

– Bo pan gonił w tym czasie za byłymi „kochankami" pederasty Röhma – mówi Stroop podniesionym głosem.

– A Herr General spędzał wojnę w kurortach – szepnął kąśliwie Schielke.

---

[24] Książę Aga Khan (1877–1957), przywódca muzułmańskiej sekty izmaelitów w Indiach.

X. Złowróżbna sowa

Godziny wyciszenia po wieczornym apelu. W celi mroczno. Chroboty, stąpania, szumy budynku i o d g ł o s y m i a s t a – coraz wyraźniejsze. I melodyjka wygrywana za murem, na organkach. Jej frazy czyste. Utonąłem w innym bycie. Potem nagła świadomość kontrastu z rzeczywistością i melodia staje się nieznośna. Zatykam uszy, chowam głowę pod koc... Chcę znów słuchać organków, ale milkną. Grajek, nie wiedząc, jak powywracał myśli więźniów, jest już chyba na kolacji.

Nagle z dachów więziennych rozległ się nieznany dźwięk.

– Czy pan słyszy? – pyta cicho Stroop.

– Ptak. Ale jaki?

– Sowa pohukuje – stwierdza. – Po raz pierwszy słyszę ją w Mokotowie. Skąd się wzięła?

Słoma trzeszczy. To Stroop przewraca się na brzuch, unosi głowę, spogląda w okno. Ja też widzę niebo prawie wygasłe. Ciemność tężeje mimo blasków z podwórza i łuny nad Warszawą. Cisza. Półmajacząc, „zawisam w czerni". Co mnie obchodzi sowa, gdy przed zaśnięciem, jak co dzień, przyszedł czas na w s p o-m n i e n i a.

※

Inny był zmierzch w roku 1939, na pagórku, przy skraju lasu. Wieczór powietrzny, łąkowy, leśny. Spokój, choć czas wojny. Dęby rozmazane w cieniu. Liść spada na rękę; przedtem słyszałem, jak potrącał koronę drzew. Od wioski dolatuje granie kundli.

*

Z tych rozluźnień, gdzie wszystko własne i b e z p i e c z n e, wyrywa Stroop:
– Słyszał pan? Znów się odezwała. Bardzo nie lubię sów. Raz miałem w samochodowej podróży przygodę z sową... Uciął, bo strażnik zapala światło i sprawdza przez wizjerkę, czy śpimy. Cela drętwieje...
Znów ciemno. Wracam do półuśpienia i nie do dębów z 1939 roku, lecz do „pereł, do róży"... Po kilku minutach szept Jürgena Stroopa:
– Śpi pan?
– Nie.
– Gdy jesienią 1939 jechałem z Karlsbadu autem do Poznania na nową placówkę – zaczął – to opóźniliśmy się i dopiero wieczorem mijałem dawną granicę Polski. Zaryzykowałem jazdę nocną, aby zameldować się rankiem w Poznaniu.
– O jakim ryzyku pan mówi?
– O możliwym ataku polskich partyzantów – włączył się chrapliwie Schielke. – Przecież Herr General jechał wkrótce po zakończeniu kampanii przeciw Polsce.
– Przenieśli mnie do Poznania w październiku 1939. Partyzanci na tych terenach nie działali, ale wyście latami podsycali tradycje powstań wielkopolskich i ludność była wroga. Ponadto ukrywali się tam żołnierze rozbitych wojsk marszałka Śmigłego. Władze zalecały, aby auta w pojedynkę nie włóczyły się po nocach.
– Jak było z sową? – ziewam.
– Jedziemy we dwóch – opowiada Stroop – ja i szofer, otwartym „horchem". Szybkość nie największa, gdyż od czasu do czasu fale mgły przygruntowej. Nagle widzę przed nami obcy kształt, rosnący gwałtownie. Kierowca hamuje. Mnie coś tłucze po głowie. Czuję wstrętną miękkość na twarzy i ukłucia. Oślepiony, chcę to coś zdjąć z czoła, okularów, brody. Nie mogę. Nos i policzki w ciepłej krwi. Krzyczę do szofera. Natychmiast zastopował. Zrywa mi z głowy sowę, p o l s k ą sowę. Jestem podrapany, zakrwawiony, wściekły. Każę kierowcy związać ptaka, zawiesić na pniu drzewa, a samochód wykręcić w poprzek szosy. W smudze reflektorów strzelam z pisto-

letu do sowy, raz i drugi. Cholera żyje i tylko świeci oczami. Miała twardy żywot. Siedem kul wpakowałem w to chuchro z odległości metra, a ona kwili i patrzy jak szatan. W końcu wydałem rozkaz, aby szofer zatłukł ją francuskim kluczem i wrzucił do bagażnika. Przecież w Poznaniu trzeba się było wytłumaczyć z sińców i zadrapań na twarzy. Od tej pory n i e z n o s z ę sów.

– Ładnie pana Polska przywitała po dwudziestu dwóch latach, po tych B r z e ż a n a c h – w tonie Schielkego drwina. Głos mu poważnieje, podpiera się na łokciu i powiada: – To był horoskop opatrzności. Fatum pana ostrzegło, Herr General. Trzeba było już nigdy nie przyjeżdżać do Polski. Sowa to mądrość.

– Tak. Poznańska sowa była złowróżbnym ptakiem – zgodził się Stroop.

Mokotowska pójdźka znów huknęła. Stroop drgnął. Zrobiło się nieswojo. Noc i ciemność nieraz wywracają reakcje i osądy.

Ja sówki bardzo lubię.

＊

Po pewnym czasie Stroop opowiadał, jak go „sam Heinrich Himmler" przeniósł do Poznania na dowódcę tamtejszego Selbstschutzu[1].

– Czy Selbstschutz był instytucją półpolicyjną? – pytam.

– Policyjną? Nie!... – zaczął wyjaśniać Stroop.

– Jak to, nie policyjną? – sprzeciwił się Schielke. – Selbstschutz był organizacją niemieckiej samoobrony społecznej. W terenach, gdzie ustały działania militarne, a front był o kilkaset kilometrów, jak w poznańskiej prowincji, samoobrona upodobniła się do policji. Selbstschutz, Herr Moczarski, to w praktyce tamtejsi Volksdeutsche, przed wojną w większości członkowie konspiracji hitlerowskiej, a z chwilą zajęcia tych ziem z o r g a n i z o w a n i w Ersatz-Polizei[2] o charakterze politycznym.

– Politycznym? Czy pan zwariował?! – rozsierdził się Stroop.

---

[1] Selbstschutz (niem.) – samoobrona, niemiecka formacja o charakterze quasi--policyjnym, złożona przeważnie z obywateli polskich narodowości niemieckiej (późniejszych volksdeutschów).

[2] Ersatz-Polizei (niem.) – surogat policji, quasi-policja.

– A jakim? – Schielke zgorączkowany. Głos mu gulgoce w gardle. – Obyczajowym? Kulturalnym? Policyjno-kryminalnym?! Nie okłamujmy się. Selbstschutz był instrumentem wstępnej pomocy dla NSDAP, Sicherheitspolizei i SS. Stamtąd, gdy Selbstschutz zrobił swoje, wybierano ludzi do ważnych służb. Czy Herr General wcielił część Selbstschutzmannów do swego SS-Abschnittu w Gnieźnie?

– Owszem – odparł Stroop. – Ale mówić, że Selbstschutz był surogatem policji to idiotyzm!

Schielke nastroszył się. Poróżowiał na policzkach i wybuchnął:

– Czy te pańskie ancymonki z Selbstschutzu modliły się? Regulowały ruch? Zwalczały zawodowych przestępców, prostytucję? Nie! Oni robili to, co później wykonywały instytucje urzędowe policyjne i polityczne. Tylko zamiast ścinania toporem w celi, Selbstschutz od pierwszego dnia wojny z Polską posługiwał się pistoletem, karabinem maszynowym i krzakami, a niekiedy miejscem straceń publicznych.

Stroop pobladł. Zerknął na drzwi celi. Ściągnął brwi, czujny, zaniepokojony.

– Po co pan takie rzeczy mówi, Herr Schielke? Jeszcze kto usłyszy – szepnął pojednawczo.

– Racja, Herr General.

Hanowerczyk zamilkł. Tylko mu szczęka chodziła nerwowo.

❊

Rozmawialiśmy kilka dni później o dowodzeniu i sztuce kierowania większymi zespołami ludzi. Stroop podkreślał z samozadowoleniem, że zawsze podlegały mu d u ż e grupy policyjne, wojskowe, urzędnicze. Za szczyt osiągnięć uważał lata wiesbadeńskie (listopad 1943–marzec 1945), gdy „miał w garści 130 tysięcy ludzi z SS, policji, armii wewnętrznej i służb pomocniczych". Opowiadając o tym okresie, często zacietrzewiał się, jakbyśmy kwestionowali jego ówczesną potęgę – s z e f a i w i e l k o r z ą d c y. Mylił się, bo Schielke i ja nie wątpiliśmy, że Stroop był u schyłku wojny jednym z hitlerowskich superbonzów.

– Pan zawsze dowodził większymi jednostkami. I w Czechach, i na Ukrainie, i w Grecji, i w Wiesbadenie – zwracam się do Stroopa. Ale wtrąca się Schielke, który miał skłonność do uściślania:

– Nie zawsze – mówi – bo w kampanii 1914–1918 i w detmoldskim SS podlegały panu generałowi tylko d r o b n e grupki żołnierzy czy SS-mannów.
– Kto z młodych dowodzi kiedy masami? – szybko odpowiedział
Stroop ze źle ukrytym dąsem. Krzywił się, gdy przypominano, że
był w 1918 tylko Vizefeldweblem, a w Detmoldzie – podoficerem
SS. – Od czasów Münsteru kierowałem zawsze sporymi oddziałami
– stwierdził autorytatywnie.
– No! Dywizja SS w Karlovych Varach to nie fraszka, to kupa ludzi, a i w Poznaniu też pan dyrygował wielu podwładnymi. Co najmniej tysiąc Volksdeutschów zdolnych tam było do noszenia broni.
– Tysiąc? Stan personalny Selbstschutzu w Poznańskiem wyno-
sił 45 tysięcy mężczyzn. Sam Poznań z terenami podmiejskimi liczył ich 8–9 tysięcy. Selbstschutzmannów mieliśmy w każdym mieście, wsi i osadzie. Co prawda, była to organizacja słabo wyszkolona,
bez nawyku żelaznej dyscypliny, ale ambitna, ruchliwa i duża. Szybko udało się ją uporządkować. Nic nie mogli zrobić bez mojej zgody. Selbstschutz miał tendencję do konspirowania i sobiepaństwa.
Trzeba było wykasować te nawyki.
– A czym się zajmowali członkowie Selbstschutzu?
– Pilnowali porządku, dróg i mostów, chronili ludność niemiecką
przed Polakami, zwalczali szmuglerów, wyłapywali żywioły wrogie
i przestępcze oraz pomagali uruchamiać administrację i zakłady użyteczności publicznej...
– ... a ponadto chodzili stale do kościoła, nie pili sznapsa i piwa,
żyli w cnocie i wzdragali się przed wzięciem pistoletu do ręki – włączył się z pasją Schielke.
Był on w naszej sytuacji, w i ę z i e n n e j, niecodziennym Niemcem. Jako „patriota" i lojalista bronił z uporem niektórych działań
III Rzeszy, które miały związek z ogólną polityką tego państwa. Ale
jednocześnie sprzeciwiał się ostro wszystkiemu, co naruszało j e-
g o nawyki oraz świadomość urzędniczą i policyjną „starego typu".
Przede wszystkim potępiał podporządkowanie wszystkich organów
policyjnych nakazom partii oraz „intrygującym gówniarzom z SA i SS".
– Na górze, minister spraw wewnętrznych – wywnętrzał się
Schielke – może być sługą Hitlera. Ale żeby na dole, w każdym ko-

misariacie, rządził nie zawodowy policjant, lecz przypadkowy członek NSDAP realizujący cele nie ogólnopaństwowe, lecz partykularne – to klęska. Zawodowy policjant, pułkownik czy szeregowy, musi się w Rzeszy kierować prawem, regulaminami, moralnością. Musi dążyć do obiektywizmu. Dlaczego? Dlatego, że o ile w dużej polityce może nie obowiązywać działanie całkowicie moralne, praworządnościowe, to na dole, w codziennym postępowaniu, niemiecki policjant powinien dostosować się do reguł, odczuć i nawyków, którymi żyje społeczeństwo. A cokolwiek byśmy mówili, to naród w swej masie kieruje się (czy c h c e się kierować) zasadami moralnymi i nie znosi ich cynicznego naruszania. Władze powinny się z tym liczyć, o ile pragną zachować na długą metę więź z narodem.

– Policjant niemiecki – słuchaliśmy Schielkego z zainteresowaniem – musi być sługą, opiekunem, pomocnikiem i osobą zaufania każdego obywatela, a nie kombinatorem, oprawcą, gwałcicielem, mordercą, katem. Hitler i Himmler z pomocnikami postawili na głowie istotę czynności policyjnych. Nasz policjant (za Hitlera) był wtedy dobry, gdy posłusznie wykonywał polecenia telefoniczne komórki partyjnej, gdy trzaskał obcasami przed brunatną koszulą lub trupią główką. I doszło do tego, że zatarły się różnice między metodami organizacji gangsterskiej, mafijnej a metodami policji. Czy pan myśli, Herr Moczarski, że gdybyśmy nawet wojnę wygrali, Rzesza byłaby szczęśliwa? Nie! Byłaby syta, bogata, miliony hitlerowców korzystałyby z luksusu i dostatku. Ale brakowałoby tego, co jest konieczne społeczeństwu Niemiec: poczucia moralnego porządku i jakiejś prostej, starogermańskiej uczciwości.

Schielke nie dał Stroopowi (i mnie) dojść do głosu. Gadał płynnie i z zapałem, choć spokojnie. Byłem przekonany (Stroop chyba także), że mówi szczerze i bez zakłamań. Stroop nie próbował przerywać, więc Schielke ciągnął dalej:

– Może zbyt wiele mówię o instytucji niemieckiej policji w ogóle, a hitlerowskiej w szczególności, ale rozumiecie, panowie, że każdy chce wypluć, co go boli. Wracając do Selbstschutzu poznańskiego, muszę powiedzieć (przepraszam pana, Herr General), że działalność tych c y w i l n y c h policjantów politycznych często była półbandycka. Można i trzeba trzymać krótko społeczeństwo okupowane, ale to, cośmy pokazali w 1939 w Wielkopolsce, na Pomorzu i Śląsku, przekraczało granice wszelkich norm, cywilizacyjnych i r o z s ą d k u. Wzięto do tej roboty rzeźników zamiast wyszkolonych z a w o d o w y c h policjantów.

Stroop parsknął ze złości i rzucił coś obraźliwego pod adresem Schielkego. Ten już miał odpowiedzieć. Czując, że może dojść do niepotrzebnej w celi awantury, krzyknąłem:

– Cisza! Achtung!

Obaj skamienieli, przyzwyczajeni do terroru głośnej komendy. Zapanował chwilowy spokój.

Zawsze starałem się być jak najmniej agresywny wobec Stroopa. Rzadko kiedy stawiałem kropki nad „i". Ale w tym przypadku Schielke trochę mnie podjudził, to znaczy, przywołał wszystko, co wiedziałem o terrorze hitlerowskim w Wielkopolsce, co czytałem w latach 1940–1944 w opracowaniach BIP-owskich KG AK[3], co słyszałem od bezpośrednich świadków zdarzeń.

– Czy pan zna nazwisko: Chłapowski. Alfred Chłapowski, wieloletni ambasador RP w Paryżu? – ostro rzuciłem Stroopowi pytanie.

– Tak! Słyszałem. To zasłużona rodzina wielkopolska. Graf Chłapowski był waszym dyplomatą, a przed pierwszą wojną członkiem parlamentu Rzeszy[4]. Tak! Pisano o nim często w gazetach.

– Otóż ambasador Chłapowski został przez podległych panu Selbstschutzmannów rozwalony w 1939 roku na rynku któregoś z miasteczek poznańskich. Spędziliście wielu Polaków, rzemieślników, księży, robotników, chłopów, obywateli ziemskich, mieszczan, lekarzy, urzędników, działaczy społecznych, harcerzy, kobiety, i przeprowadziliście masakrę. A przedtem toście ich maltretowali i terroryzowali. Chłapowski, niemłody człowiek, emeryt, znosił godnie wasze uderzenia, drwiny, opluwanie. Podtrzymywał innych na

---

[3] BIP KG AK – Biuro Informacji i Propagandy Komendy Głównej Armii Krajowej.

[4] Alfred Chłapowski (1874–1940), poseł do parlamentu Rzeszy w Berlinie w latach 1904–1909, w niepodległej Polsce minister rolnictwa i dóbr państwowych w 1923 r., poseł do Sejmu RP, ambasador RP w Paryżu w latach 1924–1936, aresztowany we wrześniu 1939 r., zmarł w szpitalu pod strażą w Kościanie 19 lutego 1940 r.

duchu. Klęknął i zaczął się modlić. A wyście ich wszystkich popruli kulami, aż krew bryzgała i flaki wywalały się z brzucha[5]. O ile wiem, to liczba ofiar S e l b s t s c h u t z u w województwie poznańskim wynosiła około 5 tysięcy ludzi. A pan, wytresowany już na czeskich terenach, fachowiec, był szefem tej ferajny dla p r a w i d ł o w e g o, wstępnego oczyszczenia terenu z przywódców społeczeństwa polskiego.

– Ja tego nie robiłem – oświadczył Stroop.

W odpowiedzi znienacka i władczo rzuciłem:

– Czy pan nie widział krwi, polskiej krwi w Poznaniu? Przecież pan widział, nawet miał pan nią ubarwione buty.

Musiałem Stroopa diabelsko zaskoczyć, bo przyznał tonem zdyscyplinowanym, posłusznym i zalęknionym:

– Widziałem. Ale skąd pan o tym wie?

– Niech pan opowie, jak było z tą polską krwią, a później wszystko wyjaśnię.

– Oddział Selbstschutzu rozstrzelał grupę Polaków – Stroop cedzi słowa potulnie. – Zrobił się raban, bo wśród rozwalonych był ktoś ważny. Kazali mi tam pojechać. To był potworny widok. Mdło mi się zrobiło...

Niespodziewanie otwarto drzwi celi. Strażnik zabrał Schielkego. Zdenerwowanie się ustokrotniło. Stroop czerwony. Ręce wycierał o spodnie, a na czole i nosie kroplił mu się pot. Siadł na zydlu w rogu celi. Ja początkowo chodziłem, potem oparłem się o ścianę, wewnętrznie skłębiony. Nie gadaliśmy z kwadrans. Stroop, przera-

---

[5] W 1974 r. red. Alfred I. Chłapowski jr., syn ambasadora, potwierdził wszystkie opisane przeze mnie okoliczności zbiorowego mordu, z wyjątkiem jednej. Mianowicie hitlerowcy rozstrzelali wówczas na rynku przed ratuszem w Kościanie, w woj. poznańskim, nie ambasadora Alfreda Chłapowskiego z Bonikowa, lecz jego stryjecznego brata Mieczysława Chłapowskiego z pobliskiego Kopaszewa. Stąd możliwość pomyłki w doniesieniach, a nawet meldunkach akowskich. Ambasador Alfred Chłapowski siedział w owym czasie (jesień 1939) w hitlerowskim więzieniu w tymże Kościanie i po ciężkim śledztwie zamordowano go tam 19 lutego 1940 r. – przyp. aut. Mieczysław Chłapowski (1874–1939), prezes Centralnego Towarzystwa Gospodarczego w Poznaniu, prezes Zarządu Głównego Towarzystwa Kółek Rolniczych, został rozstrzelany na rynku w Kościanie 23 października 1939 r.

żony widać, że znam jakieś jego tajemnice, miał w dalszym ciągu szarą twarz. Teraz było mi go nawet żal.

– Z tą krwią to było tak – zaczął niespodziewanie. – Tam leżało kilka trupów, strasznych. Jeden mężczyzna, w koszuli, dostał serię w brzuch, bo jelita miał na wierzchu, zupełnie tak, jak pan opowiadał o masowej egzekucji z grafem Chłapowskim. Musiałem się opanować i udawałem spokojnego. Ale w zdenerwowaniu wlazłem, cofając się, w jakąś maź na asfalcie. Była to krew zabitego. Wstręt mnie ogarnął. Zwymyślałem adiutantów, że nie zapobiegli wejściu w kałużę. Natychmiast wytarłem buty trawą i chustką. Ale krew przylega, trudno ją zmyć, więc później dwóch szeregowców oczyściło mi podeszwy, obcasy i noski. B r z y d z i ł e m się tej krwi... Niech mi pan powie, skąd ma pan tę informację. Proszę.

– Ja nic o tym do d z i s i a j nie wiedziałem. Ale w toku rozmowy poczułem napięcie. Pan też był dziwny. Przypomniałem sobie ważne przeżycia późną wiosną 1944 roku. Wracałem do domu, w Warszawie. Mieszkaliśmy z żoną na lewych nazwiskach w bloku przy Spacerowej[6]. Ulica spokojna, może zbyt spokojna, jak na mój konspiracyjny nos. Wchodzę po schodach. Na pierwszym piętrze poczułem pod butami lepką ciecz; myślałem, że komuś wylał się sok wiśniowy. Na drugim piętrze ciemna plama, rozległa. Krew! Idę wyżej, bo zawrócenie z drogi mogłoby się wydać podejrzane. K r e w p o d p o d e s z w a m i! Poślizgnąłem się na niej i podparłem ręką. Palce czerwone. Idę jak automat na czwarte piętro. Zostawiam rdzawe ślady. Dzwonię umówionym sygnałem. Żona szybko otwiera. Przerażona, lecz spokojna. Mówi, że niedawno gestapo zastrzeliło wszystkich lokatorów mieszkania o piętro niżej. Jeden chłopak wyskoczył oknem i – postrzelony – zabił się w maleńkim ogródeczku przy suterenach kamienicy, ale od strony ulicy Słonecznej[7].

---

[6] Ul. Słoneczna 50, m. 44, kl. D – przyp. aut.

[7] Mowa o akcji niemieckiej w dniu 22 czerwca 1944 r. przy ul. Słonecznej 50, w wyniku której zginęli: Władysław Holender „Szprotka", jego żona Jadwiga Holender, Kazimierz Glazer „Sam" (to właśnie on wyskoczył oknem, ponosząc śmierć) i dwie niezidentyfikowane osoby. „Szprotka" i „Sam" byli żołnierzami batalionu Armii Krajowej „Parasol".

Akcja hitlerowska trwała bardzo krótko, z zaskoczenia. Rewizji w bloku nie robili. Przed dziesięciu minutami karetki zabrały trupy do prosektorium. Tę krew, polską, zmuszony byłem deptać, Herr Stroop. Pan się domyśla, jak reagowałem. Nie obrzydzenie, lecz więź z ofiarami terroru. I sytuacyjna bezradność.

– Gdy naszło to przypomnienie (pan wie, jak się w więzieniu błyskawicznie myśli) – opowiadam dalej – wydało mi się, potem byłem p e w i e n, że pan m u s i a ł mieć podobne zdarzenie w Poznaniu. Proces kojarzeń, zamysłów, przypuszczeń i pewności przebiegł w ciągu jednej tysięcznej sekundy. Wydawało mi się, że wylazłem z siebie i byłem w panu, w Poznańskiem i w pańskich skrwawionych butach.

– Ależ pan ma nerwy, Herr Moczarski. Pan jest niebezpieczny. Pan za dużo wie lub odgaduje. Może pan jest medium?

– Nie! Ale czasami wydaje mi się, że siedząc w więzieniu, mam cały układ nerwowy na wierzchu, a nie pod skórą. Że na moje włókna nerwowe biją bezpośrednio promienie cudzych nadajników myślowych.

✻

Stroop wyraźnie nie lubił Artura Greisera, który przez cały okres II wojny był namiestnikiem Rzeszy (Reichsstatthalterem) i Gauleiterem NSDAP tzw. Kraju Warty[8]. Rzadko i mało chciał o Greiserze opowiadać. Myślę, że dochodziło między nimi do konfliktów, że „udzielny książę" Greiser rugał od czasu do czasu Stroopa-wasala. A poza tym, kto z niższych szczebli elity (jak np. Stroop) ma sympatię do ludzi swej kasty, którzy są notowani oczko wyżej, stanowią przyszłościową konkurencję i mają bezpośredni kontakt z dyktatorem?

– Greiser zachowywał się jak nuworysz, jak feudał. Lubił ceremoniał, pompę, splendory, fasony i luksus, choć jednocześnie stwarzał swą bezpośredniością pozory skromnego intelektualisty. Jego rezydencja...

---

[8] Arthur Greiser (1897–1946), wiceprezydent i prezydent Senatu Wolnego Miasta Gdańska, od października 1939 r. do końca wojny namiestnik Rzeszy (Reichsstatthalter) tzw. Kraju Warty (Wartheland) i Gauleiter NSDAP Okręgu Warty (Warthegau), po wojnie skazany na karę śmierci wyrokiem Najwyższego Trybunału Narodowego i stracony 21 października 1946 r. na stokach Cytadeli w Poznaniu.

– Zapraszał pana do siebie?

– Tak. Składałem wizyty w jego pałacu. Ale protokół dyplomatyczno-gauleiterowski i stosowany tam system ochrony były nieznośne. Przed wjazdem do Greiserowskiej siedziby musiałem nieraz czekać w aucie przy opuszczonym szlabanie, póki mnie, generała SS, nie wylegitymuje lejbgwardia pana Gauleitera. Wnętrze rezydencji bogato urządzone. Pozwozili mu z okolicznych dworów, pałaców i muzeów masę dzieł sztuki, rzeźb, obrazów, mebli, luster, bibelotów. Jego park to cudo, pielęgnowane przez kilku ogrodników. Kucharzy też miał pierwszorzędnych, a służbę po europejsku wyszkoloną. No! i kobiety do niego lgnęły.

– Ten styl nie podobał się panu?

– Ależ nie. Podobać to mi się podobało. Greiser pełnił funkcję namiestnika i Gauleitera, więc poziom jego życia musiał odpowiadać godności i walorom urzędu. Ale co obchodziło tego gdańskiego przewoźnika[9], że leciała na mnie młoda mężatka, żona wybitnego członka NSDAP i córka legendarnego przywódcy Freikorpsów walczących po I wojnie. Kobieta elegancka, bardzo foremna, z klasą biustem, smukła jak wąż, inteligentna i zaborcza.

– Romansik?

– Coś w tym rodzaju. Spotykaliśmy się w pałacu Greisera w Ludwikowie oraz w siedzibach dóbr rycerskich poprzydzielanych zaraz po 1939 wyższym dowódcom partii i SS. Organizowaliśmy pikniki, tańce, podwieczorki z koniakiem i przede wszystkim wyprawy jeździeckie. Ona ubóstwiała jazdę konną i podniecało ją wszystko, co miało związek z kawalerią, wierzchowcem, odorem stajni i długimi butami.

– Wiadomo, że istnieje taki typ jurnych kobiet, które podniecają się seksualnie tylko zapachem potu i nawozu końskiego – zauważył Schielke. (Przypominam, że przez wiele lat służył w policji obyczajowej).

---

[9] Po I wojnie światowej były oficer marynarki wojennej i lotnictwa marynarki Greiser imał się różnych zajęć: w latach 1929–1930 na wynajętej motorówce obwoził wycieczki po Zatoce Gdańskiej, a zimą holował statki w porcie.

– Greiser nie chciał skandalów wśród poznańskiej elity NSDAP
– rzekłem – więc zapewne wydał Koppemu[10] rozkaz okiełznania pańskich samczych zapędów do arystokratycznej „freikorpsówny". Przypuszczam, że Greiser miał do pana pretensje za przeginanie pały przez
Selbstschutz. Podobno wytoczył jakiś wewnątrzpartyjny proces pod-
władnemu pana o zbyt dużą liczbę samowolnych mordów, które miały
charakter porachunków osobistych z Polakami.
SS-Gruppenführer milczał.

٭

Stroopowi, który został później dowódcą Odcinka SS w Gnieźnie, podobało się Poznańskie. Szczególnie poziom rolnictwa, kultura agrarna, plantacje buraków, liczne cukrownie, gęsta sieć kujaw-
skich kolejek dojazdowych i stadniny koni. Oraz zapobiegliwość i pilność mieszkańców. Zawsze podkreślał, że są to p r a g e r m a ń s k i e
ziemie, okupowane „chwilowo" przez Polaków. I otwierał szeroko
oczy, gdy mu opowiadałem, że właśnie tereny kujawsko-poznańskie
są jednym z t r z e c h głównych ośrodków terytorialnych, z których
powstawała dzisiejsza Polska. Na ośrodek krakowski wraz z państwem Wiślan to się zgadzał (choć o księciu Wiślan nigdy nie słyszał), ale zaprzeczał polskości Kujaw, Gopła i Poznania. Gdy wspomniałem, że trzecim ośrodkiem, z którego również wywodzi się organizm narodowy i państwowy Polski, jest Śląsk wrocławski i święta
niegdyś dla Słowian góra Ślęża, to zarzucił mi „ignorancję, fałszowa-
nie historii, megalomanię narodową" i „sztuczki propagandowe".

٭

Któregoś dnia pytam Stroopa, jak to było z „nadaniem sobie"
imienia J ü r g e n.

---

[10] Wilhelm Koppe (1896–1975), SS-Gruppenführer / SS-Obergruppenführer,
Wyższy Dowódca SS i Policji (Höherer SS- und Polizeiführer, Höherer SSPF,
HSSPF) w Kraju Warty od października 1939 r. do listopada 1943 r., Wyższy Dowódca SS i Policji (HSSPF) w Generalnym Gubernatorstwie z siedzibą w Krakowie
od listopada 1943 r. do stycznia 1945 r. Nieudanego zamachu nań dokonali 11 lipca
1944 r. w Krakowie żołnierze batalionu Armii Krajowej „Parasol". Po wojnie w latach 1960–1962 więziony w Republice Federalnej Niemiec.

– Wspominałem panu nieraz, że my: hitlerowcy, a szczególnie my: SS-owcy, zwalczaliśmy wpływy katolickie, a więc chrześcijańsko-judaistyczne. Staraliśmy się przywracać, choć to było niełatwo, tradycje, obyczaje, obrzędy, instytucje i nazwy starogermańskie. Moje imię, J ó z e f, stało się nieznośne. Było zaprzeczeniem nordyckości. Taką opinię głosili towarzysze z SD[11]. Dawno chciałem je zmienić. A tu jeszcze ta czarująca kobieta od Greisera, o której opowiadałem, zaczęła kpić, mówiąc: „Józik, Józik". Cholera mnie brała, gdy słyszałem od niej: „Ty jesteś typowym nordykiem, a nazywasz się Józik". Więc załatwiłem szybko w urzędzie personalnym centrali SS zmianę imienia na Jürgen.

– Czym pan prośbę uzasadnił?

– Koniecznością dostosowania imienia do postawy światopoglądowej nacjonal-socjalisty i przywiązaniem do pamięci pierwszego syna, Jürgena, zmarłego wkrótce po urodzeniu.

– Przy tych germańskich motywacjach, podpartych miłością do synka, trzeba było posłużyć się dodatkowym argumentem polskiej krwi, w której unurzał pan swe SS-owskie długie buty w Poznańskiem.

---

[11] SD – Służba Bezpieczeństwa.

XI. Na „tyłowym" froncie

Poza opisaną poprzednio egzekucją i polską krwią trudno było z Jürgena Stroopa coś wydobyć o jego działaniach w Wielkopolsce. Widocznie miał w Poznańskiem sporo na sumieniu. A przy tym śledztwo prowadzone w Warszawie nie dysponowało p o g ł ę b i o n y m materiałem dowodowym na okoliczność jego zbrodni w Kraju Warty. Stroop szybko się w tym zorientował i (nawet nam) nie ujawnił wielu elementów z tego okresu.

Nierzadko wracał jednak w dyskusji do Warthelandu. Musiało mu się tam dobrze powodzić jako dygnitarzowi, SS-Oberführerowi. Na aksamitnoczarnych patkach kołnierza nosił po dwa Eichenlauby (listki dębowe). Od szóstego marca 1940 dowodził XXXII Odcinkiem SS w Gnieźnie. Funkcję tę sprawował formalnie do listopada 1942. Ale faktycznie już w lipcu 1941 opuszcza Gniezno i rozpoczyna fazę „wielkich przygód na wschodzie Europy", jak wielokrotnie podkreślał. W tymże lipcu awansuje do stopnia porucznika rezerwy Waffen SS[1].

– Jak to mogło być – pytam – że pana, wówczas członka korpusu generalskiego SS, mianowano porucznikiem rezerwy w oddziałach liniowych? Co za awansowa dwoistość? I jaki jej sens?

– Myśmy, Herr Moczarski, ściśle rozgraniczali funkcje SS-owskie od funkcji wojskowych...

– Grała w was pragermańska tradycja, że wojsko to lepsza i najbardziej zaszczytna kategoria służby państwowej. Odczuwaliście

---

[1] SS-Obersturmführer (niem.) – porucznik.

mistyczny szacunek dla munduru oficerskiego. Mimo podporządkowania sobie (w znacznej mierze) generałów i sztabu głównego Wehrmachtu, nie byliście w stanie zmienić swych indywidualnych postaw, nie chcieliście zresztą zrażać opinii publicznej i każdy z was starał się usadowić najwyżej w hierarchii prawdziwie wojskowej.

– Tak. Adolf Hitler, Heinrich Himmler i cała czołówka oraz Mannschaft SS bardzo szanowaliśmy stopień oficerski. Toteż polecali nam, aby służyć przez pewien czas w oddziałach wojskowych dla zadokumentowania więzi z Wehrmachtem.

– Z początku ceniliście istotnie Wehrmacht – odpowiadam Stroopowi – ale później toście sobie armię bimbali, odrzucając nawet grę p o-z o r ó w. Przecież po nominacji na porucznika nie awansował pan wyżej w Wehrmachcie, nie mianowano pana nigdy kapitanem, a mimo to skoczył pan w 1943 od razu w siodło generalskie. Został pan generałem-leutnantem Waffen SS. Takie postępowanie Himmlera nie było prawidłowe, a pana chyba swoiście kompromitowało w płaszczyźnie wiedzy i praktycznych umiejętności militarnych.

Stroop nie odpowiada. Spaceruje wojskowym krokiem po betonie celi i przygładza włosy na skroniach.

– Kiedy pan poszedł na front w II wojnie światowej? – pytam niecierpliwie.

– Przydzielono mnie jako porucznika do dywizji „Totenkopf" Waffen SS[2] w dniu 7 lipca 1941. Pojechałem na pierwszą linię frontu północnego, w okolicę jeziora Ilmen. Tam pełniłem zwykłe funkcje porucznikowskie.

– Czy to obszar frontowy?

– Tak. Ale walk bezpośrednich mało, choć trwaliśmy w ciągłym pogotowiu. Trudny odcinek. Wieś w głębokich lasach, z obu stron rzeki, przez którą szedł most kolejowy. Musieliśmy go pilnować całą kompanią Waffen SS, którą dowodziłem. To było wyczerpujące. Napięcie, alarmy i trudny kontakt z zapleczem odległym o około 25 kilometrów.

---

[2] 3. Dywizja Pancerna SS „Totenkopf", sformowana jesienią 1939 r. jako dywizja zmotoryzowana (patrz wyżej przyp. 26 w rozdziale VI), w 1942 r. przekształcona w dywizję grenadierów pancernych, a w 1943 r. – w dywizję pancerną.

– Straty duże?

– Niewielkie. Kilku zabitych i rannych. Największe kłopoty były ze służbą patrolową. Wśród podkomendnych miałem dwóch cwaniaków, którzy czuli las jak Indianie i znali rosyjski. Ale nie mogłem ich stale wysyłać na zwiady. W końcu utarło się, że na patrole kierowałem całą drużynę i dodatkowo musiałem pchać za nimi samochody pancerne dla ewentualnego wsparcia trudniejszego spotkania z nieprzyjacielem.

Stroop, jak już podkreślałem, był wrażliwy na przyrodę. Opowiadał o pięknie tamtejszego krajobrazu, o borach, lasach jodłowych i licznych jeziorach. Kiedyś to tak się rozmarzył, że opisywał interesująco i obrazowo zachód słońca nad jeziorem Ilmen.

Z całokształtu tych relacji wynikało, że jego służba frontowa nie była zbyt męcząca ani krwawa. Odbywał ją w lecie, więc uniknął mrozów. Nie przeszedł tragedii milionów wehrmachtowców zagubionych w twardej zimie rosyjskiej. Ponieważ wielokrotnie wspominał z przesadą „ciężkie czasy frontowe", zezłościłem się kiedyś i powiedziałem dość niegrzecznie:

– Pański front to raj w porównaniu z przeżyciami wojennymi wielu Niemców. Nie bajtlujmy się, panie Stroop! Aby mieć w życiorysie stwierdzenie, że był pan również w II wojnie żołnierzem pierwszej linii, został pan przez przyjaciół z SS skierowany na trzymiesięczny, letni staż do raczej nie walczących wówczas oddziałów z dywizji „Totenkopf". Praktycznie był pan miesiąc na placówce, którą można nazwać frontową, w tej wiosce przy moście kolejowym. Mało działań bojowych na choćby średnią skalę. Czym się różni pilnowanie mostu w borach północno-zachodniej Rosji od dozorowania takiegoż mostu w Generalnej Guberni? Jak pan mówił, liczba okolicznych mieszkańców była kilkanaście razy mniejsza od liczby ludności na terenach przyległych do analogicznej wachy mostowej w Polsce. Więc i niebezpieczeństwo partyzanckie mniejsze.

– Ja nie walczyłem na froncie wschodnim podczas II wojny światowej – wtrącił Schielke – ale z tego, co Herr General opowiada, to w owym upalnym lipcu i sierpniu 1941 roku na pewno nie było tam piekła. Partyzanci dogryzali, ale bardziej chyba dogryzały komary.

Stroop służył w SS „Totenkopf" od 7 lipca do 15 września 1941, tzn. dwa miesiące i tydzień – z tego tylko jeden pełny miesiąc na „frontowej" placówce przy moście kolejowym. Potem przerzucono Stroopa do zapasowego batalionu SS-Leibstandarte „Adolf Hitler"[3]. Nic w tym batalionie praktycznie nie robił. Był na przyprzążkę. Ale potrzebował owego przydziału do akt personalnych, żeby mógł się później chwalić (i z tego korzystać), że jako wojownik gwardii Hitlera walczył na wschodzie o „wielkość III Rzeszy i przyszłość narodu niemieckiego".

– Długo pan działał w batalionie SS-Leibstandarte „Adolf Hitler"?

– Trochę dłużej niż miesiąc, bo 20 października 1941 roku (zawsze będę pamiętał tę datę) zostałem odwołany do sztabu Reichsführera SS dla przygotowania się do specjalnego zadania, które zlecił mi Heinrich Himmler.

Uderzony tonem dumy w jego głosie oraz zaciekawiony, przyznaję, zadaniem, którym Himmler obarczył Stroopa, zapytałem:

– Zapewne Himmler chciał przygotować pana do prowadzenia zwycięskiej parady SS i policji po triumfalnym zakończeniu wojny?

Stroop, zaatakowany własnymi wspomnieniami, nie zauważył ironii i szybko odpowiedział:

– Do niedawna nigdy nie mówiłem, o jakie to szło specjalne zlecenie Reichsführera SS. Ale teraz mogę powiedzieć, że właśnie w październiku 1941 zakomunikowano mi, iż muszę przygotować się, w wielkiej tajemnicy, do objęcia funkcji dowódcy SS i policji na Kaukazie.

– Ale wasze wojska znajdowały się wtedy daleko od Kaukazu.

– Panie Moczarski, Polska jest dzisiaj krajem opartym o zasady p l a n o w a n i a. My, Niemcy Adolfa Hitlera, również stosowaliśmy tę samą metodę na wielu odcinkach życia państwowego i partyjnego. I dlatego, chcąc, żebym został SS-Führerem na Kaukazie...

– ... księciem na Kaukazie – przerwałem mu, śmiejąc się.

– Pan dzisiaj lubi żartować, Herr Moczarski – w oczach Stroopa wesołe błyski, bo był tego dnia i zarozumiały, i dumny, i dość łagod-

---

[3] SS-Leibstandarte „Adolf Hitler", pułk osobistej ochrony Hitlera, utworzony w 1933 r., przekształcony w 1940 r. w brygadę, a w 1942 r. – w 1. Dywizję Pancerną SS „Leibstandarte Adolf Hitler".

ny. – Jeżeli mieliśmy zaprowadzić nowy Ordnung na Kaukazie, to musiał tam ktoś d o w o d z i ć i mieć silną władzę, aby plemiona gruzińskie, azerbejdżańskie, ormiańskie nie działały zbyt anarchistycznie i dobrze p r a c o w a ł y. W pierwszym etapie po zwycięskiej wojnie taką władzę mógł mieć tylko SS- und Polizeiführer z siedzibą w Tyflisie.

– Aby objąć te funkcje – ciągnął dalej Stroop – musiałem przejść odpowiednie przeszkolenie w centrali berlińskiej. Skończyłem tam specjalny kurs dla dowódców SS i policji. Odbyłem krótkie praktyki w Hauptamt Ordnungspolizei oraz Hauptamt Sicherheitspolizei dla zaznajomienia się z ich metodami pracy, organizacją i systemem kancelaryjnym. Ponadto nauczono mnie zasad polityki wobec Volksdeutschów we wszystkich krajach na wschód od Rzeszy. To niełatwe kwestie. Musiałem przeczytać wiele opracowań i wytycznych oraz wziąć udział w kilkunastu instruktażowych zebraniach prowadzonych przez specjalistów.

✳

– Czy pan się spotkał na froncie z jeńcami radzieckimi? – zapytałem kiedyś.

– Tak. Jeden z oddziałów z dywizji „Totenkopf" zagarnął grupkę sowieckich wojskowych. Przyglądałem się im zaraz po przyprowadzeniu do dowództwa. Byli to mocni ludzie, ogorzali, wysportowani, spokojni. Oczywiście myśmy badali tylko oficerów sowieckich, wśród nich trzy kobiety w stopniach podporuczników. Jak mi później mówił oficer wywiadu, oficerowie ci nie udzielili żadnych konkretnych i ważnych informacji. Te trzy kobiety przydzielono potem do obsługi naszych kwater.

– Herr General zawsze łasy na baby – zaśmiał się Schielke, dobrotliwie i złośliwie. – Ale myślę, że nie doszło tam do Rassenschande?[4]

– Pan wie, Herr Schielke, że żaden oficer SS i SS-mann nie zhańbiłby się stosunkiem płciowym ze Słowianką. O tym nie ma mowy. One sprzątały nasze kwatery, gotowały wodę, nakrywały do stołu itp.

---

[4] Rassenschande (niem.) – pohańbienie rasy.

– Więc oficerów wroga, bo one były podporucznikami, zmuszaliście do lokajskich posług! – stwierdziłem z zawziętością.

– Ponieważ w armii niemieckiej nie było kobiet-oficerów, tośmy nie uznawali również oficerskich stopni tych Rosjanek.

– Jak pan je ocenia, jeśli chodzi o poziom moralny, schludność i inteligencję? – pytam.

– Muszę panu powiedzieć, że to miłe kobiety. Skromnie ubrane, ale czyste, sprawne i spokojne. Trudny był z nimi początkowy kontakt, bo słabo znaliśmy rosyjski, ale o dziwo, dwie z nich mówiły po niemiecku i trochę po francusku. Przypuszczam, że były studentkami uniwersytetu.

– Długo sprzątały w waszej izbie?

– Po trzech tygodniach już ich nie było. Gdy pewnego dnia wróciliśmy z wyprawy do lasu, powiedziano, że zostały odkomenderowane gdzie indziej.

– Przypuszczam, że pańscy podwładni zamordowali je, a trupy zakopali gdzieś w pobliżu. Sam pan przecież mówił, że mieliście duże trudności łącznościowe z waszą bazą, która znajdowała się około 25 kilometrów na zachód. Jeżeli kuriera z meldunkami przesyłaliście w eskorcie kilku samochodów pancernych, to nie byliście chyba w stanie przetransportować tą samą drogą oddziału jeńców.

Stroop milczał. A ja myślałem o losie dziewczyn-podporuczników, które po trzytygodniowym pucowaniu kwater oficerów SS rozwalono zapewne schmeisserami w pięknych lasach przy jeziorze Ilmen. Może i Stroop myślał o tym samym.

*

Któregoś dnia Stroop wrócił do relacji o swej służbie na froncie wschodnim. Opowiadał o organizacji SS-owskiej dywizji oraz o jej wyposażeniu w sprzęt bojowy, transportowy, inżynieryjny, amunicję, aparaturę radiową i żywność. Z jego wspomnień wynikało, że dywizja była wyjątkowo uprzywilejowana. Niczego tam nie brakowało. Dysponowała nawet specjalnymi samolotami łączności z centralą berlińską. Kwatery, jak na wojnę, luksusowe. Oddziały pionierskie i saperskie wybudowały liczne urządzenia obronne, przeważnie drewniano-ziemne. Niemcy ze względów bezpieczeństwa wyrąbali wzdłuż traktów kolejowych i drogowych pas lasu o szerokości stu metrów. Mając dużo dobrego drewna, zużywali je na budowę szańców i na opał w czasie zimy. Gdzieniegdzie tylko postawili betonowe bunkry ze stanowiskami karabinów maszynowych i lekkich dział. Tak uprzywilejowanych jednostek taktycznych, jak dywizja Waffen SS „Totenkopf", miały Niemcy coraz więcej. Na początku wojny istniały tylko t r z y SS-owskie dywizje. Pod koniec – t r z y d z i e-ś c i p i ę ć, o ogólnym stanie ponad pół miliona ludzi.

Ta niebłaha siła zbrojna, oddana bez zastrzeżeń Hitlerowi i Himmlerowi, miała w przyszłości zastąpić Wehrmacht w Wielkiej Rzeszy Niemieckiej. Imperium hitlerowskie jednoczyłoby po wygranej wojnie wszystkie narody Europy po Ural. Siłą, która by utrzymywała nowy, germański ład w świecie, mogło być – według Hitlera, Himmlera i Stroopów – jedynie SS.

– Mieliśmy do spełnienia ważne zadania po zwycięstwie nad zdegenerowaną częścią świata – zwierzał się raz w celi Stroop. – My, Sztafeta Ochronna Niemieckiej Rzeszy, zorganizowana w milionową instytucję p o l i c y j n o-w o j s k o w ą, powinniśmy czuwać, aby władza Rzeszy w poszczególnych rejonach Europy nie doznała uszczerbku. Tylko taka formacja, wieczyście wierna Führerowi, narodowi niemieckiemu i rasie nordyckiej, mogła w przyszłości zagwarantować zniweczenie każdego buntu, wywołanego przez elementy anarchistyczne, prożydowskie i proazjatyckie oraz marksistowskie, katolickie, wolnomularskie, proletariackie, psychopatyczne, kryminalne. Wehrmacht z samej jego istoty i spetryfikowanych tradycji nie był zdolny do takich zadań. Nadzieja Niemiec i Europy leżała tylko w SS.

※

Trudno mi powiedzieć, jakie były w innych miesiącach losy SS-owskiej dywizji „Totenkopf", w której Stroop odbywał staż awansowy. Ale jestem pewien, że w lecie 1941 roku nie przeżywał porucznik Waffen SS (i jednocześnie SS-Oberführer) Jürgen Stroop ciężkich bojów, nawałnicy ognia, szturmów, forsownych marszów, głodu, chłodu i mrozu – co było losem większości żołnierzy Hitlera w długotrwałej kampanii wschodniej.

Był to co prawda pas frontowy, ale – jak zauważył Schielke – Stroop brał udział w walkach na „froncie tyłowym". I za ten letni, „przygodowy" udział w pasywnych bojach koło jeziora Ilmen Stroop otrzymał „Spange"[5] do Żelaznego Krzyża II Klasy (nadanego – przypominam – za ranę w 1914 roku).

– Góra SS przydzielała hojnie odznaczenia i świecidełka swoim kompanionom – powiedział raz Schielke na temat tej „szpangi", gdy Stroopa nie było w celi.

---

[5] Spange (niem.) – okucie na wstążce orderu.

XII. Autostrada i marzenia ukraińskie

Więźniowie są szczególnie wrażliwi na zjawiska przyrody. Mają czas na obserwowanie słońca, księżyca i gwiazd, na wnikliwą – choć przez okno – obserwację zjawisk meteorologicznych: nieba, chmur, deszczów, gradu, śniegów, burzy, i na przypominanie sobie podobnych sytuacji z dni wolności. Stroop, Schielke i ja braliśmy nieraz udział w takich więziennych radościach. Listopad 1949. Wieczór pogodny z podświetlonym niebem. W celach zapalono lampy. Śledzimy chmurki i rozjaśnienie nad dachami domów, naprzeciwko. Spod komina czynszowej kamienicy w Alei Niepodległości wytoczył się księżyc – miedziany, okrągły medal. Kontemplowaliśmy tę wyjątkową dla nas scenerię.

– Taki sam księżyc wznosił się nisko nad stepami Ukrainy w 1942 roku – wspomina Stroop. Mówi cicho i powoli. – Wyjechaliśmy konno na spacer w pobliże kwater. Po kilkunastu minutach zapomniałem, że wojna, tak było pięknie i spokojnie. Trudno opowiedzieć, co przeżywałem, bom nie pisarz ani malarz. Ale uroczył mnie c z e r w o n y krąg nad stepem cichym i dalekim.

Stroop użył takiego określenia koloru, jak Słowacki, gdy pisał o emirze Rzewuskim: „A kiedy powitał kraj miły, rodzony, to księżyc się wznosił nad stepy c z e r w o n y"[1].

Księżyc świeci jednako i dla poety, i dla ludobójcy.

---

[1] Wacław Rzewuski (1784–1831), magnat, hodowca koni, podróżnik (podczas pobytu w krajach arabskich w latach 1817–1820 występował jako emir Tadż-ul-Fehr, uwieńczony sławą), uczestnik powstania listopadowego, zaginął w czasie bitwy pod

*

Stroop często wracał wspomnieniem do Ukrainy. Lubił ten kraj, może dlatego, że łączył z nim osobiste i rodzinne plany życiowe po zwycięskiej wojnie ze Związkiem Radzieckim i Europą. Przyjechał po raz pierwszy na Ukrainę w czasie II wojny światowej w grudniu 1941 roku.

– Zameldowałem się wtedy u Heinricha Himmlera, między Dniestrem a Bohem – relacjonował Stroop. – W pewnej miejscowości stał pociąg sztabowy SS-Reichsführera. Kilkanaście opancerzonych wagonów, które znakomicie wyposażono do normalnego urzędowania i obrony. Poza salonką konferencyjną i wagonami sypialnymi w skład pociągu wchodziły wozy biurowe z halą maszyn i wagony: restauracyjny, radiowo-telefoniczny oraz dla bojowych oddziałów ochronnych. Miejsce postoju starannie zamaskowane siatkami i makietami krzaków. W promieniu kilku kilometrów rozmieszczono łańcuchy drobnych i większych oddziałów SS-owskich. Ruch samochodowy i konny za specjalnymi przepustkami. Fakt, że pociąg Heinricha Himmlera tam stał, był ściśle zakonspirowany.

– Czy pobyt Himmlera w takiej miejscowości trwał długo? – pyta z zaciekawieniem Schielke.

– Dzień, dwa, a czasem dłużej. Ale Reichsführer, jeden z najważniejszych ludzi Rzeszy, ciągle musiał krążyć po Niemczech i Europie.

– Czy jeździł tylko s p e c j a l n y m pociągiem? – pyta ponownie Schielke.

– Przede wszystkim nie pociągiem, ale p o c i ą g a m i, bo Reichsführer miał ich kilka do dyspozycji. Ponadto podróżował samochodami, a w razie nagłej potrzeby – samolotami. Ale Heinrich Himmler nie lubił jazdy samolotem...

– ... podobno w samolocie często wymiotował – wtrącił się Schielke. – Nie miał najlepszego zdrowia i stale trzymał przy sobie zaufa-

---

Daszewem. Jedna z legendarnych postaci polskiego romantyzmu, bohater wielu utworów literackich, m.in. *Farysa* Adama Mickiewicza i *Dumy o Wacławie Rzewuskim* Juliusza Słowackiego, skąd pochodzi przytoczony przez autora – w zniekształconej postaci – cytat, który winien brzmieć: „I nocą obaczył kraj miły, rodzony, / Gdy księżyc się wznosił na stepach czerwony".

nego lekarza, mówiono, że znachora, specjalistę od chorób nerwico-
wo-żołądkowych.

– Więc jak było z tą pańską wizytą w pociągu Himmlera? – pytam.

– Heinrich Himmler zamierzał podjąć decyzję w sprawie ufor-
mowania pułku SS z tamtejszych Volksdeutschów. Miałem wyrazić
opinię na ten temat i ewentualnie sprawować później nadzór nad
podobnymi jednostkami w południowej Rosji. Na tę koncepcję patrzyłem sceptycznie, gdyż nie można było mieć zaufania do Volksdeutschów z południowych terenów jako do SS-manów. Wypowie-
działem swój pogląd, a później Heinrich Himmler i jego zaufani przekazali mi zadania na najbliższą przyszłość. Zostałem wtajemniczony
w plany zbudowania specjalnej autostrady Południe – Wschód, która
miała nazwę D-4 i prowadziła od Lwowa do miasta Stalino[2]. Znaczenie strategiczne i gospodarcze trasy było oczywiste. Po zapoznaniu
się w adiutanturze Reichsführera z dokładnymi instrukcjami, odbyłem w styczniu 1942 roku, wraz z kilkoma generałami SS, konferencję w sztabie południowo-wschodnim armii Wehrmachtu.

– Czy autostrada miała się kończyć na mieście Stalino?

– Projekty przewidywały jej przedłużenie od Stalino w dwóch
kierunkach. Jednym z nich, na południowy zachód, był Rostów nad
Donem i stamtąd, już w późniejszym okresie, na Przedkaukazie
(m.in. Kubań), Kaukaz Wielki i Zakaukazie.

– Wywozilibyście trasą D-4 rudy, węgiel i wyroby przemysłowe
z Krzywego Rogu, Zagłębia Donieckiego i z Rostowa?

A Stroop z rozbrajającą szczerością:

– Naturalnie! A ponadto płody rolne z Ukrainy i Kozaczyzny,
których Rzesza bardzo potrzebowała. My byśmy tę produkcję po-
troili przy tak fenomenalnych czarnoziemach i klimacie.

– Czy autostrada D-4 biegła przez tereny dziewicze w sensie drogowym?

– Nie. Wykorzystywaliśmy trasy sowieckie, poszerzając je, ulep-
szając nawierzchnię i prostując ostre wiraże. Niektóre jednak odcinki budowaliśmy na nowo.

---

[2] Donieck, główny ośrodek Zagłębia Donbas.

Z dalszych wynurzeń Stroopa wynikało, że do robót przy autostradzie spędzono masę ludzi: Ukraińców i Białorusinów, a ponadto pewne fragmenty, na szczególnie trudnych terenach, budowali w i ę ź n i o w i e. Na zapytanie, jaki był system organizacyjny robót, Stroop odpowiedział:

– Pracowników dzielono na grupy, składające się z mężczyzn i kobiet, sowchoźników i kołchoźników pochodzących z pobliskich miejscowości. Mieli normy akordowe. Ponieważ kazano przyspieszać roboty, płaciliśmy drogowcom lepiej niż innym robotnikom, lepiej ich również zaopatrywaliśmy w tytoń, cukier, wyroby tekstylne i galanterię metalową. Trasę podzielono na odcinki. Szef każdego z odcinków i jego zastępca od pilnowania porządku mieli łączność radiową ze wszystkimi grupami roboczymi. W takiej grupie był zawsze zaufany Ukrainiec lub Niemiec z krótkofalową radiostacją, nastawioną tylko na jedną długość fali...

– Baliście się szpiegostwa radiowego – wtrąciłem.

– Trzeba się było zabezpieczyć i przed taką ewentualnością. Przecież nawet do tych Ukraińców, którzy z nami współpracowali, nie mogliśmy mieć zaufania. System komenderowania grupami przy pomocy radia zdał egzamin. Muszę się przyznać, że byłem dumny, gdyż ja właśnie poddałem projekt z krótkofalówkami, po zasięgnięciu przedtem opinii zaufanego SS-manna, radiotelegrafisty.

Jasne, że Stroop, który nie miał pojęcia o inżynierii drogowej, pełnił tylko funkcje „inspektora dla zabezpieczenia budowy trasy D-4", jak sam o tym mówił. Dbał jedynie o Ordnung, o zapewnienie dopływu siły roboczej oraz o przeciwstawienie się ewentualnym sabotażom i atakom partyzantów.

– Duży miał pan personel SS-owski przy nadzorowaniu trasy?

– Nie największy. Ale niech pan nie zapomina, że mnie podlegały tylko specjalne oddziały typu interwencyjnego, gdyż nad utrzymaniem normalnego spokoju i codziennego rytmu pracy czuwały placówki Organizacji Todta oraz miejscowe władze polityczne, policyjne i wehrmachtowskie. Ja dysponowałem batalionem SS, dwoma batalionami ochotniczej policji łotewskiej, dużym taborem samochodowym oraz siecią łączności radiowej i telefonicznej.

– Czy to były wszystkie oddziały SS pilnujące budowy trasy?

– Skądże! Przecież tam działały miejscowe garnizony SS i policji, a ponadto jednostki SS pozostające w dyspozycji naczelnego
dowódcy organizacyjnego i technicznego całej autostrady (od gra-
nic Rzeszy po Tyflis), SS-Oberstgruppenführera Prützmanna. SS-
-Oberstgruppenführer to najwyższa ranga w Sztafetach Ochronnych,
naturalnie poza SS-Reichsführerem[3]. Prützmann miał specjalne pełnomocnictwa, na miarę historycznego znaczenia budowy autostrady[4]. Bardzo mi się z nim dobrze pracowało. Obdarzał mnie dużym
zaufaniem. Później, w latach 1944–1945, mieliśmy ścisłe kontakty.

*

Przed objęciem funkcji „drogowych" SS-Oberführer Stroop został mianowany pułkownikiem policji (Oberst der Polizei). Wkrótce, w uznaniu zasług na froncie ilmeńskim i przy budowie trasy D-4,
awansuje do stopnia SS-Brigadeführera. Jednocześnie mianują go
General-majorem der Polizei[5].
– Pamiętam dokładnie datę tych nominacji – powiedział Stroop.
– Było to 16 września 1942 roku. Po tym przeniesiono mnie na inne
odcinki pracy do kilku miast w południowej Rosji.
O swych działaniach w tych miastach nie chciał nam nic powiedzieć. Kiedyś tylko Schielke wydębił od Stroopa informację, że był
dowódcą SS i policji w Nikołajewie, Kirowogradzie i Chersoniu.
Musiał tam dobrze zapaść w pamięć mieszkańców, bo nigdy na ten
temat słowa nie puścił z gęby. Wydaje mi się, choć nie mam na to

---

[3] Najwyższym stopniem w SS (poza Reichsführerem Heinrichem Himmlerem) był stopień SS-Obergruppenführera (odpowiednik generała broni), zaś od
kwietnia 1942 r. – nowo ustanowiony stopień SS-Oberstgruppenführera (odpowiednik generała armii).
[4] Hans Adolf Prützmann (1901–1945), SS-Oberstgruppenführer, w czasie
wojny kolejno Najwyższy Dowódca SS i Policji (Höchster SS- und Polizeiführer,
Höchster SSPF) na Ukrainie i jednocześnie kierownik organizacyjny i techniczny
budowy autostrady D-4, potem Deutscher Bevollmächtiger General (generał peł-
nomocny) w Chorwacji, następnie współorganizator Werwolfu. Rozpoznany przez
aliantów, popełnił samobójstwo.
[5] SS-Brigadeführer i General-major der Polizei (niem.) to odpowiedniki stopnia generała brygady w SS i policji.

żadnych dowodów, że wniósł w te tereny wyższą technikę terroru, mordów, dyskryminacji i wyzysku na rzecz Wielkiej Rzeszy Adolfa Hitlera.

*

Pewnego dnia usłyszeliśmy z sąsiedniej celi piosenkę ukraińską. Nie dobiegały słowa, tylko melodia, śpiewana ściszonym barytonem. Każdy z nas łączył z tą pieśnią na pewno inne wspomnienia. Stroop pilnie nadsłuchiwał. Gdy melodia ucichła, milczeliśmy przez kilkanaście minut. Potem Stroop zaczął mówić:

– Panie, jak tam cudnie na Ukrainie. Humus[6] na głębokość 1 metra 80 centymetrów, rodzi bez kłopotu. Bogaty kraj. Wyobraź pan sobie, jak by to wyglądało po skończonej, zwycięskiej dla nas wojnie: ... piękny wieczór pogodnego lata, światła w moim dworze...

– Chyba w pałacu – wtrącam.

– Tak. W pałacu, gdzie meine Gemahlin[7] dyrygowałaby wytresowaną po europejsku służbą. Lokaj przygotowałby stół do wieczerzy. Porcelana, srebra, kryształy, świece. Sehr elegant! Ja w podwórzu z synkiem Olafem, którego uczyłbym właśnie jeździć konno. Wokoło spokój, przerywany brzęczeniem komarów. Daleki warkot sowieckich motorów pompujących wodę na pola arbuzowe...

– Jak to?! Pan zostawiłby radzieckie silniki na swoich polach?

– Tak, bo ich maszyny są bardzo praktyczne i wytrzymałe. – Stroop ciągnie dalej m a r z e n i a: – ... słychać rżenie tabunu moich rasowych koni na bliskich pastwiskach i ukraińskie pieśni ludowe.

– Ukraińskie? – pytam. – To nie miałby pan tam pracowników niemieckich, chłopów niemieckich?

– Nie, skądże! Robotnikami w moim majątku byliby przez kilkanaście lat tylko Ukraińcy. To silni i posłuszni pracownicy. Może trochę brudni. A ich baby jakie cycate! Wie pan, dlaczego cycate? Bo stale jedzą siemieczki słonecznikowe.

– Pan wspominał o żonie i o synku. A gdzież by wówczas była córka, Renate?

---

[6] Humus (łac.) – próchnica.
[7] Gemahlin (niem.) – małżonka.

– Renate? – namyślił się chwilę. – Ona by wtedy wojażowała z mężem po Europie. Ci zdegenerowani Francuzi mają jednak wspaniałe jedwabie, suknie, mody, perfumy, wina i koniaki. No! i przecudowną Riwierę. Więc Renate często by tam jeździła do kurortów i po zakupy w paryskich magazynach.

– Na czyj koszt?

– Na koszt męża i częściowo na mój. Przecież z taką ziemią na wszystko by mnie było stać. Ukraina, Herr Moczarski, to skarb. My zrobilibyśmy z Ukrainy ziemię mlekiem i miodem płynącą...

– ... oraz użyźnioną krwią Słowian – syknąłem ze złością. Ale się szybko opanowałem i załagodziłem sytuację kilkoma neutralnymi zdaniami, a później pytam:

– Jak duże byłyby pana dobra rycerskie na Ukrainie, po wojnie dla was zwycięskiej?

– Nie największe – odpowiada. – Od dwóch do czterech tysięcy hektarów, w zależności od zasług bojowych obdarowanego przez Rzeszę i przez NSDAP.

– To znaczy przez Himmlera.

– Tak. W praktyce urząd Heinricha Himmlera miał dysponować majątkami ziemskimi, fabrykami i kopalniami na całym wschodzie Europy.

*

Któregoś dnia dyskutowaliśmy na tematy populacyjne. Gdy Stroop stwierdził, że ludy słowiańskie i wschodnie są daleko płodniejsze niż Niemcy – zapytałem, czy Himmler nie zastanawiał się, że rozrodczość Rosjan, Białorusinów i Ukraińców mogłaby zagrażać (po wojnie wygranej przez Hitlera) zarządcom niemieckim.

– W rozmowach i planach na ten temat w sztabie SS-Reichsführera dyskutowaliśmy o niebezpieczeństwie szybkiego rozwoju ludnościowego autochtonów. W początkowej fazie zagospodarowywania Ukrainy ludność ta byłaby nam potrzebna, szczególnie przy zintensyfikowanej gospodarce rolnej i przetwórczej. Ale później, w miarę mechanizacji rolnictwa i przemysłu, mielibyśmy z pewnością za dużo Ukraińców. Istniały rozmaite koncepcje rozstrzygnięcia problemu. Ja miałem swój plan, ale o tym mówić panom nie będę.

Kilka razy zastanawiałem się nad tajemniczymi projektami Stroopa w dziedzinie obniżenia potencjału ludnościowego Ukrainy. Ale poza metodą rozstrzeliwań, mordów, przesiedleń za Ural i wygłodzenia niczego nie mogłem wymyślić. (Naturalnie usiłowałem rozumować w płaszczyźnie hitlerowskiej, to znaczy niemoralnie). Po pewnym czasie, przy okazji rozmów na inne tematy, odkryłem projektowaną metodę Stroopowskiego „ludobójstwa na raty".

Mianowicie rozmawialiśmy któregoś dnia o narkotyzowaniu i alkoholizowaniu się. Stroop, jak już wspomniałem, był zwolennikiem umiarkowanego spożywania napojów alkoholowych. Miał również swoją opinię o stopniu alkoholizowania się innych narodów. O Francuzach mówił, że to kraj alkoholików „winnych", chorujących od nadmiernie spożywanego wina na narodowe cierpienie, na marskość wątroby. Anglosasi, według niego, stale zalewają się whisky („Churchill był wiecznie pod gazem"). „Polacy, Rosjanie, Ukraińcy i Skandynawowie to pochłaniacze napojów spirytusowych".

– Dlaczego Ukraińcom nie dać wódki, jeżeli jej tak pożądają – powiedział kiedyś. – Również trzeba im pozwalać śpiewać, bo śpiewają rzeczywiście ładnie. Jeżeli wódka, mocna wódka, byłaby tania i wszędzie do nabycia, to Ukraińcy byliby nam wdzięczni za udostępnienie im takich rozkoszy.

Innego znów dnia, mówiąc o milionowych nakładach książek i publikacji radzieckich, Stroop powiedział do Schielkego:

– Oczywiście – produkcję drukarską w języku rosyjskim czy ukraińskim ograniczylibyśmy do nielicznych gazet, śpiewników, modlitewników i literatury rozrywkowej.

– Ale w każdym domu ukraińskim czy rosyjskim – odpowiedział Schielke – znajdują się od lat wydawnictwa sowieckie, publikowane tanio i w dużych nakładach przez Związek Radziecki. Biblioteki domowe, instrument samokształcenia ludności okupowanej przez nas Ukrainy, utrzymywałyby i pogłębiały ich odrębność oraz patriotyczne postawy.

– Na to jest wyjście – zauważył Stroop. – Należałoby otworzyć specjalne sklepy monopolowe, gdzie sprzedawano by o każdej porze i po niskiej cenie mocne alkohole, ale tylko za dostarczoną makulaturę k s i ą ż k o w ą i gazetową.

Zrozumiałem, co miał na myśli Stroop, gdy wspominał o niemieckich projektach działań antypopulacyjnych na terenach ZSRR. Tylko w jego głowie mógł się narodzić taki plan, zaakceptowany przez Himmlera. Polegał on na r o z p i c i u narodu ukraińskiego (i innych narodów ZSRR) oraz zdegenerowaniu w ciągu dwóch, trzech pokoleń. Takie same zamiary miał Hitler i mafia SS wobec Polaków; rozpoczęto je realizować w 1939 roku, od początku okupacji. Ludobójca Stroop upiekłby (gdyby się to udało) przy jednym ogniu dwie pieczenie. Doprowadziłby do powszechnej choroby alkoholowej narodu ukraińskiego, do psychicznego i biologicznego karlenia ludności. Jednocześnie, za wódkę, odbierałby Stroop istotę dóbr kulturalnych: s ł o w o d r u k o w a n e. Szatański pomysł! Chcieli wykończyć „podludzi" kulą, obozami zagłady, a w przyszłości – również a l k o h o l e m!

*

Ile razy po wyjściu z więzienia widywałem czerwoną tarczę wschodzącego księżyca, to kojarzyła mi się ona nie ze Słowackim i emirem Rzewuskim, ale ze Stroopem i jego planami zabiegów alkoholowych na Ukraińcach.

XIII. „Już był w ogródku..." Na Kaukazie

Więźniowie lubią podśpiewywać sobie, szczególnie w okresach monotonii i nudy. Nie spotkałem w mojej okratowanej „karierze" współtowarzysza – młodego czy starca, analfabety czy intelektualisty – który by czasem nie zaśpiewał. Nawet ci o chrypliwym głosie i pozbawieni słuchu muzycznego ulegają w celi tej potrzebie, zatruwając życie kolegom o wrażliwym słuchu. Stroop także śpiewał, ale nie fałszował. W jego repertuarze dominowały pieśni „patriotyczne", m a r-s z e wojskowe i arie Wagnera.

Spokojny dzień świąteczny. Po obiedzie. Stroop zdrzemnął się przy stoliku podokiennym. Udaje, że czyta. Głowa wsparta na dłoniach. Porusza palcami ręki, tej od strony drzwi, demonstrując, że rzekomo nie śpi, a przecież spał, czy znajdował się w stanie podobnym do snu. (Taką technikę, opartą o automatyzm ruchowy przy ograniczeniu udziału świadomości, stosują tylko wytrawni więźniowie). Schielke i ja spacerowaliśmy miarowo po celi, żeby zasłaniać Stroopa, gdyby strażnik zerknął do nas przez wizjerkę.

Po półgodzinnym chyba wypoczynku Stroop wstał, zaróżowiony. Rozluźnił mięśnie. Kilka wymachów rąk i skłonów tułowia przy otwartym oknie. Pełen spokojnego animuszu, zaczął pogwizdywać i nucić, przeskakując z melodii na melodię. Z zainteresowaniem słuchałem tych nieuporządkowanych (u Stroopa rzadkość) śpiewnych wynurzeń. Raptem zaskoczył mnie pieśnią *Ałławerdy*. Znałem ją w kilku wersjach i poważnych, i żartobliwych. Stroop nucił tekst złożony ze słów niemieckich i rosyjskich. Wymawiał nie „Ałła-werdy", lecz „Allahberdy".

– Skąd pan to zna? – pytam zaciekawiony.

– Przygotowując się do przyszłych zadań w Tyflisie, musiałem poznać obyczaje, kulturę, gospodarkę i historię Kaukazu. Między innymi specjaliści mówili nam, że wszystkie tamtejsze narodowości i plemiona przyjęły od dawna pieśń *Allahberdy* za coś w rodzaju hymnu krajowego oraz że należy traktować ją bardzo poważnie, wbrew opiniom wielu, którzy – nieświadomi historii Kaukazu – słabo orientują się dzisiaj, że kaukazczycy mają bardzo rozwinięte poczucie godności narodowej i miłości własnej. I że są szczególnie wrażliwi na lekceważące traktowanie tej pieśni.

– Dlaczego pan wymawia: „berdy"?

– Tak nas uczono.

W dalszej dyskusji wyjaśniliśmy, że „b" zastępuje w niektórych językach literę „w", że różnie się wymawia słowo „Ałławerdy", które składa się z dwóch elementów: „Allah" (Bóg) i „werdy" lub „berdy", że całość oznacza: „szczęść Boże", „Boże dopomóż", „Bóg z tobą", że pieśń jest chyba pochodzenia ormiańskiego (na terytorium Armenii, w pobliżu Gruzji, istnieje miejscowość Ałławerdy) oraz że ją uroczyście śpiewali powstańcy kaukascy, między innymi od Szamila[1], w połowie XIX wieku. I że nigdy nie należy śpiewać sprośnych tekstów na tę melodię.

– To musiał pan dobrze poznać Kaukaz?

– Z teorii, z opracowań dostarczonych przez centralę berlińską SS i z podróży na przełęcze Kaukazu w roku 1942. Jak już mówiłem, 20 października 1941 Heinrich Himmler rozkazał mi przygotować się do szybkiego objęcia stanowiska dowódcy SS i policji w Tyflisie.

– W październiku 1941??? A gdzie znajdował się wtedy wasz południowy front w ZSRR?

– Na przedpolach Rostowa, który jest przecież bramą do Kaukazu.

– O ile pamiętam, Rostów zdobyty był przez Wehrmacht trochę później, a potem musieliście go oddać i długie walki trwały o ten rejon. Ofensywa przedłużała się i chyba dopiero w połowie 1942 roku wdarliście się na północną część Kaukazu. Himmler, przyjmując prag-

---

[1] Szamil (ok. 1798–1871), legendarny wódz powstania górskich ludów kaukaskich w latach 1834–1859 przeciw Rosji.

nienie za rzeczywistość, już w październiku 1941 był przekonany, że lada chwila będziecie w Tyflisie, Baku i Batumi. Stroop nie podjął tego tematu.

*

Któregoś dnia Stroop opowiadał Schielkemu, że dowodził w okresie wojny jakąś „komendą policji" w Wiedniu. Zdziwiło mnie to. Zapytałem, o co mu idzie. A on wyjaśnił, że w końcu roku 1942 zorganizował w Wiedniu na rozkaz Himmlera grupę SS i policji, która miała w niedalekiej przyszłości objąć służbę w Bereichu[2]: Georgien[3]-Tyflis. Członkowie tej „komendy" studiowali metody działań przewidziane dla Gruzji i opracowania wywiadowcze, przeprowadzali ćwiczenia policyjne, niekiedy alpejskie i narciarskie, w górach Austrii („jak przeprowadzać obławy w góralskich wsiach" itp.).

Stroop kierował tą akcją przygotowawczą w tajemnicy przed kolegami z innych ugrupowań SS, policji i Wehrmachtu. Dostarczano mu od października 1941 odpowiednią dokumentację. Później, jak się podbicie Kaukazu odwlekało, systematycznie pogłębiał swoje informacje o Gruzji, Armenii, Dagestanie, Azerbejdżanie, Osetii, dbał o jak najlepsze wyszkolenie kadry tyfliskiego „Kommando", a jak powiedział raz Schielke: „niedoszłego Mordkommando in Tiflis".

Relacjonując projekty swych działań na Kaukazie, Stroop powiedział m.in.:

– Najważniejsza dla mnie była nieduża książeczka, wydana w mikroskopijnym nakładzie jako druk ścisłego zarachowania, odbita na mocnym, cienkim papierze i małą czcionką, aby zmieścić jak najwięcej treści przy skromnym formacie.

– Co to za książka?

– Lista wszystkich działaczy komunistycznych Kaukazu oraz bezpartyjnej inteligencji, naukowców, nauczycieli, pisarzy i dziennikarzy, księży, urzędników, ważniejszych chłopów, pracowników gospodarczych itp.

---

[2] Bereich (niem.) – strefa, okręg.
[3] Georgien (niem.) – Gruzja.

– Z adresami? – wtrąciłem, nie przypuszczając zresztą, żeby hitlerowcy mieli aż tak dokładne dane.
– Tak. I z telefonami, a ponadto z adresami rodzin i przyjaciół na wypadek, gdyby zainteresowani ukrywali się, wreszcie – z danymi personalnymi i nawet niektórymi fotografiami. Jeżeliby to wydrukować normalnie, powstałby gruby tom.

Schielke pocierał brodę i nerwowo mrugał oczami. Ja też milczałem. Wiedzieliśmy, po co sporządzono tę hitlerowską „pocket-book" i jaki los spotkałby dziesiątki tysięcy zarejestrowanych w niej ludzi, gdyby Stroop urzędował w Tbilisi.

Kiedyś spytałem Stroopa:
– Pański udział w budowie autostrady D-4 na Ukrainie był pierwszym realizacyjnym etapem planu osadzenia pana na Kaukazie? Budował pan trasę Lwów–Rostów–Wysoki Kaukaz dla interesów Rzeszy i aby ułatwić w przyszłości panowanie w Gruzji?

Odpowiedział twierdząco.

٭

Rozmawiając pewnego dnia o samochodach (temat zawsze łasy dla mężczyzn), Stroop podnosił zalety wozów marki BMW:
– Bayerische Motoren Werke A.G. produkują w Monachium wspaniałe auta, i nie tanie. Heinrich Himmler miał ich kilka, podróżnych i specjalnych – mówił szybko Stroop. – Gdy jechałem w 1942 roku na Kaukaz na pierwszą linię wysokogórskiego frontu w rejonie Elbrusu, to przydzielono mi nowiutkie bmw. Pakowne, przystosowane do złych warunków terenowych. Motor jak smok. Wyjechałem nim z Berlina po rozmowie z SS-Reichsführerem, który mi dał ostatnie rozkazy. Po drodze przeprowadziłem wiele rozmów z wyższymi dowódcami SS w Krakowie, Lwowie, Winnicy i Rostowie, a ponadto kłopotliwe konferencje w sztabie Grupy Armii „A" u generała-feldmarszałka Wilhelma Lista[4]. Nie powiem, żeby nas

---

[4] Wilhelm List (1880–1971), generał / feldmarszałek niemiecki, w kampanii wrześniowej 1939 r. dowódca 14. Armii, następnie m.in. dowódca Grupy Armii „A" na froncie wschodnim w 1942, po wojnie skazany na dożywotnie więzienie, zwolniony w 1952.

gorąco przyjęli. Feldmarszałek List zachowywał się jak wielki pan, miał mało czasu, a jego oficerowie nie wykazywali zainteresowania tą podróżą do oddziałów frontowych. Mój pobyt tam niepotrzebnie się przedłużał. List i jego ludzie wyraźnie nas sabotowali. Po wielu interwencjach telefonicznych u Heinricha Himmlera, który wydał odpowiednie polecenie szefowi sztabu generalnego OKW[5] feldmarszałkowi Keitelowi[6], przekazano nas dowódcy 1. Armii Pancernej generałowi- -pułkownikowi von Kleistowi[7]. Ten nam ułatwił natychmiast bezpieczny dojazd do placówki znajdującej się przy jednej z przełęczy w pobliżu Elbrusu. Już w tym czasie powiewała flaga ze swastyką na samym szczycie Elbrusu. Gdy przybyliśmy do kwatery dowódcy kompanii alpejskiej, to pierwszą rzeczą, która mnie uderzyła, był wspaniały, nordycki wygląd tego oficera i oznaka „Edelweiss" (szarotka) na jego czapce[8]. Miał wygląd sportowca i rycerza. Jasna twarz opalonego blondyna i orli profil. Powitał nas z szacunkiem i partyjną serdecznością. – Po ugoszczeniu w swej kwaterze – ciągnął Stroop rozmarzonym tonem – zaprowadził mnie ów oficer SS z twarzą orła...

– Chyba kondora[9] – wtrącam.

– Tak, ma pan rację, hiszpańskiego kondora. Typowy nordyk. Wąskie czoło. Wzrost 1 m 90 cm. Zaprowadził mnie na przełęcz, do

---

[5] Oberkommando der Wehrmacht, OKW (niem.) – Naczelne Dowództwo Sił Zbrojnych Rzeszy, natomiast organami dowodzenia poszczególnych rodzajów sił zbrojnych były dowództwa: Wojsk Lądowych (Oberkommando des Heeres, OKH), Lotnictwa (Oberkommando der Luftwaffe, OKL) i Marynarki Wojennej (Oberkommando der Kriegsmarine, OKM).

[6] Wilhelm Keitel (1882–1946), feldmarszałek niemiecki, szef Oberkommando der Wehrmacht (OKW) w latach 1938–1945, po wojnie skazany na karę śmierci wyrokiem Międzynarodowego Trybunału Wojskowego w Norymberdze i stracony 16 października 1946 r.

[7] Ewald von Kleist (1881–1954), generał / feldmarszałek niemiecki, w kampanii wrześniowej 1939 r. dowódca 22. Korpusu Armijnego, następnie m.in. dowódca 1. Armii Pancernej i Grupy Armii „A" na froncie wschodnim do 1944, zmarł w więzieniu w ZSRR.

[8] Edelweiss (niem.) – szarotka, tu: naszywana na czapkach i prawych rękawach kurtek i płaszczy oznaka rozpoznawcza niemieckich oddziałów strzelców górskich (Gebirgsjäger), wprowadzona w 1939 r.

[9] Aluzja do żołnierzy niemieckiego Legionu Condor, uczestniczącego po stronie gen. Bahamonde Francisco Franco w wojnie domowej w Hiszpanii w latach 1936–1939.

umocnień pierwszej linii, gdzie zobaczyłem przez specjalną lupę tereny mego przyszłego Bereichu.

– Ładnie tam?

– Tam, skąd patrzyłem, było dziko, zimno i niebezpieczne. Ale to, na co patrzyłem – cudowne. Daleki widok. Kaukaz jest fantastyczny. Powietrze krystaliczne, więc przez supernowoczesne instrumenty optyczne wyraźnie widziałem tereny odległe o kilkadziesiąt kilometrów, a nawet może o sto kilometrów. Między innymi dolinę, którą biegnie tor kolejowy z Baku do Batumi.

„Już był w ogródku, już witał się z gąską".

– No i co? – pytam.

– No i nic – głos Stroopa bez wyrazu. – Wróciłem do Berlina i nigdy już na Kaukaz nie pojechałem. A to byłby piękny kraj do zarządzania w imieniu Führera. Tylko daleko i ciężka komunikacja. Góry, później stepy. Dobrych kilka tysięcy kilometrów do Brandenburskiej Bramy. I dlatego Heinrich Himmler zaprojektował na mój użytek dwa specjalne tajfuny[10] dla ułatwienia kontaktów z innymi SS- und Polizeiführerami oraz dla łączności z Berlinem. Ale nic z tego. Wróciłem.

– Wie pan – powiedział któregoś razu – że specjalnie przygotowane na podróż kaukaską nowe auto BMW już w drodze powrotnej, w Warszawie, wysiadło całkowicie. Zdało egzamin w tej ciężkiej wyprawie, ale poszło na szmelc. W zamian za to dostałem do dyspozycji pięknego horcha z czarną skórzaną tapicerką, o masce długiej na dwa metry.

Gustaw Schielke nie wytrzymał i rzekł do mnie półgłosem:

– Pan wie, jaka była cena takiego specjalnego bmw, zniszczonego przez niepotrzebną wycieczkę Stroopa na Kaukaz?

*

Którejś pogodnej niedzieli oplotkowywaliśmy czołowych generałów niemieckich. O niektórych Stroop mówił bardzo dobrze, innych

---

[10] Tajfun – Messerschmitt Me-108 Tajfun, niemiecki samolot używany do celów doświadczalnych i do użytku wyższych sztabowców. Produkowany od 1934 r., był jednym z najszybszych wówczas samolotów na świecie (osiągał prędkość maksymalną 303 km/godz.).

zaś krytykował, a nawet mieszał z błotem. Do tej ostatniej kategorii należał i von Paulus, i von Kluge, i admirał Canaris, i – o dziwo – feldmarszałek Wilhelm List. Stroop go nie lubił za utrudnianie podróży na Wysoki Kaukaz i za „lekceważenie" Stroopowskiej misji.

– Wkrótce po konflikcie ze mną – w słowach Stroopa ton zarozumiałości – List został zdjęty ze stanowiska dowódcy Grupy Armii „A". Na jego miejsce przyszedł ów rozsądny generał Ewald von Kleist, mianowany zresztą pół roku później generałem-feldmarszałkiem.

Czy sugestie Stroopa, że List ustąpił między innymi na skutek konfliktów z zaufańcem Himmlera, zawierały cień prawdopodobieństwa – nie wiem. Ale nie wydaje się, by w tych ciężkich miesiącach dla Wehrmachtu na froncie wschodnim mógł zaważyć przy podejmowaniu zasadniczych decyzji element prestiżowy tak niskiego kalibru. Myślę raczej, że inteligentny i dobrze wyszkolony zawodowy generał List sprawiał swymi umiejętnościami i zdolnością przewidywania duże kłopoty naczelnemu „specjaliście" wojskowemu Niemiec. I dlatego Hitler spławił Lista.

✳

Stroop był tak samo zafascynowany Kaukazem, jak i Ukrainą. Jeżeli jednak pożądał Ukrainy, to dla ukraińskich ziemiopłodów, kopalin i ciężkiego przemysłu oraz dla przyszłego majątku 4000-hektarowego i tabunów koni w swoich stajniach. Kaukaz zaś – poza kopalniami, bogactwem minerałów, dolinami czarnoziemów, winnicami, kawalerzystami i uroczymi kobietami – wabił go naftą.

– Roponośne tereny – mówił – i inne obszary surowców strategicznych Kaukazu były koniecznością życiową dla Rzeszy Adolfa Hitlera. Kto trzyma Kaukaz w ręku, ma otwartą drogę do Indii i na Bliski Wschód. Linie komunikacyjne do Kaukazu (a więc autostrada D-4) i przez Kaukaz musiały być traktowane przez naszych strategów jako ważne kierunki umożliwiające niemiecką łączność z Azją i Afryką – zakończył swój geopolityczny i militarny wywód.

Stroop powoływał się przy tym na nauki generała Ludendorffa, którego – jak wspominałem wielokrotnie – nad wyraz szanował i prawie uwielbiał.

– Pamiętam, jak Erich Ludendorff pisał w swoich pamiętnikach o surowcach ukraińskich i kaukaskich – mówił Stroop – oraz o tym, że również zasoby ludzkie tych krain mogłyby być Niemcom konieczne dla formowania wojsk z tubylców i dla ściągnięcia kaukazczyków do Niemiec jako siły roboczej.

Stroop przypominał nam także (w zakresie tej problematyki) wypowiedzi Hitlera, Himmlera, Rosenberga, Göringa, Ericha Kocha[11] i innych ideologów nowego Ordnungu w Europie i w świecie.

– Kaukaz przewyższa pięknością nasze europejskie góry. To naprawdę fantastyczny kraj. Pejzaże bajkowe. Niebieskawe doliny, zieleń lasów – w rozmaitych odcieniach, brunatne i szare skały oraz wieczne śniegi na Elbrusie, Kazbeku i Araracie. Kobiety, wino, śpiew i wspaniałe konie. Zręczni kawalerzyści, mistrzowie sztuki jazdy konnej – dżigici w karakułowych czapkach i narodowych strojach. Jak oni wspaniale tańczą lezginkę!

✳

Gdy Stroop opowiadał nam o wspomnianych dwóch szybkich samolotach typu „tajfun", zapytałem go:

– Czy pan coś wie o zaprojektowanej przez Hitlera (przed napaścią na Związek Radziecki) akcji „Tajfun"? O ile dobrze pamiętam, rezultatem tej akcji miało być wydatne zmniejszenie ludności i obszaru Moskwy. Projektowano przekształcić miasto w gigantyczny obóz pracy przymusowej, przesiedlając część mieszkańców za Ural. Miano tam przeprowadzić szereg „reform". W gmachu rady miejskiej zainstalowano by Reichskommisariat i Sicherheitspolizei, a SS-owskim szefem miasta miał być generał Bach-Zelewski[12]. Dodać mu-

---

[11] Erich Koch (1896–1986), nadprezydent Prus Wschodnich od 1936 r., w latach 1941–1944 jednocześnie szef Zarządu Cywilnego Okręgu Białystok i komisarz Rzeszy na Ukrainę, po wojnie ekstradowany do Polski 9 stycznia 1950 r., skazany na karę śmierci wyrokiem Sądu Wojewódzkiego dla Województwa Warszawskiego z 9 marca 1959 r. (ze względu na zły stan zdrowia wyroku nie wykonano), zmarł 12 listopada 1986 r. w więzieniu w Barczewie.

[12] Erich von dem Bach-Zelewski (1899–1972), SS-Gruppenführer / SS-Obergruppenführer, Wyższy Dowódca SS i Policji (HSSPF) przy nadprezydencie Śląska w latach 1938–1941, Wyższy Dowódca SS i Policji (HSSPF) Russland Mitte (na

szę, że słyszałem w czasie wojny, gdy służyłem w BIP KG AK, że nazwa Rosja miała być skreślona ze wszystkich słowników, map, podręczników geografii i historii oraz zastąpiona mianem nowego, małego państwa: „Moskowia". Kreml zamierzaliście przekształcić w muzeum zwycięstwa hitlerowskiej Rzeszy. Czy podobne zmiany chciał pan poczynić w Tyflisie? Przecież na pewno przygotował pan szczegółowe plany w tym zakresie. Przypuszczam, że nawet miał pan fotografię tyfliskiego pałacu, gdzie powinna się mieścić siedziba SS i policji.

Stroop się zmieszał. Gwałtownie poczerwieniały mu uszy, jak zawsze, gdy się z lęku denerwował.

Schielke skorzystał z chwilowego milczenia i zauważył niewinnym tonem:

– Przy tak skrupulatnych przygotowaniach musiał Herr General dysponować również fotografią pobliskiej willi, otoczonej pięknym ogrodem, która byłaby rezydencją pana generała i jego rodziny.

Starałem się, powtarzam to już chyba po raz trzeci, nie inspirować i nie pozwalać na wywoływanie sytuacji konfliktowych i drażliwych w celi. I to nie dlatego, że szło o Stroopa, który znajdował się w sytuacji osobiście ciężkiej. Ale dlatego, że byłem wyznawcą takiego kanonu postępowania więźniów, który nakazuje aktywne hamowanie wszystkich konfliktów w celi, nawet gdy znajdowali się tam ludzie zasługujący z punktu widzenia etycznego na całkowite potępienie. Toteż nie chcąc, aby Stroop odpowiedział na złośliwą uwagę Schielkego, zadałem generałowi SS wiele pytań, a między innymi:

– Czym się pan zajmował po powrocie z Kaukazu?

– Zdałem SS-Reichsführerowi raport z podróży na Kaukaz i pojechałem na kilka dni do Poznania, gdzie Gauleiter Greiser wręczył

środkowym odcinku frontu wschodniego – na Białorusi) w latach 1941–1942, pełnomocnik Reichsführera SS Heinricha Himmlera do zwalczania band na zapleczu frontu wschodniego w latach 1942–1943, szef formacji do walki z bandami (Der Chef der Bandenkampfverbände) przy Reichsführerze SS na obszar okupowanej Europy w latach 1943–1944, po wybuchu Powstania Warszawskiego mianowany przez Reichsführera SS dowódcą całości sił niemieckich w Warszawie (Korpsgruppe von dem Bach), po wojnie trzykrotnie skazywany w Republice Federalnej Niemiec na kary więzienia, zmarł 8 marca 1972 r. w szpitalu więziennym w Monachium.

mi z okazji „Tag der Freiheit"[13] Honorową Odznakę Reichsgau Wartheland 1939 za zasługi w Wielkopolsce w początkowych latach wojny. Potem wróciłem do Berlina i przeszedłem dziesięciotygodniowy kurs przyszłych wyższych dowódców SS i policji. Kurs przeprowadzono w Głównym Urzędzie Bezpieczeństwa Rzeszy[14].

– A potem?

– A potem... a potem odkomenderowano mnie, o ile pamiętam, to w lutym 1943, do dyspozycji generała SS Katzmanna, szefa SS i policji dla Galicji z siedzibą we Lwowie[15].

– Co pan robił we Lwowie, w tym pięknym mieście?

– Zastępowałem generała Katzmanna w prowadzeniu wielu spraw. Obarczał mnie zleceniami specjalnymi. Mieliśmy duże trudności z AK-owską dywersją i partyzantką, jak również z nieliczną, ale bezczelną partyzantką ukraińską, związaną z tym skrzydłem (słabym zresztą) ugrupowań ukraińskich, które zaczynały delikatnie konspirować przeciw nam. Występowały czasami komplikacje w stosunkach z oddanymi nam, ale mało zdyscyplinowanymi oddziałami SS-Galizien.

– O ile pamiętam – wtrącam w tok gładkich wypowiedzi – to na terenach Lwowskiego i Tarnopolskiego istniały wtedy skupiska Żydów, w gettach i obozach pracy. Czy pan się tymi skupiskami zajmował?

Stroop się skrzywił i lekko zaaferował, ale na ponowione przeze mnie pytanie odpowiedział twierdząco.

– Bardzo wielu Żydów galicyjskich zatrudnialiśmy tam przy robotach publicznych, między innymi przy budowie autostrady D-4.

Zrozumiałem wtedy, o jakich w i ę ź n i a c h mówił dawniej Stroop, których niewolniczo zatrudniano na ciężkich odcinkach tra-

---

[13] Tag der Freiheit (niem.) – Dzień Wolności, uroczyście obchodzona m.in. w Poznaniu rocznica wejścia w życie dekretu Adolfa Hitlera o wcieleniu ziem zachodnich Polski do Rzeszy (26 października 1939 r.).

[14] Reichssicherheitshauptamt, RSHA (niem.) – Główny Urząd Bezpieczeństwa Rzeszy.

[15] Friedrich Fritz Katzmann (1906–1957), SS-Brigadeführer / SS-Gruppenführer, Dowódca SS i Policji (SSPF) w Dystrykcie Radomskim w latach 1939–1941 i w Dystrykcie Galicja w latach 1941–1943, Wyższy Dowódca SS i Policji (HSSPF) w Okręgu Gdańsk-Pomorze w latach 1943–1945.

sy D-4. Szło o młodych Żydów. W ten sposób ich wyzyskiwano i wy-kańczano.

– Jak sobie przypominam – sączyłem zimno słowa – w początkach 1943 roku zlikwidowano w Małopolsce Wschodniej wiele gett żydowskich. Zlikwidowano, to znaczy u ś m i e r c o n o ludzi. Czy pan brał udział w tych akcjach? Oczywiście nie jako bezpośredni wykonawca, lecz jako dowódca?

Stroop gwałtownie się zmieszał. Może strzeliło mu do głowy, że chcę wyciągnąć od niego coś, co zataił w śledztwie. Więc nie przyciskałem go więcej, ale i nie otrzymałem wyjaśnień. Mimo to wyrobiłem sobie wtedy pogląd na rolę Stroopa we Lwowie.

Z jego reakcji mimicznych, z barwy głosu, ze sprytnego błysku oka, doszedłem do wniosku, że Stroop przeszedł we Lwowie praktykę pogłębiającą umiejętności zbiorowego mordowania Żydów. Celujący, galicyjski, stopień uzyskany przez Stroopa z przedmiotu „ostateczne rozwiązanie kwestii żydowskiej" pozwolił zapewne Himmlerowi na wydanie tajnej dyrektywy, która była tak mniej więcej chyba sformułowana: Jürgen Stroop niech czeka we Lwowie, na terenie Generalnej Guberni, bo może będziemy musieli go ściągnąć do Warszawy w razie ewentualnych niepowodzeń przy likwidacji żydowskiego getta. Na pewno się przyda. To wzorowy nacjonalista i w i e r-n y towarzysz braterskiego kręgu SS.

Stroop o tych projektach nie wiedział i „urzędował" spokojnie we Lwowie.

Zawsze elegancki (w rozumieniu niemieckim), ulegał modzie. A w środowisku SS-mańskim panowały mody nawet w ciężkim okresie wojny. W tych latach przedmiotem zainteresowań był strój i emblematy oddziałów wysokogórskich. Stroop, korzystając, że w skład jego „Kommando" tyfliskiego wchodziła policyjna jednostka alpejska oraz że był pod Elbrusem – zaczął nosić czapkę pułków tyrolskich z metalową szarotką na boku. Lubił ten kwiat. Opowiadał nieraz, jak w czasie wycieczek młodzieńczych zbierał szarotki na górskich skałach. Śpiewał w celi piosenki o niewinnej „Edelweiss" i czasami jodłował. We Lwowie zaś i w Warszawie, a wydaje się, że również w Atenach, nosił się jak alpejski generał. Z szarotką „w sercu i na czapce" wkroczył do getta w Warszawie, zrównał dzielnicę z ziemią oraz jeździł konno na spacery alejami Łazienek i przyjmował defilady.

Ale za daleko wybiegam w tych opowiadaniach, bo tymczasem SS-Brigadeführer Stroop, zaprawiony już w katowskim rzemiośle, czekał we Lwowie na nowe okazje i rozkazy. Czekał i wypoczywał, nie zaniedbując lekkiego treningu dla utrzymania formy i sprawności ludobójczej. Czekał nowego sygnału Himmlera.

– Na dźwięk telefonu, było to 15 kwietnia 1943, poderwałem się! – opisywał nam Stroop ostatnią fazę swego pobytu we Lwowie.

XIV. Wprawki i uwertura do Grossaktion

Dość późno, po sześciu miesiącach wspólnego pobytu w więzieniu – w początkach września 1949 roku – zaczęliśmy szerzej i szczegółowiej mówić o likwidacji getta warszawskiego i problematyce żydowskiej. W celi trójka w dalszym ciągu (Stroop, Schielke i ja). Znaliśmy się już nieźle. Na wiele tematów rozmawialiśmy swobodnie i odważnie – niekiedy ściszonym głosem. Choć tak różni – jednako respektowaliśmy przykazanie tajemnicy więźniarskiej.

Stroop wiedział, że Polacy posiadają jego obszerny raport z likwidacji getta warszawskiego i doceniał wagę tego oskarżenia. Jednak nie był skory do wywnętrzań o swym udziale w rozwiązywaniu kwestii żydowskiej i bał się czasami poruszania głównych elementów sprawy. Jednocześnie nie zdołał oprzeć się pokusie rozmów na ten temat. Myślę, że nachodziła na niego wtedy konieczność wyplucia części „przeżuć więziennych" (takiego używaliśmy terminu), bólów, zwątpień, załamań, goryczy i ciężaru spraw „poufnych" lub tajemnic (prawdziwych czy pozornych). Pomagaliśmy mu w tych „wypluciach". Schielke, przypuszczam, dla ciekawości i zwalczania nudy więziennej. Ja – o czym piszę w rozdziale pierwszym – przede wszystkim dla „wyłuskania możliwie pełnej prawdy o Stroopie i jego życiu", a więc dla osobistego interesu.

Rozmaicie przebiegały rozmowy „żydowskie". Wielokrotnie Stroop wypowiadał się z własnej inicjatywy. Nieraz prowokowaliśmy go do zwierzeń. Czasem dyskusja miała charakter łagodny, filozoficzny. Niekiedy – napięty, kłótliwy i warczący. Zadawaliśmy mu wtedy pytania zaskakujące, jak policjanci lub oficerowie śledczy. Ale to się rzadko zdarzało.

Nie mogę w rozdziałach o Grossaktion in Warschau przekazywać wszystkich polemicznych chwytów, dygresji i całej szarpaniny dyskusyjnej. Byłoby to odrywaniem Czytelnika od głównego nurtu opowiadania, od ciągu d z i a ł a ń Jürgena Stroopa w kwietniu i maju 1943 roku, gdy uśmiercił 71 tysięcy Żydów polskich i zamienił dzielnicę mego miasta w pustynię gruzu. Podaję więc wypowiedzi Stroopa uporządkowane p r z e z e   m n i e, lecz nie ufryzowane.

※

– Na dźwięk telefonu poderwałem się – opowiadał Stroop. – A było to tak: 15 kwietnia 1943 roku wróciłem późnym popołudniem do Lwowa z podróży w teren. Natychmiast przybiegł dyżurny oficer od generała Katzmanna z wiadomością, że kilka razy telefonowano do mnie z Berlina i że mam czekać w osobistej kwaterze na zarządzenie centrali. Spodziewałem się zaszyfrowanej noty teleksowej albo telefonu z adiutantury Heinricha Himmlera. Nieraz otrzymywałem takie nagłe polecenia lub informacje. Czekając na dyspozycje, wykąpałem się i na tapczanie czytałem tajny dokument, który zawierał praktyczne wnioski z rozwiązań naukowych o kwestii żydowskiej. Trochę się przy tej lekturze zdrzemnąłem. Byłem solidnie zmęczony, bo starałem się, jak tylko mogłem, pomagać generałowi Katzmannowi. Mieliśmy z nim jednakowe stopnie SS-owskie i policyjne, ale ja mu podlegałem. Katzmann sprawował początkowo dowództwo SS i policji w Radomiu, a później przez dwa lata we Lwowie. Poczynał sobie w Galicji sprawnie i dzielnie. Katzmann to poważny generał i uroczy kolega. Heinrich Himmler przeniósł go w lecie 1943 na zaszczytną funkcję wyższego dowódcy SS i policji w okręgu Pommern[1], awansując jednocześnie do stopnia SS-Gruppenführera.

Na moją uwagę, że ten „poważny generał" był poważnym, a kto wie, czy nie jednym z najpoważniejszych l u d o b ó j c ó w, Stroop – po wymianie informacji i sprzeczkach – przyznał w końcu:

---

[1] Pommern – niemiecka nazwa Pomorza.

– Fritz Katzmann przesiedlił w dystrykcie Galicja w ciągu dwóch lat, do czerwca 1943, około 550 tysięcy Żydów.

Gdy Stroop używał takich terminów, jak: „przesiedlenie", „Sonderbehandlung"[2], „rozwiązanie kwestii", „wyłowienie" Żydów, to rozumieliśmy je jednoznacznie.

*

– Zostałem „kommandiert zum[3] SS und Polizeiführer Galizien-Lemberg" w lutym 1943, to znaczy już po likwidacji wielu skupisk żydowskich, m.in. w Stryju, Rawie Ruskiej, Czortkowie, Tarnopolu, Stanisławowie i Brzeżanach – opowiadał Stroop.

Tu wtrąciłem, że idzie o te Brzeżany, w których – gdy miał dwadzieścia lat i stopień Unteroffizera kajzerowskiej armii – zakochał się w młodziutkiej Polce. Stroop potwierdził oraz dodał, że w marcu 1943 roku odwiedził służbowo Brzeżany i próbował odnaleźć dom, w którym kwaterował podczas I wojny.

– Przed moim przyjazdem do Lwowa – mówił Stroop – tamtejsze getto już nie istniało. Katzmann je ostatecznie rozwiązał w styczniu 1943. Zjawiłem się w okresie „robót następujących po produkcji", jak pan nieraz mówi. Porządkowaliśmy sytuację po ostrych akcjach.

Z opowiadań Stroopa wynikało, że w czasie jego 10-tygodniowego lwowskiego pobytu likwidowano w Galicji tysiące Żydów pozostałych po głównych Katzmannowskich uderzeniach i albo rozproszonych w ucieczkach, albo osadzonych w obozach pracy.

Te obozy założono daleko wcześniej, w różnych miejscach i dla różnych celów. Najsilniejszych fizycznie Żydów zatrudniali hitlerowcy przy budowie opisywanej poprzednio autostrady D-4. Warunki w obozach były nieludzkie, praca ponad wytrzymałość przeciętnego człowieka. Na przykład, gdy brakło nadzorcom transportu, więźniowie Żydzi musieli nie tylko prymitywnymi narzędziami wyłamywać skałę, ale i dźwigać na rękach ciężkie kamienie ze znacznych odległości. Stan osobowy więźniów szybko się zmniejszał wskutek zgonów

---

[2] Sonderbehandlung (niem.) – specjalne traktowanie.
[3] „... kommandiert zum SS- und Polizeiführer Galizien-Lemberg" (niem.) – „... odkomenderowany do Dowódcy SS i Policji (SSPF) w Dystrykcie Galicja-Lwów".

z wyczerpania, egzekucji i – niekiedy – ucieczek. Toteż Katzmann systematycznie dostarczał nowych więźniów Żydów, aby wykonać normy ustalone dawniej przez generała Prützmanna i Jürgena Stroopa, a później – przez następcę Stroopa przy budowie trasy D-4.

Po masakrze getta we Lwowie istniało w Galicji, według słów Stroopa, 25 takich żydowskich obozów pracy, po tysiąc osób każdy. Jak wynikało z ustaleń dokonanych w czasie dyskusji między Stroopem a Schielkem (który pamiętał wiele statystycznych danych z akt kancelarii Bierkampa w Krakowie), na konto bankowe SS-Hauptamtu wpłacano 5 złotych za dniówkę każdego więźnia Żyda. Z tego Katzmann przydzielał 1 złoty 60 groszy „na zarejestrowany w obozie żydowski łebek". Tym przydziałem dysponował komendant obozu. 1 złoty 60 groszy przewidziano na dzienne wyżywienie i zaopatrzenie każdego z więźniów, którzy żadnej zapłaty za wykonywaną pracę nie otrzymywali. Ale i wyżywienia, poza symboliczną zupką, także im nie dawano. Póki było to możliwe – sami sobie organizowali jedzenie.

Jak Schielke wyliczył, wpływało miesięcznie na rachunek SS za pracę tych Żydów w 25 galicyjskich obozach niecałe 4 miliony złotych. Stroop nie negował szacunków Schielkego, który zakończył wywód refleksją:

– To był fajny interes kwatery głównej Himmlera. W oparciu o handlowo zorganizowany zarząd obozów, zatrudniających nieodpłatnie miliony ludzi – przelewała ona na swe konta miliardy Reichsmarek. SS to poważna siła ekonomiczna III Rzeszy!

Stroop był, według tego, co opowiadał, zwolennikiem utrzymywania „Julagów"[4] w Galicji. Żydowscy robotnicy-więźniowie wybudowali, jak kiedyś ujawnił, około 100 kilometrów autostrady D-4 i to najtrudniejszych, skalistych lub bagnistych odcinków.

– Dopóki ja byłem we Lwowie – stwierdził Stroop – żydowscy robotnicy drogowi byli zadowoleni i Heinrich Himmler odraczał zamierzoną likwidację tych obozów. SS-Reichsführer zgadzał się z argumentami generała Prützmanna oraz podzielał moją sugestię, aby dbać przede wszystkim o sprawną budowę autostrady.

---

[4] Julag (niem.) – skrót od: Judenlager, obóz dla Żydów.

– Uciekinierzy żydowscy, po częściowej nieudanej likwidacji getta w miastach i miasteczkach Galicji, sprawiali Katzmannowi sporo kłopotów. Wielu Żydów poszło do lasu. Połączyli się z polską partyzantką. Mieli dużo broni. Kupowali ją od naszych uprzednich sprzymierzeńców – Włochów i od żołnierzy węgierskich. Te leśne bandy poważnie nam bruździły. Teren trudny do walki. Pagórki, góry, lasy, laski. Inteligencja polska i mieszczaństwo oraz kler katolicki – dawali Żydom efektywne poparcie. Chłopi także użyczali im szop, piwnic i stogów. Nawet rolnicy ukraińscy niekiedy Żydom pomagali, choć w zasadzie „Hałyczyna" (to słowo powiedział po ukraińsku)[5] współdziałała z nami w akcji likwidowania Żydów, a i dla Polaków nie była miła. Wieczny rozgardiasz w tym dystrykcie! I ciągłe zagrożenie.

– Raz pojechałem do Rawy Ruskiej, do sztabu naszych oddziałów zwalczających bandy polsko-żydowskie w tym rejonie. Dowodzący SS-Sturmbannführer przedstawił położenie. Było trudne. Doszedłem do wniosku, że mamy za małe siły na tak chytrego i zdeterminowanego przeciwnika. Gdy wracałem do Lwowa, Żydzi ostrzelali z lasu moje auto.

– Z sytuacji dystryktu Galicji w owym czasie wyciągnąłem następujące wnioski. Pierwsza faza unieszkodliwiania Żydów jest względnie łatwa. Po prostu ładuje się ich do worka jak kurczaki. Bierne masy nie tylko idą same, niby cielęta, na rzeź, ale i paraliżują elementy aktywne. Ci aktywni Żydzi, nawet zorganizowani, nie mogą sobie dać rady z zastrachanym, histeryzującym tłumem, nie panują nad sytuacją i często sami giną z tym tłumem. Za to druga faza jest bardzo trudna. Uciekinierzy bowiem to ludzie zdecydowani, odważni, silni i pomysłowi. Stawiają opór, zaciekły. Mają dobre wyposażenie oraz przygotowane z góry drogi ataku i odwrotu, często przemyślne.

– Poza tym jeszcze jedną naukę wyniosłem ze Lwowa – opowiadał Stroop. – Mianowicie stwierdziłem, że Żydzi potrafią doskonale studiować technikę inżynieryjno-saperską. Przestudiowałem we Lwowie oraz m.in. w Rohatynie i Złoczowie, a także w jednym z lasów, który był partyzancką bazą, system budowania bunkrów, umoc-

---

[5] 14. Dywizja Grenadierów SS „Galizien" („Hałyczyna"), sformowana w 1943 r. z członków i sympatyków Organizacji Ukraińskich Nacjonalistów (OUN).

nień, magazynów, sygnalizacji itp. Panie, nigdy by pan nie uwierzył, co to były za wspaniałe schrony, kanały, korytarze, kominy, spiżarnie, magazyny amunicyjne, ustępy i kryjówki, labirynty wprowadzające w błąd. Co za pomysłowe urządzenia ogrzewcze i wentylacyjne! W Rohatynie widziałem żydowski schron, który był podziemną salką koszarową na 60 osób. Długość 30 metrów. Zbudowany głęboko pod ziemią z bali, kloców betonowych i żelaznych belek. Nad sufitem dwa metry gruzu i ziemi, pokrytej trawnikami i klombami. W niewinnych krzewach zamaskowane wyloty wentylacyjne. SS-mani Katzmanna zdobywali ten bunkier kilka dni. Opór załogi żydowskiej zdecydowany. Nie wiadomo, jak ugryźć taką fortecę. Pierwsze znalezione wejście – to tylko żelazna makieta drzwi. Jak je nasi rozwalili, spostrzegli korytarzyk. Weszli, a tu wybuch. Kilku SS-mannów ciężko rannych. Jeden wpadł w zamaskowany siatką wilczy dół i nadział się na pal. Musieliśmy szukać innych wejść. Część załogi żydowskiej zabito. Nikt nie oddał się żywcem. Większość umknęła sekretnymi korytarzami podziemnymi, których trasę poznaliśmy po kilku dniach. Okazało się, że Żydzi wykorzystali średniowieczne lochy, jakimi niegdyś uciekała ludność przed Tatarami.

– Tej drugiej, nielicznej części Żydów, tej elity syjonistycznej (Stroop używał często owego przymiotnika), inteligenckiej, nie należy nigdy lekceważyć. Ich grupy przywódcze dysponują zawsze charakterem, wiedzą, sprytem i siłą fizyczną.

⁕

Dawno mogłem się domyślić, że odkomenderowanie Stroopa na około dwa i pół miesiąca w trudny teren miało na celu przygotowanie go do Grossaktion in Warschau, zaplanowanej przez Himmlera na drugą połowę kwietnia 1943 roku. W orkiestrze Katzmanna uczył się i pogłębiał – jako zastępca dyrygenta – swe praktyczne umiejętności antyżydowskie. Ćwiczył wprawki do przyszłego występu w Warszawie.

⁕

Z refleksji Stroopa, jakimi się dzielił w celi mokotowskiej, przypomnę dwie.

Pierwsza dotyczyła instytucji pogromów. Na moją luźną uwagę o leśnych Żydach, uratowanych z pogromów galicyjskich na przełomie 1942/1943, Stroop oświadczył:

– Myśmy nigdy nie organizowali p o g r o m ó w. Tak działali tylko barbarzyńcy.

Odpowiedziałem:

– Ma pan częściowo rację. Dawne pogromy miały coś z improwizacji, ze zbiorowego szaleństwa, nieraz co prawda inspirowanego. Wasze akcje były zimno zaplanowane, opracowywane w szczegółach, podbudowane frazesem „aryjskim" i realizowane etapami, masowo, na każdym odcinku.

Druga refleksja Stroopa wiązała się z jego poglądem na konieczności geopolityczne szybkiego rozwiązania kwestii żydowskiej w Galicji.

– W sytuacji lat tamtych, wojennych, a w przyszłości – powojennych, Galicja była terenem i ważnym, i skomplikowanym narodowościowo oraz politycznie. Obszar bogaty, zasobny w kopaliny, dobre ziemie, liczne miasta, miasteczka i wsie, zamieszkany niejednolicie przez trzy narody (Ukraińcy, Polacy, Żydzi) oraz narodowości i plemiona takie, jak Cyganie, Ormianie, Łemkowie, Huculi, ćwierć-Węgrzy, ćwierć-Mołdawianie, ćwierć-Austriacy itp. Poważne zróżnicowanie gospodarcze, językowe, kulturalne. A Lwowskie powinno być ujednolicone i spokojne w Europie nowego Ordnungu. Stanowi ono naturalną bazę wyjściową dla komunikacji i łączności Europy Zachodniej i Środkowej z południową Rosją, Ukrainą, Rumunią (idzie o pragermański szlak Gotów na północ od Karpat), a dalej z Krymem, Kozaczyzną, Morzem Czarnym i Kaukazem. Więc musieliśmy z trójki głównych zgrupowań narodowych – gdzie jakaś para mogła współdziałać przeciw nam (w tym przypadku Żydzi z Polakami) – zrobić dwójkę. Chcieliśmy mieć tylko Polaków i Ukraińców. Można było zawsze, przy braku trzeciego, to jest Żydów, grać Ukraińcami przeciw Polakom i mieć względny spokój.

– Herr General, to całkiem mądre (z punktu techniki rządzenia), co pan mówi, ale przecież Himmler ze względów zasadniczych, ideologicznych, NSDAP-owskich, nakazał znacznie wcześniej, we wrześniu 1939 roku, „rozwiązanie problemu żydowskiego", to znaczy

rozwiązywanie stopniowo, etapami, ale przy zastosowaniu w s z y s t-
k i c h dostępnych środków i metod.

✻

– Nagle zadzwonił telefon. Poderwałem się gwałtownie – Stroop
podejmuje temat wyjściowy. – Usłyszałem oficera, który sprawdzał
moją tożsamość. Potem dobiegł ze słuchawki głos samego Heinricha Himmlera. Wyczułem, że coś ważnego. SS-Reichsführer rozkazał krótko, po żołniersku, abym jutro rano udał się do Krakowa, do
wyższego dowódcy SS i Policji Wschód, Obergruppenführera SS i generała policji, Friedricha Krügera[6], dla dokonania konsultacji przed
dalszą podróżą do Warszawy. Próbowałem prosić o odroczenie wyjazdu o dwa dni. Na to Heinrich Himmler: „Mój drogi Stroop,
wszystkie sprawy, nawet ważne, bledną wobec zadania, jakie wyznaczyłem dla pana w Warszawie. Przyszedł czas Wielkiej Akcji. Jedź
pan do Krügera i 17 kwietnia musi pan znaleźć się b e z r o z g ł o s u
w Warszawie. Z Krakowa niech pan zadzwoni poufnie do Hahna[7],
a on poda adres kwatery, na którą pan przyjedzie". Ponadto Heinrich Himmler wtajemniczył mnie w kulisy personalne warszawskiej
czołówki SS oraz dał pełnomocnictwo daleko idące.

---

[6] Friedrich Wilhelm Krüger (1894–1945), SS-Obergruppenführer, Wyższy
Dowódca SS i Policji (HSSPF) w Generalnym Gubernatorstwie od listopada 1939 r.
do listopada 1943 r. i jednocześnie od maja 1942 r. do listopada 1943 r. sekretarz
stanu ds. bezpieczeństwa (Staatssekretär für das Sicherheitswesen) w tzw. rządzie
Generalnego Gubernatorstwa (zastąpiony przez wspomnianego wyżej Koppego),
dowódca V Ochotniczego Korpusu Górskiego SS od września 1944 r. do marca
1945 r., w obawie przed aresztowaniem przez aliantów popełnił samobójstwo 10 maja
1945 r. w Austrii.
[7] Ludwig Hahn (ur. 1908), dr, SS-Sturmbannführer / SS-Obersturmbannführer
/ SS-Standartenführer, Dowódca Policji Bezpieczeństwa i Służby Bezpieczeństwa
w Dystrykcie Warszawskim (Der Kommandeur der Sicherheitspolizei und des
Sicherheitsdienst für den Distrikt Warschau, KdSW) od lipca 1941 r. do grudnia
1944 r., po wojnie skazany przez sąd w Hamburgu 5 czerwca 1973 r. na 12 lat więzienia za wydanie rozkazu wymordowania grupy więźniów Pawiaka w lipcu 1944 r.,
zaś 4 lipca 1975 r. – na karę dożywotniego więzienia za współudział w deportacji
300 tysięcy Żydów z getta warszawskiego do obozu zagłady w Treblince.

– Następnego dnia odbyłem konferencję w cztery oczy z Krügerem, a później ze specjalistami z jego sztabu. Krüger to mądra sztu-
ka. Przewidujący, doskonale poinformowany, ostrożny i twardy. Cieszył się dużym zaufaniem i Adolfa Hitlera, i Heinricha Himmlera.
Był dawniej specjalistą od przemytu broni dla NSDAP przed naszym
dojściem do władzy, ekspertem od walk ulicznych i kierownikiem
szkolenia SS w okręgu monachijskim.

– Krüger i Hans Frank na pewno nie czuli do siebie sympatii.
Rywalizacja i dublowanie się urzędów administracji Franka oraz
placówek SS, Waffen SS i policji były widoczne. Krüger został pod-
porządkowany Frankowi, ale w praktyce działał autonomicznie
i niektóre akcje przeprowadzał wspólnie z Frankiem, a inne przeciw Frankowi, w sposób formalnie lojalny, ale łatwy do rozszy-
frowania.

Stroop mówił wolno, czasem przerywał tok wypowiedzi.

– Co Höherer SS- und Polizeiführer Ost, Friedrich Krüger, powiedział panu w Krakowie? – pytam.

– Że Heinrich Himmler rozkazał, abym natychmiast jechał do
Warszawy i czuwał nad wywózką Żydów z getta, mimo że von Sammern-Frankenegg był tam dowódcą SS i policji[8]. Von Sammern, niższy ode mnie rangą (był SS-Oberführerem), to miękisz, austriacki
inteligent z Tyrolu, doktor praw czy filozofii, wygodny, łasy na baby,
alkohol, zabawę...

– ... i powiększone dochody – wtrącił Schielke. – Coś niecoś słyszałem w kancelarii Bierkampa w Krakowie o gładkim życiu von Sammern-Frankenegga. Mówiono, że precjoza, waluty, futra i żarcie
płynęły niewidzialnym strumykiem z warszawskiego getta do jego
kieszeni i buzi.

– To kłamstwo! – krzyknął Stroop. – Oficerowie SS nie brali
łapówek!

---

[8] Ferdinand von Sammern-Frankenegg (1897–1944), dr, SS-Oberführer / SS-
Brigadeführer, Dowódca SS i Policji (SSPF) w Dystrykcie Warszawskim od lipca
1942 r. do kwietnia 1943 r. (zastąpiony na tym stanowisku właśnie przez Stroopa),
następnie dowódca policji w Chorwacji, zginął 20 września 1944 r. w potyczce z partyzantami koło miejscowości Banja Luka (Bośnia).

– Ale w „Adrii" von Sammern bywał często – włączyłem się. („Adria", znany przed wojną warszawski dansing[9], w czasie okupacji – „Nur für Deutsche"[10]). Stroop spojrzał na mnie badawczo. Wytrzymałem jego śledcze świdrowanie wzrokiem i tylko uśmiechnąłem się.

– Domyślam się, Herr Moczarski, że posiadaliście informacje o hulankach von Sammerna i wehrmachtowców w „Adrii". Polnische Widerstandsbewegung[11] miał dobry wywiad. Rzeczywiście, nasza berlińska centrala wiedziała, że Judenrat[12] starał się u ł a g a d z a ć nieco ludzi SS- und Polizeiführera i że punktem pośredniczącym była „Adria" ze sprytną żoną treuhändera[13] tego lokalu, Niemką. Ale najważniejszym elementem krytycznych opinii o von Sammernie była jego psychiczna flakowatość. Krüger mi to powiedział.

– Więc już 17 kwietnia 1943 roku zjawił się pan w Warszawie?

– Tak. Było to w sobotę. Przyjechałem do lokalu zakonspirowanego. Doktor Ludwik Hahn przeteleksował mi szyfrem do Krakowa ten adres. Nikt, poza nim, nie wiedział, że jestem w Warszawie. Zaraz odbyliśmy długą, poufną rozmowę. Hahn był nie tylko dowódcą Sicherheitspolizei, ale i wyśmienitym szefem w y w i a d u SS w Warszawie. Stąd liczne kontakty i jego szczególna pozycja w Berlinie. Hahn po rozmowach telefonicznych z Heinrichem Himmlerem i Krügerem był wobec mnie szczery. Wymieniliśmy informacje. Stwierdziłem, że Hahn świetnie się orientuje nie tylko w swoim terenie, ale i w układach personalnych centrali SS. Imponował znajomością stosunków w warszawskich kręgach NSDAP, SS, policji, Wehrmachtu, Luftwaffe, administracji gubernatora Fischera[14] oraz

---

[9] Przy ul. Moniuszki 10.

[10] „Nur für Deutsche" (niem.) – „Tylko dla Niemców".

[11] Polnische Widerstandsbewegung (niem.) – polski ruch oporu.

[12] Judenrat (niem.) – Rada Żydowska, podlegający władzom niemieckim zwierzchni organ administracji w getcie (sprawy wykonawcze i administracyjne, opieka społeczna i zdrowotna).

[13] Treuhänder (niem.) – zarządca, komisarz.

[14] Ludwig Fischer (1905–1947), SA-Gruppenführer, gubernator (początkowo szef) Dystryktu Warszawskiego od października 1939 r. do stycznia 1945 r., po wojnie ekstradowany 30 marca 1946 r. do Polski, skazany wyrokiem Najwyższego Trybunału Narodowego na karę śmierci i stracony 8 marca 1947 r.

w niektórych klikach niemieckich powierników, pełnomocników, dyrektorów i właścicieli fabryk. Mówił o przyjmowaniu prezentów i akceptowaniu finansowych ułatwień. Znał społeczeństwo polskie i żydowskie. Skarżył się na obiektywne trudności pogłębienia sieci konfidentów w polskim ruchu oporu. Był zaniepokojony siłą i zasięgiem waszych organizacji podziemnych oraz aktywnością wywiadu *i kontrwywiadu* akowsko-londyńskiego. Według jego opinii, należało traktować każdego Polaka jako potencjalnego wywiadowcę. „Jesteśmy przeszpiclowani przez Polaków. Nawet polskie dzieci nas śledzą" – zwierzył się Hahn. Z jego gmachu przy alei Szucha często wyciekały najtajniejsze informacje. „Polacy umieją nas demoralizować, stosując najrozmaitsze metody: od alkoholu, knajpy i dziwek – do zmiękczania ideologicznego, terroru i zbrojnych zamachów ulicznych". Szli, według Hahna, ręka w rękę z Żydami. Stąd większość naszych zamierzeń wobec getta była natychmiast sygnalizowana Żydom przez wojskowy i cywilny wywiad polski.

– Jeśli idzie o von Sammerna, mieliśmy zgodne opinie – relacjonował Stroop. – Doktor Hahn odczytał mi supertajny rejestr nieprawidłowości popełnionych przez Tyrolczyka. Na pytanie, czy SS-Reichsführer i Krüger znają rejestr, Hahn szybko wytłumaczył, że on „przekazuje górze tylko te informacje o Niemcach, które są poparte niezbitymi dowodami. A w przypadku von Sammerna nie wszystkie dokumenty można przedstawić". Hahn również scharakteryzował (metodą wypowiedzi półaluzyjnych) kontakty i powiązania von Sammerna ze starą gwardią NSDAP i SS. Hahn powiedział mi to, o czym Heinrich Himmler tylko napomykał. Jasne stało się dla mnie, że jedyną metodą usunięcia von Sammerna z Warszawy będzie skorzystanie z pierwszego poślizgnięcia się tego „seyss-inquartowca"[15] w planowanym natarciu na getto.

---

* „i kontrwywiadu" – fragment tekstu obecny w odpowiednim odcinku edycji *Rozmów z katem* na łamach „Odry" (1972, nr 12, s.22), lecz usunięty przez cenzurę – bez zaznaczenia – w pierwszych pięciu wydaniach książkowych w latach 1977–1985.

[15] Arthur Seyss-Inquart (1892–1946), SS-Gruppenführer, czołowy działacz hitlerowski w Austrii, namiestnik Rzeszy w Austrii (Ostmark) w 1939 r., zastępca Generalnego Gubernatora Hansa Franka od października 1939 r., komisarz Rzeszy w okupowanej Holandii od maja 1940 r., po wojnie skazany na karę śmierci przez Międzynarodowy Trybunał Wojskowy w Norymberdze i stracony 16 października 1946 r.

– Następnego dnia, w niedzielę, pojechałem do siedziby von Sammerna w Aleje Ujazdowskie, między Piękną a Szopena. Trafiłem na odprawę. Omawiano ostatnie przygotowania do akcji przeciw gettu, wyznaczonej na szóstą rano 19 kwietnia. Gdy wszedłem do gabinetu, von Sammern się zmieszał. Odczuł, że moja obecność w Warszawie może być niepomyślną prognozą dla jego kariery. Nie wziąłem udziału w odprawie, bo nie chciałem przedstawiać uwag i poprawek do nieudolnego planu akcji. A niech ten austriacki lis, elegancik i sybaryta robi głupstwa! Im więcej ich popełni, tym szybciej wyleci z warszawskiego fotela!

– Von Sammern zdenerwowany, chaotyczny. Jego sztabowcy rozlatani. Nie umiał ich trzymać w garści. Przyglądałem się temu bałaganowi i objawom lekceważenia przeciwnika. Z jednej strony von Sammern nie miał prawdziwych informacji o sile organizacji żydowskich, z drugiej zaś – zamierzał, po pierwszym uderzeniu, przewlec operację i przez miesiąc kombinować dalej z niemieckimi przemysłowcami, z niektórymi wehrmachtowcami od etapów, z częścią bogatych Żydów.

– Pozostawiając von Sammernowi wolną rękę w przygotowaniach, nawiązałem kontakt z dowódcami wszystkich oddziałów bojowych policji i SS w Warszawie oraz z kilkoma naszymi ludźmi z Wehrmachtu. Próbowałem przewidzieć sytuację. Hahn twierdził, że akcja będzie trwała daleko dłużej niż zaplanowane trzy dni. Mimo doświadczeń lwowskich, nigdy nie przypuszczałem, że rachuby Hahna będą tak prawidłowe, że likwidacja getta przeciągnie się do miesięcy letnich. Hahn zwracał uwagę na wszystkie skomplikowane elementy sytuacji. W getcie pozostali co sprytniejsi Żydzi i mieli organizację wojskowo-polityczną. Na pewno będą stawiać opór, ale przede wszystkim Hahn obawiał się Polaków. Co będzie, gdy ruszą na pomoc Żydom? Nie dysponują co prawda dostatecznym uzbrojeniem, ale mogą nas zaatakować. Czy wtedy zniszczyć całą Warszawę? Namyślałem się nad taką ewentualnością i nad słowami Hahna, że zniszczenie Warszawy i sytuacyjne sprowokowanie Polaków do walki byłoby wówczas głupstwem. Politycznym i strategicznym głupstwem.

*

– 18 kwietnia 1943, wczesnym popołudniem, pojechałem zwizytować tereny jutrzejszych walk von Sammerna. Wziąłem od Hahna skromne auto z warszawskimi numerami policyjnymi, a sam przebrałem się w oficerski płaszcz bez odznak i zmieniłem tyrolkę na czapkę SS-Untersturmführera. Zdjąłem monokl. Miałem skromną ochronę, choć z dala jechały za nami dwa cywilne auta od Hahna. Przyjrzałem się dokładnie granicom getta i pobliskim domom „aryjskim" oraz sprawdziłem czujność kordonu złożonego z „askarisów".

– Skąd pan ściągnął „askarisów"? – pytam Stroopa. – Z Afryki? Przecież „askaris" to żołnierz tubylczy, mahometanin, w byłych koloniach niemieckich.

– Myśmy nazywali „askarisami" ochotników do służb pomocniczych w SS, którzy rekrutowali się z ludności autochtonicznej na terenach zdobytych w Europie Wschodniej. Byli to w zasadzie Łotysze, Litwini, Białorusini i Ukraińcy. Przeszkalano ich w SS-Ausbildungslager[16]-Trawniki pod Lublinem. Nie najlepsi żołnierze, choć nacjonaliści i antysemici. Młodzi, bez podstawowego najczęściej wykształcenia, o kulturze dzikusów i skłonnościach do kantów. Ale posłuszni, wytrwali fizycznie i twardzi wobec wroga. Wielu „askarisów" użytych w Grossaktion (szczególnie we wstępnych działaniach) to Łotysze. Nie znali języka polskiego, więc trudno im się było porozumiewać z ludnością Warszawy. A o to nam szło. Nazywaliśmy ich również Trawniki-Männer.

– Czy w czasie tej poufnej inspekcji wjechał pan do środka getta?

– Oczywiście. Nałykałem się tam smrodu żydowskiego, choć na ulicach pustki. Mówiono przedtem, że podwórza i ulice getta są tłumne, a tu prawie zupełny brak przechodniów. Pozorny spokój i niewielka ilość ludzi świadczyły, że Żydzi byli uprzedzeni o zaplanowanej akcji. Gdy spytałem jednego porucznika Wehrmachtu ze służby zaopatrzeniowej, na którego natknąłem się w zakładach Többensa (w getcie), czy nie wyczuwa jakichś dziwnych postaw żydowskich pracowników, odpowiedział, że n i e. Powiedz pan, Herr Moczarski,

---

[16] SS-Ausbildungslager (niem.) – obóz szkoleniowy (ćwiczebny) SS.

ja – nowy człowiek – odszyfrowałem natychmiast groźne dla nas nastroje, a ten starszy wiekiem poruczniczyna z I wojny nic nie spostrzegł. Többens wraz z żydowskimi kierownikami i właścicielami swego koncernu podkarmiali go pewno, stawiali koniak i posyłali do Rzeszy paczki z żarciem dla jego rodziny. Przypuszczam, że ów porucznik wchodził do sitwy generała Schindlera, szefa zakładów zbrojeniowych i zaopatrzeniowych Wehrmachtu w GG. Ta konserwatywna mafia zawodowych wojskowych, zasłaniając się pilnymi interesami frontu wschodniego, wyraźnie i od dawna sabotowała polecenia Heinricha Himmlera, aby szybko rozwiązać kwestię żydowską w Warszawie, Łodzi, Radomiu, Krakowie i Lwowie.

– Kiedy opuszczałem getto – kończył inspekcyjną relację Stroop – usłyszałem w pobliżu, od strony „aryjskiej" strzał. Pobiegłem. To strzelił młodziutki „askaris", Łotysz w czarnym płaszczu. Obrugałem go jak psa. A ten stoi na baczność i głupkowato, lecz szczerze mówi: „Tak nudno, panie poruczniku (wziął mnie za lejtnanta)... Kiedy w końcu zaczniemy strzelać do tych zwierząt za murami żydowskiego ogrodu zoologicznego?" – pyta o dziwo po niemiecku, choć w języku „Neger-Deutsch"[17]. Dałem mu r ę k a w i c z k ą po blondynowatym łbie (pochodził z rasy nordyckiej), a w łapę – jedną Reichsmarkę. Na „askarisów" mogłem liczyć!

– Wieczorem wróciłem do kwatery, wykąpałem się, natarłem skórę wodą kolońską i zjadłem pyszne knedle. Lubiłem knedle od czasów mego pobytu w Sudetenlandzie. Spałaszowałem kawał krwistej polędwicy z frytkami. Do tego kielich burgunda, egipski papieros firmy „Simon" (to najlepsze papierosy świata) i w końcu telefon do Hahna. Podziękowałem za ucztę, bo to on przysłał kolację. Spytałem, skąd wie, że lubię knedle. Doktor Hahn śmiał się i żartował. Wymieniliśmy najświeższe informacje. Ja opowiedziałem o wrażeniach z getta. On – o swych rozmowach telefonicznych z Berlinem i Krakowem... I poszedłem spać. Przedtem kazałem oficerowi ordynansowemu sprawdzić punktualnie o trzeciej w nocy, czy rozkaz von Sammerna zamknięcia getta w tym terminie jest wykonywany, i poleciłem się obudzić o czwartej.

---

[17] Neger–Deutsch (niem.) – murzyński język niemiecki, łamana niemczyzna.

*

– Dokładnie o godzinie 6 dnia 19 kwietnia, w poniedziałek, von Sammern rozpoczął akcję. Ale zbyt wcześnie kazał podwieźć oddziały bojowe. Już bowiem o piątej, a może nawet o 4.30, zjawiły się wokół getta samochody z SS-mannami, czołg i wozy pancerne. Ten huk i gwar uprzedziły Żydów, że coś większego się szykuje. Ich czujki obserwacyjne zaalarmowały sztab organizacji żydowskiej. A poza tym przyjaciele Żydów – AK, Delegatura[18] i rozmaite mniejsze polskie ugrupowania – na pewno zawiadamiali bojowców z getta o ruchu naszych oddziałów, zmierzających ulicami „aryjskimi" ku bramom żydowskiej dzielnicy mieszkaniowej. Już było jasno, bo słońce w kwietniu wcześnie wschodzi. Wkładając mundur polowy, widziałem drzewa o cieniutkich gałązkach; drżały i migotały na tle różowo-niebieskich chmur. Powietrze czyste. Świergot ptaków. Przypomniały mi się poddetmoldskie zagaje. Wczesna wiosna tak samo pachniała pod wzgórzami Hermanna der Cheruskera.

– Na wiosnę niosą się po polach i ogrodach również i n n e zapachy: odory nawozu i smród guana wywożonego z klozetów – rozsądnie zauważył Schielke i dodał: – Najprzykrzejszy jest zapach rozkładających się trupów. W 1917 roku budowaliśmy mostek w strefie pierwszej linii frontowej. (Przypominam, że Gustaw Schielke służył podczas I wojny w oddziałach pionierskich). Trawa zielona, pierwsze kwiaty, słoneczko, a tu od czasu do czasu wiaterek przynosi zatykające fale „trupich perfum", jak mówiliśmy. Mdło się robi. Ludzkie ścierwo niemożebnie pachnie!

Mówiąc to, zaśpiewał piosenkę więzienną, nieznaną mi dotychczas, o południowym wietrze, który wiał mu w twarz; „wiatr to ojczysty był" – zakończył. Po chwili Stroop opowiadał dalej:

– Siedziałem w mej kwaterze, pod telefonami. Zmontowany naprędce sztab osobisty i poczet dowódcy działały bardzo sprawnie. Szoferzy, motocykliści, radiowcy, telefoniści, adiutanci. Byłem w każdej minucie *au courant* akcji von Sammerna, który za mało wojsk

---

[18] Mowa o Delegaturze Rządu RP na Kraj, konspiracyjnym aparacie podległym Delegatowi (Pełnomocnikowi) Rządu RP na Kraj, któremu od 1943 r. przysługiwał tytuł wicepremiera Rządu RP.

wprowadził o szóstej rano do getta. Tylko 850 ludzi i 16 oficerów, wliczając w to policję porządkową, służbę bezpieczeństwa, Wehrmacht i „askarisów". Pierwsze pięć minut akcji – spokojne. Żydzi podpuścili naszych. Gdy SS-manni weszli w ulice, a von Sammernowi wydawało się, że wiosennym spacerkiem przejdzie przez getto, dostał silny ogień, planowy i celny. Po takim powitaniu wśród naszych popłoch. Oficerowie von Sammerna pchają jednak kolumny naprzód jak obłąkani! Panie, oni atakowali dużymi oddziałami i to dość zwartymi! Rozpoczęło się piekło. Wybuchła mina i poraziła nam ludzi. Żydzi i „aryjczycy" opierali się aktywnie, w sposób zorganizowany. Właściwie to a t a k o w a l i. Mówię Żydzi i Polacy, gdyż stwierdziliśmy, że byli to polscy „franc-tireurs"[19].

Stroop w początkowych rozmowach w celi mówił o „polskich bandytach" i o „żydowskich bandytach"[20]. Na skutek moich ostrych reakcji zaczął używać terminu francuskiego „franc-tireur" lub „AK-mann", „AL-mann" i „ŻOB-mann". Ten ostatni skrót pochodził od Żydowskiej Organizacji Bojowej i Stroop wymawiał go „cobmann".

– Ten idiota, von Sammern-Frankenegg, wprowadził w uliczki i gęste zabudowania jeden czołg, przydzielony Waffen SS ze zdobyczy na froncie francuskim, oraz dwa SS-owskie samochody pancerne. Powstańcy żydowscy (tu Stroop posłużył się po raz pierwszy tym określeniem) ostrzelali czołg i samochody oraz obrzucili je „cocktailami Mołotowa".

– Co za „cocktaile"? – pytam.

– Butelki z mieszaniną na podkładzie benzyny, samozapalającą się po zetknięciu z jakąś chyba fosforyzowaną taśmą naklejoną na szyjce butelki. Gdy butelka rozbiła się, wybuchał ogień.

– Ale Mołotow tych „cocktaili" nie wymyślił.

– Naturalnie, że nie. Lecz myśmy często używali nazw związanych z przywódcami ZSRR. Według informacji Abwehry[21], receptę

---

[19] Franc-tireurs (franc.) – wolni strzelcy, tu w przenośni: partyzanci.

[20] Na mocy rozkazu Reichsführera SS Heinricha Himmlera z 31 lipca 1942 r. na określenie członków zbrojnego ruchu oporu na terenach okupowanych zabroniono używania terminu „partyzanci", polecając zastąpić go terminem „bandyci".

[21] Abwehra (niem. Abwehr – obrona, ochrona) – niemiecki wojskowy wywiad i kontrwywiad w latach 1921–1944.

na „cocktaile" przekazali Żydom specjaliści AK-owcy. Później, w Powstaniu Warszawskim, „cocktaile" były masowo stosowane przez Polaków i fachowcy z Wehrmachtu wysoko oceniali te środki obronne. Nasi pancerniacy wyraźnie obawiali się butelek z benzyną. Po zduszeniu Powstania Warszawskiego, sztabowcy von dem Bacha nazywali je „cocktailami generała Bora"[22] lub „generała Montera"[23]. Gdy byłem w Atenach, szef tamtejszej Służby Bezpieczeństwa (SD) zwracał m.in. uwagę na konieczność poinstruowania naszych oddziałów o sposobach przeciwdziałania „Monter-cocktailom", bo partyzantka grecka może ich używać w przyszłych starciach ulicznych.

– W ciągu pół godziny wojska von Sammerna były rozbite i zdemoralizowane. Czołg palił się dwa razy. Został unieszkodliwiony. To samo stało się z jednym samochodem pancernym. Raniono von Sammernowi aż dwunastu ludzi. Sześciu SS-Grenadierów pancernych i SS-Reiterów oraz sześciu wachmistrzów obcoplemiennego batalionu z Trawnik.

– W mojej kwaterze rozdzwoniły się telefony. Przyjechał doktor Hahn. Trzy razy rozmawiałem z Krügerem, raz z Heinrichem Himmlerem. Byli wściekli. Reichsführer, zawsze delikatny i subtelny, wielokrotnie używał grubych słów. Rozkazali, aby natychmiast zdjąć von Sammerna z dowodzenia bojowego i zawiesić go w funkcjach SS- und Polizeiführera w Warszawie. Polecili wycofać wszystkie oddziały z getta i rozpocząć ponownie akcję, pod moim już dowództwem, w ciągu dwóch godzin. Nie potrzebowałem wydawać rozkazu o odwrocie, bo żołnierze von Sammerna sami się wycofali, a właściwie u c i e k l i. Doktor Hahn w czasie tych napięć był spokojny i mówił o skutkach politycznych n i e p o w o d z e n i a w getcie. Za to Krüger wymyślał i krzyczał przez telefon, że to „hańba", „klęska" polityczna i wojskowa, „plama na honorze i dobrym imie-

---

[22] Tadeusz Komorowski „Bór" (1895–1966), gen. dyw., dowódca Armii Krajowej od lipca 1943 r. do zakończenia Powstania Warszawskiego.
[23] Antoni Chruściel „Monter" (1895–1960), płk dypl. / gen. bryg., komendant Okręgu Warszawa-Miasto Związku Walki Zbrojnej – Okręgu Warszawa Armii Krajowej od maja 1941 r., w czasie Powstania Warszawskiego dowódca całości walczących sił polskich.

niu SS", że tego „doktora filozofii, inteligenckiego Tyrolczyka", że tę „żabę", „krowę", „głupawego Kerla"[24] i „Spitzbuba"[25] musimy zaraz zamknąć w areszcie itp. Kazał rzucić do bitwy, po przegrupowaniu się i ochłonięciu, wszystkich żołnierzy Waffen SS w Warszawie. Na moją uwagę, że lękamy się (ja i doktor Hahn) o nastroje Polaków, którzy mogą ruszyć, Krüger powiedział: „W s z y s t k i e siły SS rzuć pan przeciwko gettu! Aby zaszachować Polaków, zarządzajcie natychmiast stan alarmowy dla wszystkich formacji niemieckich: wehrmachtowskich, partyjnych, kolejowych, pocztowych, wartowniczych".

– SS-Reichsführer nie mówił tak ostro. Złościł się, to prawda. Zabronił aresztowania von Sammerna. Dał do zrozumienia, że sprawiłoby to – pod naciskiem grup „austriackich" w naszej partii – wiele niepotrzebnych komplikacji. „Czy von Sammern zostanie za swą niezdarność ukarany – powiedział Reichsführer – nie wiem. Myślę, że go przeniesiemy gdzieś na południe Europy. Ale niech mu pan powie, mein lieber Stroop, że go z tą minutą zdejmuję ze stanowiska dowódcy policji i SS w dystrykcie warszawskim. Zaraz wysyłam teleksem, na ręce pana i von Sammerna, odpowiednie rozkazy poufne. Niech pan pamięta, że nie wolno wam ugodzić miłości własnej von Sammerna. Sprawę załatwić delikatnie, bez hałasu!"

– Heinrich Himmler uzupełnił też rozkazy Krügera. Nakazał postawić w stan a l a r m u wszystkich Niemców w Warszawie. Polecił nie zaczepiać Polaków. Mówił, że czuje, iż AK może uruchomić przeciwko nam tylko kilka oddziałów dywersyjnych i bojowych, bo nie jest w stanie zrobić nic więcej. Wobec Polaków należy prowadzić dzisiaj politykę „ugodową". Nie prowokować. Ale na wszelki wypadek Reichsführer zarządził p o g o t o w i e dla wszystkich jednostek SS i policji w dystrykcie warszawskim oraz (przez szefa sztabu OKW) dla dywizji Wehrmachtu i wojsk Luftwaffe w całej Generalnej Guberni.

– Objąwszy dowództwo nad oddziałami atakującymi Żydów, uporządkowałem je i uspokoiłem. Każdemu, kto chciał, dano do

---

[24] Kerl (niem.) – chłop, chłopisko, facet, typ.
[25] Spitzbube (niem.) – złodziej, szelma, łobuz, hultaj.

wypicia kielich sznapsa lub szklankę wina. Ponadto zwiększyłem siłę uderzeniową, przydzielając do walki wszystkich pozostałych dotychczas w bezczynności żołnierzy z III batalionu szkoleniowego i zapasowego grenadierów pancernych SS oraz z oddziału szkoleniowego i zapasowego kawalerii SS w Warszawie. W miejscu unieszkodliwionych wozów wprowadziłem nowy czołg i nowy samochód pancerny formacji wojskowych SS. O godzinie 8 stan podległych mi oddziałów zwiększył się w grupie oficerskiej o 100 procent, zaś w Mannschafcie – o 50 procent. Ponadto rozkazałem prowadzić walkę niedużymi oddziałami, rozsądnie ugrupowanymi w głąb i wszerz.

– Ruszyliśmy. Znów przez pierwsze kilka minut było spokojnie. Nagle, z kilku domów, nieprzyjaciel położył ogień karabinów i pistoletów maszynowych oraz chyba granatników. Kazałem zatrzymać na krótko natarcie i podciągnąć artylerię. Dysponowaliśmy przecież jedną haubicą „dziesiątką" i trzema działami przeciwlotniczymi o piekielnej sile uderzenia. Zniszczyłem kilka budynków, które stanowiły tego dnia główne punkty oporu Żydów. Bardzo się również przydała pomoc naszych karabinów maszynowych. Zmusiliśmy bojowców żydowskich do wycofania się z dachów i wyższych pięter budynków umocnionych i zatarasowanych. Uciekli przez piwnice i kanały do innych gniazd oporu i bunkrów. Przeszukując zdobyte budynki i podwórza, ujęliśmy zaledwie dwustu Żydów. Reszta się nam wymknęła. Wobec tego skierowałem moje grupy szturmowe na inne pobliskie domy, z których od czasu do czasu strzelano. Chciałem zdobyć rozpoznane bunkry i umocnienia, a następnie je zniszczyć. Udało to się częściowo. Specjalne grupy bojowe długo pokonywały jednak opór przeciwnika. Stosowaliśmy rozmaite metody, między innymi artylerię, miotacze płomieni i miny. Po ciężkich walkach zdobyliśmy owe ośrodki oporu, ale nie ujęliśmy ani jednego członka Żydowskiej Organizacji Bojowej. Wszyscy potrafili się wycofać. Znaleźliśmy tylko w okolicy 400 „cywilnych" Żydów. Reszta poszła w kanały i w labirynty podziemnych korytarzy. Kazałem zalać kanały, bo wydawało mi się, że w ten sposób zniszczę wycofującego się przeciwnika. Nie dało to jednak rezultatów. Może niektórzy Żydzi utonęli, lecz większość przedostała się na dalsze tereny obronne.

– Pierwszy dzień walk w getcie był niezwykle dla nas ciężki – kontynuował swą opowieść SS-Gruppenführer Jürgen Stroop. – Musieliśmy postępować bardzo ostrożnie, ale odważnie i zdecydowanie. Nie chodziło mi tego dnia o jakieś psychiczne miażdżenie przeciwnika, lecz o podniesienie ducha bojowego SS-mannów po wczesnorannych porażkach. Czołg i dwa samochody pancerne usytuowałem z tyłu pierwszej linii i kazałem je otoczyć piechotą SS. Jednak rzucono na nie kilka butelek z benzyną. Ci bojownicy, co rzucali „cocktaile", musieli być wytrenowanymi sportowcami żydowskimi, bo odległości były znaczne, a butelki rozpryskiwały się niedaleko czołgu i samochodów. Rozkazałem uderzać na domy, skąd padały butelki i strzały. Zalecałem SS-mannom, żeby byli rozsądni i za dużo nie ryzykowali. Dlatego działania trwały dość długo. Saperzy musieli coś niecoś podpalić, ale pożarów tego dnia było mało.

– Starałem się nie iść zbyt głęboko w teren getta. Chciałem (i wydawało mi się, że to osiągnąłem) zdobyć i oczyścić z nieprzyjaciela choćby mały obszar, ale pewny, który by stał się bazą wyjściową do natarcia w dniu następnym. Pod koniec dnia Żydzi specjalnie nas nie atakowali. Od czasu do czasu wybuchały chaotyczne strzelaniny. Zanosiło się na pewne uspokojenie sytuacji, co było dla naszej strony konieczne. Udowodniłem Mannschaftowi i oficerom, że z nawiązką wyrównaliśmy poprzednie straty. Że zdobyliśmy trochę nowego terenu i że jutro z pewnością będzie daleko lepiej.

– Po przeliczeniu schwytanych Żydów i po odkomenderowaniu ich gdzie należy, spotkałem się z podległymi mi dowódcami. Pochwaliłem za sprawność bojową i hart ducha oraz dyscyplinę w ich jednostkach. Wyróżniłem szczególnie majora Sternhagela[26] z Schutzpolizei. Zachowywał się wspaniale, spokojnie i odważnie. Dawał przykład odwagą i zdyscyplinowaniem, a jednocześnie konieczną ostrożnością w działaniu. Stał się *via facti*[27] moim zastępcą i bezpośrednim pomocnikiem. Toteż wyznaczyłem go na dowódcę walki w dniu następnym.

---

[26] Erwin Sternagel (a nie Sternhagel) (ur. 1902), mjr, podczas walk w getcie warszawskim dowódca I batalionu 22. SS-Polizei Regiment (22. pułku policji SS).
[27] Via facti (łac.) – drogą czynu.

– Około godziny 20 zacząłem wycofywać moje oddziały. Ustała strzelanina. Żydzi milczą jak zaklęci, jakby ich nie było w domach, w fabrykach i podziemiach getta. Wszystkie jednostki wycofałem (nawet te ze zdobytych terenów) i zwolniłem do kwater. Ale chcąc być pewny, że oddziały AK-owskie i innych organizacji konspiracyjnych nie nawiążą bezpośredniej łączności z Żydami, zmieniłem system straży zewnętrznej. Zamiast około 120 „askarisów", którzy otaczali od kilku dni getto, dałem na posterunki przy murach i bramach od strony „aryjskiej" około 250 żołnierzy Waffen SS plus kilkudziesięciu policjantów niemieckich i Werkschutzmannów[28] narodowości niemieckiej. W razie nocnej napaści oddziałów polskich rozkazałem im, uzbrojonym po zęby, brutalnie ostrzelać, a nawet palić sąsiednie domy „aryjskie".

– Herr General opowiadał nam o stratach spowodowanych przez SS-Oberführera doktora von Sammern-Frankenegga. Zostało wtedy rannych, jak słyszeliśmy, sześciu SS-mannów i sześciu „askarisów". A wielu padło (lub zostało rannych) od 8 rano do 8 wieczór, kiedy Herr General bezpośrednio dowodził? – zapytał Gustaw Schielke.

Stroop się troszkę skrzywił. Ale, rozgrzany opowiadaniem, odpowiedział natychmiast:

– Straty nasze tego dnia zamykały się liczbą 24 rannych. Poległych nie mieliśmy. Gdy ja dowodziłem, raniono nam dziesięciu SS-mannów, żadnego „askarisa", a ponadto – przypadkowo – dwóch posterunkowych policji polskiej. Niepotrzebnie się tam zaplątali i ulegli lekkim postrzałom. Wśród rannych znaleźli się, niestety, dwaj członkowie Sicherheitsdienst (SD) z pięćdziesięciu policjantów bezpieczeństwa, jacy brali udział w pierwszym dniu akcji. Obaj byli w ciężkim stanie. Fatalne postrzały. Doktor Hahn natychmiast się nimi zajął, a później mi delikatnie wypominał, że pozwoliłem funkcjonariuszom tej specjalnej służby znaleźć się na terenach szczególnie zagrożonych przez wroga.

– Gdy wróciłem do swej osobistej kwatery, był tam już Hahn z doskonałą kolacją. Siedział w klubowym fotelu i popijał drobnymi

---

[28] Werkschutz (niem.) – pomocnicza formacja policyjna z zadaniem ochrony zakładów przemysłowych.

łyczkami francuski aperitif. Patrzał na wiosenne niebo, na gwiazdy. Stając na progu gabinetu, usłyszałem: „Gratuluję, Herr General! Doskonale! Wydobył pan nas z sytuacji kompromitującej. Niech pan się już nie kąpie, tylko umyje ręce i siada do knedli, bo wystygną. Przed chwilą przynieśli je nam".

– Po dwóch, trzech minutach zaczęliśmy w milczeniu zajadać. Nafaszerowaliśmy się knedlami, które – jak się okazało – doktor Hahn również bardzo lubił albo udawał, że lubi. Przy daniu pieczystym z dziczyzny i przy truflach (skąd ten Hahn wydobył trufle?!) wymieniliśmy poglądy oraz informacje. Zaczęliśmy od zranionych funkcjonariuszy SD. Szło mu szczególnie o życie rannego SS-Oberscharführera Rudolfa Kosmali[29], zasłużonego wywiadowcy Hahna w Warszawie. Przyrzekłem, że zrobię wszystko, aby żaden członek SD nie został ranny lub zginął. Co prawda w końcu kwietnia i początku maja straciliśmy jeszcze dwóch ludzi z przydzielonego mi oddziału Policji Bezpieczeństwa. Jeden został ranny, drugi poległ[30]. Ale ponieważ Hahn o nich nie wspominał, myślę, że nie byli z SD.

– Pan myśli, że zaraz poszedłem spać? Wprost przeciwnie. Wykąpałem się, zmieniłem bieliznę, mundur i buty oraz wziąłem się do roboty. Przeprowadziłem rozmowę z Krügerem, który się niecierpliwił w Krakowie, oraz zameldowałem krótko Heinrichowi Himmlerowi o przebiegu i efektach moich dwunastogodzinnych działań w getcie. O ile na rozmowę z Krügerem czekałem dwadzieścia minut, to połączenie telefoniczne z SS-Reichsführerem uzyskałem natychmiast. Musiałem tylko w centrali sieci telefonicznej SS powiedzieć specjalne hasło. Heinrich Himmler wyraził swe zadowolenie i powinszował. Stwierdził głosem miękkim i przyjemnym, że się na

---

[29] SS-Sturmscharführer (a nie Oberscharführer) Rudolf Kosmala (ur. 1901), ranny 19 kwietnia 1943 r. W opracowaniu Reginy Domańskiej *Policja bezpieczeństwa dystryktu warszawskiego i jej więzienie „śledcze" Pawiak* („Biuletyn Głównej Komisji Badania Zbrodni Hitlerowskich w Polsce", t. XXVIII, Warszawa 1978, s. 213) mylnie wymieniony jako poległy w tym dniu.

[30] W rzeczywistości jeden zabity i dwóch rannych: SS-Rottenführer Edmund Lotholz (ur. 1904), zginął 1 maja 1943 r., SS-Rottenführer Fritz Rührenschopf (ur. 1910), członek załogi oddziału kobiecego Pawiaka, ranny 19 kwietnia 1943 r., SS-Scharführer Hugo Nieratschker (ur. 1909), ranny 25 kwietnia 1943 r.

mnie nie zawiódł, ale równocześnie przestrzegł przed zbytnim optymizmem, jeśli idzie o dni najbliższe. Wysłuchując moich relacji, doszedł do wniosku, że Żydzi są zdeterminowani, zorganizowani i wyposażeni oraz mają poparcie społeczeństwa polskiego i polskiej konspiracji wojskowej. „Lieber Stroop – powiedział – będą jeszcze trudne dni. Nawet bardzo trudne. Niech pan będzie ostrożny i niech pan konsultuje się z Hahnem. Upoważniam pana do stosowania wszystkich dostępnych środków, ale gdy zajdzie potrzeba. Niech pan stara się nie palić i nie burzyć domów, dopóki wszystkie zakłady przemysłowe w getcie, a szczególnie zbrojeniowe, nie zostaną ewakuowane. Naszych ludzi, maszyny, narzędzia i surowce oraz wyprodukowane towary należy szczególnie chronić przed pożarem, obstrzałem i wybuchami".

– Po tych rozmowach telefonicznych i konferencji z doktorem Hahnem przeprowadziłem odprawę z osobistym sztabem i dowódcami samodzielnych jednostek bojowych. Specjalny nacisk położyłem na pełne wykonywanie obowiązków przez podległych mi oficerów i żołnierzy Wehrmachtu. Położyłem się późno spać, bo jeszcze musiałem zanotować coś niecoś w kalendarzu. Wypiłem jeden kieliszek burgunda i wyciągnąłem się w luksusowej pościeli wygodnego łóżka, które zasłał ordynans.

– Już miałem zasypiać, gdy otrzeźwił mnie dzwonek jednego z trzech aparatów telefonicznych, stojących na mahoniowym stoliku przy moich poduszkach. „Donnerwetter! – ryknąłem w tubkę telefonu. – Jak śmiecie mnie budzić! Czy jesteście tacy durnie, iż nie wiecie, że za kilka godzin mam znów dowodzić akcją w getcie i że muszę przedtem choć cztery godziny się przespać?!" W telefonie usłyszałem chrząknięcie. Chciałem obsztorcować rozmówcę. Ale się zorientowałem, że to przecież znajomy głos. Rzeczywiście, usłyszałem Heinricha Himmlera. Zerwałem się na równe nogi (ale stopy miałem na perskim dywaniku) i zacząłem gorąco przepraszać SS-Reichsführera. A ten łagodnie, krztusząc się ze śmiechu, powiedział: „Niech się pan nie gniewa, mój drogi Stroop, że pana budzę i przerywam wypoczynek. Ale po przemyśleniu pańskich meldunków oraz telefonogramów od Krügera, doszedłem do ogólniejszej refleksji. Mianowicie, niech pan nie zapomina, Herr General Stroop, że przeszedł pan dopiero wstępną fazę Wielkiej Akcji. Dziewiętnasty kwietnia to u w e r t u r a do zdarzenia historycznego, które będzie nosić nazwę Grossaktion in Warschau. Przebiegiem tej uwertury dyrygował pan wspaniale. Szczególnie dobrze to wyszło na tle niedołężnych usiłowań partacza von Sammerna. Ponieważ lubię Wagnerowskie opery i dzisiejszych, nacjonal-socjalistycznych muzyków-dyrygentów, pozwoli pan, że powiem do niego: Graj pan tak dalej, Maestro, a nasz Führer i ja nigdy tego panu nie zapomnimy".

XV. Flagi nad gettem

– Drugiego dnia ataku na getto, we wtorek 20 kwietnia, obudziłem się przed brzaskiem, niedospany, ale rześki – opowiadał Stroop z wyjątkową jak na niego ochotą. Wyraźnie podniecony, przeżywał po raz któryś swój „twórczy udział w Grossaktion in Warschau". Nie uroniłem żadnego ze słów i podtekstów Jürgena Stroopa. W wyobraźni towarzyszyłem wszystkim sytuacjom, nawet je widziałem; moje wędrówki w ubiegły czas przebiegały tym łatwiej, że były SS-Gruppenführer używał języka meldunków policyjnych, a ja d o-b r z e pamiętałem realia wiosny 1943 roku, obserwowane z „aryjskiej" strony getta.

Mimo że Stroop siedział przy mnie, na zydlu, nie postrzegałem jego postury więziennej. Pod wpływem napięć – mówił przecież o zdarzeniach fascynujących, choć potwornych – widziałem go nie w ciemnopąsowej wiatrówce, białym halsztuku i sfatygowanych trzewikach więźnia, lecz w mundurze SS-Brigadeführera z orderami i Eichenlaubami, w tyrolskiej czapce i kawaleryjskich butach. Widziałem oko błyszczące i usta zacięte. Obserwowałem sprawność, zapał i zimny uśmiech samozadowolenia.

Raz tylko wróciłem do rzeczywistości, do biało-zielonej celi, chmur za kratami i ostrzyżonej „à la Mokotów" czaszki generała. Ale trwało to krótko. Zatonąłem w kręgu gettowej w ł a d z y Jürgena Stroopa, gdy opowiadał:

– Drugiego dnia Wielkiej Akcji byłem zbulwersowany nadzieją, a jednocześnie o b a w ą o losy dalszego natarcia. Cokolwiek byśmy mówili, to klęska von Sammerna i późniejsze, nienadzwyczajne efekty walki musiały jakoś wpłynąć na morale moich ludzi. Od początku drugiego dnia walki miałem tremę. Jak zachowają się Żydzi? Czy „aryjczycy" nie zaatakują? Może SS-mannom zabraknie odwagi, gdy przyjdzie do walki wręcz? W czasie golenia się rozważałem wszelkie możliwości. Śniadanie przełknąłem na chybcika, myśląc o najbliższych godzinach. Przyznaję, że od czasu do czasu nachodziło mnie duże zdenerwowanie. Ale dowódca musi się denerwować, szczególnie w trudnej sytuacji. Przed zejściem do auta (byłem sam w pokoju) przeżegnałem się, jak uczyła mnie Mutti. Gdy usiadłem przy szoferze i odetchnąłem wiosennym powietrzem, wrócił spokój.

– O godzinie 7 rano znów wkroczyły do getta przednie oddziały szturmowe. Podzieliłem je na grupy po trzydziestu sześciu ludzi, plus oficer lub podoficer. Majorowi policji Sternhagelowi (który bezpośrednio dowodził akcją) rozkazałem, aby ostrożnie wszedł na zdobyty wczoraj teren, potem oczyścił „Restghetto", a dalej, aby przeszukał energicznie cały obszar zamknięty murami. Myślałem, że tego drugiego dnia dokonamy gros roboty, a trzeci dzień i kilka następnych pozostaną na działania porządkujące, wykończeniowe. Pomyliłem się.

– Co pan generał rozumie przez „Restghetto"? – zapytał Schielke.

– „Restghetto" to część żydowskiej dzielnicy w Warszawie, opuszczona dobrowolnie przez mieszkańców w lipcu 1942 roku – wytłumaczył Stroop.

Tu diabli mnie wzięli:

– Po co pan nas buja, Herr General?! Gdzie się wynieśli mieszkańcy tej części getta? I to d o b r o w o l n i e! Dwudziestego drugiego lipca 1942 rozpoczęliście w Warszawie pierwszą „akcję wysiedleńczą" Żydów do obozów z a g ł a d y. Wywieziono wtedy do komór gazowych w Treblince chyba 320 tysięcy ludzi. A wiele tysięcy zamordowano na miejscu, w getcie?...

Stroop chciał mi przerwać, lecz Gustaw Schielke, przejęty i ciekawy, włączył się natychmiast:

– Niech pan nie przeszkadza, Herr General. Proszę dalej opowiadać, panie Moczarski! To bardzo interesujące.

– Co dzień, jak pamiętam z raportów i rozmów z naszymi kolegami w BIP-ie KG AK: „Wacławem"[1]*, „Pisarczykiem"[2], „Brunem"[3] i przede wszystkim z moim szefem, „Tomaszem"[4] – wspominałem dalej – c o d z i e ń wysyłano wtedy kontyngent 5–6 tysięcy Żydów dla „zakładów gazujących" i krematoriów Treblinki. Ofiary upychano w Warszawie w wagonach bydlęcych po stu ludzi na wagon. Tak

---

[1] „Wacław" – Henryk Woliński, inny pseudonim „Zakrzewski" (1901–1986), adwokat, kierownik utworzonego w lutym 1942 r. podreferatu żydowskiego w referacie mniejszości narodowych w ramach Wydziału Informacji Biura Informacji i Propagandy (BIP) Komendy Głównej Armii Krajowej. Opracowany przezeń raport z działalności podreferatu żydowskiego opublikowany został w książce Bernarda Marka Powstanie w getcie warszawskim, „Idisz Buch", Warszawa 1963, s. 342–351.

* Wymieniony w odpowiednim odcinku edycji Rozmów z katem na łamach „Odry" (1973, nr 1, s. 30) w tym miejscu pseudonim Władysława Bartoszewskiego – „Teofil", w wydaniu książkowym zastąpił autor pseudonimem Ludwika Widerszala – „Pisarczyk".

[2] „Pisarczyk" – Ludwik Widerszal (1909–1944), historyk, docent Uniwersytetu Warszawskiego, pracownik Archiwum Wojskowego i Archiwum Akt Nowych, w Biurze Informacji i Propagandy Komendy Głównej Związku Walki Zbrojnej – Armii Krajowej kierownik kolejno referatu polityki międzynarodowej, biura Wydziału Informacji i Podwydziału „Z", jednocześnie wykładowca na tajnym Uniwersytecie Warszawskim.

[3] „Brun" – Antoni Szymanowski, inne pseudonimy „Borowski" i „Brzeski" (1914–1985), historyk, w Biurze Informacji i Propagandy Komendy Głównej Związku Walki Zbrojnej – Armii Krajowej pracownik referatu polityki okupanta, a w 1944 r. zastępca kierownika Podwydziału „W" w Wydziale Informacji, w czasie Powstania Warszawskiego członek redakcji „Biuletynu Informacyjnego"; był także redaktorem naczelnym konspiracyjnego pisma Stronnictwa Demokratycznego „Nowe Drogi" i autorem konspiracyjnej broszury Likwidacja ghetta warszawskiego. Reportaż, wydanej w listopadzie 1942 r.

[4] „Tomasz" – Jerzy Makowiecki, inne pseudonimy „Kuncewicz", „Malicki" (1896–1944), inżynier architekt, mjr, współzałożyciel Klubu Demokratycznego w Warszawie, wiceprezes Stronnictwa Demokratycznego, w Biurze Informacji i Propagandy Komendy Głównej Związku Walki Zbrojnej – Armii Krajowej organizator i szef Wydziału Informacji od października 1940 r. do śmierci, jednocześnie wiceprezes, a od maja 1943 r. prezes konspiracyjnego Stronnictwa Demokratycznego. W dniu 13 czerwca 1944 r. równocześnie z Ludwikiem Widerszalem (patrz wyżej, przyp. 2) padł ofiarą skrytobójczego mordu politycznego z inspiracji do dziś nie w pełni zidentyfikowanej skrajnie prawicowej grupy mafijnej.

m.in. odjechał na śmierć słynny pedagog, opiekun dzieci i społecznik, doktor Janusz Korczak. Wraz z dziećmi...[5] Zamilkłem. Schielke patrzył w okno, w błękitne niebo. Cisza. Chciałem szmatą zamieść podłogę, ale Stroop mi ją wyrwał. Sprzątał bez słowa. Powoli uspokoiliśmy się.

*

– „Restghetta" nie można było tego dnia oczyścić – Stroop opowiada dalej. – Natknęliśmy się na punkty oporu i zamaskowane kryjówki mieszkaniowe. Ponadto w północnych i wschodnich dzielnicach getta przyjęto nas ogniem pistoletów maszynowych. Kazałem tam rzucić, pod ochroną czołgu, dwa oddziały szturmowe. Czołg ostrzelano. Pocisk uszkodził gąsienicę. Szybko ją zreperowano. Walka się przedłużała. Zdobyliśmy te umocnienia, lecz mieliśmy dwóch rannych, grenadierów pancernych z Waffen SS.

– SS-manni atakowali dalsze punkty obrony (odkryliśmy ich wtedy dziesięć), ale główna rola przy natarciach przypadła saperom Wehrmachtu i obsłudze miotaczy płomieni. Musieliśmy wysadzać w powietrze bunkry, ostrzeliwać z dział oraz zmuszać płomieniem bojowców żydowskich do opuszczenia stanowisk przy otworach strzelniczych.

– Jednym z najpoważniejszych gniazd oporu był wówczas blok domów, gdzie mieściły się fabryki i warsztaty n i e m i e c k i e g o zarządu Kwatermistrzostwa Wojska. Niech pan sobie wyobrazi, że w tych gmachach, pozostających pod nadzorem Wehrmachtu, to znaczy ludzi generała Schindlera, że właśnie tam znajdowały się nadziemne i piwniczne umocnienia Żydów. Szef mojego sztabu, SS-Sturm-

---

[5] Janusz Korczak (Henryk Goldszmidt) (1878–1942), lekarz pediatra, mjr, pisarz, pedagog i teoretyk wychowania, twórca systemu wychowania internatowego, współzałożyciel i od 1912 r. do końca życia dyrektor żydowskiego Domu Sierot przy ul. Krochmalnej 92 w Warszawie (w 1940 r. przeniesionego do getta warszawskiego). 5 sierpnia 1942 r. wraz z wychowawczynią Stefanią Wilczyńską towarzyszył dobrowolnie dzieciom ze swojego Domu Sierot wywiezionym z getta w Warszawie do niemieckiego obozu zagłady w Treblince i tam wraz z nimi zginął w sierpniu 1942 r.

bannführer Max Jesuiter[6], dał rozkaz niemieckiemu zarządcy, aby bezzwłocznie wyprowadził Żydów z domów, hal i warsztatów. Miało się tam znajdować ponad cztery tysiące tej hołoty i podludzi. Na wezwanie zarządcy zgłosiło się trzydziestu Żydów. Reszta pozostała w kryjówkach, część uciekła szczurzymi korytarzami, a część zbrojnie się opierała. Walczyli zacięcie. Niestety (muszę tu przyznać!), trzymali nas w dystansie i zadawali straty. Wobec tego użyłem wszystkich saperów i artylerii przeciwlotniczej.

– Jakiego kalibru były działa przeciwlotnicze? – pyta Schielke.

– Nie największego. Dwudziestomilimetrówki. Szybkostrzelne. Ale panowie orientujecie się w skutecznej i nękającej sile przebicia takiego pocisku zenitowego działa, gdy razi torem płaskim cele odległe tylko o 200–300 metrów. Obsługę trzech dział Żydzi obrzucali granatami i ostrzeliwali z karabinów i pistoletów maszynowych. Powstańcy żydowscy i „franc-tireurzy" oszczędzali amunicji. Strzelali rzadko, ale celnie. Z tej baterii przeciwlotniczej zabili kanoniera i bombardiera. Bombardier miał imię, jakie dostałem przy urodzeniu, a nazwisko bardzo zbliżone do mojego. Nazywał się Józef Strupp[7]. Natychmiast rozeszła się w naszych szeregach pogłoska, że to ja zginąłem. Mało byłem jeszcze znany w Warszawie, więc nieraz pisano błędnie moje nazwisko, przez jedno „o" i dwa „p". Teleksista, podając wstępną listę strat (imiona i nazwiska, bez rang i funkcji), zamiast „u" wystukał „o". Berlin natychmiast zapytał przez alarmową sieć radiową, czy to prawda, że poległem. Doktor Hahn i Jesuiter szybko sprostowali oraz wyjaśnili Berlinowi i Krügerowi okoliczności pomyłki.

– Gdy jesteśmy przy pogrzebowej tematyce, to ilu stracił pan ludzi drugiego dnia bitwy? – zapytał Schielke.

– Trzech zabitych i dziesięciu rannych[8].

---

[6] Max Jesuiter (ur. 1897), SS-Sturmbannführer / SS-Obersturmbannführer, szef sztabu Dowódcy SS i Policji (SSPF) w Dystrykcie Warszawskim.

[7] Joseph Strupp (ur. 1907), Gefreiter (starszy szeregowiec) 8. baterii artylerii przeciwlotniczej Wehrmachtu, poległ 20 kwietnia 1943 r.

[8] Nazwiska i podstawowe dane personalne trzech zabitych i dziesięciu rannych w dniu 20 kwietnia 1943 r. oraz zabitych i rannych w innych dniach walk w getcie

Schielke świsnął, wciągając powietrze na znak, że to niemałe straty, i rzekł:
– Trzeba było wzmocnić siłę własnego ognia.
Stroop na to:
– Kazałem zaraz wprowadzić do bezpośredniej akcji stumilimetrowe h a u b i c e.
Schielke przerywa:
– Mówił pan przedtem, że do walk w getcie przeznaczono j e d n ą haubicę. Skąd teraz liczba mnoga?
Stroop chwilę milczał, rozważając widocznie, jaką dać odpowiedź. Wreszcie wyjaśnił:
– W meldunkach o przebiegu bitwy zawsze kazałem podawać w rubryce „siły własne" tylko j e d n ą haubicę stumilimetrową, przydzieloną o f i c j a l n i e przez Wehrmacht. Ale miałem znajomości i kontakty! Więc w praktyce działo się tak, że jeden kapitan artylerii (członek NSDAP) „w y p o ż y c z a ł" w razie potrzeby większą liczbę haubic, od trzech do pięciu. W omawianej sytuacji także rąbały trzy haubice, bo chciałem szybko zgryźć ten orzech. W raportach służbowych nie podawałem, za radą doktora Hahna, całej prawdy o liczbie haubic, dział przeciwlotniczych i miotaczy płomieni oraz o ilości zużytych materiałów wybuchowych, gdyż byłoby to p o l i t y c z n i e niewskazane.
– W labiryncie domów – ciągnął Stroop – należących do zakładów kwatermistrzostwa znajdowało się naprawdę około dziesięciu tysięcy Żydów. A według naszych urzędowych informacji miało ich być – przypominam – tylko cztery tysiące. Skąd te rozbieżności statystyczne? Bo Żydzi opłacali treuhänderów, kierowników i kontrolerów niemieckich (również wojskowych), spijali ich koniakiem i burgundem, ogłupiali dziewkami, więc kierownik-Niemiec zawsze doliczał się tylu ludzi na zbiórkach, ilu chcieli się doliczyć Żydzi. Panował bałagan (Stroop powiedział: „der Wirrwarr") tak piramidalny, choć produkcja żydowska była dobra, że większego nie widziałem w życiu. Stąd, przy braku dozoru, a wła-

warszawskim przytacza Stroop w swoim sprawozdaniu – patrz J. Gumkowski, K. Leszczyński, *Raport Stroopa...*, op. cit., s. 124–130.

ściwie przy oślepionym dozorze, Żydzi zdołali wybudować w tajemnicy system bunkrów, umocnień, piwnic mieszkalnych, przejść, korytarzy itp. Wykorzystywali od dawna wojskowe warsztaty produkcyjne i remontowe, szczególnie branży metalowej i chemicznej, do wyrabiania, reperowania i magazynowania sprzętu, urządzeń i środków bojowych. Ten żydowski „przemysł zbrojeniowy" wytwarzał m.in. granaty ręczne odporne, „cocktaile Mołotowa", miny, w y r z u t n i e min i granatów (przemyślnie sporządzone z rur kanalizacyjnych, a nawet z luf rozerwanych dział; musieli penetrować wojskowe składnice złomu!), a ponadto: jakieś karabiny, pistolety, strzelby oraz tzw. „bomby pończochowe"...

– Co to takiego? – przerywa Schielke.

– Materiał wybuchowy, niby szedyt czy trotyl, ale dziesięć razy silniejszy, podobny do kitu lub plastiku. ZOB-mann pakował plaster tego materiału w pończochę, nadawał kształt, jaki chciał i – przed rzutem albo zawieszeniem na murze – wgniatał zapalnik, podobny do dziecięcego termometru. Była to wyjątkowo silna masa wybuchowa.

– Sytuacja z „fortem kwatermistrzostwa" (tak ów kompleks gmachów nazywaliśmy) stała się skomplikowana. Nie mogliśmy go zdobyć przed nocą. Wieczorem wycofałem oddziały bojowe. Ale zarządziłem, aby następnego dnia pięć tysięcy Żydów, którzy pracowali w innych zakładach, np. u słynnego Többensa, stanęło o 6 rano na placu zbiórki, gotowych do wyjazdu. Zobowiązałem do tego niemieckich powierników. Nie chcieli się początkowo zgodzić; tłumaczyli, że znają się tylko na produkcji i handlu. Ale ich szybko przekonałem, nawet wyjąłem pistolet z kabury. W końcu z chęcią się zgodzili.

– Z chęcią i d o b r o w o l n i e – ironizuje Schielke oraz kiwa, jak lufą pistoletu, palcem wskazującym zaciśniętej dłoni.

A Stroop na to:

– Czyż w inny sposób mogłem zmusić tych cywilnych durni do podporządkowania się nakazom racji stanu? Lepsze postraszenie pistoletem niż wysłanie do więzienia lub na wschodni front... Drugi dzień Wielkiej Akcji nie był więc łatwy. Ujęliśmy tylko pięciuset

Żydów. Młodszych i sprawnych przeznaczyłem do „Julagu" na robotników w „Werke Poniatowa, GmbH"[9].
– W południe, wieczorem i w nocy przeprowadzałem tego dnia narady, m.in. z doktorem Hahnem – ciągnął Stroop – oraz rozmowy telefoniczne z generałem Krügerem i centralą berlińską. Wysłałem meldunki. W tym niewyraźnym położeniu uzyskałem dodatkowe pełnomocnictwa do spalenia i zniszczenia bloku kwatermistrzostwa.

*

– Następnego dnia, w Wielką Środę, znów od rana natarcie na blok. Wielokrotne szturmy. Zdołaliśmy oczyścić część obiektu z podludzi. Tam się znajdowało nie kilkanaście, ale około s i e d e m d z i e-s i ę c i u bunkrów. Walka zacięta. Nieprzyjaciel atakował granatami, minami, „cocktailami Mołotowa" i ogniem z pistoletów. Żydzi, zwinni jak pantery, przerzucali się z jednej kryjówki do drugiej. Mieli świetne, muszę to przyznać, metody sygnalizacji, łączności i poruszania się w szczurzych korytarzach. W końcu saperzy wysadzili w powietrze wiele miejsc obronnych, połączeń i przejść. Podpalono blok. Płomieniami, żarem i dymem w y k u r z y l i ś m y Żydów! Panie, jak oni od tego podsmażania i wędzenia krzyczeli! Z jaką chęcią oddawali się do niewoli! Co prawda część popełniła samobójstwo, lecz resztę wysiedliliśmy i... natychmiast do wagonów, do Treblinki!
– W sumie ujęliśmy tego dnia pięć tysięcy Żydów z „fortu kwatermistrzostwa". Niestety, tylko p o ł o w ę. Reszta wymknęła się. Niektóre bunkry pozostały. Wiedzieliśmy, że znajdują się w głębi, w piwnicach. Ale nie znaliśmy ich dokładnego położenia ani dróg dojścia. Potem kontrolowaliśmy wielokrotnie ten obiekt i każdorazowo jakiś nowy przyczajony punkt oporu czy schronienie musieliśmy zdobywać.
– Kurz tam był straszny, smród, dymy i piekło na ziemi. A w Łazienkach (w pobliżu mej kwatery) wiosna ciepłego kwietnia. I pierwsze kwiaty.

---

[9] „Werke Poniatowo GmbH im SS Arbeitslager Poniatowo" – zakłady tekstylne i rymarskie, zorganizowane (na podstawie umowy z 31 stycznia 1943 r.) w obozie pracy w Poniatowej, gdzie w listopadzie 1943 r. zamordowano 15 tysięcy Żydów.

*

– W Wielki Czwartek, 22 kwietnia 1943, było mniej więcej to samo. Nakazałem SS-mannom większą ostrożność i umiar w poruszaniu się. Zabroniłem ryzyka i fanfaronady. Od razu mieliśmy rezultaty: tylko jeden ranny, z Schutzpolizei. Co było w tym dniu godne uwagi? Trzy okoliczności. Jedna, to powrót bojowców żydowskich do wypalonych lub częściowo płonących domów, skąd otwierali ogień. Daliśmy im fest lanie! Wielu poległo, a około 200 wzięliśmy do niewoli.

– Druga sprawa, to nasza bezradność wobec Żydów i Polaków, którzy opanowali k a n a ł y pod gettem. Takie „katakumby" są fenomenalnym urządzeniem dla ucieczek i zaskoczenia. Żydzi uniemożliwili zatapianie kanałów. Kilku SS-mannów, którzy tam zeszli, powitano ogniem z pistoletów. Świece dymne i wlewany kreozot[10] nie dały również efektu. Kanałów nigdy nie pokonaliśmy! To samo zjawisko obserwowali później nasi sztabowcy w czasie Powstania Warszawskiego.

– Trzecim fenomenem, który się ujawnił w Wielki Czwartek, był udział żydowskich kobiet w walkach. Idzie o zorganizowane grupki dziewczyn z „Haluzzenbewegung"[11]. Od tego dnia mieliśmy często z nimi do czynienia.

Sama instytucja kobiet walczących z bronią w ręku, kobiet-żołnierzy, dywersantów, sabotażystów, partyzantów, była dla Stroopa nie do pojęcia. Zbyt duży dystans dzielił bowiem płeć piękną z Detmoldu (włoczoną w reżim „Kirche, Küche und Kinder") od dziewczyn z Żydowskiej Organizacji Bojowej! Stroop był zaszokowany „wojskową emancypacją kobiet", z którą po raz pierwszy zetknął się dopiero w Polsce. Wypytywał, czy to prawda, że mur centrali telefo-

---

[10] Kreozot (gr.) – uboczny produkt destylacji drzewa bukowego, używany jako środek odkażający.

[11] Mowa o demokratyczno-syjonistycznej organizacji „Hechaluc" (Pionier) i jej pionie młodzieżowym „Dror" (Wolność). Jednym z czołowych działaczy tej organizacji był Mordechaj Tenenbaum vel Josef Tamarof, komendant Żydowskiej Organizacji Bojowej w Białymstoku, dowódca powstania w getcie białostockim w sierpniu 1943 r.

nicznej w Warszawie został wysadzony w Powstaniu 1944 roku przez oddział minerski AK-ówek. Potwierdziłem, dodając trochę szczegółów o tej żołnierskiej akcji kobiet, walczących pod rozkazami „Doktora", czyli lekarki medycyny dr Zofii Franio z kierownictwa dywersji KG AK[12].

– Gdybym nie widział na własne oczy tych żydowskich dziewczyn z powstania w getcie, myślałbym, Herr Moczarski, że pan trochę koloryzuje. Ale wy tu, w Polsce, macie kobiety!! – Stroop zacmokał z podziwu.

Bardzo mu imponowały „Haluzzenmädeln" z kwietnia i maja 1943 roku.

– Myślę – powiedział kiedyś – że nie były to ludzkie istoty: chyba diablice albo boginie. Spokojne. Sprawne jak cyrkówki. Często strzelały z pistoletów jednocześnie z obu rąk. Zażarte w walce, do końca. Niebezpieczne w bezpośrednim zbliżeniu. Taka schwytana „Haluzzenmädel" wyglądała niby trusia. Całkowicie zrezygnowana. Aż tu raptem – gdy grupa naszych podeszła do niej na kilka kroków – jak nie sięgnie po ukryty w spódnicy lub szarawarach granat, jak nie rąbnie w SS-owców, jak nie zacznie miotać przekleństwa do dziesiątego pokolenia w przyszłość – to włosy się jeżyły! Ponosiliśmy w takich sytuacjach straty, więc rozkazałem nie brać więcej dziewczyn do niewoli, nie dopuszczać ich zbyt blisko i z daleka rozwalać pistoletami maszynowymi.

Wtedy zadałem Stroopowi pytanie:

– Czy panu nie było nigdy żal ich młodego życia?

Zaskoczyłem go, ale i Schielkego też. W celi pełna cisza... Milczenie trwa długo... Stroop lekko pochylony, jak przy bólach żołądkowych. Prawą dłoń przyciska do kurtki – tam, gdzie serce. Kurczowo międli palcami fałdę pąsowej „jacki"[13]. Patrzę na Stroopowską rękę, na jej ruchy powolne i jakby konwulsyjne. Sły-

---

[12] Zofia Franio „Doktór" (1899–1978), dr medycyny, kpt. / mjr, dowódca kobiecych patroli sabotażowo-dywersyjnych (minerskich) Związku Odwetu Komendy Głównej Związku Walki Zbrojnej, a od 1942 r. Kedywu Okręgu Warszawa Armii Krajowej, po wojnie więziona w latach 1946–1956.

[13] Jacke (niem.) – kurtka.

szę, że Schielke raz po raz zaciska szczęki; widać, jest bardzo przejęty. Czekamy. To Stroop, a nie my, powinien przerwać nabrzmiewające milczenie.

Wreszcie generał wyprostowuje się, przygładza włosy na skroniach i odpowiada, skandując:

– Kto chciał być wtedy prawdziwym człowiekiem, to znaczy s i l n y m, musiał działać jak ja. G e l o b t s e i w a s h a r t m a c h t![14]

Przypomnienie tej hitlerowskiej zasady wychowawczej i propagandowej[15] tak nas zbulwersowało, że nic więcej nie mówiliśmy. Po pewnym czasie opadły napięcia i nawiązałem do opowiadań Stroopa o Wielkim Czwartku (22 kwietnia 1943) w getcie warszawskim:

– Sądzę, Herr General, że poza tymi trzema zjawiskami, które pan tak uwypuklił, równie ważną kwestią dla pana i dla Hahna oraz Krügera był udział „aryjczyków" w walkach przeciwko wam.

– Oczywiście! – szybko podchwycił Stroop. – Już pierwszego i drugiego dnia Wielkiej Akcji główna grupa bojowa Żydów przemieszana była z polskimi „franc-tireurami". Wycofywała się w kierunku placu Muranowskiego, gdzie zasiliła ją większa liczba „aryjczyków". Utrzymywali oni stałą łączność z AK, myślę, że przez kanały i specjalne podkopy przy murach getta. Miałem z tego powodu wiele trudności. Na placu Muranowskim stoczyliśmy zacięty bój. Polacy nie tylko walczyli w getcie, ale zaczepiali nas zbrojnie na terenach zewnętrznych. Już 19 kwietnia w godzinach przedwieczornych AK-owcy usiłowali wysadzić mur getta przy ulicy Bonifraterskiej. Nic z tych polskich działań nie wyszło, ale Hahnowi zabito trzech SS-mannów. Również poległo tam dwóch żołnierzy AK i jacyś policjanci polscy. W ciągu następnych dni Polacy również mieszali się do akcji. Przyznam, że bardzo mnie to niepokoiło. Nie uda-

---

[14] „Gelobt sei..." (niem.) – „Błogosławione to, co czyni człowieka twardym"! – cytat z *Tako rzecze Zaratustra* Fryderyka Nietzschego (1883).
[15] Naziści wykorzystali poglądy i sformułowania Nietzschego: Übermensch, czyli nadczłowiek (przez niego używane, choć nie przez niego sformułowane po raz pierwszy), Herrenvolk, czyli naród panów (sformułowanie utworzone od użytego przez niego określenia: moralność panów).

wała nam się propaganda, mająca na celu wbicie klina między Żydów i „aryjczyków"![16]

٭

Nieraz wspominał Stroop o poległych lub ujętych żołnierzach z podziemia „aryjskiego". Uważał, że żydowska organizacja wojskowa w getcie była w rzeczywistości częścią Armii Krajowej.

– Abwehra – relacjonował – donosiła już od dawna, że AK od dnia założenia getta montowała tam swoje placówki pod rozmaitymi nazwami, dostarczała broni i prasy oraz instruowała w zakresie walk ulicznych, robót saperskich, fabrykacji butelek zapalających, granatów itp. Widomym objawem i potwierdzeniem tej sytuacji było zatknięcie przez żydowskich powstańców nad betonowym, mocnym domem biało-czerwonej flagi obok żydowskiej, biało-niebieskiej – mówił zdecydowanie Stroop. – Te flagi były wezwaniem do walki przeciw nam. Przy niebezpiecznej akcji ich zrywania poległ 22 kwietnia znany mi osobiście podporucznik kawalerii SS Otto Dehmke[17]. Miał w ręku granat, który eksplodował na skutek obstrzału nieprzyjacielskiego. Ponadto dostał od Żydów kilka kul. Jedną w szyję. Również wachmistrz policji miał przestrzelone płuco. Wstrząsnęła mną śmierć Dehmkego. Napisałem długi, kondolencyjny list do jego nieszczęśliwej matki.

Zapadło milczenie. Schielke (jak zawsze, gdy miał inny pogląd od Stroopa lub gdy był niezadowolony) drapał się w brodę i ruszał szczęką, a potem rzekł:

– Po co pan tego biedaka Ottona Dehmke pchał na betonowe szczyty, a nie na kobyłę. Niechby sobie te flagi dyndały do czasu ostatecznego spalenia getta.

– Pan zwariował, Herr Schielke! – ryknął Stroop. – Pan nic nie rozumie. Sprawa flag miała doniosłe znaczenie polityczne i moralne.

---

[16] O akcjach zbrojnych w ramach pomocy dla walczącego getta warszawskiego ze strony Armii Krajowej i innych organizacji pisze obszernie Tomasz Strzembosz, *Akcje zbrojne podziemnej Warszawy 1939–1944*, wyd. 2, Państwowy Instytut Wydawniczy, Warszawa 1983, s. 273–296.
[17] Otto Dehmke (ur. 1921), SS-Untersturmführer (podporucznik) oddziału zapasowego kawalerii SS.

Przypominała setkom tysięcy ludzi o sprawie polskiej, inspirowała ich i podniecała. Integrowała ludność Generalnej Guberni – a szczególnie Żydów i Polaków. Sztandary i kolory narodowe są takim samym instrumentem walki jak szybkostrzelne działo, jak tysiące takich dział. Rozumieliśmy to wszyscy: i Heinrich Himmler, i Krüger, i Hahn. Reichsführer krzyczał w telefon: „Słuchaj, Stroop. Musisz za każdą cenę zdjąć obie flagi!". A pan, Herr Schielke, takie głupstwa mi opowiada!

– Może i głupstwa, panie generale – odparł spokojnie Sittenpolizist. – Ale ja bym dla płótna białego, czerwonego i niebieskiego nie narażał ż a d n e g o człowieka.

I po chwili dodał z żartobliwym półuśmiechem:

– A szczególnie kawalerzysty.

✻

– Ten Wielki Czwartek dał się nam we znaki – opowiadał następnego dnia Stroop. – Wielokrotnie nas ostrzeliwano. Ponosiliśmy straty w ludziach i w sprzęcie. Trochę mi się wojsko zaczęło rozłazić. Zaobserwowałem objawy lęku u naszych. Wobec tego, po konsultacjach z doktorem Hahnem i generałem Krügerem i po uzyskaniu zgody Berlina, postanowiłem p a l i ć dom po domu. Nawet te bloki, gdzie znajdowały się nasze składy i urządzenia fabryczne n i s z c z y ł e m. Saperzy doszli do wielkiej wprawy w wysadzaniu budynków w powietrze. W pół godziny po wydanym rozkazie już się chałupa paliła! Żydzi biegali jak szatany. Ukazywali się to tu, to tam, w oknach, balkonach, na dachach i gzymsach. Czasem strzelali do nas, czasem szukali dróg ucieczki. Niekiedy śpiewali jakieś pieśni, chyba psalmy. Inni krzyczeli chórem: Hitler kaput! Na pohybel Niemcom! Niech żyje Polska!

– Rozgardiasz niebywały. Pożary, dymy, płomienie, iskry pędzone wiatrem, kurz, fruwające pierze, zapachy przypalonych materiałów i ciał, huk armat i granatów, łuny i „spadochroniarze"...

– Jacy znów „spadochroniarze"? – pyta Schielke.

– To ci Żydzi, Żydówki i żydowskie dzieci, którzy z okien, balkonów i poddaszy domów, płonących od parteru, wyskakiwali na ziemię, na asfalt i bruk. Przed tym zrzucali pierzyny, kołdry i inne bety i na to skakali. Moi SS-manni zaczęli ich nazywać „spadochroniarzami". Całą noc trwała ta zabawa...

Stroop podniecony. Gestykuluje. Pozoruje składanie się z dubeltówki do fruwających kaczek. Kręci się po celi i od czasu do czasu krzyczy: paf! paf!

– Tak moi chłopcy strzelali do wroga w locie! – mówi z dumą. Patrzy na nas. Powoli blednie, ale jeszcze jest różowy. Nuci *Horst-Wessel Lied*. Po dziesięciu minutach i on milczy.

*

– 22 kwietnia 1943 roku – opowiada Stroop – ujęliśmy kilka tysięcy Żydów. Zabiliśmy i rozstrzelaliśmy, z konieczności, kilkuset powstańców żydowskich i wielu „aryjczyków". Zlikwidowaliśmy kilkadziesiąt bunkrów.

– Następnego dnia, w Wielki Piątek, podzieliłem teren getta na 24 odcinki. Na każdy odcinek wysłałem specjalny oddział szturmowy. Kazałem rozpuścić wieść, która dotarła do Żydów, że o godzinie 16 nastąpi zakończenie akcji. Rzeczywiście wycofałem w tym terminie oddziały szturmowe, które wytropiły i ujęły około sześciuset Żydów i zabiły około dwustu powstańców żydowskich i polskich. Nakazałem odpoczynek i ciszę. Część naszych odjechała z szumem i hukiem motorów. Po dwóch godzinach znów wróciliśmy i zaatakowaliśmy z maksymalną energią. Żydzi dali się zaskoczyć, ale nie wszyscy. Duży oddział powstańczy wrócił do dawnych fortec, m.in. do tzw. zakładów zbrojeniowych. Znów ciężkie walki. Pchnąłem do akcji czołg i samochody pancerne. Operowaliśmy i za murami getta w domach „aryjskich". Znajdowała się tam kwatera rezerw ludzkich i amunicyjnych żydowskiej komendy powstańczej. Ale prawie wszyscy uciekli. Złapaliśmy tylko dwie Żydówki i jednego Żyda. Zdobyliśmy trochę sprzętu, ale zniszczono nam granatem i „cocktailem Mołotowa" samochód ciężarowy i ciężko zraniono dwóch ludzi z Schutzpolizei.

– W ten Wielki Piątek wywożono również trupy. Leżały wszędzie, szybko się rozkładając, bo wiosenne słońce przypiekało. W południe było nawet gorąco. Kazałem natychmiast oczyścić teren z setek poniewierających się zwłok...

– Otóż Żydzi byli tak przebiegli, że ukrywali się wśród trupów na wozach. A na żydowskim cmentarzu wyskakiwali spod nieboszczyków i w nogi. Gdy stwierdziliśmy, przypadkiem, taki fakt, zarządziłem stałą, drobiazgową kontrolę wozów transportujących zwłoki. Zamknęliśmy im i tę drogę ucieczki.

– W Wielki Piątek dość wcześnie przerwaliśmy bezpośrednie działania w getcie. Wywózka trupów miała oznaczać, że kończy się Wielka Akcja. W największej tajemnicy wyznaczyłem początek natarcia w następnym dniu na 10 rano. Chcieliśmy pogłębić w Żydach przeświadczenie, że zrezygnowaliśmy z dalszych ataków na getto. I to nam się częściowo udało.

– Wielka Sobota. Szabas u Żydów, a rodziny polskie przygotowują święta Wielkiej Nocy – opowiada Stroop. – Z atmosfery kilkunastogodzinnego spokoju wystartowaliśmy do gwałtownego ataku na Żydów, i to ze wszystkich stron getta naraz. Koncentryczne działanie 24 oddziałów szturmowych przyniosło znakomite efekty bojowe. Nie tylko Żydzi byli zaskoczeni i stąd mniej odporni, ale i nasi żołnierze wykazali wspaniałą formę. Nabrali wprawy, otrzaskali się z nowymi sposobami walki. Nie zaskakiwały ich już podstępne metody i wybiegi wroga. Kilku SS-mannów i saperów z Wehrmachtu tak się wyspecjalizowało w wykrywaniu kryjówek i umocnień żydowskich, że Hahn zaproponował żartem, aby ustanowić specjalną odznakę frontową dla „Bunkermajstrów". Zdobyto tego dnia 26 bunkrów oraz mnóstwo konserw, żywności, kosztowności i pieniędzy, a szczególnie dolarów. Pod wieczór zaatakowaliśmy blok domów w północno-wschodniej części getta. Mieściły się tam również warsztaty zbrojeniowe, prowadzone przez Wehrmacht. Nasza grupa bojowa otoczyła blok, odcięła drogi ucieczki i stwierdziła obecność znacznej liczby Żydów. Stosunkowo duża ich część stawiała zdecydowany opór. Walka trwała bez przerwy pełne osiem godzin. Zwykła broń – karabiny, pistolety, granaty, działa – nie pomagały. Powstańcy bronili się zaciekle, zadawali straty. Był to twardy przeciwnik. Wobec tego nakazałem palenie obiektu. Użyliśmy wszystkich miotaczy płomieni. Na ulicach i podwórkach jasno jak w dzień. Płomienie, trzask belek, gryzący dym, walące się mury, spadające gzymsy i balkony. SS-manni stali z dala. Ja za nimi, osłaniany przez mój poczet ochronny.

– „Askarisów" już nie używałem. Trochę mnie zawiedli. Połowę ich oddałem dowódcy Schutzpolizei do innych prac, nie tak odpowiedzialnych. A ten „askaris", o którym opowiadałem na początku, ten, który tak się palił do walki z Żydami, okazał się zupełnym durniem. Spotkałem go raz w getcie. I wiecie co, panowie? On p ł a k a ł. Nordyk z niebieskimi oczyma, znający nieźle niemiecki, antysemita – a płakał. Coś bełkotał, że nie może... Że krew, trupy, dzieci itd. Nie zdołałem się opanować i dałem mu po mordzie oraz kazałem wyrzucić z terenu getta, wraz z innymi stu pięćdziesięcioma mięczakami „askarisami".

– Walka o ten blok – ciągnął Stroop – trwała długo, bo „ŻOB- -manni" bili się do ostatniego naboju i granatu. Wielokrotnie widziałem takie fakty: Żyd wyskoczył z płonących murów. Ubranie mu już się zajęło ogniem. Ruchy i gesty pomyleńca. Twarz umorusana. Włosy zmierzwione i częściowo spalone. Postał chwilę. Odetchnął gorącym powietrzem, ale świeżym. Gdy nas zobaczył, krzyknął coś, pogroził ręką, zrobił nieprzyzwoity gest, strzelił do SS-manna z pistoletu i poszedł z powrotem w ogień. Wolał taką śmierć, w swoich murach, w swoim rozżarzonym krematorium, niż dostanie się w nasze ręce. Żydzi strzelali do zakończenia natarcia tak, że w ostatniej fazie saperzy wdzierali się do mocniejszych betonowych domów pod osłoną zmasowanego ognia naszych karabinów i pistoletów maszynowych. Tego dnia mieliśmy jednak szczęście. Straty własne wyniosły tylko trzech rannych, w tym jeden „askaris".

A ja na to:

– Nie wierzę w tę pańską statystykę. Taki wielogodzinny bój, wielu Żydów i Polaków zabitych, a pan mi tu mówi tylko o trzech rannych z waszej strony, ze strony atakującej.

Stroop milczy. Schielke mnie popiera:

– Albo walki nie przebiegały tak, jak Herr General opowiada, i likwidacja getta polegała tylko na konwojowaniu zgłaszających się dobrowolnie Żydów do Treblinki albo Trawnik, albo musiało naszych więcej zginąć i otrzymać rany. Statystyki wojenne są często kinematografem, czyli iluzją. To, co pan podpisywał w meldunkach na ten temat, to bujda! Przepraszam pana, Herr General – zakończył Schielke.

Stroop w dalszym ciągu milczał.

*

– Działania w Wielką Sobotę przeciągnęły się do godziny drugiej z rana następnego dnia – opowiadał Stroop. – Początek świąt Wielkiej Nocy witaliśmy pełną walką. Sprawiliśmy Żydom i Warszawie w o j e n n ą r e z u r e k c j ę. Iluminacja, fajerwerki pożarów, petardy z armat, grzechotanie karabinów, muzyka motorów...

– Dotychczasowy bilans Wielkiej Akcji (licząc od 6 rano 19 kwietnia do 6 rano 25 kwietnia) zamknął się po stronie aktywów 25 tysiącami ujętych Żydów. Ponieważ o liczbie mieszkańców getta mieliśmy niedokładne dane, przypuszczałem, że niewielu Żydów pozostało i że z upływem drugiego dnia świąt zakończymy Grossaktion.

– W tej sytuacji wyznaczyłem początek działań w Wielką Niedzielę na godzinę 13. Chciałem, żeby SS-manni wyspali się pierwszego dnia ważnych świąt. Zmodyfikowałem poprzedni plan operacyjny. Doszedłem do wniosku, że tylko jedna metoda zapewni skuteczne i szybkie działanie. Mianowicie systematycznie wzniecane pożary. W y k u r z e n i e ogniem Żydów zmusi ich do opuszczenia kryjówek i nor. Po co moi podwładni mają się bezpośrednio bić z tą hołotą? Niech płomień i dym zwalcza wroga, niech go męczy i wypiera ze stanowisk obronnych, koczowniczych. A my – z daleka, choć blisko, nie narażając się. A my – pilnujemy i dozorujemy ze wszystkich stron. Aż do chwili, kiedy pierścień pożarów zmusi Żydów do znalezienia się na skrawku niewypalonego terenu. Wtedy użyjemy haubic i dział przeciwlotniczych. Damy im końcowy wycisk k a r t a c z a m i!

– Tak myślałem – opowiadał Stroop – w niedzielę wielkanocną przed rozpoczęciem dalszego natarcia. Ale się znowu pomyliłem. Znowu stwierdziłem, że doktor Hahn miał rację. Działania się przedłużały, zupełnie wyraźnie. Nie było najlepiej. Zaczęliśmy przeszukiwać getto siedmioma oddziałami szturmowymi po siedemdziesięciu ludzi każdy. Rozkazałem dowódcom tych grup, aby – przy najmniejszym oporze ze strony powstańców – p a l i ć zabudowania. W rezultacie, przeszukiwany teren zaczął po kilku godzinach płonąć. Żydzi uciekali przed ogniem i dymem, ale niekiedy powracali na stare stanowiska. Zrobiło się zupełne piekło. Wzajemny, silny ogień.

U nas – podobno – czterech rannych, jak mi napisał Sturmbannführer
Jesuiter. On był przecież odpowiedzialny za statystykę. (Tu Schielke mrugnął do mnie z zadowoleniem). A dalej: kilkanaście bunkrów
wytropiono i zlikwidowano, zdobyliśmy pistolety, amunicję, butelki z benzyną, dolary, biżuterię. Ujęto żywcem tysiąc siedmiuset
Żydów. Zastrzelono trzystu.

✳

– Jak stwierdzili eksperci, złapaliśmy wielu przywódców żydowskiego i polskiego ruchu oporu oraz sabotażystów, dywersantów,
spadochroniarzy angielskich i sowieckich oraz wiele najgorszego
elementu Warszawy. Wyleciał też w powietrze, na skutek żaru w piwnicach, jakiś wielki skład konspiracyjnej amunicji. Po wysłuchaniu
opinii tych znawców, przesłałem – niestety – meldunek teleksowy
do generała Krügera, że należy przypuszczać, iż w getcie zginęli
przywódcy całego podziemia warszawskiego[18]. Meldunek zreda-
gowałem w pośpiechu, bez zasięgnięcia zdania doktora Hahna. Och!
Jak mi się za ten meldunek później dostało! Krüger powiedział kilka gorzkich i twardych słów. Heinrich Himmler zauważył w rozmowie telefonicznej, że za mało znam Generalną Gubernię i Warszawę, abym mógł stawiać prognozy. A doktor Hahn zaprosił mnie
na wypoczynkowy, dwugodzinny obiad i po bratersku poradził,
abym zawsze wysłuchiwał, ale nigdy nie usłuchał rad wszystkich
tak zwanych „znawców" i „ekspertów". „To są na ogół WC-Fach-
manni – zwierzył się Hahn. – Trzymam ich u siebie, bo m u s z ę.
Brak nam inteligentnych, naprawdę inteligentnych fachowców policyjnych. Przed następnymi meldunkami p i s e m n y m i
o ważnych zdarzeniach niech pan generał zechce zasięgnąć i mojego zdania". Zgodziłem się na przyjacielską propozycję Hahna.

---

[18] W omawianym tu dalekopisie do SS-Obergruppenführera Friedricha Wilhelma Krügera z 26 kwietnia 1943 r. pisał Stroop: „Jak wynika z meldunków, z chwilą
wszczęcia akcji nastąpiło poza drobnymi wypadkami ogólne uspokojenie, szczególnie na terenie Warszawy. Z tego należałoby wnioskować, że bandyci i sabotażyści
przebywali dotychczas w b. żydowskiej dzielnicy mieszkaniowej i teraz zginęli" –
patrz J. Gumkowski, K. Leszczyński, *Raport* Stroopa..., op. cit., s. 160.

Wypiliśmy po czarnej kawie (prawdziwej! co za aromat!) oraz po francuskim koniaku firmy „Camus" (niebo w gębie, jak mówią Polacy) i wróciłem na plac boju.

– Zobaczyłem z daleka – m o r z e   p ł o m i e n i. W dzielnicy „aryjskiej" spokój. Jakiś zimny spokój. Polacy, wiadomo, nie byli serdeczni wobec nas, ale to, co wyczułem, przyglądając się twarzom przechodniów – szczególnie kobiet – przeraziło mnie. Może byłem pod rauszem koniakowym, ale widziałem zbyt liczne spojrzenia w niebo nad gettem. Wszystkie oczy Polaków s m u t n e. Wszystkie twarze spokojne. Nie lubię takich m a s e k. Przypomniałem sobie uwagę doktora Hahna, że „wszyscy Polacy to (w czasie obecnej wojny) a k t o r z y. Nie wierzyć im ani na jotę! Zawsze pilnować, czy nie ostrzą na Niemców noży! A oni potrafią tak cicho ostrzyć noże, że nawet Pan Bóg ich nie usłyszy". Tak mówił Hahn.

– W czasie drogi powrotnej do getta pomyślałem, że nie ma dla nas innej metody postępowania, jak wycięcie wszystkich drzew we wrogim lesie, wykarczowanie wszystkich korzeni i wysterylizowanie wszystkich nasion.

*

– W getcie w dalszym ciągu „wielkanocne piekło", jak powiedział jeden z adiutantów. Chodziłem tam w samochodowych okularach – tyle było iskier i dymu. Żołnierze zmęczeni, zakurzeni, osmaleni. Wycofałem gros oddziałów o godzinie 22 na kwatery. Zostawiłem stu kilkudziesięciu ludzi w getcie dla pilnowania otoczonych Żydów. Ale wiedziałem, że moi podwładni będą obserwować z d a l e k a płonące kwartały, że nie drgną nawet, gdy Żydzi zaczną się przegrupowywać. Objechałem getto i sprawdziłem pierścień ochronny pomocniczych oddziałów od strony „aryjskiej".

– Wróciłem do mego apartamentu w alei Róż. Skontrolowałem raporty dzienne. Zrobiłem odprawę dowódców. Potem otworzyłem okno i nałykałem się wiosennego powietrza. Wiatr południowy w twarz mi wiał, jak śpiewa pan Schielke. Byłem tak umordowany, że jak cham, jak lump, a nie jak generał, położyłem się do łóżka bez kąpieli. Zasnąłem błyskawicznie.

– Dyżurnemu adiutantowi – ciągnął Stroop – zabroniłem budzenia mnie przed godziną 7. „Dla nikogo mnie nie ma" – przykazałem. Na pytanie, czy naprawdę „dla nikogo"? – odpowiedziałem: „Są dwa wyjątki. Musi mnie pan obudzić, gdyby dzwonił SS-Reichsführer oraz gdyby nadszedł meldunek, że nad gettem znów powiewają sztandary: biało-niebieski i biało-czerwony".

XVI. Wielkie łowy

Stroop nad podziw dobrze pamiętał przebieg Wielkiej Akcji. Potrafił sypać, na wyrywki, datami i godzinami zdarzeń, liczbą schwytanych w każdym dniu i zabitych Żydów, danymi o stanie personalnym niemieckich oddziałów itp. W zakresie spraw getta miał pamięć fenomenalną. Raz powiedział:

– Zatarło się już wiele szczegółów z mojego życia. Widać, że mózgownica nie działa najgenialniej. Zresztą byłem przeciętnym człowiekiem. Zawsze w k u w a ł e m się w szkole i na kursach, a później – jako dorosły – musiałem notować rozmaite dane. Nie mogę się dzisiaj tak nauczyć polskich nazw kolorów, abym mógł je recytować bez namysłu i bez błędu. Ale jeśli idzie o przeżycia z kwietnia 1943 roku, to pamięć służy błyskawicznie i o każdej porze. Wydaje mi się, że raport o likwidacji warszawskiego getta mam wydrukowany w głowie. Po prostu go widzę, strona po stronie. Musiałem być wtedy w transie, który utrwalił na zawsze wszystkie przeżycia tamtych dni.

Stroop nie pomijał w czasie relacji o Grossaktion swych rozmów z Himmlerem, Kaltenbrunnerem[1] i Krügerem oraz częstych konsultacji z doktorem Hahnem i doktorem Kah[2]. Wspominał także o wy-

---

[1] Ernst Kaltenbrunner (1903–1946), SS-Obergruppenführer, szef Reichsicherheitshauptamt (RSHA, Główny Urząd Bezpieczeństwa Rzeszy) w latach 1942–1945, po wojnie skazany na karę śmierci wyrokiem Międzynarodowego Trybunału Wojskowego w Norymberdze i stracony 16 października 1946 r.

[2] Ernst Kah (1899–1967), dr, SS-Sturmbannführer / SS-Obersturmbannführer, kierownik Wydziału III (Sicherheitsdienst, SD) i zastępca Dowódcy Policji Bezpieczeństwa i Służby Bezpieczeństwa (KdSW) w Dystrykcie Warszawskim Ludwiga Hahna od grudnia 1941 r. do końca 1943 r.

mianie zdań z „mniej ważnymi Niemcami w Warszawie", do których zaliczał m.in. „tego lokaja u Hansa Franka i komedianta – gubernatora Ludwika Fischera".

– Inspiratorem i kontrolerem naszej polityki w Warszawie był zespół SS-owskich dowódców i sztabowców, którzy urzędowali w dwóch warszawskich gmachach. W alei Szucha, gdzie dowodził doktor Hahn, i w pałacowej kamienicy przedwojennych ambasad: belgijskiej i holenderskiej w Alejach Ujazdowskich 23[3], między Szopena a Piękną. Tam się znajdowała siedziba oficjalna SS- und Polizeiführera in Distrikt Warschau, moja siedziba. Teraz rozumie pan, Herr Moczarski, dlaczego byłem w stałym kontakcie i z Hahnem, i z doktorem Kah. Poza tym konsultowałem się, lecz nie tak często, z SS-Hauptsturmführerem Alfredem Spilkerem[4], który swą mądrością i pilnością dorównywał Hahnowi i doktorowi Kah. Spilker mało mógł mi poświęcić czasu, bo podlegał bezpośrednio krakowskiej centrali.

Tu wtrącił się Schielke:

– Spilkera znałem sprzed wojny, z Hanoweru. Wykształcony i zdolny człowiek, utalentowany oficer policji kryminalnej. I nie twardogłowy; przeciwieństwo policjanta-rzeźnika. Mówiono mi, że zginął w 1945 roku w czasie walk o Poznań. Więc to Spilker wraz z tym milczkiem, doktorem Kah, pomagali panu generałowi w zlikwidowaniu getta warszawskiego?

SS-Gruppenführer nie odpowiedział od razu. Pospacerował po celi, masował się po karku i przygładzał śliną włosy na skroniach. Zmarszczył brwi i w końcu rzekł nie najchętniej:

– Przyciskacie, Meine Herren, to powiem prawdę. Doktor Hahn był moją główną podporą. Rozmawiałem z nim kilka, a nawet kilkanaście razy dziennie. Doktor Kah zaś zgłaszał się zawsze telefonicznie lub przez krótkofalówkę na moje miejsce postoju do getta wte-

---

[3] Mowa o poselstwach (a nie ambasadach) Belgii i Holandii w Warszawie.

[4] Alfred Spilker (1908–1945), SS-Hauptsturmführer, dowódca Sonderkommando IV-AS Sicherheitspolizei (specjalnej jednostki Policji Bezpieczeństwa w Warszawie, podległej bezpośrednio Dowódcy Policji Bezpieczeństwa i Służby Bezpieczeństwa, BdS, w Generalnym Gubernatorstwie) od marca 1942 r., poległ w walkach o Poznań w 1945 r.

dy, gdy miałem wahanie i przeżywałem kłopotliwe chwile. Doktor Kah to chyba telepata. Umiał grzecznie, z szacunkiem dla mojej rangi, podsunąć projekt trafnej decyzji. Hahn i Kah stanowili monopolistyczny trust mózgów z alei Szucha. Nie Jesuiter, ale oni pełnili w rzeczywistości funkcje oficerów koncepcyjnych w moim sztabie. Spilker pomógł mi tylko raz, przy zwalczaniu żydowskiej „partyzantki nocnej" w getcie.

– Co to za „nocna partyzantka"? – przerywa Schielke.

– Wyjaśnię, gdy przyjdzie czas – warknął Stroop. – Muszę przecież teraz opowiedzieć panom o moich działaniach drugiego dnia Świąt Wielkanocnych, 26 kwietnia 1943 roku. Otóż rozpoczęliśmy akcję z opóźnieniem. Nie o godzinie 10, jak nakazałem, ale o 10.45. Część grenadierów pancernych SS nie zjawiła się na czas. Solidnie zwymyślałem oficerów. Potem puściłem w getto, jak poprzedniego dnia, siedem oddziałów szturmowych po siedemdziesięciu ludzi plus oficer...

– Ładna sfora – Schielke znów się włącza. – 497 brytanów, o ile znam tabliczkę mnożenia.

Stroop żachnął się:

– To nie psy penetrowały getto, Herr Schielke, lecz żołnierze walczący o wielkość III Rzeszy.

Głos ma patetyczny i jednocześnie żmijowaty. Schielke, ciekaw dalszych relacji, sprytnie wywija się z możliwego konfliktu i mówi bardzo poważnie:

– Porównałem pańską rolę w Grossaktion do roli wytrawnego myśliwego. Myśliwy i kawalerzysta był zawsze wzorem prawdziwego Germanina. Hermann der Cherusker też przeprowadzał łowy na Rzymian w Teutoburskim Lesie. Hermann Göring niezwykle sobie cenił tytuł Wielkiego Łowczego Rzeszy i nieraz mówił z dumą, że wypuszcza na zjudaizowaną Anglię sfory pilotów z tysiącami bomb lotniczych.

Takie porównania ułagodziły Stroopa. Od razu nabrał humoru i opowiadał:

– Może pan ma rację, używając myśliwskiej przenośni, bo rzeczywiście moi żołnierze t r o p i l i nieprzyjaciela, gdy złapali wiatr, to wgryzali się w zakamarki i labirynty getta, póki nie wykurzyli i nie zniszczyli Żydów. Ta metoda wyznaczania grup szturmowych na teren znany im z poprzedniego dnia zdała egzamin. SS-manni, orientując się w topografii rejonu, czuli się pewniej i działali szybciej. Jednakże akcja szła wolno. Wszystkie oddziały natknęły się na opór, którego bez podciągnięcia saperów, miotaczy płomieni i nawet artylerii nie można było zlikwidować. Każda operacja trwała od godziny do czterech godzin. Chodziło o zdobywanie umocnień i kryjówek, bo żaden Żyd nie wyszedł tego dnia dobrowolnie z bunkra. Musieliśmy wysadzać w powietrze wejścia do piwnic i korytarzy, a również niektóre bramy i partery domów. To już nie były przelewki! Odczuwaliśmy coraz wyraźniej i coraz dotkliwiej, że przyszła kolej na walkę z najbardziej zaciętymi powstańcami, z elitą Żydowskiej Organizacji Bojowej.

– Cóż w tym dniu było jeszcze ważnego? – Stroop na chwilę przerwał swój wywód, potem uśmiechnął się, jak zawsze, gdy mógł wsadzić szpilę wehrmachtowcom. – No! W tym dniu nakazałem ewakuację jednego zakładu przemysłu zbrojeniowego, który pozostawiłem był pod opieką Wehrmachtu i nie objąłem strefą bezpośrednich działań bojowych. Oficerowie od generała Schindlera zaklinali mnie od początku Wielkiej Akcji, aby dać im czas na ewakuację zakładu, który miał być w przyszłości niezwykle przydatny i w którym znajduje się „cenny majątek wojska". Czekałem tydzień. A wehrmachtowcy nie wywożą zakładu i jeszcze Żydów przetrzymują. Więc – po telefonicznej rozmowie z doktorem Kah – zlikwidowałem tę enklawę spokoju, lenistwa i sabotażu. Tak, Herr Moczarski, powtarzam: sabotażu! Kazałem podstawić ciężarówki, przyprowadzić pod konwojem robotników-Polaków i wyewakuowałem „skarb generała Schindlera". Byłem tam osobiście. I co znalazłem? Trochę mało sprawnych maszyn i archaicznych urządzeń oraz trochę gotowych towarów. Za to – wielu Żydów. Zrobiłem awanturę. Oficerów i podoficerów Wehrmachtu zwymyślałem od „szabes-gojów"[5], a Żydów, którzy tam „pracowali", przeniosłem gdzie indziej.

---

[5] Szabes goj (hebr.) – nie-Żyd, zatrudniany w domach żydowskich do niezbędnych prac domowych podczas święta szabat (szabas, szabes), gdy wyznawców judaizmu obowiązuje całkowity zakaz pracy.

– Tymczasem w siedmiu rejonach siedmiu grup szturmowych trwały walki, a ogień połykał coraz to nowe domy. Nad gettem kotłowały się dymy – czarne, brązowe, szare, niebieskawe. Z okien i dachów wyrywały się płomienie. Wiatr niósł iskry i kurz. I spaleniznę. Huki, donośne głosy komendy SS-mańskiej, płacze, przekleństwa, jęki i wybuchy granatów. Z bunkra, z dymu wyczołgują się Żydzi i Żydówki...

– ... dzieci także? – pyta Schielke.

– Także. Widziałem taki przypadek: najpierw wyciągnęliśmy matkę. Półprzytomna, brudna, blada, cera piwniczna, patrzy jak zahipnotyzowana w otwór bunkra, gdzie pozostało jej dziecko, maleńki synek...

– Niech pan nie mówi dalej, niech pan milczy! – krzyknąłem nagle. – Panie Stroop, niech pan nic nie mówi... P r o s z ę.

Była to pierwsza moja prośba do Stroopa. I ostatnia.

Tego dnia więcej nie rozmawialiśmy. Nikt nie czytał książek. Nikt nie nucił piosenek i marszów.

*

A jednak wrócił Stroop do poniedziałku, do 26 kwietnia 1943. I powiedział głosem rutyniarza policyjnego:

– Tego dnia wysłałem do „Werke Poniatowa GmbH" trzydziestu wysoko kwalifikowanych metalowców żydowskich. Moi ludzie zastrzelili 1 700 Żydów i Żydówek, z tego około 400 osób w bezpośrednich walkach. Zdobyliśmy 13 bunkrów.

– We wtorek, 27 kwietnia, zastosowałem nową taktykę. Od godziny 9 do 15 mniejsze oddziały bojowe (było ich 24) przeszukiwały „Restghetto" i wyłapały około ośmiuset Żydów oraz zastrzeliły ponad setkę stawiających opór, często zbrojny. A po godzinie 16 zaatakowaliśmy ufortyfikowane domy przy ulicy Niskiej.

Tu muszę zwrócić uwagę Czytelnika, że Stroop bardzo rzadko podawał nazwy ulic w getcie. Wymieniał tylko Niską, Miłą, Karmelicką (Karmelitenstrasse), plac Muranowski, Bonifraterską, Prostą, Nalewki – ale ich nie umiał dokładnie umiejscowić (z wyjątkiem Miłej, Prostej i placu Muranowskiego).

– Do oczyszczenia ulicy Niskiej – wspomina Stroop – użyłem około czterystu wybranych SS-mannów i cały podległy mi Wehr-

macht. Walczyliśmy do nocy, do godziny 22.30. Metoda prowadzenia „bitwy o ulicę Niską" taka sama, jak dawniej. Marsz zbliżenia.
Pierwsza wymiana ognia. Podciągnięcie artylerii. Krótkotrwałe natarcie. Gdy mamy pierwszych rannych (w tym jeden „askaris"), wy-
suwam na czoło obsługę miotaczy płomieni. Cały czas karabiny maszynowe grają. Ogień posuwa się naprzód (podpalamy z wiatrem).
My – za ogniem. Powoli, powoli. Szukamy ruchomych celów. Żydzi
skaczą z okien, balkonów, strychów, dachów. Wyborowi strzelcy
chwytają na muszkę „spadochroniarzy". Niektórzy Żydzi zrozpa-
czeni i zrezygnowani. Inni – bojowi i zadziorni do ostatniej sekundy. Złorzeczą nam. Wymyślają. Śpiewają polski hymn narodowy,
niektórzy psalmy.

– Tymczasem grupy specjalne, z saperami, rozpoczynają poszuki-
wanie i wysadzanie bunkrów na terenach już trochę wystygłych po
pożarze. Większość bunkrów się opiera i broni. Trzeba wrzucać świece dymne, czasem użyć miotacza płomieni. Wyciągamy Żydów z bunkrów. Segregacja. Likwidowanie opornych lub bezczelnych itd., itd.

– A tu mi doktor Hahn donosi, że tuż za gettem, od północno-
-wschodniej strony, zgromadzili się Żydzi i „aryjczycy", że mają
w „melinie" broń i jest ich wielu. A może to jakaś częściowa mobili-
zacja polskiego Widerstandsbewegung? Posyłam szybko szturmow-
ców pod dowództwem zabijaki, Oberleutnanta policji Diehla. Nasi
walczą. Ale przeciwnik silny. Hahn podrzuca posiłki. Doktor Kah
zaleca raczej dyskretne działanie: przeciągnąć do nocy, obstawić kor-
donami – byle nie rozdrażnić Polaków, byle ich nie zmusić do aktów
rozpaczy, bo „pożar wypłynie z getta na całą Warszawę, a wtedy mogą
być szalone kłopoty". Diehl donosi, że wśród tej grupy oblężonej
poza gettem znajdują się wehrmachtowcy[6]. Myślałem, że Diehl zwariował. Zawiadamiam o tej całej historii Berlin. Nie myślę już o getcie, o ulicy Niskiej, którą moi SS-manni metodycznie palą i burzą.
Wreszcie generał Krüger zleca Hahnowi, aby się zajął grupą oblę-
żoną przez oddział Diehla. Hahn i Kah sprawę załatwiają, ale nie
metodą wojskową, lecz policyjną. Działają całą noc i do południa

---

[6] Mowa o żołnierzach podziemia polskiego, przebranych w mundury niemieckie.

następnego dnia. W końcu zlikwidowano około 75 procent tych zgromadzonych pod murami getta Żydów i Polaków. Reszta zdołała uciec. Jak mówił później doktor Kah, byli tam i ŻOB-manni, i AK-owcy, i AL-owcy, i konspiratorzy z innych drobnych ugrupowań polskich oraz polscy policjanci, tak zwani „granatowi"[7]. Doktor Kah kazał tych policjantów natychmiast rozwalić. Hahn i Kah bardzo nie lubili polskich policjantów. Mówili, że muszą respektować decyzje władz centralnych i generalnego gubernatora Franka o utrzymywaniu polskiej policji kryminalnej, ale wiedzą, że co najmniej 40 procent tych policjantów to aktywni, zaprzysiężeni i głęboko zakonspirowani członkowie polskiego podziemia i londyńskiego wywiadu.

– Ogółem ujęto tego dnia prawie 3 tysiące Żydów i kilkudziesięciu „aryjczyków", a zastrzeliliśmy około tysiąca ludzi. Pracowity i denerwujący był ten wtorek, 27 kwietnia 1943.

❊

Następne dni likwidacji getta warszawskiego dawały się również we znaki ludziom Jürgena (Józefa) Stroopa.

– To już nie bezwolne masy – opowiadał – ale elita syjonistyczna. Ci ludzie wiedzieli, po co się biją i za co się biją. Byli twardzi. Mieli charakter. Wyszkoleni. Zaopatrzeni. Wytrwali i sprytni. Oraz zdecydowani na śmierć.

– A nie uważa pan, że powstańcy w getcie wiedzieli również, że nie jest najważniejsza śmierć, lecz to, jak się umiera, że bronili godności ludzkiej i przyszłej pamięci swego społeczeństwa? – zapytałem raz Stroopa. Ten natychmiast odpowiedział tonem i językiem wyuczonym, partyjnym, NSDAP-owskim:

---

[7] Mowa o walce „specjalnego oddziału szturmowego" (jak pisze w swoim sprawozdaniu Stroop) z około 120-osobową grupą powstańców, której udało się opuścić teren getta warszawskiego i schronić w jednym z bloków przy pl. Muranowskim, gdzie dołączyła do niej 18-osobowa grupa żołnierzy Organizacji Wojskowej – Kadry Bezpieczeństwa. Według Stroopa, w walce zabito i ujęto 52 „bandytów" oraz 17 Polaków, w tym dwóch policjantów „granatowych" – zob. J. Gumkowski, K. Leszczyński, *Raport Stroopa...*, op. cit., s. 163–164; Bernard Mark, *Walka i zagłada warszawskiego getta*, wyd. 2, Wydawnictwo MON, Warszawa 1959, s. 362.

– Żydzi nie mają, nie są w stanie mieć poczucia honoru i godności. Przecież Żyd nie jest pełnym człowiekiem. Żydzi to podludzie. Mają inną krew, inne tkanki, inne kości, inne myśli niż my – Europejczycy, „aryjczycy", a szczególnie niż my – „nordycy".

*

Do 1 maja 1943 walki w getcie miały, jak opowiadał nam Stroop, podobny charakter i nasilenie. A więc żmudne i pedantyczne przeszukiwanie zdobytych już terenów getta, wkraczanie do nowych bloków. Wzajemna wymiana ognia. „Cocktaile Mołotowa", granaty żydowskiej produkcji, miny. Niezmordowana ruchliwość Żydów. Coraz cięższe i długotrwałe walki z załogami bunkrów. Wykrywanie podziemnych mieszkań.

– 28 kwietnia – relacjonował Stroop – otworzyliśmy po kilkudniowym mozole najwspanialszy bunkier żydowski, jaki w życiu widziałem. Na głębokości dwóch pięter od powierzchni gruntu, zaopatrzony w nowoczesną, potrójną sieć wentylacyjną, z trzema źródłami zasilania w energię elektryczną, z kuchniami, klozetami, prysznicami, dopływem wodociągów miejskich i studzienką artezyjską. Ponadto bunkier posiadał magazyny paliwa, zbiorniki wody, obszerne spiżarnie i chłodnie na wiktuały. Mądra konstrukcja. Bunkier był nad wyraz funkcjonalny. Posiadał kilka wyjść przez długie korytarze oraz pancerne drzwi między izbami. Wykryliśmy go po wstępnej obserwacji terenu w nocy oraz przy pomocy psów policyjnych, także aparatów – sond akustycznych. W ciągu dnia sondy niczego nie mogły wykazać, bo był powszechny hałas. Ale nocą, gdy zapadała względna cisza, sondy wykrywały dźwięki rozmów i motorków elektrycznych w bunkrze. A psy (i jeden z SS-mannów o nosie na wagę złota: miał fenomenalny węch i w cywilu był ekspertem w fabryce perfum) wyczuwały nocą, gdy nie było silnego wiatru, skąd ciągną się smugi zapachów bunkrowych kuchni. W zakonspirowanym bunkrze można grzać tylko niektóre produkty żywnościowe, wytwarzające nikłą woń przy gotowaniu.

– Z tego bunkra wywlekliśmy około 300 Żydów i Żydówek z dziećmi. Byli to bogaci ludzie, niegdyś bardzo wpływowi i ustosunkowani. Zaimponowali nam bunkrem, ale za to, że byli tacy sprytni i tak nam zaimponowali – dostali porządnie w kość.

– Od 28 kwietnia do 1 maja włącznie zlikwidowaliśmy ponad sto bunkrów, ujęliśmy ponad 6 tysięcy Żydów. Zastrzeliliśmy w walce około 750 bojowców. Wśród nich byli ludzie ze sztabu Żydowskiej Organizacji Bojowej. Liczba wszystkich ujętych od 19 kwietnia Żydów wzrosła do 38 500. Te wszystkie liczby są szacunkowe i niepełne. Między innymi ludzie doktora Hahna zastrzelili poza gettem, w Warszawie „aryjskiej" i w osiedlach podmiejskich, kilkuset, a może nawet tysiąc uciekinierów z getta. Są to liczby niebagatelne. I dlatego Wielka Akcja tak się przeciągała. Rzeczywista liczba Żydów w getcie, większa o 50–60 procent od liczby przewidywanej, była jedyną przyczyną, że Grossaktion trwała tak długo.

Słuchając wywodów i relacji Stroopa, nie zabierałem na ogół głosu – ze zrozumiałych względów. Od czasu tylko do czasu, gdy SS-Gruppenführer i General-leutnant der Waffen SS przeholował w słownictwie lub w opiniach i wnioskach, reagowałem. Tak też zdarzyło się w przypadku formułowania przez Stroopa przyczyn przedłużania się walk w getcie.

– Co pan będzie nam opowiadał, Herr General – zwróciłem się do Jürgena Stroopa. – Plan akcji był zakreślony początkowo na 3 dni.

– Jasne! – poparł mnie Schielke. – Plan był trzydniowy, plus „roboty następujące po produkcji", jak mówi Herr Moczarski.

– A tymczasem – prowadziłem głośno rozumowanie – Grossaktion trwała pełne 28 dni. Od rana 19 kwietnia do późnego wieczora 16 maja 1943. Więc okres walk był przeszło dziewięć razy dłuższy od zaplanowanego.

– Gdyby pan tam był, Herr Moczarski – w głosie Stroopa akcenty szczerości – toby pan doszedł do wniosku, że i tak Grossaktion trwała krótko. Przecież tamte czasy dawno minęły, wszystko się wywróciło do góry nogami, możemy więc mówić tu, między nami, więźniami, prawdę. Żydzi zaskoczyli mnie i moich podwładnych, i doktora Hahna swą wolą walki. My, dawni kombatanci I wojny i SS-owcy, my wiemy, co to jest wola walki. Wyrabiano w nas taką wolę, hart, upór, twardość. I właśnie u Żydów warszawskich pokazała się taka wola, zaskakując nas całkowicie. D l a t e g o boje w getcie tak się przedłużały.

*

– Dzień 1 maja wbił mi się w pamięć z kilku względów. Pomijam normalne działania bojowe moich podwładnych, które na samym początku Grossaktion wydawały się niezwykłe, nawet egzotyczne. Te normalne już w dniu 1 maja działania nie były łatwe i bezpieczne. Z każdego kąta, załomu ściany, piwnicy, z każdej wypalonej ruiny można było dostać pigułkę z broni palnej, granat lub płomień z „cocktailu Mołotowa". Pomijam salwy działek przeciwlotniczych, grzechotanie pistoletów maszynowych, cały ten wojenny zgiełk, dym, kurz, pożary, rozwalanie murów, wysadzanie w powietrze stanowisk wroga – pomijam ten nasz codzienny chleb gettowy. Znacie to już panowie doskonale.

– Ale tegoż 1 maja byłem świadkiem niezwykłej sceny. Na placu zebrano jeńców. Część ich – zgnębiona do ostateczności. Ale niektórzy trzymali się hardo. Pokornie, ale hardo. Stałem opodal, otoczony pocztem ochronnym. Przyglądałem się tym mężczyznom. Raptem słyszę suchy trzask i widzę, jak młody Żyd, w wieku 25–28 lat, strzela z pistoletu do oficera naszej policji. Błyskawicznie oddał trzy strzały. Jeden pocisk trafił oficera w dłoń. Wszyscy, jak tam byliśmy, posialiśmy po Żydzie ogniem. Zdążyłem wyszarpnąć mój pistolet z kabury i strzelić Żydowi w tułów, gdy padał. Stanąłem nad nim – konał. Takie są prawa rzemiosła wojennego. Konał, ale toczył mściwym wzrokiem. I wie pan, co on zrobił? Splunął w moim kierunku. Gdy to zobaczyli ludzie z ochrony – popruli go ogniem ciągłym pistoletów maszynowych. Wyglądał jak krwawy, spłaszczony worek z mięsem.

Nie mogłem tego słuchać, a słuchałem. Zaschło mi w ustach. Gustaw Schielke podbiegł do dzbanka z wodą i wypił duszkiem kubek. Po chwili kalifaktorzy wnieśli obiad. Stroop zjadł z apetytem swoje dwie porcje więziennego wiktu.

*

Po obiedzie, po zmyciu misek i po zamieceniu celi (na Stroopa przypadał właśnie dyżur sprzątacza), Gustaw Schielke przypomniał SS-Gruppenführerowi, że miał jeszcze coś ciekawego nam opowiedzień o dniu 1 maja. Stroop nie miał wielkiej chęci na gadanie, ale Schielke wiercił mu dziurę w brzuchu, więc zaczął:

– Już po tygodniu walk w getcie zwróciłem uwagę na treść tych meldunków, które sugerowały, że Żydzi łażą jak koty po nocach, że się wtedy przegrupowują, przekazują sobie pocztę, przewożą z magazynów żywność, wodę i amunicję oraz że na nasze strzały odpowiadają ogniem. W czasie odpraw zwracałem na to uwagę, ale nie miałem koncepcji, jak ten problem rozwiązać. A tu tymczasem noc z 30 kwietnia na 1 maja stała się dla nas krwawa. Żydzi postrzelili nocą trzech ludzi i dwóch SS-mannów zabili. Strzelanina wybuchała kilkanaście razy. Adiutant musiał mnie budzić w nocy. Byłem wściekły, bo to nowe komplikacje. Pierwszego maja przeprowadziłem konsultacje na ten temat z ekspertami. Rozeszły się plotki w intryganckim światku moich rodaków w Warszawie, że w dzień to zdobywam jeńców, rozwalam Żydów, ale nocą pozwalam na gubienie naszych ludzi.

W końcu Alfred Spilker znalazł dobrego eksperta. Był to rosły, młody oficer SS od Skorzennego[8]. Znalazł się przypadkiem w Warszawie. Poradził, aby z najbardziej sprytnych i wyszkolonych w dywersji SS-mannów zorganizować nocne patrole, ale o typie wojsk partyzanckich, a nie regularnych. Zatelefonowałem do generała Krügera, niegdyś speca od walk ulicznych, dziennych i nocnych. Krüger zaakceptował plan i kazał natychmiast uruchomić pięć takich patroli, po dziewięciu SS-mannów, a następnie przygotować jeszcze, na wszelki wypadek, pięć analogicznych grup. W ciągu kilku godzin wybrałem ludzi (kto na ochotnika do ciekawej roboty? – zgłosiło się wielu). Poinstruowaliśmy ich na chybcika. Najbardziej pomógł mi ten spadochroniarz od Skorzennego, Spilker i – o dziwo – doktor Kah. Na czym się ten milczek Kah nie znał?!

– Pierwszego maja o godzinie 22 odprawiłem moje nowe formacje partyzanckie. Kazałem myszkować po getcie krętymi drogami

---

[8] Mowa o SS-Obersturmbannführerze Otto Skorzennym, który 12 września 1943 r. na czele 90 żołnierzy ze szkolnego batalionu spadochroniarzy, przetransportowanych na 10 szybowcach, uwolnił Benito Mussoliniego, więzionego w hotelu w Campo d'Imperatore w łańcuchu Abruzzów (Apeniny Środkowe) z rozkazu nowego rządu Włoch.

i w nieregularnych odstępach czasu. Ich zadaniem było ustalenie ruchów oddziałów i patrolów nieprzyjaciela, tropienie bunkrów, nadsłuchiwanie i likwidowanie przeciwnika. Wyposażyłem ich pierwszorzędnie. Pistolety maszynowe z dużą ilością amunicji, granaty, noże, rakietnice, obuwie na gumowych podeszwach. Żadnych błyskotek na wierzchu. Twarze upudrowane na ciemno. Pod mundury kazałem im włożyć koszulki dziane ze stalowego drutu, co to ich ani sztylet, ani kula pistoletowa nie przebije. No! I zaczęła się nasza „nocna partyzantka" w getcie.

– Teraz już pan wie, Herr Schielke, co rozumiałem pod tym zagadkowym dla pana terminem. Kto by pomyślał, że warszawscy Żydzi zmuszą mnie i moich SS-owców do uprawiania noc w noc sztuki partyzanckiej w centrum milionowego miasta! Miasta, które było dla nas ważnym punktem strategicznym, głównym węzłem kolejowym, bazą zaopatrzeniową i remontową, garnizonem wszystkich broni i silną załogą policyjną.

– W dniu naszego święta partyjnego i państwowego, mianowano pana, Herr General, szefem hitlerowskiej partyzantki przeciwko Żydom konającym w getcie. To duża rzecz i zaszczytny awans, Mein SS-Gruppenführer! – zauważył z półuśmiechem Gustaw Schielke.

✳

– Drugiego maja 1943 przyjechał do Warszawy Höhere SS- und Polizeiführer Ost, SS-Obergruppenführer, generał policji Friedrich Wilhelm Krüger. Był to czołowy działacz NSDAP i jeden z najwybitniejszych członków SS. Gdy ja – opowiadał Stroop – miałem numer legitymacji SS 44 611, to numer Krügera był daleko niższy, coś ponad 6000[9]. Krüger, stary bojownik Alte Garde[10] jeszcze z pierwszych czasów monachijskich, znał doskonale Adolfa Hitlera, Göringa, Goebbelsa, Heinricha Himmlera, i był po imieniu z czołową setką naszych przywódców. Jego zasługi powszechnie znano. On to właśnie organizował w początkowym okresie, w latach 1929–1932,

---

[9] SS-Obergruppenführer Friedrich Wilhelm Krüger miał legitymację SS z numerem 6123.
[10] Alte Garde (niem.) – stara gwardia.

wszystkie najważniejsze demonstracje i akcje NSDAP. Wyspecjalizował się w działaniach bezpośrednich, w rozbijaniu wieców naszych przeciwników politycznych, w prowadzeniu starć ulicznych oraz w zdobywaniu broni dla SA i SS.

– Adolf Hitler powiedział kiedyś publicznie, że Friedrich Krüger był „pierwszym zbrojmistrzem NSDAP i umiał zawsze dostarczyć pożądaną liczbę pistoletów, karabinów maszynowych, granatów każdej komórce partyjnej – na czas". A SS-Reichsführer zażartował raz, że gdyby Adolf Hitler rozkazał Krügerowi dostarczyć w 1929 roku do Brunatnego Domu sławną „Grubą Bertę", to Krüger by ją ukradł Francuzom, rozebrał błyskawicznie na części i przeszmuglował do Monachium, nawet gdyby wszyscy celnicy, policjanci, wywiadowcy i agenci europejscy mu w tym przeszkadzali.

– Krüger to pistolet – dodał Stroop. – I według mnie najważniejszy człowiek w Generalnej Guberni. Heinrich Himmler obdarzał go wielkim zaufaniem, mimo że rozmaicie się plotkowało o postawie Krügera w skomplikowanych niegdyś stosunkach między Heinrichem Himmlerem a Röhmem. Ernest Röhm postawił podobno na Krügera, a mądry i odważny Krüger – na Heinricha Himmlera.

– Krüger, znawca spraw rasowych, przywiązywał dużą wagę do zlikwidowania wszystkich Żydów w GG. Dlatego zamęczał mnie telefonami, stale kontrolował, a teraz, 2 maja, nagle się zjawił.

– Nie bał się pojechać do getta w pełnym mundurze SS-Obergruppenführera. Miał po trzy Eichenlauby plus kwadratowa gwiazdka na aksamitnych, generalskich patkach SS. Poszedł ze mną na pierwszą linię gettowego frontu. Wszystko zauważył, do wszystkiego się wtrącał. Dał mi masę wskazówek, instrukcji i rad.

– Krüger niepokoił się, że Grossaktion tak się przedłuża. Ale gdy zobaczył na miejscu, jak trudna stała się sytuacja, jak uparci i zdeterminowani są Żydzi, jak nawet najmiększy pozornie Żyd przekształca się w fantastycznego bojowca, gdy ujrzał „Haluzzenmädel", gdy wysłuchał raportów oficerów SS oraz opinii Hahna i doktora Kah – zmienił swój pogląd. „Rozumiem, że w tej nowej dla nas sytuacji trudno było osiągnąć błyskawiczne sukcesy" – powiedział mi Krüger na pożegnanie. A potem rzekł: „Działaj pan dalej. Dobrze byłoby, żeby na 15 maja można było formalnie zakończyć Grossaktion. Zakończenie musi być fajerwerkowe. Ostatni akord, o charakterze politycznym, propagandowym, to wysadzenie w powietrze centralnej synagogi warszawskiej. Jesuiter dostał plan techniczny, jak i gdzie borować otwory w murach synagogi dla założenia ładunków wybuchowych. Plan opracował i obliczył najlepszy saper w moim krakowskim sztabie".

– Inspekcja Krügera wypadła dla mnie pozytywnie i podniosła bardzo na duchu mój sztab i wszystkich żołnierzy. Niech pan nie zapomina, że Krüger był w Polsce od listopada 1939 roku i że pełnił również funkcję sekretarza stanu do spraw bezpieczeństwa w rządzie Generalnej Guberni.

– W czasie pobytu Krügera w Warszawie ujęliśmy tego 2 maja w getcie około 2 tysięcy Żydów, a zastrzelono ich około pięciuset. Ponadto wykryliśmy, zdobyliśmy siłą i wysadziliśmy w powietrze 27 bunkrów. Zagarnęliśmy dużo broni i amunicji oraz podziemne magazyny żywności, mnóstwo walut zagranicznych, złota i kosztownej biżuterii. Krüger przyglądał się również skaczącym z dachów Żydom i Żydówkom. Kazał przedstawić do odznaczenia jednego wyborowego strzelca, który doszedł do perfekcji w zabijaniu gettowych „spadochroniarzy" w locie.

– Krüger polecił również wszystko fotografować. „To będzie cenny materiał dla historii, dla Führera, dla Heinricha Himmlera oraz dla przyszłych badaczy dziejów III Rzeszy, dla nacjonalistycznych poetów i pisarzy, dla celów szkoleniowych SS i przede wszystkim dla udokumentowania naszych wysiłków oraz ciężkich i krwawych ofiar, jakie rasa nordycka i Germanie ponoszą dla odjudaizowania Europy i całego globu ziemskiego" – oświadczył Krüger na ostatniej konferencji, którą odbył w mojej siedzibie, w Alejach Ujazdowskich. Następnego dnia wzięliśmy się raźno do roboty. Było to święto narodowe Polaków. Akcję zaczęliśmy o 9 rano. Z energią rozpoczęto przeszukiwać getto.

– Czy całe? – pytam.

– Nie. Nad północno-wschodnimi obszarami getta jeszcze nie panowaliśmy. Tam się znajdowało jądro Żydowskiej Organizacji Bojowej. Już mieliśmy rozeznanie, że tam działa sztab powstańców i wyborowe ich drużyny. To właśnie z tych terenów wychodziły nocą żydowskie patrole bojowe, łącznościowe, dywersyjne.

– Twarde i zażarte walki prowadziliśmy 3 maja. Przez pełne 12 godzin biliśmy się. A przeciwnik dysponował coraz sprawniejszymi bojowcami. Pojawili się znów „aryjczycy". Coraz częściej dochodziło do starć bezpośrednich. Liczne były przypadki cyrkowego strzelania z dwóch pistoletów przez Żydów i Żydówki.

– Stwierdziliśmy, że wzięci do niewoli posiadają sprytnie ukrytą broń, której używają dopiero, gdy znajdą się w kolumnach transportowych albo w czasie przesłuchań przez moich oficerów informacyjnych.

– Wobec tego rozkazałem – ciągnął Stroop – aby od tego dnia wszyscy ujęci rozbierali się do naga pod murem i aby straż nasza czuwała (w odległości 50 metrów od rozbierających się) z bronią gotową do natychmiastowego użycia. Później te nagusy i naguski musieli przebiegać rzędem o 50 metrów w lewo (cały czas z rękami do góry) pod dozór pistoletów maszynowych innej grupy wachmanów. Po dokładnym zrewidowaniu (przez pierwszą grupę straży) leżącego na ziemi odzienia, nagusy znów biegiem wracali... albo nie wracali. Jeśli wrócili, to szli do wagonów.

W celi zrobiło się mroczno, bo właśnie chmury nadeszły kłębiaste, czarne. Zerwał się wiatr listopadowy. Wyrzucił aż pod nasze okna tumany pyłu, liści i papierków. W celi ostry chłód, Stroop, który stał przy drzwiach, krzyknął do Schielkego:

– Zamykaj pan czym prędzej okno, bo wiatr szyby wytłucze! – A potem zauważył: – Tym Żydom i Żydówkom, przebywającym nago pod murem gettowym, nie było na pewno tak zimno, jak nam teraz, bo stali w słońcu. Trzeci maja był ciepły, prawie letni. Jedna Żydówka nawet opaliła sobie ciało na piękny, brązowy kolor z czerwonym odcieniem.

– Wiem, że pan generał jest wrażliwy na piękne konie i na sztukę kawaleryjską oraz na *Marsz Radetzky'ego*[11] – rzekłem. – Pierwszy raz się dowiaduję, że na pana generała również oddziałuje urok opalonej słońcem skóry niewieściej, skóry nie „aryjskiej", nie „nordyckiej". Co prawda mogłem się tego domyślać po pańskich uwagach na temat więziennej, słowiańskiej sikorki z klasa biustem, z pralni. Tej, którą pan generał podgląda na spacerach i czasem przez okno.

---

[11] *Marsz Radetzky'ego*, popularny marsz wojskowy, skomponowany przez Johanna Straussa (starszego).

Stroop piekielnie się zezłościł. Miał w oczach ołów. Przypuszczam, że takim ołowianym wzrokiem patrzał na Żydów walczących w getcie.

*

– O ile 2 maja, podczas inspekcji Krügera, oraz 3 maja straciłem po kilku ludzi – mówił teraz Stroop – następnego dnia (był to wtorek) nie mieliśmy żadnych strat, mimo że w czasie trzynastogodzinnej, nieprzerwanej akcji oczyściliśmy wielkie kompleksy budynków firmy „Walter Többens" oraz firmy „Schulz i S-ka". I mimo że ujęliśmy żywcem 2300 Żydów, a zastrzeliliśmy 200...

– Herr Gruppenführer – przerwał gwałtownie, a nawet z pasją Gustaw Schielke. – Proszę pana już po raz drugi o niepowtarzanie zafałszowanych danych statystycznych o naszych zabitych i rannych. Wiem, że pan w swych raportach, przygotowywanych przez magika – Maxa Jesuitera, musiał tak pisać, bo kazał Krüger, bo radził doktor Hahn, bo nie chciał pan się obciążać odpowiedzialnością za życie żołnierzy i policjantów poległych pod pańskimi rozkazami. Ale nas pan nie bujaj! Nas – pańskich współtowarzyszy z jednej celi. Powtarzam: w te podawane „dla historii i dla bieżącej polityki" liczby strat niemieckich w getcie nikt nigdy nie uwierzy.

Stroop, milcząc, zgodził się z wywodami Schielkego. Już nas nie informował o swych poległych, rannych i zaginionych.

Później podjął opowiadanie o dniu 4 maja 1943 roku. Pamiętam zakończenie relacji, przerwanej nagle inspekcją oficera służbowego Mokotowa. Stroop mówił wtedy mniej więcej tak:

– Gdy płomienie ogarnęły górne partie budynku, ukazywali się Żydzi na najwyższych piętrach. Były to ostatnie ich minuty. Biegali od okna do okna. Gestykulowali gwałtownie. Wskakiwali na parapety. Ich czarne sylwetki odcinały się od ognistego tła, od ruchliwej ściany płomieni. Ratując się przed bolesną śmiercią w ogniu, skakali w dół. Nie na poduszki, lecz na asfalt podwórek i ulic. Leżał taki samobójca jak czarny manekin z pomalowaną na czerwono głową. Czerep pęknięty. Kupki mózgu obok. Dom płonie dalej. Dach zapada się z trzaskiem, a dom płonie. I żarzy się jeszcze przez wiele dni. Dopiero deszcz majowy przydusił wszystko, co się tliło.

XVII. Krzyż Walecznych

– Dwie liczby: 5 oraz 45 tysięcy łączę zawsze z sobą – rzekł pewnego dnia Stroop. Wiedziałem z poprzednich rozmów, że wierzy on w magię liczb i że lubi piątkę, której przypisywał szczególną rolę w swoim życiu. Jednak nie rozumiałem sytuacyjnego związku między piątką a 45 tysiącami. Gdy zapytałem, o co mu idzie, odpowiedział:

– Saldo ujętych przez nas Żydów od pierwszej godziny Grossaktion do p i ą t e g o maja 1943 wynosiło c z t e r d z i e ś c i p i ę ć t y - s i ę c y. Jesuiter, który każdego dnia notował w arkuszu zbiorczym liczby wyeliminowanych Żydów, wbiegł tego dnia przed samą północą do mego gabinetu przy Alejach Ujazdowskich 23 i, podniecony, zaczął mówić o osiągnięciach. Ale Jesuiter, zbyt poufały, nie zachował należytych form. Obrugałem go więc, kazałem wyjść i zastosować się do regulaminu służby wewnętrznej. Zamyka drzwi za sobą, ja krzyczę: „Wejść!", on melduje się fantastycznie. Wyprostowany, głowa do góry, dłonie przy szwach spodni galliffet. Prosi posłusznie o pozwolenie zreferowania bardzo ważnej sprawy. Każę podejść do biurka, a biurko miałem wielkie, błyszczące i nie zawalone papierami. Jesuiter podaje z dumą wykaz buchalteryjnych zestawień. Czytam. Mówię: „Dobrze, Jesuiter! 45 tysięcy. Ładna liczba, starogermańska – 5 razy 9, plus 3 zera. SS-Reichsführer się ucieszy".

– Pozwalam Jesuiterowi usiąść na fotelu. Częstuję go cygarem. Zakładam monokl. Jeszcze raz analizuję dane. Wynikało z nich, że na końcowe godziny tegoż 5 maja łączna liczba złapanych w getcie Żydów wyniosła 45 tysięcy z małym ogonkiem[1].

– Mówię o wszystkich Żydach złapanych żywcem oraz o tych żydowskich trupach, które mieliśmy możność policzyć. Do statystyk nie włączaliśmy uśmierconych lub samobójców, do których trudno było dotrzeć, np. do zasypanych gruzem, spalonych w płonących budynkach lub zlikwidowanych w bunkrach i kanałach. Do bunkrów zdobytych po walce z zasady nie wchodziliśmy. Mogły tam się znajdować zasadzki i pułapki samoczynnie działające nawet po śmierci powstańców. Raz przy przeszukiwaniu zdobytego bunkra wybuchła bomba z opóźnionym zapłonem. Patrz pan, Herr Moczarski, jacy ci Żydzi są! Nawet po śmierci lubią się mścić!

Tu przerwał. Ledwo się pohamowałem. A Stroop dalej motywuje swą decyzję, zakazującą wchodzenia SS-owcom do bunkrów:

– Nie chciałem narażać moich żołnierzy na żar i na gaz. Po otwarciu bunkra paliliśmy wnętrze przy pomocy miotaczy płomieni i wrzucaliśmy petardy dymne. Nie wchodziliśmy tam (mówię cały czas o bunkrach bojowych, a nie o mieszkalnych) i dlatego nie włączaliśmy „bunkrowych trupów" do rejestru nieprzyjacielskich strat.

✻

– Jak przebiegała akcja pańskich „nocnych partyzantów"? – pyta kiedyś Schielke. Bardzo go to interesowało, bo Niemcy rzadko stosowali tę formę boju.

– Moi ludzie nie byli w tych działaniach najzręczniejsi i najchytrzejsi – mówi Stroop. – Robili zbyt dużo szumu i trudno im było zaskoczyć Żydów. Stąd mało realnych efektów. Aby im ułatwić bezgłośne poruszanie się, nakazałem SS-mannom z nocnych patroli okładać buty szmatami, a potem te szmaty bandażować. Oczywiście bandaże musiały być uczernione. Mimo stałego ulepszania metod walki „partyzanckiej", nie udało się nam wyplenić conocnych markowań Żydów. Zabiliśmy ich trochę. Nie pamiętam dokładnie ilu, ale wydaje mi się, że około 30 każdej nocy. My także mieliśmy straty. Kilku

---

[1] 45 159 osób – patrz J. Gumkowski, K. Leszczyński, *Raport Stroopa*..., op. cit., s. 178.

ciężko i kilku lekko rannych. Jeden SS-mann dostał postrzał w brzuch. Wywieźliśmy go natychmiast z Warszawy samolotem do Sudetenlandu. Lecz tam biedak zmarł. Tak było co dzień z nocnymi operacjami, bo Żydzi – lepsi od nas w tych warunkach – uparcie wypełniali w ciemnościach swe zadania łącznościowe, aprowizacyjne i bojowe.

– A mówiłem zawsze, że my, Niemcy, nie nadajemy się do walk partyzanckich – rzekł głośno Schielke. W chwilę potem, korzystając, że Stroop przygotowywał miski do obiadu (słychać było, jak kalifaktorzy wnoszą kotły z zupą do pobliskiej celi), szepnął do mnie:

– Zauważył pan, że nareszcie generał nie opowiada głupstw o rzekomo niskich stratach własnych?

Potaknąłem głową. Stroop zerknął nagle od drzwi podejrzliwie, jakby niepokoiły go słowne „konszachty" między mną a Schielkem.

*

Po obiedzie i krótkiej drzemce, Stroop wrócił do opowieści o 5 maja 1943.

– Niech panowie nie myślą, że tempo Wielkiej Akcji zaczęło słabnąć. Wprost przeciwnie. Żydów było mniej, to oczywiste, ale stawali się coraz bezczelniejsi i niebezpieczni przez swój opór i upór. Wiedziałem, że teraz zaczyna się główna faza, że lada godzina zetkniemy się z elitą, z wyborowymi powstańcami, z bunkrami sztabu i żydowską lejbgwardią. Według naszego rozpoznania...

– ... raczej nie rozpoznania, tylko przypuszczeń i odczuć – przerwałem.

– Może pan ma częściowo rację, Herr Moczarski, ale rozpoznaniem też się kierowaliśmy, choć nie było ono pełne. Już wiedzieliśmy, w których kwartałach domów (całych i wypalonych) znajdują się główne punkty powstańczego oporu. Pan myśli, że nie było do nas strzałów, rzadkich, ale celnych? Że nie było min, bomb, butelek z benzyną, granatów, błyskawicznie zjawiających się wyrostków żydowskich, podniecanych do walki przez te przeklęte „Haluzzenmädeln". Och! W dalszym ciągu mieliśmy położenie ciężkie. Na tyłach pierwszej linii frontu znajdowali się Żydzi. Co pewien czas moje oddziały, przeszukując tereny już rzekomo spacyfikowane, musiały wdawać się w bezpośrednią walkę, likwidować nie wykryte przedtem bunkry i rozbijać ich pancerne skorupy. A ponadto w tak zwanym małym getcie znajdowały się jeszcze niemieckie zakłady, niewielkie co prawda, zatrudniające tylko Żydów. Ci pracownicy z ulicy Prostej nie chcieli iść dobrowolnie na plac zbiórki. Uciekali. Chowali się w rozmaite dziury. Rzadko kiedy się bronili. Aleśmy ich w końcu wyłapali, jak się wybiera raki do saka z plątaniny dziur przy brzegu strumienia. Jesuiter naliczył wtedy 3 tysiące osób. Następnego dnia znów wyłuskaliśmy z ulicy Prostej około trzystu Żydów.

*

– 6 maja podobne położenie, z tym że stwierdziłem obecność powstańców ŻOB-owskich przybyłych z zewnątrz getta. Bardzo mnie to zaniepokoiło. Czyżby z odsieczą szły jakieś grupy żydowskie? Jeżeli tak, to musieli korzystać z pomocy Polaków. Gdy sam zobaczyłem złapanego bojowca z zewnątrz, uzbrojonego po zęby Żyda, i byłem świadkiem jego przesłuchania, zatelefonowałem natychmiast do Krakowa, do generała Krügera. SS-Obergruppenführer już o tej nowej sytuacji wiedział, pewno od Hahna lub doktora Kah. Ci dwaj, jako warszawscy dowódcy wywiadu i kontrwywiadu SS, tj. Sicherheitsdienst, mieli bardzo sprawną sieć łączności, sprawniejszą niż ja i gubernator Fischer, a nawet niż generalny gubernator Frank.
– Krüger – ciągnął ożywiony Stroop – nakazał wzmocnić sieć obronną wokół teatru walki w getcie i przesunąć ją w głąb „aryjskiej" części Warszawy. Musiałem wydać rozkaz o ściągnięciu wszystkich odwodów SS-owskich i policyjnych w pobliże getta. Jednakże ten izolacyjny pierścień nie dał oczekiwanych rezultatów. ŻOB-owcy i Polacy przenikali do getta. Coraz słabszym strumyczkiem, ale przenikali przez kanały i podziemne przejścia.
– Tegoż dnia natrafiliśmy na konkretny trop, prowadzący w kierunku bunkrów dowództwa powstania. Co prawda już dwa dni wcześniej jeden z ujętych Żydów zdradził nam okolicę, w której znajduje się jeden taki bunkier. Hahn i doktor Kah zapalili się do projektu wykorzystania zdrajcy. Przydzieliłem ludziom z SD mój specjalny oddział. Ale Żyd mało wiedział, to znaczy, nie umiał (albo nie chciał) wskazać dokładnego miejsca, gdzie znajduje się bunkier. Kluczył, poszukiwał, przypominał sobie, lecz niedużo z tego wyszło. Najadł

się w naszej kuchni polowej, aż mu się kałdun wzdął. Napił się sznapsa. Dostał glejt na przyszłe wolne poruszanie się po całej GG. Oczki, chytre oczki błyszczały mu zadowoleniem. Wodził nas dwa dni. W końcu wskazał jakiś dotychczas niezauważony przez moich ludzi bunkier. Zdobyliśmy go po krótkim oporze załogi. Nie, to na pewno nie był bunkier sztabowy! Trzech bojowców, a właściwie trzy trupy. Granat, pistolet. Żadnych papierów. Zdrajca dostał w łeb. Co prawda doktor Hahn miał o to pretensję. Może Sicherheitsdienst chciała tego Żyda urobić na konfidenta albo może był on kiedyś agenciakiem jakiegoś konfidenta doktora Hahna – nie wiem.

– Silną mieliście sieć konfidentów wśród Żydów? – zagaduję mimochodem.

– Nie największą, choć doktor Hahn dawał do zrozumienia, że środowisko żydowskie ma przeszpiclowane przez swoich zauszników i donosicieli. Nie myślę, żeby tak było, bo według mnie procent zdrajców czy ludzi skłonnych do zdrady nie był u Żydów większy niż u innych społeczeństw, u mieszkańców GG. Ten procent czy promille był raczej poniżej normy. Dlaczego tak sądzę? Dlatego, że gdyby było inaczej, to nie napotykalibyśmy tylu niespodzianek w getcie, to przynajmniej część tych setek bunkrów, konstruowanych miesiącami przy użyciu materiałów budowlanych oraz instalacyjnych, byłaby przez konfidentów ujawniona. A myśmy szukali bunkrów po omacku, jak pijane dzieci we mgle, i właściwie nic nie wiedzieliśmy o organizacji podziemnej getta poza ogólnikami. Zdrajców i przygodnych konfidentów to dopiero ja wynalazłem w czasie walk w getcie.

– Co się dziwić, jak kilkadziesiąt tysięcy ludzi naraz się maltretuje... – zauważył Schielke.

– ... maltretuje? – łypnąłem na Schielkego złym wzrokiem.

– No, dobrze. Nie maltretuje, lecz m o r d u j e. Tak pan chciał powiedzieć, Herr Moczarski. Prawda? Więc jeżeli tyle tysięcy morduje się naraz lub ustawia do jednostrzałowego uśmiercania, lub bije po łbie, lub przepędza nago w słońcu i cieniu kwietniowej wiosny – to nie ma się co dziwić, że ktoś z tych oszalałych tysięcy musi się załamać, musi chcieć żyć minutę dłużej i musi sypać współtowarzyszy. Nie żądajmy od ludzi za dużo, nie chciejmy, aby wszyscy byli aniołami lub bohaterami. Myślę – tu Schielke się uśmiechnął – że społeczeństwo aniołów jest bardzo nudne i normalnemu człowiekowi nie sposób w nim żyć.

– Wracając do sieci agenturalnej Hahna w getcie – rzekł Stroop – to kiedyś mu przygadałem, że jego zaufani z getta bujali go w praktyce, że dawali informacje powierzchowne i raczej dotyczące miejsc i osób, na których można zdobyć dolary i biżuterię. Że miał wiadomości tylko od niektórych ludzi z żydowskiej policji, z Judenratu, z zarządu fabryczek oraz od takich facetów, jak słynny agent Abwehry doktor Nossig[2], zastrzelony przez ŻOB, jak Gancwajch i Lolek Skosowski.

– Skąd pan wie o Gancwajchu i Skosowskim? – pytam z zaciekawieniem.

– Siedziałem w jednej z poprzednich cel z *akowcem* członkiem grupy likwidacyjnej kontrwywiadu stołecznego **AK**. Brał udział w zastrzeleniu tego „Lolka z Hotelu Polskiego"[3] w jakiejś śródmiejskiej restauracji Warszawy. Opowiadał o Gancwajchu, zlikwidowanym podobno przez podziemie. Gancwajch był szefem grupy wysługującej się Hahnowi, którą nazywano „trzynastka"[4]. Dowiedzia-

---

[2] Alfred Nossig (1864–1943), dr, dziennikarz, literat, rzeźbiarz, działacz społeczny, w czasie okupacji kierownik wydziału sztuk pięknych Judenratu w getcie warszawskim, za współpracę z Gestapo zlikwidowany przez Żydowską Organizację Bojową 22 lutego 1943 r. w swoim mieszkaniu przy ul. Muranowskiej.

* Wyraz obecny w odpowiednim odcinku edycji *Rozmów z katem* na łamach „Odry" (1973, nr 3, s. 23), lecz usunięty przez cenzurę w pierwszych pięciu wydaniach książkowych w latach 1977–1985.

** AK – skrót nazwy Armii Krajowej obecny w odpowiednim odcinku edycji *Rozmów z katem* na łamach „Odry" (1973, nr 3, s. 23), lecz usunięty przez cenzurę – bez zaznaczenia – w pierwszych pięciu wydaniach książkowych w latach 1977–1985.

[3] „Lolek z Hotelu Polskiego" – Leon (Lajb) Skosowski, technik tekstylny, aspirant w Urzędzie do Walki z Lichwą i Spekulacją w getcie warszawskim, wraz z Adamem Żurawinem z ramienia Gestapo kierujący aferą Hotelu Polskiego (fikcyjne wysyłanie Żydów z Warszawy po pobraniu wysokich opłat do Ameryki Południowej, a w rzeczywistości do obozu koncentracyjnego we Francji), zlikwidowany 1 listopada 1943 r. w restauracji „Gospoda Warszawska" przy ul. Nowogrodzkiej 28 przez kontrwywiad Okręgu Warszawa Armii Krajowej.

[4] „Trzynastka" – agentura Gestapo w getcie warszawskim, obejmująca całą sieć instytucji, urzędów, biur i organizacji, ściśle z sobą powiązanych i podlegających pośrednio bądź bezpośrednio Abrahamowi Gancwajchowi, urzędującemu przy ul. Leszno 13 (stąd nazwa „Trzynastka"). W skład „Trzynastki" wchodziły m.in.

łem się, że to byli nie tylko agenci Policji Bezpieczeństwa i SD, ale również zwykli hultaje i kryminaliści. Gdy raz podrwiwałem w cztery oczy, przy koniaku, z „sukcesów" wywiadowczych Hahna w getcie, rzekł: „Herr General! Co robić, gdy nie udaje się zwerbować przyzwoitego człowieka do służby agenturalnej? Bierze się wtedy pierwszą lepszą szuję. Wiedziałem, że znaczna większość członków »trzynastki« oraz przynajmniej połowa policjantów żydowskich to kanalie. Toteż, gdy się rozbrykali, kazałem ich likwidować"[5].

7 maja 1943 walki w getcie przebiegały normalnie, jak mówił Stroop. Siły własne hitlerowców: około 1 300 ludzi. Zniszczono około 50 bunkrów. Większość Żydów stawiała opór. Ujęto ponad tysiąc Żydów; zastrzelono – około 270. Czas efektywnego boju dziennego: 11 godzin. „Walki partyzanckie" – jak co noc; Żydzi ruchliwi, SS-manni raczej niemrawi.

– W dalszym ciągu strzelanina, granaty, „cocktaile Mołotowa", wybuchy, grzmoty dział, terkot karabinów maszynowych, krzyki, głośne rozkazy, walące się domy, trzask belek i pożary, pożary – opowiada Stroop. – Ale nie wszystko można spalić. Gdy nowoczesny, betonowy gmach nie chciał się zająć płomieniem, musieliśmy go wysadzać w powietrze. Wymagało to masę czasu i trudu saperów. Borowanie dziur w betonie, zakładanie ładunków i instalacji elektrycznej do detonatorów. Wielkie ilości materiału wybuchowego i koszty ogromne. Nie ma jak pożary! Toteż kazałem podpalać, co się da. I wykurzać w ten sposób Żydów! I wędzić ich!

– Znowu na dachach i balkonach płonących domów ukazują się Żydzi. Skacze to tałatajstwo, a moi ulubieńcy, strzelcy wyborowi, trenują strzelanie do „spadochroniarzy".

Schielke zaczął nucić marsza żałobnego. Wiedział, że Stroop nie znosi tej melodii.

Urząd do Walki z Lichwą i Spekulacją oraz Żydowskie Pogotowie Ratunkowe. Czołowi pracownicy tej agentury to (poza Gancwajchem) Dawid Szternfeld i wspomniany wyżej Leon (Lajb) Skosowski.

[5] Kilkunastu pracowników „Trzynastki" zostało rzeczywiście zlikwidowanych przez Gestapo w maju 1942 r. Abraham Gancwajch, ścigany zarówno przez Gestapo, jak przez Żydowską Organizację Bojową, zginął w nieznanych okolicznościach w 1944 r.

Stroop nagle przerywa w pół zdania. Patrzy na zaokienne chmury. Ja przyglądam się asfaltowej podłodze w celi. Schielke wciąż nuci, wybijając ręką na żelaznym stoliku powolny takt.

∗

– A jednak natrafiliśmy na trop kierownictwa powstania w getcie. Był to bunkier „partyjny", jak go nazywaliśmy.

– Dlaczego „partyjny"? – pytam, bo nie rozumiem, skąd się wzięła ta nazwa. – Przecież żadna z wielu żydowskich partii politycznych nie kierowała powstaniem. Dowództwo powstania to zespół niestarych ludzi z rozmaitych ugrupowań, zjednoczonych w Żydowskiej Organizacji Bojowej. ŻOB utrzymywał ścisłe więzy z AK, z Delegaturą, z Socjalistyczną Organizacją Bojową oraz z Gwardią Ludową, która była wtedy zbrojnym ramieniem PPR. W Komendzie ŻOB działali przedstawiciele: organizacji lewicowo-syjonistycznej Haszomer-Hacair (z tej grupy był dowódca powstania – Mordechaj Anielewicz), Poalej Syjon-Lewicy, ruchu chalucowego, Bundu i PPR. A więc po co używać terminu „partia"? Przecież w ten sposób fałszuje pan historię.

– Ma pan rację – szybko i zdecydowanie odparł Stroop. – Ale ja się, niestety, przyzwyczaiłem do nomenklatury narzuconej przez doktora Hahna, generała Krügera i centralę berlińską. Hahn, Kah i Spilker uważali (a nasza góra się z tym godziła), że należy ze względów propagandowych głosić, iż tylko komuniści (PPR i GL) wzniecili dla swoich celów powstanie. Myśmy wiedzieli (co prawda, nie najbardziej precyzyjnie), kto powstanie popiera. Popierały je aktywnie wszystkie organizacje podziemia polskiego z wyjątkiem grup skrajnie nacjonalistycznych. Pasywnie zaś – całe społeczeństwo Generalnej Guberni z wyjątkiem skrajnych nacjonalistów ukraińskich.

– Myśmy wiedzieli, to znaczy Hahn pierwszy wiedział, która organizacja przekazała ŻOB-owi w końcu roku 1942 i w pierwszym kwartale 1943: ponad 70 pistoletów, kilkanaście karabinów, kilka ręcznych karabinów maszynowych, jeden lekki karabin maszynowy, magazynki, amunicję, 800 granatów, kilkaset kilogramów szedytu oraz materiału wybuchowego produkcji podziemnej, a ponadto 30 kilogramów najnowocześniejszego materiału wybuchowego o nazwie „plastyk", produkcji angielskiej, z „termometrowymi" zapalnikami...

– ... czy „plastyk" był w tych „bombach pończochowych", o których pan generał wspominał? – Schielkemu się oczy błyszczą z ciekawości.

– Tak... A poza tym, kto przekazał ŻOB-owi kilkaset zapalników do min, bomb i granatów, dużo saletry do produkcji prochu czarnego oraz kilkadziesiąt kilogramów potasu do nasycania taśm przyklejanych na szyjki butelek z benzyną!

– Co to była za grupa, według pana? – pytam Stroopa.

– Niech pan nie udaje, że pan nie wie, o której organizacji podziemnej mówię, Herr Moczarski. Przecież pan się orientuje, że idzie o Armię Krajową[6].

Milczałem, a Stroop ciągnął dalej:

– Pomoc Armii Krajowej dla powstańców żydowskich nie ograniczała się tylko do świadczeń w materiale bojowym. AK przekazała również ŻOB-owi dokładną instrukcję techniczną w zakresie produkcji bomb, granatów ręcznych i butelek zapalających oraz wskazówki, jak budować punkty oporu i urządzenia saperskie.

– Przecież nie tylko AK pomagała materiałowo i instruktażowo ŻOB-owi – stwierdzam.

– Tak – odpowiada Stroop. – Żydowska Organizacja Bojowa szukała pomocy nie tylko u Armii Krajowej, lecz również u Gwardii Ludowej, z którą miała nawet w pewnych okresach bliższe stosunki niż z AK.

❊

– 8 maja był dla mnie ważnym dniem – opowiadał raz Stroop. – Tego dnia otworzyliśmy bunkier przy ul. Miłej 18, główną siedzibę sztabu ŻOB. Było to dość rozległe i dobrze ufortyfikowane pod-

---

[6] Armia Krajowa przekazała do getta warszawskiego zimą 1942/1943 r. około 90 pistoletów, 1 ręczny karabin maszynowy, 1 pistolet maszynowy, 600 granatów, co najmniej 15 kg plastyku (patrz *Polskie Siły Zbrojne w drugiej wojnie światowej*, t. III: *Armia Krajowa*, Instytut Historyczny im. Gen. Sikorskiego, Londyn 1950, s. 326–327), co według ustaleń prof. dr. Tomasza Strzembosza stanowiło – w broni krótkiej i granatach – około 4–8% stanu posiadania całego Okręgu Warszawa Armii Krajowej.

ziemne schronienie. Posiadało kilka wejść i połączeń z siecią kanalizacyjną oraz z labiryntem podziemnych zbudowanych przez Żydów tuneli komunikacyjnych. Walki o ten bunkier były i długie, i ciężkie. ŻOB-owcy się wściekle bronili, a moi żołnierze czuli się niepewnie w bezpośrednim starciu. W końcu udało się bunkier otworzyć i ująć około pół setki uzbrojonych powstańców. Znaleźliśmy tam kilku bojowców, którzy popełnili samobójstwo.

– Czy pan wie, kto tam odebrał sobie życie? – pytam, starając się zachować jak największy spokój.

– Nie. Nie wiem, kto tam poległ – odpowiada szczerze Stroop.

– Jednym z samobójców – informuję Stroopa – był 24-letni działacz ruchu harcerskiego Mordechaj Anielewicz, dowódca powstania w getcie, oraz Arie Wilner, pseudonim „Jurek", również harcerz i przyjaciel Anielewicza, łącznik między ŻOB a AK.

– To byli obaj wspaniali ludzie, o wielkim charakterze i dużej inteligencji – mówię tak, jakbym wygłaszał referat historyczny. – „Jurek", utrzymując oficjalne kontakty z AK, spotykał się często z moimi kolegami z BIP-u, między innymi z redaktorem naczelnym „Biuletynu Informacyjnego" Aleksandrem Kamińskim – „Hubertem", z kierownikiem referatu żydowskiego w BIP KG AK Henrykiem Wolińskim – „Wacławem" *oraz z członkiem Wydziału Informacji BIP KG AK Władysławem Bartoszewskim – „Teofilem".* To byli wspaniali chłopcy, ci z ŻOB-u – powtarzam. – Czy pan wie, Herr Stroop, że dowódca Armii Krajowej odznaczył Anielewicza, Wilnera oraz wybitnego współorganizatora ruchu ŻOB-owskiego i przywódcę powstania Żydów w Białymstoku Mordechaja Tenenbauma – „Tamarofa" – Krzyżem Walecznych?[7]

---

* Fragment tekstu obecny w odpowiednim odcinku edycji *Rozmów z katem* na łamach „Odry" (1973, nr 3, s. 26) usunięty przez cenzurę – bez zaznaczenia – w wydaniach książkowych z lat 1977–1985.

[7] Jak wynika z dokumentu podpisanego 9 sierpnia 1944 r. przez por. „Borodzicza" (Aleksandra Gieysztora), rozkazem Nr 400/BP z dnia 25 lipca 1944 r. Dowódca Armii Krajowej gen. dyw. Tadeusz Komorowski „Bór" odznaczył Krzyżami Walecznych: Mordechaja Anielewicza, Mordechaja Tenenbauma i Arie Wilnera – patrz Centralne Archiwum KC PZPR (obecnie VI Oddział Archiwum Akt Nowych), 203/VII–11, k. 3.

– Jak wygląda Krzyż Walecznych? – pyta Stroop.

– Jest to odznaczenie z brązu, skromne i spokojne w formie, z napisem na poziomych ramionach krzyża: WALECZNYM. To jedno słowo jest istotą odznaczenia. Bardzo zwykłe, a przez to wielkie. Spojrzałem na obu współwięźniów-hitlerowców. Byli poważni. Po kilku minutach dodałem:

– Jeden z najdzielniejszych żołnierzy powstania w getcie i kierowników ŻOB-owskiej produkcji zbrojeniowej oraz służby inżynieryjno-saperskiej, inżynier Michał Klepfisz, został wtedy odznaczony przez Naczelnego Wodza Polskich Sił Zbrojnych Krzyżem Virtuti Militari V klasy w uznaniu męstwa osobistego i wybitnych czynów bojowych w czasie walk w getcie[8]. A ponadto w dwa lata po rozpoczęciu powstania, tj. 19 kwietnia 1945, Naczelne Dowództwo WP[9] nadało Anielewiczowi i Tenenbaumowi Krzyż Grunwaldu III klasy, a Arie Wilnerowi – krzyż Virtuti Militari V klasy.

*

– W dalszych dniach Wielkiej Akcji opór pozostałych Żydów był silny. Bojowcy żydowscy wycofywali się przeważnie nocą na dogodniejsze pozycje, w trudno dostępne ruiny. Przeciwko tym punktom schronienia i ataku nie mogliśmy stosować metody podpalania, gdyż poprzednie pożary spaliły tam wszystko, co było do spalenia. Nowe „fortece" powstańcze były trudne do sforsowania. Musiałem – opowiada Stroop – rozkazać, aby stosowano klasyczne metody bitewne. A więc krótkie marsze zbliżania, pierwsza wymiana wystrzałów, podciągnięcie haubicy i działek przeciwlotniczych, osaczenie miotaczami płomieni, wreszcie szturm. Często rezultaty takich walk były nikłe: kilka trupów powstańczych, a reszta wroga ulotniła się jakimiś podziemnymi, labiryntowymi korytarzami. Jak panowie widzą, nie była to łatwa sprawa.

---

[8] Poległy 20 kwietnia 1943 r. w walkach w getcie warszawskim inż. Michał Klepfisz został pośmiertnie odznaczony Orderem Virtuti Militari V klasy rozkazem Naczelnego Wodza gen. broni Kazimierza Sosnkowskiego z 18 lutego 1944 r., o czym pisała prasa konspiracyjna na czele z „Biuletynem Informacyjnym" Armii Krajowej (20 kwietnia 1944, nr 16) i „Rzeczypospolitą Polską" Delegatury Rządu RP na Kraj (28 kwietnia 1944, nr 5).

[9] Mowa o Ludowym Wojsku Polskim.

– Jednocześnie prowadziłem w całym rejonie dawnego wielkiego getta akcje poszukiwawcze. Oddziały szturmowe penetrowały metr po metrze, dążąc do wykrycia przytajonych bunkrów. Codziennie znajdowaliśmy i niszczyliśmy od kilkunastu do kilkudziesięciu bunkrów. W poszukiwaniu nowych kryjówek Żydzi usadawiali się nie tylko w ruinach, ale i w resztkach domów o niezniszczonych jeszcze dachach. Trudno podpalać ruiny i półruiny. Zmuszeni byliśmy do stosowania techniki wysadzeniowej. Przydzielono nam nowych saperów z Wehrmachtu oraz znaczną ilość materiałów wybuchowych i urządzeń instalacyjnych.

– W tej sytuacji, zatrudniając żołnierzy Waffen SS i wehrmachtowców przy likwidowaniu punktów oporu ŻOB-u, przerzuciłem część zbrojnych oddziałów policyjnych i technicznych na tereny już uspokojone. Paliliśmy tam dom po domu. Pozostawała tylko kamienno-ceglana pustynia. Ale spełniliśmy całkowicie rozkaz i pragnienia Heinricha Himmlera. Do godzin wieczornych 12 maja liczba Żydów ujętych od początku Grossaktion wzrosła do 54 500[10]. 13 maja charakteryzował się dalszym zażartym oporem powstańczych grup bojowych, przeważnie młodych chłopców i dziewczyn, a ponadto decyzją moją i Krügera, że od tego dnia wszystkich złapanych Żydów należy kierować wyłącznie do obozu Treblinka II.

– Trzecią ważną okolicznością był nalot bombowy lotnictwa radzieckiego na Warszawę w nocy z 12 na 13 maja. Bałem się, że bomby ugodzą oddziały stanowiące mój pierścień ochronny wokół getta. Ale tak się nie stało. Lotnicy radzieccy atakowali nasze obiekty wojskowe, znajdujące się w dość znacznej odległości od getta. Straciłem jednak dwóch żołnierzy z Waffen SS, którzy znaleźli się właśnie, jako łącznicy do specjalnych zadań, w rejonach bombardowanych[11]. W dniu 13 maja zdobyliśmy i zniszczyliśmy 33 bunkry.

---

[10] 54 463 osoby – patrz J. Gumkowski, K. Leszczyński, *Raport Stroopa...*, op. cit., s.189.
[11] W wyniku sowieckiego nalotu bombowego na Warszawę w nocy z 12/13 maja 1943 r. śmierć poniosło według „Biuletynu Informacyjnego" (20 maja 1943, nr 20) – około 300 osób, zaś według oficjalnego komunikatu niemieckiego – 160 osób (149 zabitych i 11 zaginionych).

– 14 maja przyjechał na wizytację moich działań w Warszawie szef Głównego Urzędu Personalnego SS, Maksymilian von Herff, SS-Gruppenführer i generał Waffen SS. Tego dnia ujęliśmy dużą liczbę żydowskich powstańców i „aryjczyków". Był to wynik dobrej pracy mojej „nocnej partyzantki". Te specjalne oddziały nauczyły się już cicho chodzić i rozstrzygnęły na swoją korzyść wiele nagłych starć z powstańcami. W ciągu dnia również mieliśmy kilkanaście ciężkich potyczek. Zlikwidowaliśmy ponad 30 bunkrów, niektóre z wielką załogą. Również przeprowadziliśmy akcję „kanalizacyjną". Kazałem wrzucić do około 200 włazów kanałowych petardy i świece dymne. Miało to taki skutek, że wrogowie korzystający z sieci kanalizacyjnych zbiegli się w obawie przed rzekomo trującymi gazami do centrum getta. Stamtąd ich wyciągaliśmy już łatwo.

*

– Mógłbym panom opowiadać – rzekł pewnego listopadowego dnia Stroop – tysiące szczegółów o końcowych dniach Wielkiej Akcji, ale to byłoby już dla was nudne. Masę bowiem kwestii i okoliczności dobrze znacie. Nie chcę się powtarzać. Powstanie przygasało. Patrole nocne spotykały tylko nielicznych powstańców. W czasie dnia ujmowaliśmy do stu żywych Żydów. Taką samą mniej więcej liczbę uśmiercaliśmy w walce.

– W tej sytuacji postanowiłem zakończyć Grossaktion 16 maja 1943 o godzinie 20 minut 15. Piękną klamrą oficjalnego zamknięcia Wielkiej Akcji było wysadzenie w powietrze Wielkiej Synagogi przy ulicy Tłomackie. Przygotowania trwały 10 dni. Trzeba było opróżnić jej wnętrze oraz wyborować w fundamentach i murach kilkaset otworów na materiały wybuchowe. Synagoga była gmachem solidnie zbudowanym. Stąd, aby ją za jednym zamachem wysadzić w powietrze, należało przeprowadzić pracochłonne roboty saperskie i elektryczne.

– Ależ to był piękny widok! – opowiadał z błyskiem w oku Stroop. – Z punktu widzenia malarskiego i teatralnego obraz fantastyczny! Staliśmy z moim sztabem dość daleko od synagogi. Oficer saperów, odpowiedzialny za prawidłowe wysadzenie w powietrze, wręczył mi, za pośrednictwem Maxa Jesuitera, aparat elektryczny wywołujący poprzez przewody elektryczne jednoczesną detonację ładunków wybuchowych w murach synagogi. Jesuiter nakazał ogólną ciszę. W blasku płonących budynków stali zmęczeni i umorusani moi dzielni oficerowie i żołnierze. Przedłużałem chwilę oczekiwania. W końcu krzyknąłem: Heil Hitler! – i nacisnąłem guzik. Ognisty wybuch uniósł się do chmur. Przeraźliwy huk. Feeria kolorów. Niezapomniana alegoria triumfu nad żydostwem. Getto warszawskie skończyło swój żywot. Bo tak chciał Adolf Hitler i Heinrich Himmler.

XVIII. Aber ein guter Mann!

Opowiadając o wysadzeniu w powietrze 16 maja 1943 Wielkiej Synagogi Warszawskiej, Jürgen Stroop nie przechadzał się, lecz stał twardo w kącie celi, przy kaloryferach. Nogi rozstawione (stóp nie odrywa od asfaltu), głowa do góry, twarz lekko różowa, z emocji. Gestykuluje. Jest w jakimś sensie szczęśliwy.

Gdy powiedział: „Bo tak chciał Adolf Hitler i Heinrich Himmler", otwarto drzwi – jak zawsze n a g l e, jak zawsze przy akompaniamencie zgrzytu klucza i łomotu zasuwy. Strażnik wskazuje na mnie, mówi cicho: „Moczarski!", i zabiera na przesłuchanie. Uderzają siódme poty.

Nieraz zdarzały się takie przerwy w opowieściach i dyskusjach między nami. Wzywano do oficerów śledczych (mnie najczęściej), nadchodziły zmory dużych napięć, przeżywaliśmy zdarzenia dla nas wielkie lub drobne, niektóre gorzkie, inne – zabarwione szczyptą komizmu, padały deszcze, biły gromy i bardzo rzadko odbijało się słońce w stendhalowskim zwierciadle (myśli, a nie literatury). Piszę o tym, żeby ktoś, słabo orientujący się, nie pomyślał: „Ot, siedzi sobie trzech mężczyzn w Mokotowie, mają darmowy wikt i opierunek, a nudę leniwego czasu zabijają gawędami o przeszłości". Przypominam, że książka obejmuje n i e d u ż y wycinek mego życia więziennego, bo tylko 255 dni rozmów z ludobójcą Stroopem.

Ale warto dodać, że byliśmy, wszyscy trzej, doświadczonymi więźniami. Mało co nas dziwiło i żadnego z rozwiązań (jeśli idzie o osobiste losy) nie wykluczaliśmy. Jedną z metod o d e j ś c i a (a nie ucieczki) od aktualnej rzeczywistości był świat wyobraźni, marzeń, wspomnień itp. Każdy z nas osiągnął tę umiejętność; ja (myślę) nie w najmniejszym stopniu. Często udawało się nam „żyć w chmurach", w przeszłości lub w przyszłości. I potem błyskawicznie przerzucać się od realiów ubiegłej minuty do realiów np. maja 1943 roku.

✳

– Więc ilu pan, Herr General, ujął łącznie Żydów do 16 maja 1943, do oficjalnego zakończenia Grossaktion in Warschau? – pytam któregoś listopadowego dnia 1949 roku.

– Ogólna liczba Żydów zgładzonych i ujętych w czasie Wielkiej Akcji wyniosła 56 065.

Tu Stroop sięga po zeszyt i ołówek (przypominam, że wolno mu było posiadać w celi papier, przybory do pisania, książki, fotografie, komplet listów z NRF od rodziny itp.). Pisze na kartce liczbę 56 065 i mówi:

– Czy pan zauważył symetryczny układ cyfr w tej liczbie? W środku – zero, po jego bokach – szóstki, a na skrajach – piątki. Ciekawa kompozycja cyfrowa. Piątka na początku i piątka na końcu tworzą wspaniałą konstelację. Z szóstkami jest trochę gorzej, są mniej szczęśliwe niż na przykład dziewiątki. Ale ja traktuję te szóstki jak odwrócone dziewiątki. Na osi liczby tkwi zero – symbol słońca, rozrodczości, życia, wieczności. Cały ten układ jest układem astrologów pragermańskich...

Milczymy. W celi robi się różowawo, bo niebo było bezchmurne i zbliżał się zachód słońca. Schielke przerwał ciszę i rzekł:

– 56 065 Żydów to 300 tysięcy litrów ludzkiej krwi.

✳

Następnego dnia żadnych ewenementów (na więzienną skalę). Spytałem wtedy Stroopa, ilu Żydów zginęło, według niego, w czasie walk w getcie poza ową „magiczno-germańską" liczbą 56 065.

– Dokładnie nie wiem, bośmy ich nie liczyli, ale myślę, że dodać tu trzeba około 6 tysięcy zastrzelonych, zmiażdżonych murami, spalonych w pożarach i samobójców – odpowiedział.

– To chyba za niskie szacunki – wyrażam wątpliwość. – Przecież pańskie operacje wojskowo-policyjne trwały pełne 28 dni. Gdy

6 tysięcy podzielimy przez 28, to wyjdzie przeciętnie około 214 uśmierconych Żydów dziennie, których nie uchwyciły statystyki Maxa Jesuitera. No! Panie Stroop! Powiedz pan szczerze, tak między nami, więźniami, ilu w sumie Żydów ujął pan, schwycił, zgładził, zlikwidował, przyczynił się do ich samobójstw, spalenia, przywalenia gruzami wskutek pożarów, wysadzania materiałami wybuchowymi lub ostrzału artyleryjskiego. Idzie mi nie tylko o te 28 dni oficjalnych walk w getcie, ale o całość akcji, która przecież trwała do jesieni 1943 roku.

Stroop zamyślił się. Usiadł przy żelaznym stoliku wmurowanym pod oknem. Oparty na łokciach, twarz w dłoniach. Duma, duma... W końcu rzekł:

– Do 56 tysięcy trzeba dodać plus minus 10 tysięcy samobójców, spalonych, zaczadziałych w dziurach, przygniecionych itp. oraz 2 do 3 tysięcy ujętych czy zabitych po 16 maja 1943, a ponadto dołożyć około 2 tysięcy Żydów złapanych przez nasze jednostki policyjne poza murami getta, w „aryjskiej" części Warszawy i osiedlach podmiejskich. Wreszcie, należy wziąć pod uwagę, jeśli rozmawiamy szczerze i poufnie, pewną liczbę Żydów zastrzelonych przez moich niektórych podwładnych – bez wiedzy dowódców. Część żołnierzy była rozjuszona, nie przestrzegała regulaminów walki zbrojnej, „załatwiała" ludzi na własną rękę w labiryntach murów, piwnic, kryjówek. Tak zginęło chyba około tysiąca osób.

– Czyli łącznie ponad 71 tysięcy – sumuje Schielke.

– No! Chyba tak trzeba obliczać! – zgadza się Stroop[1].

∗

– Jak się przedstawiał ostateczny rachunek materialnych z d o-b y c z y pańskich oddziałów? – pytam kiedyś Stroopa. – Czy pan je wysoko ocenia?

– Bardzo wysoko. Naturalnie nie mówię o broni i chemikaliach wybuchowych. Mało tego było. Niech panowie nie zapominają, że

---

[1] Według oficjalnego raportu Stroopa – w czasie „Grossaktion in Warschau" ujęto 56 065 Żydów (z których zgładzono w toku walk około 7 tysięcy, a 6 929 wysłano do Treblinki i tam zgładzono), ponadto 5–6 tysięcy Żydów zginęło „na skutek akcji wysadzania w powietrze i pożarów", co w sumie daje liczbę około 62 tysiące – patrz J. Gumkowski, K. Leszczyński, *Raport Stroopa...*, op. cit., s. 198.

Żydzi przed wzięciem ich do niewoli chowali broń w różne dziury, studnie, schowki. Tak więc zdobyliśmy około 10 karabinów, ponad pół setki pistoletów, kilkaset granatów, kilkaset butelek z „cocktailami Mołotowa", jakieś miny, maszyny piekielne, wiele amunicji, m.in. taśmy do karabinów maszynowych załadowane specjalnymi pociskami, bagnety, noże, szable (niektóre archaiczne), ponad tysiąc mundurów żołnierskich, świece dymne, kuferki z szedytem, skrzynie z materiałami opatrunkowymi, hełmy polskie, niemieckie, francuskie, rosyjskie, około 10 tysięcy pasów, manierek, chlebaków itp. No! i ponad setkę koni, z tego trzy wspaniałe wierzchowce, rasowe, dla niepoznaki brudne i zapuszczone przez chytrych Żydów. Zorientowałem się od razu, że to angloaraby, kazałem je odprowadzić do SS-owskich stajni sportowych, odkarmić, wykąpać, wyszczotkować.

– Szczególnie jeden skarogniady wałach prezentował się fantastycznie. Jeździłem na nim później, latem, w Łazienkach, podczas treningowych przejażdżek każdego ranka lub popołudnia. Gdy generał Krüger przyjechał do Warszawy w czerwcu 1943 roku i zobaczył tego angloaraba, zacmokał z podziwu. Pytał się, skąd go mam. Odpowiedziałem, żartując, że to „warszawscy SS-Hoflieferanci dostarczyli rumaka w dowód wdzięczności za odżydzenie Warszawy". Krüger zdziwiony. Wyjaśniam, jak było naprawdę z koniem. Krüger zachichotał, powiedział dowcip, a wszyscy (było nas pięciu konnych SS-führerów) ryknęli śmiechem aż echo grzmiało po łazienkowskim stawie, echo radosne, starogermańskie...

Stroop mógł gadać o koniach stale i długo. Więc przerwałem:
– A ile zdobyliście obcych walut, złotych polskich, brylantów, kosztowności i złota?
– Wielkie ilości! – szybko odpowiedział. – Dokładnie nie pamiętam, gdyż inaczej podawaliśmy w oficjalnych sprawozdaniach, a inaczej w t a j n y c h raportach, które wraz z walorami przewozili specjalni kurierzy do osobistego sztabu SS-Reichsführera lub do SS-Obergruppenführera Oswalda Pohla[2]. Pieniądze polskie, to zna-

---

[2] Oswald Pohl (1892–1951), SS-Obergruppenführer, szef SS-Wirtschafts- und Verwaltungshauptamt (Główny Urząd Gospodarki i Administracji SS) w latach 1942–1945, po wojnie skazany na karę śmierci przez Amerykański Trybunał Wojskowy i stracony 8 czerwca 1951 r.

czy kursujące w Generalnej Guberni, wpłacaliśmy do banku w Warszawie do dyspozycji doktora Hahna i SS- und Polizeiführera na dystrykt Warschau. Złoto zaś, platynę, brylanty, biżuterię i inne kosztowności oraz dewizy umieszczał Oswald Pohl na SS-owskich tajnych kontach Banku Rzeszy oraz w bankach szwajcarskich.

– Nie wszystkie kosztowności przekazywała Warszawa Berlinowi! – wtrącił się Schielke.

– Jak to? Ja nie przekazywałem tych wszystkich milionów czy miliardów zdobytych dolarów, funtów, sztabek złota, bransoletek, pierścionków? – Stroop nagle wściekły. – Co pan sobie myśli, Herr Schielke? Pan mnie obraża, Herr Schielke!

– Nigdy bym nie śmiał nawet pomyśleć o możliwości obrażenia pana generała – w głosie Schielkego strach, posłuszeństwo, ale i drwina. – Wiem z praktyki w krakowskiej kancelarii SS-Oberführera Bierkampa, że część skarbów zdobywanych w obozach koncentracyjnych, w gettach, w czasie rewizji, łapanek i konfiskat nie docierała do oficjalnego miejsca przeznaczenia. A za co miał dochodzenie SS-Brigadeführer Odil Globocnik z Lublina[3]? I za co go dyscyplinarnie ukarano? Za fortunę zbitą na likwidowanych Żydach. Wiadomo było między moimi kolegami, niższymi rangą SS-owcami, że z każdej większej akcji należy przynieść „górala"[4], złoty klejnot dla żony lub kochanki, srebrną papierośnicę i pierścionek. Oraz butelkę sznapsa. Wyobrażam sobie, jakie skarby z warszawskiego getta zostały w kieszeniach „askarisów", policjantów, grenadierów SS i kawalerzystów

---

[3] Odilo Globocnik (1904–1945), SS-Gruppenführer, gauleiter NSDAP w Wiedniu, Dowódca SS i Policji (SSPF) w Dystrykcie Lubelskim od listopada 1939 r. do września 1943 r. (kierował akcją zagłady Żydów w Generalnym Gubernatorstwie – „Aktion Reinhard", był autorem planów germanizacji Zamojszczyzny i realizatorem akcji wysiedlania stamtąd ludności polskiej). Według słów Schielkego – Globocnik przekraczał wielokrotnie swe kompetencje, nadużywał władzy dla korzyści osobistych, handlował złotem i walutami, wreszcie za wyjątkową brutalność został ukarany dyscyplinarnie. Przesunięty na stanowisko Wyższego Dowódcy SS i Policji (HSSPF) w regionie Adriatyku z siedzibą w Trieście, popełnił samobójstwo 31 maja 1945 r.

[4] „Góral" – wydany w czasie okupacji przez Bank Emisyjny w Polsce banknot o nominale 500 zł z wizerunkiem głowy górala.

SS, walczących i myszkujących w kwietniu i maju 1943 roku. Tak! tak! Nieoficjalny znaczek rozpoznawczy SS-manna to z ł o t a b r a n-s o l e t k a![5] Schielke mówił coraz goręcej. Stroop nie próbował przerywać.

*

Po jakimś czasie Stroop przypomniał, że do bilansu zdobyczy niemieckich w Grossaktion doliczyć trzeba ważną pozycję: tereny budowlane pod przyszłą dzielnicę mieszkaniową, dzielnicę nowoczesną, willową, z różami, zielonymi okiennicami i czerwoną dachówką oraz z gmachami NSDAP i SS, a ponadto miliardy cegieł i tysiące ton kruszywa, złomu żelaza i metali kolorowych, materiałów instalacyjnych itp.

Na uwagę Schielkego, że w tym wielkim osiedlu byłaby z pewnością ulica imienia Stroopa, usłyszeliśmy odpowiedź:

– Pan, Herr Schielke, tak mówi, jakby pan wiedział, że w szczegółowych planach tej przyszłej dzielnicy SS-Reichsführer osobiście wyznaczył, jak ma przebiegać Jürgen Stroop Allee oraz Otto Dehmke Strasse.

*

– Jestem przekonany – zwierzał się raz Stroop – że mój przyszły proces będzie pokazowy i tłumny. Przecież taki publiczny przewód sądowy to kolosalny atut propagandowy dla Polski i wszystkich państw byłego aliansu przeciwniemieckiego *oraz dla zblokowanych niegdyś międzynarodówek antyhitlerowskich: żydowskiej, marksistowskiej, masońskiej, katolickiej, kapitalistycznej*. Zastanawiam się, jaką postawę zająć na procesie. Jeżeli mam ujawnić prawdę o powstaniu w getcie, to powiem, że Żydzi i pomagający im Polacy byli

---

[5] Według raportu Stroopa – Niemcy zdobyli w getcie warszawskim około 10 milionów zł, około 23 500 dolarów oraz „kosztowności (obrączki, łańcuszki, zegarki itp.) w wielkich ilościach" – patrz J. Gumkowski, K. Leszczyński, *Raport Stroopa...*, op. cit., s. 199.

* Ten fragment tekstu został wcześniej opuszczony w odpowiednim odcinku edycji *Rozmów z katem* na łamach „Odry" (1973, nr 4, s. 45).

bohaterami. Ale za publiczne stwierdzenie tej prawdy muszę dostać zapłatę w formie dożywotniego więzienia, a nie szubienicy. Jeżeli zaś wyczuję, że muszę stracić głowę – niezależnie od tego, co powiem – to nie wykluczam, że zastosuję metodę kłamstwa. I zeznam, że cały ten żydowski opór był gównem i zabawką, że dziewczyny z Haluzzenbewegung to tchórzliwe histeryczki i że Polacy patrzyli obojętnie, a nawet aprobująco na likwidację Żydów...

Słuchałem uważnie i spokojnie, nawet może za spokojnie. Ale jego ostatnie rozważania sprawiły, że naszedł mnie gniew.

– Czy pan myśli, że historia nie obnaży pańskich łgarstw, jeżeli pan się na nie zdecyduje? Przecież nie działał pan sam, tylko w bandzie. Tak jest. Niech się pan nie krzywi. Powtarzam: w bandzie esesowsko-gestapowskiej. Pan wie, jak było naprawdę. I ja wiem. I tysiące ludzi zna prawdę, niezależną od protokołów, rejentalnych oświadczeń i lakierowanych prac „historyków"... Ależ z pana numer!

Urwałem nagle. Obaj Niemcy milczą, w bezruchu. We mnie napięcie opada. Zaczynam znów mówić, już spokojnie:

– Herr Stroop. Rozumiem pańskie manewry kalkulacyjne. Grozi śmierć, to trzeba się bronić. Ale pańska sprawa jest bardzo specjalna. Jedna z najważniejszych, bo ma charakter symbolu, jak warszawskie Powstanie Sierpniowe[6], Oświęcim, Majdanek, jugosłowiański Kragujevac, Babi Jar, Oradour, Lidice[7]. Uwikłany pan jest w rapsodię patetyczną. A gdy się w niej gra pierwsze skrzypce, fałsz nie będzie procentować. I jest niesmaczny.

Podszedłem do okna, otworzyłem je. Milczenie trwało długo. Schielke pierwszy zaczął mówić, ale Stroop mu przerwał i niespotykanym u niego głosem powiedział:

---

[6] Powstanie Sierpniowe – pierwsza, używana w czasie działań powstańczych i bezpośrednio po ich zakończeniu, nazwa Powstania Warszawskiego.

[7] Miejsca najgłośniejszych masowych mordów, dokonanych przez Niemców w czasie II wojny światowej: Kragujevac w Jugosławii (gdzie 21 października 1941 r. rozstrzelali ponad 7 tysięcy osób), Babi Jar koło Kijowa (29–30 września 1941 r. wymordowali tam ponad 33 tysiące Żydów), Oradour-sur-Glane we Francji (10 czerwca 1944 r. wymordowali 642 spośród 648 mieszkańców), Lidice (wieś w Czechosłowacji, 10 czerwca 1942 r. spalona i zrównana z ziemią, której 494 mieszkańców zamordowali bądź wysłali do obozów).

– Ma pan rację. Przepraszam.

I dorzucił zaskakujące pytanie: – Czy zabiłby mnie pan w owych czasach?

– Tak – odpowiedziałem. – Nawet próbowałem.

✻

Kiedyś z podwórza więziennego powiało gwałtownie. Na kraty spadło piórko gołębie. Stroop otworzył okno, wyjął piórko, a potem umieścił je na głowie i udawał Indianina. Zapomniał widać, że Indianie to czerwonoskórzy i nie „aryjczycy".

Gdy wichura ustała, Stroop wrócił do swych „triumfów" nad spętanymi ludźmi w kwietniu i maju 1943 roku. Podkreślał, że realizując likwidację getta, wykonywał tylko rozkaz przywódców III Rzeszy.

– Wypełniając tę dyrektywę, prowadziłem bój z ciężkim w istocie przeciwnikiem – usprawiedliwiał się i chwalił jednocześnie. Ale zaraz dodał: – Żydzi to naprawdę nie ludzie w naszym pojęciu. Powiem inaczej: Żydzi, Cyganie i rozmaite Mongoły są w rozumieniu prawdziwej nauki prawie zwierzętami albo niepełnymi ludźmi. Małpa jest także, według Darwina, zaczątkiem człowieka. A jednak do małp strzelamy i futra z nich noszą najinteligentniejsze kobiety. Kochamy psy. Ja również miałem ulubionego wilczura alzackiego, ale gdy się rzucił na mnie i rozdarł spodnie, to go zastrzeliłem, właśnie jak psa, a nie jak człowieka. Nasi biologowie i chirurdzy stwierdzili, że krew i tkanki Żydów są zupełnie inne niż „aryjczyków". A przecież „aryjczycy" są wzorem prawdziwego człowieka.

✻

– Czy pan bywał na pierwszej linii boju z powstańcami w getcie? – pyta raz Schielke.

– Pierwsza linia była wszędzie – odpowiada Stroop – bo całe getto stanowiło teren bezpośredniej walki. Jako naczelny dowódca Grossaktion in Warschau musiałem być na miejscu i dyrygować naszymi oddziałami.

– Ale zawsze powinien pan znajdować się trochę w tyle – zauważył Schielke. – Sztabowemu dowódcy nie wolno narażać się na śmierć,

gdy nie zachodzą wyjątkowe okoliczności. Regulaminy tak nakazują, szczególnie w czasie boju.
Schielke wygłaszał truizmy, ale z prawie niedostrzegalnym śladem kpiny.
– W getcie było bardzo niebezpiecznie – rzekł Stroop. – Musiałem chodzić z pistoletem w ręku i pod ochroną pocztu dowódcy. Byli to rośli SS-manni, wysportowani i doskonale wyszkoleni strzelcy. Przy moim poruszaniu się po getcie poprzedzali ich zazwyczaj łotewscy „askarisi".

＊

Wielokrotnie Stroop wracał do problematyki biało-czerwonej flagi, za dosięgnięcie której zapłacił życiem kawalerzysta Otto Dehmke.
– Mając dostęp do tajnych materiałów Abwehry oraz Sicherheitspolizei (z archiwów Krügera, Hahna i von Sammerna), doszedłem do wniosku – powiedział raz – że ścisłe kierownictwo Judenratu w warszawskim getcie reprezentowało postawę polską albo dokładniej mówiąc, państwowo-polską. Poza wglądem w dokumenty opierałem się na wiarogodnych relacjach Ludwika Hahna. Szef Judenratu, inżynier Czerniaków[8], który przed powstaniem w getcie popełnił samobójstwo, był przedwojennym żydowskim działaczem społecznym i polskim politykiem dużego formatu. Układny wobec nas, posłuszny nawet, ale dyplomata o dużych talentach lawirowania. My jego bujaliśmy, ale on nas także. Choć Żyd, nie wyrzekł się nigdy państwowości polskiej. To przekonanie wpajał, gdzie mógł, w swoich kompatriotów. Czy pan wie, Herr Moczarski, że inżynier Czerniaków był w przyjaznych stosunkach z ostatnim waszym prezydentem Warszawy, Starzyńskim, że realizował program ustalony we wrześniu i październiku 1939 roku podczas oblężenia Warszawy

---

[8] Adam Czerniaków (1880–1942), inżynier chemik, radca Żydowskiej Gminy Wyznaniowej, radny miejski w Warszawie, zastępca senatora RP, w czasie okupacji przewodniczący Rady Żydowskiej (Judenratu) w getcie warszawskim, popełnił samobójstwo 23 lipca 1942 r., w dniu rozpoczęcia akcji wywożenia Żydów z getta warszawskiego do Treblinki. Patrz *Adama Czerniakowa dziennik getta warszawskiego 6 IX 1939–23 VII 1942*, opracował Marian Fuks, Państwowe Wydawnictwo Naukowe, Warszawa 1983.

i że w jego gabinecie, gabinecie prezesa Judenratu, wisiał długo portret marszałka Piłsudskiego?

– O tym ostatnim fakcie nigdy nie słyszałem. Ale czy tak rzeczywiście było?

– Wiem na pewno, bo nie tylko czytałem o tym w przygotowawczej dokumentacji do Grossaktion, ale i znalazłem potwierdzenie tego faktu w badaniach nad historią getta warszawskiego od końca 1939 roku. Zamierzałem bowiem po wojnie napisać źródłowe wspomnienia na temat moich walk w Warszawie w kwietniu i maju 1943 roku. Wielostronicowy dokument, który znajduje się w aktach mojej sprawy pod tytułem *Sprawozdanie Juergena Stroopa* (sporządziłem takie trzy dokumenty: dla Heinricha Himmlera, dla Krügera i dla mnie), był zredagowany między innymi po to, abym mógł się nim posłużyć w przyszłych moich pracach historycznych.

Gdyby III Rzesza zwyciężyła, to Stroop z pewnością zostałby partyjnym, SS-owskim „doktorem", a może nawet „docentem" w projektowanej himmlerowskiej akademii (o prawach wyższych szkół państwowych – jak mnie poinformował Stroop).

*

Likwidując getto w Warszawie, Stroop nie był nominalnie władcą policyjnym w Warszawie. Dopiero 29 czerwca 1943 został, jako SS-Brigadeführer und General-major der Polizei, formalnie przeniesiony ze Lwowa na stanowisko SS- und Polizeiführera dystryktu warszawskiego. (Pod koniec wojny musiał być bałagan w niemieckich biurach personalnych, nawet u Himmlera).

Jedenaście dni przedtem, to znaczy 18 czerwca, został przez generała-feldmarszałka Keitla, szefa sztabu OKW, odznaczony „w imieniu Führera i Naczelnego Dowódcy Wehrmachtu" Żelaznym Krzyżem I klasy.

Nareszcie się spełniło jedno z marzeń życiowych Stroopa. Przypominam, że Żelazny Krzyż II klasy otrzymał w 1915 roku za zasługi na froncie francuskim, a wieniec (Spange) do tegoż Żelaznego Krzyża za letni pobyt na froncie wschodnim w 1941.

– Eiserne Kreuz 1. Klasse wręczył mi generał Krüger, który był p r z e j a z d e m w Warszawie – pochwalił się raz Stroop.

– Nie wierzę! – natychmiast odezwał się Schielke.

– Jak to?! Pan nie wierzy, że SS-Obergruppenführer Friedrich Krüger, sekretarz stanu do spraw bezpieczeństwa w rządzie Generalnej Guberni, przyjechał, aby mnie udekorować Żelaznym Krzyżem I klasy za czterotygodniowe ciężkie boje w getcie warszawskim? Stroop zły, ma oczy przekrwione, ale minę... barana.

– W to, że panu generałowi wręczył odznaczenie, wierzę. Ale nie wierzę, że Krüger był p r z e j a z d e m w Warszawie. On specjalnie przyjechał, aby uroczyście dokonać tego honorowego aktu. Herr General, może pan opowiadać swemu sędziemu śledczemu takie historyjki, aby dzisiaj pomniejszać swoje „zasługi" z kwietnia i maja 1943. Ale nas, co tyle spraw pańskich znamy, nas czarować po prostu nie wypada.

Stroop na to: – Ma pan rację, Herr Schielke. Krüger s p e c j a l n i e przybył tutaj, w imieniu Adolfa Hitlera i SS-Reichsführera, aby mnie udekorować. Była gala, mowy, szampan, specjalny obiad itd. A po obiedzie konna przejażdżka w Łazienkach. Tam zrobiłem garden-party. Mały piknik. Namiot z zakąskami, tortami, winami, sznapsem i piwem. Zjawiło się kilkadziesiąt osób, sami notable i generałowie. Na estradzie „teatru na wyspie" grała orkiestra. Śpiewaliśmy. Nastrój swobody, prawdziwie SS-owski, rycerski. Piękne czasy...

Schielke chrząkał, drapał się po nieogolonej brodzie, ruszał szczękami i w końcu rzekł:

– To było na pewno urocze, alkoholowe i kobieco-krzakowe przyjęcie w tym królewskim parku, przy wtórze fletu i waltorni. Ale ja furt myślę nie o Łazienkach, lecz o 350 tysiącach litrów krwi żydowskiej. Podwyższam poprzednią liczbę, bo pan zlikwidował nie 56, lecz 71 tysięcy Żydów.

I znów awantura wybuchła w celi.

✳

Po oficjalnym zakończeniu Wielkiej Akcji 16 maja 1943 w imieniu Stroopa działał dalej na terenie getta major policji Otto Bundtke[9], dowódca batalionu Schutzpolizei.

---

[9] Otto Bundke (a nie Bundtke) (ur. 1897), SS-Sturmbannführer, dowódca III batalionu 23. SS-Polizei Regiment (23. pułku policji SS).

– Zadaniem batalionu majora Bundtke było zaprowadzenie p e ł-n e g o spokoju w byłej żydowskiej dzielnicy mieszkaniowej w War-szawie – wyjaśniał nam Stroop. – Nie znajdował się on w łatwej sy-tuacji, ten Bundtke. Powstańcy żydowscy, mając rozeznanie, że siły niemieckie zostały poważnie zmniejszone, poczynali sobie całkiem bezczelnie. Wielokrotnie dochodziło do starć. Major Bundtke zwal-czał dobrze uzbrojone i sprawnie dowodzone grupki ŻOB-mannów. Jego batalion był w ciągłym młynie walki, dzień i noc. Miał sporo strat, ale w końcu zlikwidował prawie wszystkie żydowskie punkty oporu.

– Jak długo trwała akcja majora Bundtke? – pyta Schielke.

– Wyjechałem z Warszawy w początkach września 1943 – odpo-wiada Stroop. – Do wyjazdu otrzymywałem meldunki od majora Bundtke i nie było dnia bez potyczki lub wytropienia jakiegoś no-wego bunkra. O ile wiem, to Bundtke aktywnie działał na tych tere-nach do późnej jesieni 1943, a potem dozorował robót rozbiórko-wych oraz przygotowawczych do założenia w byłym getcie obozu koncentracyjnego dla więźniów, którzy mieli budować tam wzoro-we architektonicznie i urbanistycznie osiedle niemieckie.

*

Grossaktion przebiegała ciężko i wbrew założonym planom. Żaden z wielu rozkazów operacyjnych nie został wykonany. Nawet zaplanowane na 15 maja 1943 wysadzenie w powietrze warszawskiej Wielkiej Synagogi opóźniło się o jeden dzień, mimo dziesięciodnio-wych przygotowań.

Kiedyś spytałem Stroopa: – Czy nieprzyjaciel, to znaczy Żydzi w getcie, zaskoczył was postawą i taktyką walki?

Stroop odpowiada: – Niewątpliwie tak. W ogóle nie docenialiś-my Żydów. Zaskoczyli nas 19 kwietnia o godzinie 6 rano, a potem zaskakiwali każdego dnia. Rozpoznanie, tak w założeniach wyjścio-wych, jak i w praktyce każdego dnia walki, mieliśmy nie najlepsze.

– To znaczy, mieliście rozpoznanie fałszywe – stwierdzam.

– Tak – odpowiada Stroop.

– Jeśli idzie o jasność rozkazodawstwa – ciągnę – to nie było ono chyba zbyt prawidłowe. Wielokrotnie pan opowiadał o „bałaganie" podczas walk, o złej łączności, a czasami nawet o braku dyscypliny u pańskich podwładnych. Z tym się łączy kwestia dowodzenia, które nie powinno być miękkie i niezdecydowane.

– Ja dowodziłem miękko? Przecież pan wielokrotnie mówił, że w czasie Grossaktion działałem twardo, a nawet brutalnie.

– Pan był twardy wobec przeciwnika, wobec Żydów, szczególnie gdy nie natrafiał pan na opór. Ale mnie idzie o wahliwość decyzji wobec podległych panu ludzi i środków. Dlaczego pan na przykład wycofywał się na noc ze zdobytych w czasie dnia terenów (w pierwszych dniach walki), dlaczego pan się tak często odwoływał do Himmlera, Krügera, a nawet do pomocy doktora Hahna?

– Bo sytuacje były w wielu przypadkach bardzo trudne, a nawet paraliżujące moje oddziały – tłumaczy Stroop.

– Na tym właśnie chyba polega niejasność rozkazodawstwa i miękkość dowodzenia, chociaż może inaczej nie dało się działać – włącza się Gustaw Schielke.

Rozmyślaliśmy chwilę. Schielke pierwszy przerwał milczenie i rzekł:

– Sytuacja naszych wojsk SS-owskich, wehrmachtowskich i policyjnych, którymi dowodził Herr General, była, obiektywnie biorąc, tysiąc razy lepsza niż sytuacja Żydów. Mieliśmy nieograniczone w praktyce zaopatrzenie żywnościowe, materiałowe, amunicyjne. Posiadaliśmy również bardzo dużą możliwość manewru oraz zwiększenia bojowej siły ludzkiej. Tych możliwości nie wykorzystywaliśmy w należytym stopniu, toteż walki w getcie zamiast trwać 3 dni przeciągnęły się do 28 dni i dłużej. Wydaje mi się – ciągnie dalej Schielke – że całokształt sił i środków, którymi dysponował generał Stroop, wystarczał (jak pokazała praktyka) do d e m o n s t r a c j i, lecz nie do walki o szybkich efektach końcowych.

– O czas, o czas przecież tu chodzi! – włączyłem się. – Kto szybko, zgodnie z uprzednim przygotowaniem i planami, pobije przeciwnika, ten naprawdę zwycięża. A kto pokona nieprzyjaciela w czasie dziewięć razy dłuższym niż założony, ten (mimo że formalnie zwyciężył) przegrywa.

– Przecież zwyciężyliśmy, bo zmieniliśmy getto w ceglaną pustynię i 71 tysięcy ludzi stamtąd wyrzuciliśmy – Stroop głośno odpowiada. – Zwyciężyliśmy! Więc dlaczego pan mówi, Herr Moczarski, żeśmy przegrali?

– Nie będę wracał do kwestii militarnych, gdyż mój pogląd na te sprawy już wyjaśniłem. Uważam, że relatywnie przegraliście. Ale gorsza jest stokroć bardziej wasza porażka moralna.

– Na czym ona polega? – pyta Stroop.

– Już choćby na tym, że przeprowadziliście walkę, której celem było l u d o b ó j s t w o. Jak to historia osądzi, wiadomo. Ale daleko ważniejszą porażką z punktu widzenia waszych, hitlerowskich interesów był sam fakt mężnego oporu Żydów. Swą postawą i czynem zaprzeczyli waszym tezom. Żydzi pokazali taką dzielność w służbie wartościom ponadosobistym, dla których warto żyć i umierać, że cały wasz ideologiczny antysemityzm rozpadł się w puch.

– Pan mówi o tych Żydach, którzy stawiali opór i bili się do końca – włącza się Schielke. – A przecież nie zapominajmy, że tysięczne masy żydowskie były bezbronne i szły same, bez oporu, na śmierć. Czy wysiłki i zasługi względnie nielicznego ŻOB-u muszą opromieniać bezwolne masy żydowskie?

Stroop, uprzedzając mnie, odpowiada Schielkemu:

– Omawialiśmy tu już siły żołnierskie ŻOB-u. Ja twierdziłem, że zorganizowanych powstańców było w getcie do 3–4 tysięcy. Herr Moczarski ocenia ŻOB na 300–500 ludzi[10]. Dla mnie nie jest ważne, iloma zaprzysiężonymi żołnierzami dysponował sztab ŻOB-u. Mogło ich być mniej, mogło ich być więcej. To nie jest ważne w świetle istoty problemu. A istota ta polega na tym, że działalność ŻOB-u promieniowała na całe społeczeństwo żydowskie w getcie i wywoływała reakcje łańcuchowe. Oni sami mogli nie wiedzieć, ci przywódcy z ulicy Miłej, jaki pożar wzniecili w duszach tysięcy Żydów dotychczas biernych.

---

[10] Liczebność Żydowskiej Organizacji Bojowej jest oceniana bardzo różnie przez różnych autorów: we wczesnych publikacjach Józefa Kermisza i Antoniego Przygońskiego przytaczano liczbę 3 tysiące, Bernard Mark podaje liczbę 750–800, ostatni zaś żyjący członek ścisłego sztabu ŻOB Marek Edelman ocenia siły ŻOB na około 220 żołnierzy.

– Boje w getcie były naprawdę trudne. Cokolwiek by inni mówili, zawsze będę uważał, że Żydzi dobrze przygotowali się do walki, że wykazali duże walory bojowe. Jak silny i zorganizowany opór stawiali nam Żydzi warszawscy, świadczy fakt, że zniszczyliśmy łącznie 631 bunkrów przeciwnika. Wszystko jedno, czy to były bunkry bojowe czy mieszkalne, bo bunkier mieszkalny mógł się w każdej chwili stać źródłem agresji i bazą zbrojnego oporu. Czy pan sobie wyobraża, Herr Moczarski, ile czasu, pieniędzy, wysiłku musieli poświęcić inżynierowie i technicy żydowscy, aby tak dużo bunkrów w tajemnicy przed nami zbudować! To jest imponujące!

– Byłem naczelnym dowódcą niemieckim na terenie walk w getcie – Stroop dalej podniecony, bez śladu kłamstwa czy zafałszowania. – Miałem szerokie pole widzenia i znajomość bardzo wielu okoliczności, które pozwalają na wyciąganie ogólniejszych wniosków. Wy, akowcy, nie mieliście takich możliwości. Tym bardziej ich nie mieli Żydzi zamknięci w izolowanych bunkrach i dysponujący wąziutkim zakresem rozeznania. Już mnie nieraz zapytywali koledzy z czołówki SS, dlaczego w moim sprawozdaniu do SS-Reichsführera i Krügera Żydzi „tak dobrze wychodzą". Moja odpowiedź była zawsze prosta. Zamykała się twierdzeniem, że ja i doktor Hahn mieliśmy najlepsze rozeznanie, bo żaden z elementów sytuacji kwiecień-maj 1943 nie uszedł naszej uwagi. Nigdy nie odstąpię od moich opinii (choćby wszyscy naoczni świadkowie i uczeni historycy co innego głosili), bo opierają się na moich przeżyciach w czasie Grossaktion in Warschau.

＊

Stroop nie ukrywał w czasie rozmów z nami, że kierowanie „likwidacją getta w Warszawie" było dla niego doskonałą szkołą „w dziedzinie walk ulicznych i metod pokonywania ośrodków miejskich".

– Doszedłem do wniosku – stwierdzał – że jedyną skuteczną drogą prowadzącą do celu jest p a l e n i e, systematyczne i kompleksowe palenie budynków.

Wiele razy opowiadał nam Stroop o tych pożarach. Kilka takich Stroopowskich opisów przytoczyłem wcześniej. Po wyjściu z więzienia natknąłem się na kilkudziesięciostronicową broszurę Marka Edelmana pt. *Getto walczy*[11]. Oto, co pisze doktor medycyny Marek Edelman, wybitny żydowski działacz socjalistyczny, który był w czasie powstania w getcie jednym z zastępców komendanta głównego ŻOB, Mordechaja Anielewicza:

„Olbrzymie pożary zamykają często całe ulice. Morze płomieni zalewa domy, podwórza. Z trzaskiem palą się drewniane stropy, sypią się mury. Powietrza nie ma. Jest tylko czarny, gryzący dym i ciężki, parzący żar. Żar bije od rozpalonych murów, od rozgrzanych do czerwoności nie palących się schodów.

To, czego nie mogli zrobić Niemcy, robi teraz wszechmocny ogień. Tysiące ludzi ginie w płomieniach. Swąd palących się ciał dusi oddech. Na balkonach domów, na framugach okiennych, na niespalonych kamiennych schodach leżą zwęglone trupy. Ogień wypędza ludzi ze schronów, każe im uciekać z od dawna przygotowanych, bezpiecznych skrytek, strychów i piwnic".

Zofia Nałkowska w krótkiej przedmowie do broszury pisze, że tekst Edelmana stanowi „wolny od frazesu protokół zbiorowego męczeństwa". A dalej, że opowiadanie *Getto walczy* jest „autentycznym dokumentem zbiorowej mocy ducha, ocalonej z największej klęski, jaką znają dzieje narodów".

❊

Od dnia wręczenia Stroopowi Żelaznego Krzyża I klasy za zasługi „w o j s k o w e" w Warszawie wchodzi on na ścieżkę szczególnych powodzeń, wyróżnień, korzyści materialnych i sławy. Sławy w swoim środowisku, himmlerowskich superbonzów, oraz w kręgach podwładnych, którzy marzą o awansach i dobrach rycerskich na Ukrainie.

Jeszcze gdy Stroop gorliwie wykańczał getto warszawskie, przybył do Warszawy (jak wspomniałem w poprzednim rozdziale)

---

[11] Broszura Marka Edelmana *Getto walczy* ukazała się nakładem Centralnego Komitetu Bundu w Łodzi w 1945 r., następnie została przedrukowana przez drugoobiegowe Wydawnictwo CDN w 1983 r., na łamach „Zeszytów Historycznych" (zesz. 65, Paryż 1983) oraz w książce *W czterdziestą rocznicę. Agonia, walka i śmierć warszawskiego getta*, oprac. Józef Garliński, Polska Fundacja Kulturalna, Londyn 1983.

SS-Gruppenführer Maksymilian von Herff, jeden z szefów personalnych i wychowawców w sztabie Himmlera. Von Herff odbywał wtedy podróż służbową po Generalnej Guberni i składał raporty oceniające i kwalifikujące SS-owców i niemieckich policjantów wyższych rang. Ten „personalnik i wychowawca", człowiek – jak można przypuszczać – wykształcony i trzeźwy, tak scharakteryzował Stroopa w maju 1943:

„Dobra żołnierska postawa. Typ raczej zamkniętego w sobie oficera. Duże mniemanie o sobie. Politycznie mniej wyrobiony. Jako dowódca SS i policji w swoim okręgu, gdzie punkt ciężkości spoczywa na zadaniach politycznych, niezupełnie na swoim miejscu. Jest typowym żołnierzem, który działa według rozkazu. Jako dowódcy politycznemu brakuje mu trochę horyzontów i wyczucia. Stroop wydaje się czymś więcej, niż jest".

Ta charakterystyka zapewne nie zachwyciłaby Stroopa; ale też nie przeszkodziła mu w dalszej karierze. Zresztą von Herff, aby nie pominąć najważniejszej dla zwierzchników Stroopa cechy oficera SS, wierności i posłuszeństwa, dorzucił w formie uzupełniającej adnotacji czysto osobistą uwagę:

„Ale d o b r y c h ł o p!" (Aber ein guter Mann!).

XIX. W SIÓDMYM GERMAŃSKIM NIEBIE

– Przez cztery i pół miesiąca – opowiadał kiedyś Stroop – sprawowałem urząd SS- und Polizeiführera im Distrikt Warschau, to znaczy od 19 kwietnia do 13 września 1943, w którym to dniu otrzymałem nominację na Wyższego Dowódcę SS i Policji w Grecji, z siedzibą w Atenach.

– Przyznano panu stanowisko r ó w n e stanowisku generała Krügera. Piękny awans! Wielkorządca Grecji! Ho! Ho! – Schielke zaświstał z uznaniem.

– Nie ośmieliłbym się nigdy – rzekł Stroop – porównywać z generałem Krügerem, zasłużonym bojownikiem z Alte Garde. Jednakże mój ateński urząd był analogiczny, jeśli idzie o kompetencje służbowe, terytorialne i polityczne, do krakowskiego urzędu Friedricha Krügera, Höhere SS- und Polizeiführera Ost.

– Tylko że Krüger miał od lat stopień SS-Obergruppenführera, a pan SS-Brigadeführera, tak w Warszawie, jak i w Grecji – wtrącił Schielke.

Stroop nie lubił, gdy mu przypominano, że ktoś (poza Hitlerem i Himmlerem) był wyżej od niego. Poczerwieniał i natychmiast rzekł z rozbrajającą szczerością:

– Niestety, nie wszedłem nigdy do superelity, do zespołu SS-Obergruppenführerów, co było marzeniem każdego SS-manna. U nas nie mówiło się, że SS-mann nosi w tornistrze buławę marszałkowską, lecz patki SS-Obergruppenführera. A były to patki aksamitne z trzema Eichenlaubami i z kwadratową gwiazdką. Mój najwyższy stopień w Schutzstaffeln to SS-Gruppenführer. Również miałem trzy Eichenlauby, ale bez gwiazdki. Kwestie awansowo-personalne nie są jednak najważniejsze... Ważny jest fakt, że w moich oficjalnych aktach osobowych SS-Hauptamtu okres od 19 kwietnia do 29 czerwca 1943 zaliczony jest do służby u generała Katzmanna we Lwowie. Opierając się na tym, mógłbym próbować udowodnić, że nie przeprowadzałem Grossaktion in Warschau...

– ... gdyby nie pański raport, który znajduje się w rękach władz polskich i amerykańskich, oraz seria licznych dokumentów, fotografii, afiszy itp.

Stroop mruknął:

– Tak! Niemiecka skłonność do skrupulatnej dokumentacji i archiwowania mści się w razie niepowodzeń.

*

Rozmawiając o pobycie Stroopa w Polsce w roku 1943, zapytałem, w jakiej mierze zajmował się po wysadzeniu w powietrze Wielkiej Synagogi (po 16 maja) dalszymi operacjami na terenie getta.

– Najważniejszą dla mnie kwestią było całkowite zlikwidowanie działań żydowskich. Grupy i grupki ŻOB dawały o sobie znać, atakując, szczególnie nocą, patrole majora Bundtkego. Czasami dochodziło do kilkugodzinnych potyczek. Ale te strzelaniny zdarzały się coraz rzadziej. Niemniej, aż do końca mego urzędowania w Warszawie, Bundtke musiał dwa razy dziennie przesyłać mi meldunki z getta i oceny sytuacyjne.

– Równolegle z akcją wojskowo-bojową prowadziliśmy działania porządkujące, które miały na celu przystosowanie terenów byłego getta do potrzeb przyszłych i bieżących. Ja kładłem nacisk raczej na przyszłość, na powolne, ale uparte przygotowania do budowy nowej dzielnicy wzorcowej, opartej o architektoniczną i urbanistyczną myśl inżynierów niemieckich.

– „Jürgen Stroop Allee" – szepnąłem.

– Jakby pan wiedział, że namyślałem się nad kolorem takich tabliczek z nazwami ulic i krojem liter. Projektowałem czcionki gotyckie. Ale to był raczej przyjemny odpoczynek. Jeśli idzie o realia, to wymagałem od podwładnych, aby uruchomili wszystkie kontakty, cywilne, policyjne i wojskowe, wszystkie możliwości szybkiego sprowadzenia środków technicznych i więźniów do prac rozbiórkowo-budowlanych i niwelacyjnych w byłym getcie. Udało mi się to, ale częściowo. Natychmiast przekształciłem obóz pracy (który znajdował się na terenie dawnego polskiego więzienia wojskowego przy ulicy Zamenhofa) w Konzentrationslager Warschau dla Żydów. Doktor Hahn, doktor Kah oraz gubernator Fischer mało mi pomagali, bo byli zajęci rozwiązywaniem nabrzmiałej według nich sytuacji w „aryjskim" społeczeństwie Warszawy. Musiałem interweniować u Heinricha Himmlera, który rozumiał i podzielał moje plany. Wydał specjalny rozkaz. Pozwożono mi resztki Żydów z GG i Europy. Praca szła na całego. Obóz był dozorowany przez kierownictwo Pawiaka. Oficjalne jego otwarcie nastąpiło 19 lipca 1943. Rozbudowano go później solidnie i pracowało w nim na przełomie lat 1943/1944 kilka tysięcy specjalistów żydowskich.

– Byli tam również Żydzi z Grecji – rzekłem, a Stroop wtedy pobladł. – Jako policyjny wielkorządca Grecji przesłał pan pewną liczbę tamtejszych Żydów do założonego przez siebie obozu w Warszawie. W czasie Powstania Warszawskiego oddział AK (z „Kedywu" okręgu m.st. Warszawy) odbił 5 sierpnia 1944 około czterystu greckich Żydów z tego kacetu[1]. Rozmawiałem wtedy z trzema Grekami. Na zapytanie, w jaki sposób ich złapano, odpowiedzieli: „Schwytano nas niespodziewanie w ramach akcji wyławiania greckich Żydów, zapoczątkowanej przez słynnego u nas generała Stroopa".

✣

Rozmawialiśmy nieraz o przydatności terenów getta (a właściwie „pustyni ceglano-kamiennej", jak mówił Stroop) dla bieżących celów politycznych Sicherheitspolizei i Sicherheitsdienst. Kiedyś Stroop, wciągnięty w długą i ostrą dyskusję na ten temat, wyznał:

---

[1] Odbicia 348 Żydów (w tym 24 kobiet) z Konzentrationslager Warschau przy ul. Gęsiej 24 (tzw. Gęsiówka, obecnie ul. Gęsia nosi imię Mordechaja Anielewicza) dokonał batalion Armii Krajowej „Zośka" w czasie Powstania Warszawskiego w dniu 5 sierpnia 1944 r., o czym pisał następnego dnia „Biuletyn Informacyjny" (6 sierpnia 1944, nr 43). Spośród odbitych tylko 89 było obywatelami polskimi, pozostali to obywatele Belgii, Francji, Grecji, Holandii, Rumunii i Węgier.

– Doktorowi Hahnowi zostawiłem wolną rękę w akcjach przeciwko stale buntującym się Polakom. Doktor Hahn miał daleko większą wiedzę i doświadczenie polityczne niż ja. Znał problem, teren, ludność, nastroje oraz porozumiewał się bezpośrednio z Berlinem i Krakowem. Stamtąd otrzymywał sugestie, ale i sam inspirował. W czasie długiej rozmowy przy kawie i koniaku, po dobrym obiedzie (było to w końcu kwietnia 1943), wyjaśnił mi koncepcję berlińską, to znaczy koncepcję jego, Hahna, zaakceptowaną przez Berlin. Doktor Hahn mówił mniej więcej tak: „Skorzystajmy z Grossaktion dla wykańczania również Polaków. W getcie zginęło i będzie nadal ginęło bardzo wielu Żydów. Wszędzie poniewierają się tam trupy, więc gdy dojdzie do tego jeszcze kilka tysięcy Polaków, to i tak nikt niczego nie będzie mógł sprawdzić".

„Cokolwiek byśmy twierdzili – mówił mi dalej Hahn – dotychczasowe egzekucje na Polakach są kłopotliwe pod względem organizacyjnym, transportowym, psychologicznym itp. Poza tym nie możemy dozorować terenów, na przykład w lasach podwarszawskich, gdzie wozi się skazanych Polaków na wykonanie wyroków śmierci. Wcześniej czy później jakiś leśniczy lub baby zbierające grzyby zlokalizują miejsce rozstrzelania. A w getcie nie mamy z tym kłopotów. Nikt nigdy nie zdoła rozszyfrować, kogo i kiedy zastrzeliliśmy. Przecież to teren izolowany (pilnować go będzie major Bundtke), masa dołów i gruzu do przysypywania zwłok. Polacy, słysząc strzały, będą pewni, że to ludzie Bundtkego walczą z ŻOB-owcami. Niech pan zwróci uwagę, Herr General, że opustoszałe getto stanowi i stanowić będzie wspaniałe przedpole Pawiaka, warsztatowe zaplecze Pawiaka z jedną bardzo dla nas dogodną cechą: umożliwia t a j n e d z i a ł a n i a".

Przeraził mnie zimny ton w głosie Stroopa, jakiś praktycyzm w fachowo katowskim i grabarskim traktowaniu problemu masowych mordów na Pawiaku. Stroop rozumiał, jakim ułatwieniem dla pawiakowskiej maszyny ludobójczej były ostatnie fazy walk w getcie oraz późniejsze miejsca straceń w ruinach okalających Pawiak. „Pustynia ceglano-kamienna" stała się w następnych miesiącach bazą egzekucji na więźniach.

Powiedziałem:

– Już w początku maja 1943 ludzie doktora Hahna, wyższej instancji dla załogi Pawiaka, rozwalali w getcie swych więźniów i niekiedy osoby przywiezione wprost z miasta. Rozwalali szybko i sprawnie. To wszystko powinno iść na pański rachunek, Herr General, bo pan dowodził Grossaktion i cokolwiek się działo na obszarze pańskich walk, obciąża pana. Tym bardziej że Hahn panu podlegał.

– Ja, Herr Moczarski, o tym nie wiedziałem. Zresztą mówiłem już, że sytuacja była trudna, że rozjuszeni SS-manni mogli zabijać Żydów bez raportowania o tym, że był rozgardiasz, powszechny bałagan itp. Ale, jak kocham mojego Olafa i pragnę jego szczęścia, przysięgam, że nie miałem pojęcia o sztuczkach doktora Hahna z likwidacją więźniów Pawiaka podczas Wielkiej Akcji. Wiedziałem, że w połowie maja, chyba to było tego dnia, gdy lotnictwo sowieckie bombardowało Warszawę, że tego dnia Hahn wywiózł z Pawiaka do Oświęcimia około pięciuset więźniów...[2]

– Hahn rzeczywiście wysłał tych więźniów politycznych na śmierć oświęcimską. Zgoda. Ale co się działo i przedtem, i potem? Pan musi o tym wiedzieć, że masowe, terrorystyczne aresztowania Polaków rozpoczęły się w Warszawie, gdy jeszcze trwały walki w getcie. Aresztowania skrupulatnie przygotowywane. Pańscy ludzie walczyli w getcie, trwała Grossaktion, a Hahn umieszczał setki nowych więźniów w opróżnionych po transportach celach. Na tych celach dano napisy „Aktion". Pańscy referenci na Pawiaku...

– M o i referenci? Pan zwariował?! To byli ludzie doktora Hahna – przerwał Stroop, energicznie i z nutą szczerości.

– Ale Hahn podlegał panu, więc pan ponosi również odpowiedzialność za „wzorowe", krwawe i pośpieszne katowanie więźniów na Pawiaku, kończące się masowymi egzekucjami w ruinach getta.

– Nie mam takich zarzutów w akcie oskarżenia – riposuje Stroop.

– Nie idzie o stronę formalną, prokuratorską, lecz o stan faktyczny – odpowiadam.

---

[2] Dwugodzinny nalot lotnictwa sowieckiego na Warszawę miał miejsce w nocy z 12/13 maja (patrz wyżej przyp. 11 w rozdziale XVII), natomiast o świcie 13 maja 1943 r. odszedł z Pawiaka transport do obozu koncentracyjnego Auschwitz (Oświęcim) złożony z 337 mężczyzn i 119 kobiet.

– Panie Moczarski, tyle razy opowiadałem o doktorze Hahnie, który w praktyce był zupełnie samodzielny. Ustalał działania z Berlinem, z Krügerem oraz z głównym szefem Sicherheitsdienst. Nie przeczę, że słuchaliśmy jego mądrych rad. Wyróżniał się inteligencją, bystrością, rozumem i doświadczeniem. Był grzeczny, taktowny wobec wyższych rangą, zdyscyplinowany, z wielkim darem przekonywania i talentem argumentacji. Teraz widzę, że nie ja kierowałem Hahnem, tylko doktor Hahn mną.

– To pan, Herr Stroop, nic nie wiedział, że trupy Żydów w getcie z ostatnich dni Grossaktion są pomieszane z trupami Polaków, więźniów Pawiaka, rozstrzelanych masowo przez podwładnych Hahna i z jego rozkazu? I że nie wszystkie późniejsze trupy z okresu majora Bundtkego były zwłokami Żydów? Że dzień w dzień podwładni Hahna rozwalali na pański rachunek (lub na rachunek Bundtkego) Polaków, chwytanych w dzielnicy „aryjskiej", a likwidowanych w getcie[3]?

– Nie wiedziałem.

– Naprawdę?!

Stroop milczy. Schielke także, a mnie nachodzą wspomnienia najosobistsze. Po chwili mówię, patrząc im w oczy:

– Tak działali funkcjonariusze Pawiaka od początku maja 1943. I przez wiele dalszych miesięcy, do Powstania Warszawskiego. Pan przygotował miejsce egzekucji dla mojego najmłodszego brata.

– To pana brat tam zginął? – jęknął Schielke.

– Tak, ale po wyjeździe SS-Brigadeführera Stroopa do Grecji. W Warszawie szalał wtedy Franz Kutschera, propagator i realizator podwójnej metody uśmiercania Polaków: masowymi egzekucjami

---

[3] Według moich szacunków, ogólna liczba Żydów zamordowanych od 19 kwietnia 1943 r. bezpośrednio na terenie getta warszawskiego wyniosła ok. 20 tysięcy. Zaś liczba Polaków zamordowanych na tym samym terenie od maja 1943 r. do października 1944 r. była analogiczna – też ok. 20 tysięcy. Szacunki te przedstawiłem na sesji naukowej Instytutu Historii PAN i Żydowskiego Instytutu Historycznego w Polsce (Warszawa, 11–12 kwietnia 1973) – przyp. aut.

Niestety, w materiałach z tej sesji, wydrukowanych w specjalnym numerze „Biuletynu Żydowskiego Instytutu Historycznego w Polsce" (1973, nr 2–3), tekst wystąpienia Kazimierza Moczarskiego nie został opublikowany.

ulicznymi oraz tajnymi rozwałkami w ruinach getta. Brat mój, Jan, pseudonim „Hauser" (dowody na nazwisko „Krawczyk"), podchorąży AK, młody człowiek, prawnik, nieźle zapowiadający się poeta i malarz, został 6 grudnia 1943 roku o godzinie 12 w południe aresztowany w kawiarni na Marszałkowskiej, a o 17.30 trzech ludzi od Hahna rozwaliło go w ruinach getta, blisko Pawiaka.

Przerwałem. Blady Stroop miał przymknięte oczy, a Schielke półotwarte usta, za którymi widziałem dwa sczerniałe zęby.

Cisza. Patrzę w kraty i wolno ciągnące obłoki. Po wielu minutach Stroop pyta, ale powieki ma opuszczone:

– Powiedział pan, że t r z e c h ludzi od Hahna zamordowało brata. To znaczy, że zna pan szczegóły egzekucji...

– Po co panu te informacje? – przerywam. Rozluźniony wspomnieniami, boję się popełnienia nieroztropności.

– Niech się pan nie lęka – szepcze Stroop. – Mogę ich znać.

Decyduję się szybko i ujawniam:

– Mordercami brata byli: SS-Oberscharführer Kurt Engels, SS--Scharführer Karl Witzke i SS-Sturmmann Alfred Milke. Wszyscy z wydziału IV A-3d urzędu Ludwika Hahna[4]. Engels i Witzke z pokoju nr 245, zaś Milke z pokoju nr 240 przy alei Szucha 25.

*– Nie obiły mi się o uszy nazwiska dwóch pierwszych – mówi Stroop. – Ale o Alfredzie Milke, volksdeutschu warszawskim i funkcjonariuszu Sicherheitspolizei, opowiadano mi niedawno.

– Gdzie? Kiedy? – pytam gwałtownie.

---

[4] Wydział IV (właściwe Gestapo) Urzędu Dowódcy Policji Bezpieczeństwa i Służby Bezpieczeństwa (KdSW) w Dystrykcie Warszawskim zajmował się „Gegner – Erforschung und Bekämpfung" (rozpoznawaniem i zwalczaniem wroga), jego zaś referat IV-A-3d (a właściwie sekcja 3d podreferatu IV-A) – konspiracyjnymi organizacjami wojskowymi. Kierownikiem tej sekcji był SS-Obersturmführer Jacob Lechner, zlikwidowany przez żołnierzy oddziału Armii Krajowej „Agat" (późniejszy batalion „Parasol") w dniu 5 października 1943 r. w czasie akcji wymierzonej w wymienionego wyżej Alfreda Milkego (Mielkego). Komunikat o zastrzeleniu Lechnera zamieścił „Biuletyn Informacyjny" Armii Krajowej (21 października 1943, nr 42).
  * Ten fragment tekstu został wcześniej opuszczony w odpowiednim odcinku edycji *Rozmów z katem* na łamach „Odry" (1973, nr 5, s. 23).

– Onegdaj zameldował mi znany panu kalifaktor Otto[5], że Milke siedzi w celi obok nas[*6].

*

Któregoś dnia rozmawialiśmy o generale Stefanie Roweckim „Grocie". Stroopowi „Grot" niezwykle imponował. *Imponowali mu zresztą wszyscy komendanci główni Armii Krajowej*. Tkwiła w nim mieszanina szacunku dla rangi generalskiej oraz podziwu dla odwagi cywilnej, wiedzy militarnej i umiejętności prowadzenia walki w konspiracji, bez przywileju munduru i sztandaru.

Stroop opowiadał, że widział „Grota" w siedzibie doktora Ludwika Hahna przy alei Szucha:

– 30 czerwca 1943 doktor Hahn zatelefonował, żebym przyjechał do niego i zobaczył ważną osobistość z polskiej konspiracji właśnie niedawno zaaresztowaną. Odpowiedziałem zniecierpliwiony i zły, że nie będę przyjeżdżać do Hahna, bo jestem SS- und Polizeiführerem i niech Hahn (jeżeli uważa, że powinienem zobaczyć więźnia) przywiezie go do mnie. Myślałem, że sprawa dotyczy członka polskiego podziemia, który chce z nami pertraktować. Gdy Hahn wyjaśnił, o kogo idzie, i dodał, że Berlin może „Grota" zabrać wkrótce samolotem do swej dyspozycji, natychmiast pojechałem. Zobaczyłem generała „Grota" w pokoju przyległym do gabinetu Hahna. Przyjrzałem mu się przez otwarte drzwi. Stał frontem do mnie, ale patrzył w okno. Był niezwykle poważny i spokojny. Muszę przyznać, że zrobił na mnie duże wrażenie. Cywil, ale od razu widać, że wojskowy najwyższej klasy. Zmęczony, twarz ściągnięta, lecz dziwnie pogod-

---

[5] Alfred Otto (ur. 1900), SS-Untersturmführer i nadsekretarz kryminalny, według raportów kontrwywiadu Armii Krajowej i Delegatury Rządu RP na Kraj zastępca kierownika sekcji IV-A-3d (czyli wymienionego wyżej w przyp. 4 Jacoba Lechnera), po wojnie skazany w Polsce na karę dożywotniego więzienia, złagodzoną następnie do 25 lat, po zwolnieniu wyjechał do Republiki Federalnej Niemiec.

[6] Informacja o przebywaniu Milkego (Mielkego) w więzieniu w Polsce po wojnie nie znajduje potwierdzenia w materiałach Instytutu Pamięci Narodowej.

* Zdanie obecne w odpowiednim odcinku edycji *Rozmów z katem* na łamach „Odry" (1973, nr 5, s. 23), lecz usunięte przez cenzurę – bez zaznaczenia – w pierwszych pięciu wydaniach książkowych w latach 1977–1985.

ny w swym spokoju. Panie Moczarski, może nie powinienem panu tego mówić, ale od generała „Grota", który był wówczas naszym więźniem, bił jakiś majestat. Wszyscy ulegaliśmy temu czarowi. Nikt się nie cieszył, choć byliśmy bardzo zadowoleni. Mówiliśmy cicho. Nie było mowy o krzykach. Czy pan go kiedyś widział?

– Nie. Nigdy – odpowiedziałem.

– A ja widziałem pańskiego głównodowodzącego! I tego nigdy nie zapomnę. *Patrząc na waszego generała, zrozumiałem, że nie mundur, odznaki i ordery mówią o walorach generalskich, ale postawa, hart ducha, intelekt i spokój. Jaki on był opanowany, ten wasz „Grot"*. Choć był naszym śmiertelnym wrogiem, to patrzyłem na niego tak, jak w 1918 roku na feldmarszałka Augusta von Mackensena[7].

*

– Ponoszę odpowiedzialność jedynie za Grossaktion in Warschau – tłumaczył się raz Stroop. – Zostałem odkomenderowany, jako wojskowy, tylko do przeprowadzenia bitwy o getto. Moja rola skończyła się faktycznie 16 maja 1943. Za wszystko inne odpowiada doktor Ludwik Hahn. Co robiłem po 16 maja? Odpoczywałem, potem wyjeżdżałem do Kętrzyna i Poznania oraz w Sudety. W czasie tych wyjazdów zastępowali mnie oficerowie z osobistego sztabu. Prowadziłem dość spokojny tryb życia, jeździłem codziennie (gdy byłem w Warszawie) konno w Łazienkach.

– Ale pan te treningi kawaleryjskie przeprowadzał dość nieregularnie – wtrąciłem się.

– Tak. Doktor Hahn radził, abym miał każdego dnia inny rozkład zajęć oraz aby pewne stałe czynności, jak przybycie i wyjazdy

---

* Dwa zdania obecne w odpowiednim odcinku edycji *Rozmów z katem* na łamach „Odry" (1973, nr 5, s. 24), lecz usunięte przez cenzurę – bez zaznaczenia – w pierwszych pięciu wydaniach książkowych w latach 1977–1985.

[7] Ten fragment tekstu *Rozmów z katem* w ślad za wydaniem książkowym (a zatem bez trzech zdań usuniętych – bez zaznaczenia – przez cenzurę) został przedrukowany w tomie *Stefan Rowecki w relacjach*, pod redakcją naukową Tomasza Szaroty, Instytut Wydawniczy PAX, Warszawa 1988, s. 307.

do biura, nie powtarzały się, jeśli idzie o czas i o trasy. Niemiecka systematyczność i nawyki, mówił Hahn, sprzyjają wywiadowi polskiemu, który przy rozpoznanych metodach poruszania się przeciwnika może ustalić przesłanki do skutecznego przeprowadzenia zamachu. Według doktora Hahna, członkowie SS i policji niemieckiej powinni prowadzić życie „cygańskie". A więc planowo się spóźniać, nie wyjeżdżać z kwatery codziennie o tej samej minucie, zmieniać miejsca posiłku, odpoczynku, nocowania i zabawy, zmieniać ubrania, auta itp. Niemiec, który stosuje w Generalnej Guberni swe dawne, dobre obyczaje i regularność, wystawia się na sztych polskiemu podziemiu. Dotyczy to szczególnie ludzi na wysokich stanowiskach. „Kto z nas nie przestrzega zasad konspiracji, łatwo może dostać kulę w łeb" – ostrzegał zawsze Hahn. Dlatego jeździłem konno na spacer do Łazienek w różnych porach i dniach. Czy to nie z Łazienkami było związane pańskie niegdyś powiedzenie, że próbował pan w 1943 roku przyczynić się do mojego zgonu? Niech mi pan powie, jak to było z tymi pańskimi usiłowaniami. Bardzo proszę.

Stroop wprawił mnie w zakłopotanie. Nie chciałem rozkonspirować przed nim moich niektórych działań antyhitlerowskich. Opowiadałem co prawda w celi o śledztwach przeprowadzonych przeze mnie w ramach Kierownictwa Walki Podziemnej na terenie m.st. Warszawy przeciwko obywatelom polskim współpracującym z Niemcami, nawet kiedyś wymieniłem niektóre nazwiska zdrajców. Stroop powiedział do mnie kilka razy: Herr „Maurycy" (bo taki miałem pseudonim w KWP). Ale mówić o szczegółach śledzenia Stroopa nie bardzo chciałem. Jednak (może pod wpływem chwilowej miękkości) powiedziałem:

– Nie byłem nigdy w oddziałach dywersyjnych czy egzekucyjnych, ani w wywiadzie Armii Krajowej. Działałem w BIP KG AK oraz w KWP. Ale cechowała mnie pewna ruchliwość i spory wachlarz kontaktów osobistych. Znałem szefów akowskiego kontrwywiadu na okręg warszawski[8], nawet im czasami po amatorsku pomagałem.

---

[8] Mowa o kontrwywiadzie Wydziału II Komendy Okręgu Warszawa Armii Krajowej, kierowanym kolejno przez por. Bolesława Kozubowskiego („Mocarza", „Plebana") i por. Wincentego Kwiecińskiego („Lotnego", „Proboszcza").

Znałem ludzi z wywiadu Delegatury[9], z Państwowego Korpusu Bezpieczeństwa[10], z komórek wywiadowczych i śledczych rozmaitych organizacji. Znałem niektórych zrzutków polskich, słynnych cichociemnych, oraz strąconych lotników brytyjskich i oficerów alianckich, którzy uciekli z oflagów na terenie Polski. Niech pan nie zapomina, że jestem z zamiłowania i z zawodu dziennikarzem. A dziennikarz to nie tylko pióro, ale przede wszystkim kontakty i umiejętności nawiązywania stosunków z ludźmi. Urodziłem się w Warszawie i tu ukończyłem studia, miałem więc sporo znajomości w wielu kręgach społecznych. Znałem też kelnerów, kucharzy i restauratorów. Stąd możność dotarcia za kulisy „Adrii", w której pan niestety nie bywał. Miałem też dobre stosunki z dwoma Polakami z personelu ogrodniczego Łazienek. Gdy było trzeba, informowali, co się tam dzieje.

– Pewnego dnia – ciągnę dalej – dobry znajomy (nie znałem jego nazwiska) zaczął rozmowę o panu. Mieliśmy takie same opinie i pragnienia: Stroopa trzeba zlikwidować. Wtedy spytał, czybym mu nie pomógł w realizacji tego zamierzenia. Zgodziłem się. Znałem pewną akcję antyhitlerowską, którą przeprowadził skutecznie i bezbłędnie. Była to koronkowa robota. Więc zgodziłem się i zacząłem badać pański tryb życia. „Znajomek" (taki dajmy mu pseudonim) powiedział, że pan nieregularnie wychodzi z domu, z alei Róż, róg Alej Ujazdowskich, że pan nie bywa w knajpach, że pan „stale krąży", a gdy pan jest gdzieś oficjalnie, to chroni pana mocna obstawa. Ale „Znajomek" powiedział też, że pan jest „zwariowanym koniarzem" i że urządza pan sobie często konne przejażdżki po Łazienkach. To ja – do mych zaufanych ludzi pracujących w tym parku! Łazienki nie były łatwym dla nas terenem. Duża załoga niemiecka, częste patrole, psy, wzmożona czujność. Po kilku dniach odpowiedziano mi, że owszem,

---

[9] Mowa o wywiadzie politycznym (kontrwywiadzie) Delegatury Rządu RP na Kraj, kierowanym kolejno przez Tadeusza Myślińskiego („Niedzielę"), Eugeniusza Gittermana („Gintera", „Hübnera") i Jana Zborowskiego („Neumana").

[10] Państwowy Korpus Bezpieczeństwa – podziemna policja, podlegająca Delegaturze Rządu RP na Kraj.

przyjeżdża pan konno do parku i odbywa tam treningi jeździeckie, ale nigdy sam. Czasami z luzakiem, innego znów dnia w towarzystwie kilku SS-owców. Kombinowaliśmy, w jaki sposób zgrać wszystkie elementy przyszłego zamachu na pana, żeby nie narażać własnych ludzi. Przecież oni nie mogli godzinami wyczekiwać. Akcję można było zrobić tylko z doskoku, to znaczy wtargnąć błyskawicznie, choć wolnym krokiem, do parku, zastrzelić jednym pociskiem pistoletowym o dużym kalibrze i natychmiast się wycofać którąś z opracowanych dróg ucieczki. Akcja nie mogła trwać dłużej niż 3–5 minut. Jak to zrobić, gdy nie mogliśmy ustalić terminów pańskich konnych przejażdżek?! „Znajomek" i ja oraz na pewno jeszcze inni ludzie od „Znajomka" próbowali różnych metod. Chciałem pana zobaczyć na własne oczy, bo „Znajomek" pokazał mi tylko pańską fotografię z działań w getcie.

– Jak ją zdobył?! – krzyknął. – Zdjęcia były tajne!

Na to Schielke:

– Niemcy mają manię fotografowania. SS-owiec zrobił zdjęcia i wywołał u polskiego fotografa, który wręczył „Znajomkowi" odbitki.

– Chciałem więc pana zobaczyć – opowiadam dalej. – Musiał pan rano wyjeżdżać z pałacyku przy alei Róż, to chodziłem codziennie o tej porze, jak urzędnik do biura, Alejami Ujazdowskimi i raz pana spostrzegłem na rogu Alej. Nie mogłem się zbytnio przyglądać, bo pańska obstawa bystro toczyła oczami.

– Czy pan się wtedy trochę bał? – pyta Stroop.

– Miałem prawdziwe niemieckie papiery urzędnika przemysłu zbrojeniowego. Ale każdy się boi w niebezpiecznej sytuacji. Umiałem szybko się opanowywać. Szkoda, że pan nie bywał w „Adrii", panie generale.

Stroop spojrzał podejrzliwie.

– Nigdy tam nie byłem, w przeciwieństwie do von Sammerna – odpowiedział – choć treuhänderka namawiała gorąco, żebym ich odwiedził. Do tej meliny nie poszedłbym. To przecież w „Adrii" wasz Chrystus zastrzelił trzech naszych oficerów?

– Chrystus?

– Myśmy mówili „Chrystus", bo on się podobnie nazywał.

– Wiem! Idzie o Jana Krysta, żołnierza z „Kedywu". Zlikwidował w „Adrii" trzech oficerów SS i tam zginął w maju 1943[11].

– O ile pamiętam – rzekł Stroop – jeden z tych zabitych przez Krysta SS-führerów uczestniczył w likwidacji getta. Ale ja, mimo ostrzelania przez AK mego samochodu za Łomżą, nie zginąłem od waszej kuli za Grossaktion in Warschau.

– Nie wszystkie akcje likwidacyjne udawały się. To jasne – odpowiedziałem.

Podczas tej rozmowy Stroop nie był spokojny. Budziła się w nim nagła nieufność, potem ulga, potem nienawiść, wreszcie strach. W tej godzinie nie byliśmy „solidarnymi" więźniami. Byliśmy znowu przeciwnikami.

∗

– Bałem się wtedy, za Łomżą – rzekł Stroop. – Jechałem autem z Warszawy do Wolfschanze[12], do kwatery głównej Adolfa Hitlera, przez Łomżę, gdzie miałem konferencję z SS-Obergruppenführerem Oswaldem Pohlem w związku z dewizami, złotem i biżuterią zdobytymi w czasie Grossaktion in Warschau. Jechaliśmy w dość pogodnym nastroju, nawet byłem wesoły, bo u Pohla znalazłem pełne zrozumienie i uśmieliśmy się razem z plotek o rzekomych nadużyciach przy rejestracji zdobyczy pożydowskiej.

---

[11] Jan Kryst „Alan" (1922–1943), ślusarz, harcerz, żołnierz Armii Krajowej. 22 maja 1943 r. zastrzelił w „Adrii" trzech oficerów Gestapo (według meldunku niemieckiego – dwóch urzędników Gestapo i kaprala), ale sam także poniósł śmierć. Obszerny artykuł o nim w „Biuletynie Informacyjnym" (23 czerwca 1943, nr 25) zatytułowany został *Kamienie przez Boga rzucane na szaniec*. [Uwaga: taki sam tytuł (cytat z wiersza Juliusza Słowackiego *Testament mój*) nosiło wspomnienie Tadeusza Zawadzkiego „Zośki" o Janie Bytnarze „Rudym", które posłużyło Aleksandrowi Kamińskiemu za kanwę jego głośnych *Kamieni na szaniec*, wydanych po raz pierwszy w lipcu 1943 r.] W czasie Powstania Warszawskiego w „Adrii" odsłonięto 8 sierpnia 1944 r. tablicę pamiątkową ku czci Krysta, o czym informowały pisma powstańcze: „Biuletyn Informacyjny" (10 sierpnia 1944, nr 47) i „Rzeczpospolita Polska" (13 sierpnia 1944, nr 24). Jego imię nosi ulica w Warszawie.

[12] Wolfschanze (niem.) – Wilczy Szaniec, potoczna nazwa kwatery głównej Hitlera (a właściwie polowego stanowiska dowodzenia Naczelnego Dowództwa Wehrmachtu) koło Kętrzyna.

– Auto wjechało właśnie w kompleks lasów. Jednak ta droga leśna nie ciągnęła się dłużej niż pięćset metrów. Wyjeżdżaliśmy na otwartą równinę, a tu szofer hamuje, ponieważ na trasie leży powalone drzewo. Omijamy je z wolna i raptem słyszę, jak w samochód uderzają pociski pistoletów maszynowych. Adiutant krzyknął. Dostał postrzał w lewe ramię. Myśmy przykucnęli, szofer dodał gazu aż do deski i z największą szybkością pojechaliśmy dalej. Po kilometrze kazałem stanąć. SS-mann z pocztu ochronnego wyciągnął bergmanna. Wskazałem mu cele (z daleka było widać figurki partyzantów uciekających do lasu), puściliśmy za nimi kilka serii i ruszyliśmy z kopyta do najbliższego miasteczka. Zanim złapaliśmy połączenie telefoniczne, dywersanci dokonali na tej samej drodze wewnątrz lasu zamachu na samochód, w którym jechał generał Wehrmachtu. Ten generał został zabity, jego adiutant także. Akowcy (bo okazało się później, że to był wasz oddział partyzancki) zabrali generałowi teczkę ze specjalnymi rozkazami i tajną dokumentacją. Heinrich Himmler wściekł się i nakazał akcję pacyfikacyjną. Oddział partyzancki zdołał uciec w głębokie lasy Białostocczyzny. Tylko konfidenci donieśli nam, jaki jest pseudonim dowódcy oddziału, oraz stwierdzili przynależność zamachowców do AK.

– Nie wiem, czy zamach był przygotowywany na mnie, czy na tamtego generała. Ale przypominam sobie, że na ostatnim naszym postoju przed zamachem chłopi obserwowali zbyt natarczywie moje auto i mój mundur. Białostocczyzna, mimo że formalnie należała do Reichu, była terenem dla nas bardzo kłopotliwym. Nadprezydent, Gauleiter Erich Koch, skarżył się wielokrotnie, że trudno mu jeździć na polowania w białostockie lasy, gdyż wbrew pozornemu spokojowi, oddziały akowskie są tam silne, choć bardzo utajone.

– Po co pan jechał do Wolfschanze? – pytam.

– Z polecenia SS-Reichsführera miałem się tam zameldować u generała SS Karla Wolffa, który był oficerem łącznikowym Heinricha Himmlera w kwaterze głównej Adolfa Hitlera, oraz złożyć specjalny raport o wynikach Grossaktion in Warschau, o niektórych sprawach związanych z walkami w getcie oraz o przyszłości terenów pogettowych.

– Czy łatwo się było panu dostać do Wolffa?

– Oczywiście, że łatwo, bo byłem wezwany i miałem odpowiednie dokumenty. Ale samo przebrnięcie przez siedem łańcuchów straży otaczających Wilczy Szaniec trwało bardzo długo.

– Dlaczego pan mówi o siedmiu łańcuchach straży? Podobno były tam tylko trzy kręgi służby ochronnej? – pytam.

– Mówię o siedmiu łańcuchach, bo przez tyle przechodziłem. Pierwszy łańcuch legitymował bardzo skrupulatnie i zawiadamiał telefonicznie dalsze wachy. Straż następnego łańcucha była ubrana w mundury lotnicze i tam po sprawdzeniu personaliów odebrano nam broń palną. Przez następne trzy łańcuchy straży przejeżdżaliśmy po wylegitymowaniu się i pobieżnym zrewidowaniu całego auta. Na przedostatnim łańcuchu towarzyszący mi oficerowie musieli wysiąść i czekać na mnie. Auto zostało jeszcze raz dokładnie zrewidowane, a potem szofer podwiózł mnie pod ostatni posterunek strażniczy. Około stu metrów przed tym posterunkiem auto musiało zatrzymać się przed szlabanem. Wysiadłem. Szoferowi kazano skręcić w bok na miejsce postojowe, a ja poszedłem na piechotę do domku ostatniego, wewnętrznego łańcucha straży. Tam mnie znów wylegitymowano, zrewidowano wszystkie kieszenie, zabrano do depozytu szpadę honorową SS (jechałem w pełnym uniformie służbowym) oraz scyzoryk i nożyczki do paznokci. Przyznam, że byłem wściekły, ale oficer, który mnie poprowadził do domku alpejskiego, w którym kwaterował generał Wolff, wytłumaczył mi w sposób pełen galanterii, że przykre dla gości ceremonie są koniecznością państwową.

– Jak wyglądało to osiedle Hitlera? – pytam z zaciekawieniem.

– Wilczy Szaniec ukryto w głębi gęstych lasów, z dala od ludzkich domów. Wszędzie drzewa wysokie. Ogólny koloryt dość posępny. Wszystko tonęło w cieniu i tylko czasami słońce przedzierało się przez korony drzew. W lesie stały niewinne domki alpejskie, drewniane. Całość wyglądała na dekorację teatralną. Ale każdy z tych domków miał głęboko w ziemi betonowy bunkier, którego żadna bomba by nie przedziurawiła. Osiedle wyposażono w potrójną sieć elektryczną, w centralne ogrzewanie i wszystkie najnowocześniejsze urządzenia mieszkalne oraz biurowe i kulturalne. Ścieżki między domkami wygracowane. Miały te domki wyglądać sielsko i letniskowo, a więc pogodnie. Ja jednak odczułem jakiś smutek (tylko raz usłyszałem głos ptaka).

– A jak pana przyjął generał Wolff?

– Niesłychanie przyjemnie. Miał widać o mnie niezłą opinię, a poza tym myślę, że był zadowolony, iż mógł porozmawiać z kimś z zewnątrz, ze świata pól i słońca. Generał Wolff łatwo nawiązywał kontakt z rozmówcą i posiadał swoisty wdzięk. Adolf Hitler go lubił za takt i skromne zachowanie się. Heinrich Himmler czuł do Wolffa słabość. Karl Wolff to, według opinii naszych kręgów, poufny doradca SS-Reichsführera. Był człowiekiem specjalnego zaufania, bo tylko taki mógł pełnić odpowiedzialną służbę łącznikową między dwoma największymi ludźmi III Rzeszy. Charakterystyczne, że Heinrich Himmler zwracał się najczęściej do swego doradcy: „Wölfchen" (wilczek).

– Czy generał Wolff czymś pana poczęstował?

– Oczywiście! Karl Wolff był człowiekiem do wypitki i do wybitki. Lubił koniak, czarną kawę, śpiew i ładne kobiety. Nie gardził dobrym jedzeniem. A tu, w Wolfschanze, musiał się dostosować do reżimu nakazanego przez Adolfa Hitlera. A więc surowość prawie klasztorna, żadnych alkoholi, bo Adolf Hitler żądał (i słusznie) pełnej trzeźwości zawodowej. Wolff korzystał z pewnych „uciech życia" (z szynki, kawy, koniaku i sznapsa), kiedy przyjeżdżali do niego goście. Gdy wszedłem do jego gabinetu, przywitał mnie, wstając, i zaraz rzekł: „Lieber Stroop! Przecież pan, generał frontowy, przyzwyczajony jest do sznapsa, kawy i mięsa. Toteż przygotowałem dla pana poczęstunek, jak pan o to prosił". Wolff roześmiał się i szepnął mi do ucha: „Tylko przy takich gościach, jak pan, jestem zwolniony od surowego reżimu Wilczego Szańca".

– A o czym panowie konferowali, jeśli wolno wiedzieć? – pytam z więzienną „galanterią".

– O rezultatach wielkiej akcji, którą Wolff w imieniu Adolfa Hitlera bardzo pochwalił. Następnie odpowiadałem na pytania, dotyczące dziwnego postępowania lubelskiego dowódcy SS i policji Odila Globocnika. Powiedziałem wszystko, co wiem o tym SS-owcu. Wolff zatarł ręce i powiedział: „No! to Globocnik, ten łobuz i złodziej, musi skończyć karierę". Następnym punktem rozmowy była sprawa wykorzystania terenów po byłym getcie w Warszawie. Wolff pokazał plan przyszłego osiedla oraz zaakceptował wszystkie moje dotychczasowe posunięcia. „Ten pomysł doktora Hahna z egzekucjami polskich bandytów w ruinach getta obok Pawiaka jest całkiem dowcipny. Co prawda, ja bym nigdy osobiście nie zasypywał polskich trupów miałkim gruzem z domów żydowskich w getcie, ale rozumiem wasze racje i dlatego akceptuję te metody".

– A o pańskiej przyszłości nic Wolff nie mówił?

– Co do mojej rangi to dziwił się, że jeszcze jestem tylko SS-Brigadeführerem. Dał do zrozumienia, że wkrótce odpowiednie pisma awansowe zostaną przesłane do parafy w kancelarii Adolfa Hitlera. Niestety, Wolff się pomylił, bo dopiero gdy opuszczałem Grecję, zostałem mianowany, w listopadzie 1943, SS-Gruppenführerem i generałem-leutnantem policji. Ale co do przeniesienia na stanowisko Wyższego Dowódcy SS i Policji, to obietnice Wolffa szybko się zrealizowały. Musiała być już sprawa zadecydowana, bo generał Wolff zaznajamiał mnie z tajnikami polityki na Półwyspie Bałkańskim, z kluczowymi problemami sytuacji w Grecji oraz z projektami nowych pociągnięć Adolfa Hitlera wobec rządu w Atenach. Wolff dał mi przy tym mnóstwo praktycznych rad, między innymi, jak postępować z arcybiskupem ateńskim, z premierem, z ministrem spraw wewnętrznych, jak zachowywać się wobec kobiet greckich i jakie mundury muszę sobie sprawić (np. generalski uniform niemieckich wojsk tropikalnych). Po kilkugodzinnej rozmowie generał Wolff odprowadził mnie do wachy i pokazał po drodze alpejską chatkę Adolfa Hitlera. Przechodziliśmy obok niej wyprostowani i sprężystym krokiem. Obciągnąłem przedtem mundur i posprawdzałem, czy wszystkie guziki są zapięte.

– Przenocowaliśmy w Olsztynie. Następnego dnia wróciłem do Warszawy, ale już inną drogą, nie przez Łomżę.

※

Stroop miał bardzo dobrą opinię o warszawskiej straży pożarnej. Dziwiło mnie początkowo jego zainteresowanie tą formacją, ale później zrozumiałem ową szczególną przychylność do strażaków. Miały w niej udział chłopięce pragnienia Stroopa, żeby zostać strażakiem.

Opowiadał mi wielokrotnie o konnych wozach straży ogniowej, pędzących do pożaru po uliczkach Detmoldu. „Konie w galopie, w cwale! Spod kopyt – iskry! Rozwiewają się ufryzowane grzywy i ogony. Pęd, turkot, dzwonienie, tętent, parskanie spienionych koni. Przy beczkowozach, pompach i drabinach – strażacy. Silni, młodzi, odważni, z toporkami przy pasach. Sprawni jak cyrkowcy!"

Gdy był jeszcze uczniem szkoły podstawowej, za szczyt swojej kariery życiowej i marzeń najskrytszych uważał osiągnięcie takiej funkcji strażackiej, która by mu pozwalała pędzić konno na czele kawalkady straży ogniowej, gwiżdżąc na specjalnym gwizdku, aby się ludzie rozchodzili na boki. Myślę, że i jego Mutti, gdy była panieneczką, także marzyła o mężu strażaku.

W Alejach Ujazdowskich Stroop odbierał defiladę warszawskiej straży ogniowej. Przypominam, że przedwojenna straż ogniowa była instytucją komunalną. Po wejściu Niemców do Warszawy wcielono ją „zgodnie z tradycjami i prawem niemieckim" do policji. Podlegała więc Stroopowi i na jego rozkaz zaprezentowała się w uroczystej defiladzie.

– Staliśmy w trójkę na trzech podwyższeniach – opowiadał z zachwytem Stroop. – Ja w środku (trochę wyżej niż pozostali), po mojej lewej ręce komendant garnizonu warszawskiego, generał Wehrmachtu, po prawej – szef Policji Ochronnej. Niżej adiutanci, sztab i liczni goście, między innymi zastępca gubernatora Fischera. Rozległy się hejnały trębaczy, potem orkiestra dęta zagrała marsza. Od strony placu Trzech Krzyży zbliżały się wolno auta straży ogniowej. Strażacy, ogoleni i wystrzyżeni, ogorzali na twarzy, miny marsowe, w hełmach. Uniformy i sprzęt wypucowane na glans. Strażacy trzymają się prosto i mocno. Na rozkaz dowódcy skręcają głowy w moim kierunku i patrzą z oddaniem na swego warszawskiego najwyższego zwierzchnika. Ja ich pozdrawiam jak najserdeczniej. Czułem, że mogę na tę formację policyjną całkowicie liczyć. Że będą bronili przed żywiołem wszystkie domy warszawskie: i polskie, i niemieckie! Szczególnie uderzył mnie żołnierski i oddany wyraz twarzy ich dowódcy, który wyglądał na zahartowanego w bojach zawodowego oficera. Wydałem specjalny rozkaz pochwalny dla warszawskiej straży ogniowej i poleciłem przydzielić strażakom podwójne premie żywnościowe i tytoniowe.

Schielke nagle odwrócił się od nas, podszedł do drzwi, wyjął kawałek płótna (które zastępowało mu chusteczkę do nosa) i zaczął wycierać twarz. Podszedłem, bo myślałem, że się czymś zakrztusił, a tu widzę, że Schielke ledwie może powstrzymać się od chichotu. Po kilku minutach strażnik zabrał Stroopa na spacer, a Schielke zaczął ryczeć ze śmiechu i postękiwać wesoło, aż dostał czkawki. Żaden z nas nigdy nie powiedział Stroopowi, że 90 procent strażaków, wraz ze swymi dowódcami, to Polacy, żołnierze konspiracji antyhitlerowskiej. A on wielokrotnie podkreślał wierność warszawskiej policji przeciwpożarowej.

*

Często opowiadał Stroop o swoim wielopokojowym apartamencie na pierwszym piętrze pałacyku przy alei Róż pod numerem 2.

– Miałem tam wielką sypialnię, okna jej wychodziły na południowy zachód. Salon zaś, gabinet służbowy oraz wspaniały komplet łazienek znajdowały się od strony parku Ujazdowskiego. Schody marmurowe, czystość wzorowa i stylowe meble. Ale co najbardziej lubiłem w moim mieszkaniu, to zespół urządzeń kąpielowych. Takiej glazury na ścianach i aparatury wodociągowo-prysznicowej nigdy w życiu nie widziałem. Wszystkie rury i przewody, grubo niklowane, błyszczały srebrem. Automatyczne urządzenie do regulowania temperatury strumienia wodnego, wymyślne wanny, bidety, kilka rodzajów pryszniców – sprawiały rozkosz. To musiał być bogaty i nowoczesny człowiek, ten, kto zafundował sobie kiedyś takie urządzenie łazienkowe. – Gdy po godzinnej kąpieli i masażach wodnych – ciągnął rozmarzony Stroop – nałożyłem szlafrok o barwach SS (to znaczy czarno-biały) i poszedłem odpocząć w klubowym fotelu, przy okrągłym stole, na którym błyszczała kryształowa karafka z koniakiem i szerokie kieliszki, gdy odetchnąłem najświeższym w Warszawie powietrzem z parku Ujazdowskiego, to mimo wojny wydawało mi się, że jestem w siódmym germańskim niebie.

XX. Marmurowa ambasada i żydowskie dywany

– Pojechałem do Aten z wyraźnymi dyrektywami Heinricha Himmlera, a więc i Adolfa Hitlera, aby wzmocnić system bezpieczeństwa w Grecji – powiedział Stroop. – Rząd tamtejszy współpracował z nami, lecz ich resort spraw wewnętrznych nie panował nad sytuacją. A tu położenie napięte. Mussolini upadł 25 lipca 1943 i wiedzieliśmy, że marszałek Badoglio[1] prowadzi tajne pertraktacje z aliantami o separatystyczny pokój. Po konferencji z generałem Karlem Wolffem w Wilczym Szańcu na Mazurach pojechałem do Berlina. Tam przeprowadziłem wiele rozmów ze znawcami spraw bałkańskich.

– Znów pan generał musiał się uczyć i studiować – wtrącił Schielke.

– Tak. Średnio wyżsi sztabowcy z centrali SS powariowali z naukowymi opracowaniami, notatkami, memorandami. Kazali wszystko czytać! Wkuwałem się o tej Grecji w berlińskim Fürstenhof-Hotel, gdzie przydzielono mi wspaniałą kwaterę.

– W Berlinie zdenerwowanie. Włosi znów zamierzali nas zdradzić i SS-Reichsführer zabezpieczał (na rozkaz Adolfa Hitlera i prośbę von Ribbentropa oraz generalicji) jaki taki spokój na wschodnio-południowej flance Europy. Szczególnie OKW nalegało, aby odciążyć wojsko w Grecji, zwalniając je od nadzoru cywilno-okupacyjnego i ustanowić urząd Höhere SS- und Polizeiführera z siedzibą w Ate-

---

[1] Pietro Badoglio (1871–1956), marszałek, premier Włoch w latach 1943–1944, podpisał zawieszenie broni z aliantami 3 września 1943 r. i 13 października 1943 r. wypowiedział wojnę Rzeszy.

nach. Wtedy Heinrich Himmler wyznaczył mnie na to stanowisko i w początku września 1943 (bodaj, że pierwszego) opuściłem Berlin samolotem wraz z jedenastoma współpracownikami.

– Przyjemna podróż – wtrącam.

– Alpy, nizina węgierska i góry bałkańskie pięknie wyglądają z lotu ptaka. Eskapada była jednak dość niebezpieczna, bo nad Jugosławią (pierwszy etap podróży to Belgrad) pojawiły się samoloty alianckie, a nisko lecieć nie mogliśmy, gdyż partyzanci jugosłowiańscy dysponowali lekką artylerią przeciwlotniczą i bateriami zenitowych ciężkich karabinów maszynowych.

– Luftwaffe was nie chroniło?

– Przydzielono nam wojskowy samolot komunikacyjny. Ciężka maszyna i nie najszybsza. Komendanci lotnisk zostali powiadomieni, że leci ważny samolot, i wysyłali do jego ochrony po dwa myśliwce. Piloci „messerschmittów" podawali nas sobie „ze skrzydeł do skrzydeł" i wylądowaliśmy bez przeszkód w Salonikach, a przedtem w Belgradzie.

– Który kraj był, według pana, bezpieczniejszy dla Niemców? Jugosławia czy Polska?

– Trudno powiedzieć. Miasta w Jugosławii, szczególnie w Kroacji i Słowenii, nie były beczką dynamitu jak Warszawa. Belgrad stosunkowo spokojny. Tam czuwał nasz potężny garnizon. Ale teren, górzysta prowincja, to królestwo partyzantów. Nigdy bym się nie ośmielił wyjechać samotnie lub w kilka samochodów osobowych na drogi Jugosławii, zwłaszcza Serbii, Bośni, Hercegowiny i Czarnogóry.

– Właśnie w Belgradzie dowiedzieliśmy się, że Badoglio podpisał zawieszenie broni z aliantami. Rozwścieczyło to nas. „Makaroniarze" zawsze tacy. Badoglio i jego ludzie nigdy nie mogliby służyć w SS, gdyż nie odczuwali piękna zawartego w kanonie: „Meine Ehre heisst Treue".

– Badoglio starał się pozostać wiernym swemu krajowi – powiedziałem.

∗

Grecja zawsze była dla mnie symbolem piękna. Nie znałem jej, ale nasiąkłem kultem dla tego kraju, przekazanym przez ojca. Więc

rzekłem do Stroopa (a właśnie niebo za kratami było, myślę, greckie, jak błękitna szyba):

– Zazdroszczę panu tej podróży. Nie urzędu, ale tego, co pan
widział. Olimp, Akropol, grecki brzeg, wyspy i wysepki, Cykla-
dy, Sporady, Eubea, Kreta, półwyspy, przylądki, barwa wody i powietrza.

– Co pan tak miękko mówi o Grecji! – zwraca się do mnie Schielke.

– Herr Moczarski ma rację – odpowiada Stroop. – Uroczy kraj!
Dzikie wnętrze, góry często gołe i niewygodne dla turystów... Po-
szarpana linia brzegowa, skalista i górzysta, tysiące zatok, przesmy-
ków, wysp, światło, łagodny klimat. Ziemia bogów. Raz pojechałem
autem do przylądka Sunion, 50 kilometrów na południe od Aten.
Cypel trawiasty, wyniesiony nad płytę morza. Tam ruiny świątyni
Posejdona, jak latarnia dla żeglarzy. Był wczesny ranek. Zefir od Cy-
klad, morze niebieskie, perłowe, zielone, nasycone słońcem. Woda
przezroczysta, jak nigdzie w Europie (chociaż przy wyspie Hydra
jest czystsza). Zbiegłem kamienistą ścieżką do morza. Zdjąłem generalską kurtkę tropikalną i polałem twarz i szyję kryształową wodą.
Grecja... Grecja, jak słoneczny sen dziecka...

Czy Stroop użył przytoczonych słów i określeń, nie wiem. Jednak tak jego wypowiedź słyszałem i odebrałem; jego relację o przeżyciach na przylądku Sunion przy świątyni Posejdona, j e g o opowieść – mordercy Żydów na Ukrainie i w Warszawie.

*

– Heinrich Himmler wysłał mnie do Grecji – rzekł Stroop – bo
przemawiały za mną zdolności organizacyjne...

– ... i zasługi przy likwidowaniu getta w Warszawie – dodałem.
Stroop nie zaprzeczył, ale i nie potwierdził. Trochę zmarkotniał.
Po kilku chwilach na jego twarzy pojawiło się zadowolenie.

– Tak! Grossaktion in Warschau przyczyniła się do rozpowszech-
nienia w czołówce NSDAP i SS dobrej opinii o mnie. Stałem się znany
w braterskim kręgu SS-owców. Adolf Hitler, jak wspomniał generał
Wolff, również pochwalił mnie za robotę w Warszawie.

– Panie Stroop – zapytałem – dlaczego używa pan terminu Grossaktion in Warschau, a nie Grossaktion Warschau. Przecież to drugie

sformułowanie byłoby zgodne z waszym językiem partyjno-wojskowym.

– Wiem – odpowiedział Stroop – że niektórzy używają terminu Grossaktion Warschau. Ale jest to określenie, według mnie, błędne. Akcja w getcie obejmowała przecież jedną dzielnicę Warszawy. Jeżelibyśmy do likwidacji getta zastosowali określenie Grossaktion Warschau, to jak byśmy nazwali inne wielkie operacje, na przykład oblężenie Warszawy w 1939 lub Powstanie Warszawskie 1944? I rok 1939, i rok 1944 dotyczył c a ł e j Warszawy, a moja akcja tylko, powtarzam, c z ę ś c i jej terytorium i ludności. Dlatego uważam dzisiaj (choć przedtem inaczej myślałem), że trafniej przylega do rzeczywistości termin Grossaktion in Warschau.

*

– W Belgradzie czułem się nie najlepiej. Zmęczyła mnie podróż samolotem i wyjątkowo duszne dni. Ciśnienie zmieniało się z godziny na godzinę. Odbyłem wiele konferencji i narad z czołowymi dowódcami wojsk i policji w Jugosławii. Generałowie Wehrmachtu i SS-owcy z SS-Gruppenführerem Meytzerem (o ile dobrze pamiętam nazwisko)[2] podnieceni sytuacją. Włoskie wojska zdradziły, a były najbliższymi sąsiadami od północy i na wybrzeżu dalmatyńskim. Nasza marynarka w wąskim Adriatyku nie przedstawiała dużej siły. Ponadto Włosi siedzieli w Albanii, no i w Jugosławii. Naradzaliśmy się, jak zażyć Włochów z mańki, zneutralizować ich bez strat dla nas i nie dopuścić, żeby niektóre włoskie oddziały przeszły na stronę partyzantów jugosłowiańskich albo przekazały im swą broń, środki transportowe i zaopatrzenie. Nasi obawiali się wzrostu napięć w miastach jugosłowiańskich i wybuchu ogólnokrajowego powstania. Ja w tych rozmowach byłem zwolennikiem twardego kursu wobec Jugosłowian. Na to mi jeden z generałów Wehrmachtu spokojnie, lecz złośliwie powiedział: „Tutaj to może pan nam radzić twardy kurs, bo cały kraj jest przeciwko nam, z wyjątkiem Ante Pavelicia i jego

---

[2] Wyższy Dowódca SS i Policji (HSSPF) w Serbii SS-Gruppenführer August Meyssner (a nie Meytzer).

kroackich ustaszowców[3]. Ale w Grecji sytuacja skomplikowana. Tamtejszy rząd współpracuje z nami, tolerujemy ich swoisty liberalizm i będzie pan musiał zachować pozory wspólnego frontu ideologicznego i politycznego".

– Zostawiłem niebezpieczną Jugosławię – opowiada Stroop – i jej trudne problemy. Polecieliśmy do Salonik. Po drodze zostaliśmy ostrzelani partyzanckim ogniem przeciwlotniczym. Miałem trochę stracha, bo w dodatku na horyzoncie ukazał się wrogi samolot. Ale nie zaatakował.

– Na lotnisku w Salonikach, które są jednym z najważniejszych punktów strategicznych wschodnich Bałkanów, powitał mnie generał-porucznik Loehr[4]. Zaniepokojony sytuacją, charakteryzował w ciemnych barwach trudności, jakie ma armia ze społeczeństwem i administracją grecką. Nie wykluczał niebezpiecznego obrotu spraw. Lękał się wybuchu powstania w Salonikach, zorganizowanego przez proletariat portowy w porozumieniu z partyzantami w Macedonii. „Grecka partyzantka komunistyczna – meldował Loehr – ma oparcie w terenie. W miastach zaś najsprytniejszych aktów sabotażu dokonują dywersanci podziemnych organizacji prawicowych i centrowych, powiązanych z Anglikami. Jeżeli pan, Herr Höhere SS- und Polizeiführer nie zmontuje silnego aparatu policyjnego przeciw zanarchizowanej ludności, to uniemożliwi nam pan przeprowadzenie ważnych planów militarnych, zabezpieczających południowo-wschodni teatr wojny".

– Saloniki są malownicze. Niezły port cywilny i wojskowy, trochę przemysłu, nasze duże zakłady metalowo-naprawcze oraz ciekawe zabytki. Po rozmowach zwiedziliśmy miasto. Podobała mi się chrześcijańska świątynia Świętego Jerzego. Styl romański,

---

[3] Ante Pavelić (1889–1959), poglavnik (wódz) chorwackiej organizacji nacjonalistycznej „Ustaša" (ustasze) założonej w 1930 r., premier podporządkowanego Niemcom NDH (Niezależnego Państwa Chorwackiego) w latach 1941–1945.

[4] Alexander Loehr (1885–1947), gernerał niemiecki, w kampanii wrześniowej 1939 r. dowódca 4. Floty Powietrznej, Oberbefehlshaber Süd-Ost (OBSO, Dowódca Obszaru Okupacyjnego „Południe-Wschód") w latach 1942–1943 z siedzibą w Salonikach, później w Belgradzie, dowódca Grupy Armii „E" w latach 1943–1945, po wojnie skazany na karę śmierci w Jugosławii i stracony.

ciężki, warowna budowla w typie kościoła-rotundy. Obok smukły minaret.

– Przed odlotem zapewniłem generała Loehra, że wezmę pod szczególną uwagę zabezpieczenie spokoju w Salonikach.

*

– Jadąc do Aten, zboczyliśmy na zachód, bo chciałem obejrzeć słynny Olimp. Tam przecież urzędował, według mitów starogreckich, bóg Zeus, to znaczy nasz pragermański Wotan. Góra okazała i poważna. Szczyt ośnieżony. Pilot zatoczył rundę wokół Olimpu; mogliśmy go obejrzeć ze wszystkich stron. W dalszej drodze stwierdziłem, że tereny greckie świetnie się nadają do wojny partyzanckiej i mogą sprawić niemałe kłopoty regularnej armii. Doszedłem do wniosku, że jedyną dla nas metodą będzie doprowadzenie do pełnej kontroli wybrzeży morskich, głównych miast i dolin Grecji.

– Ateny. Rozległe, białe miasto na wzgórzach, przedmieścia w ogrodach. Powietrze przejrzyste, więc zbliżając się do Aten widziałem liczne wysepki i zarysy wielkich wysp. Woda koloru farbki, wyspy szarozielone.

– Natychmiast po przyjeździe odbyłem długą konferencję z dowódcą niemieckich sił okupacyjnych w Grecji, generałem lotnictwa Speidlem[5]. Jego pogląd na sytuację był podobny do opinii generała Loehra. Wyraził zadowolenie z mojego przyjazdu i prosił o natychmiastowe działanie. Wskazywał na groźne nastroje i złą sytuację gospodarczą ludności, na wpływy obcych agentur (angielskich i radzieckich) w antyhitlerowskim ruchu podziemnym oraz na chwiejność, dwulicowość, skorumpowanie rządu greckiego i części tak zwanych sfer wyższych. Po rozmowie z generałem Speidelem przeprowadziłem odprawę z ludźmi mojego sztabu przybyłymi z Berlina i z kierownikami dotychczasowych ekspozytur Sicherheitsdienst, Głównego Urzędu Bezpieczeństwa Rzeszy, Sicherheitspolizei i Abwehry. Podałem im w skrócie najświeższe, tajne informacje oraz wytyczne i dyrektywy Heinricha Himmlera. Z troską wysłuchałem relacji

---

[5] Wilhelm Speidel, generał niemiecki, Befehlshaber Südgriechenland (dowódca sił okupacyjnych w Południowej Grecji) z siedzibą w Atenach.

o masowych strajkach w rozmaitych miejscowościach od czerwca 1943 roku. Szczególnie uderzył mnie trzynastodniowy strajk w Pireusie, zakończony ustępstwami rządu greckiego. Również robotnicy wygrali strajk w mieście Patras na Peloponezie. Bardzo niepokojący wydał mi się solidarnościowy strajk pracowników umysłowych (państwowych i prywatnych) oraz robotników w mieście Kalamata. Gdy dowiedziałem się, że 22 lipca 1943 demonstrowało w Atenach 300 tysięcy ludzi (trzydzieści trupów, dwustu rannych, pięciuset uwięzionych), to się wziąłem za głowę. Wszystkiemu winna nieudolna administracja okupantów włoskich.

– Włosi ujawnili w Grecji – stwierdził Stroop – zupełny brak talentów organizacyjnych, bezideowość i rozluźnienie moralne. Nie umieli poradzić sobie z Grekami, mimo przewagi liczebnej i materialnej. Mussolini błagał Adolfa Hitlera o pomoc zbrojną.

✳

– Przy opanowaniu Krety odznaczył się nasz słynny bokser Max Schmeling – przypomniał raz Gustaw Schielke.

– Max Schmeling – odparł ze złością Stroop – brał udział w desancie spadochronowym na Kretę. Opinia publiczna uważa go za bohatera, bo pamięta jego sukcesy bokserskie, a zapomniała o porażce w USA, gdzie w pierwszej rundzie przegrał rozreklamowany przedtem mecz. Schmeling zachował się w Grecji jak tchórz, a nie jak hitlerowiec i Fallschirmjäger[6]. Nie miał aparycji nordyka. Czarny, owłosiony. Jego żona, aktorka czeska, ponętna blondynka Anny Ondra, dostroiła się w kombinatorstwie do mężusia boksera. Jak opowiadał szef Abwehry w Atenach, Maxa Schmelinga powinno się rozstrzelać za tchórzostwo, niesubordynację i kanty na Krecie. Ale decydujące czynniki NSDAP i armii nie pozwoliły ze względów polityczno-propagandowych na wyciągnięcie konsekwencji karnych wobec Schmelinga.

✳

– Następnego dnia po przyjeździe do Aten – podjął po chwili – wezwałem prezesa rady ministrów rządu greckiego Rallisa i ministra

---

[6] Fallschirmjäger (niem.) – spadochroniarz.

spraw wewnętrznych Tawuralisa. Rozmawiałem uprzejmie, bo tak nakazał Heinrich Himmler i zalecali urzędnicy Auswärtiges Amt w Berlinie. Obaj dygnitarze supergrzeczni i bardzo przymilni. Gadali dużo, jak południowcy. Deklarowali pełną lojalność. Ale usprawiedliwiali małą skuteczność swych działań „obiektywnymi" trudnościami. Mówili o ciężkiej sytuacji żywnościowej i złym zaopatrzeniu w artykuły przemysłowe powszechnego użytku. Czynili przejrzyste aluzje do unieruchomienia przez Włochów żeglugi greckiej, podstawy gospodarczej kraju. Według ich oświadczeń, dotychczasowe straty armatorów greckich wyniosły 70% floty pasażerskiej, handlowej i holowników. Stwierdzali, że znaczna część społeczeństwa głoduje. Tę sytuację pogłębia niezwykle rozwinięty czarny rynek.

– Akcentowali – mówił Stroop – duże wpływy wszystkich ugrupowań antywłoskiego i antyniemieckiego ruchu oporu. Źle wyrażali się o Italii. Armię włoską wyraźnie lekceważyli. Premier Rallis, chcąc się przypodchlebić, a jednocześnie wyrazić uczucia Greków wobec Włochów, powiedział: „Gdy 28 października 1940 roku Italia wypowiedziała nam wojnę, oddziały greckie szybko odparły najeźdźcę i zdobyły albańskie bazy wypadowe Mussoliniego. Od klęski w górach Albanii uratował Italię tylko Adolf Hitler. Teraz pokazało się, kto miał rację w 1940 roku. Teraz, po niedawnej zdradzie marszałka Badoglio, pan widzi, Herr Höhere SS- und Polizeiführer, że z Włochami tylko można śpiewać albo obłapiać dziewczynki".

– Wysłuchałem tyrad i żalów obu Greków, podzielałem ich antywłoskie poglądy, także przemawiałem „na okrągło" oraz „ideologicznie", lecz w końcu zaproponowałem im obopólne, dobrowolne przyjęcie jednoznacznych dyrektyw.

– Poinformowałem więc, że od dnia dzisiejszego obaj (premier i minister spraw wewnętrznych) będą odpowiadali przede mną, jako głównym i upełnomocnionym przedstawicielem Adolfa Hitlera i Heinricha Himmlera, za swe działania w zakresie polityki wewnętrznej Grecji. Zakomunikowałem, że należy podzielić kraj na 9 dystryktów policyjnych. Na czele dystryktu stanie, obok oficerów policji greckiej, jeden wyższy oficer policji niemieckiej jako specjalny doradca z prawem decyzji w najważniejszych sprawach. Siły policyjne w każdym dystrykcie będą się składały z oddziałów dotychczasowej policji greckiej oraz dodatkowych formacji z 18. pułku policji niemieckiej, oraz jednostek niemieckiej artylerii policyjnej.

– Ponadto oświadczyłem tym panom, którzy coraz bardziej tracili humor, że kontakty z naczelnym dowództwem armii niemieckiej w Grecji mogą utrzymywać tylko za moim pośrednictwem, ja zaś będę się zwracał w koniecznych przypadkach o pomoc niemieckich sił zbrojnych. Zapowiedziałem możliwość ewentualnego wydania przeze mnie specjalnych dekretów o nowej organizacji greckiej policji bezpieczeństwa, policji porządkowej, policji komunalnej i gwardii narodowej. Nie wykluczałem opublikowania dekretu o tym, że każdy czyn przeciwko organom greckiego korpusu porządku publicznego będzie traktowany jako czyn przeciwko Niemcom. Stosownie do tego, zamachy na policjantów greckich będą karane z surowością prawa wojennego.

– Nigdy nie przypuszczałem, że z pana, Herr Stroop, taki policyjny dyplomata – rzekłem.

Stroop nie wiedział, co odpowiedzieć. Milczał, a po kilku minutach zaczął wspominać kobiety greckie.

⁎

– Greczynki szybko się starzeją. Na ulicach i drogach wiele zniszczonych bab, ale aktywnych. Widziałem takie obrazki: na maleńkim osiołku, objuczonym koszami i węzełkami, jedzie stara wiedźma, otulona (jak to one) w czarne, długie szaty; bezzębna, gorejące oczy, cera brązowa, krucze włosy; osiołek ledwo idzie, a grecka czarownica popędza go pejczem; nawet pod wysoką górę baba nie zsiądzie. Nieraz chciałem takiej Greczynce zwrócić uwagę, lecz odradzili mi oficerowie sztabowi, znający tamte obyczaje.

– A młodych i ponętnych nie było? – zapytał Schielke. – Przecież pan ma oko na dzierlatki.

Stroop roześmiał się. Tego dnia miał dobry humor.

– Nie byłem starym człowiekiem – odpowiedział. – Do domu daleko, więc się z rozmaitymi kobietami rozmawiało. Owszem, owszem, niektóre całkiem fajne. Raz zagadaliśmy na drodze do przylądka Sunion ładną i zgrabną dziewczynę, również w czarnej, ale krótkiej szacie. Miała piękne włosy, brązowe oczy, klasyczny nosek i uroczy półuśmiech. Gdy ją zaczepiliśmy, była speszona, lecz odpowiedziała z elokwencją i jednocześnie z rezerwą. Czarowałem ją, jak mogłem.

– Nie uszczypnął jej pan generał w tyłek – zapytał Schielke – jak to się często u nas praktykuje?

– Czy pan zwariował, Herr Schielke?! Generał niemiecki nigdy dziewczyn nie szczypie w tyłek!

*

– Raz byłem – opowiadał kiedyś Stroop – na eleganckim przyjęciu u jednego z ministrów greckich. Zdaje się, że prowadził resort handlu. Fenomenalna willa z klimatyzacją. Wszędzie dzieła sztuki, wygodne kanapy i fotele, lokaje roznoszą cocktaile i koniaki, a przedtem kolacja z luksusowymi daniami. W pokoju przylegającym do wielkiego salonu grała dyskretnie orkiestra smyczkowa. Ktoś zaśpiewał, nastrój całkowitego odprężenia i braterstwa niemiecko-greckiego. Rozmawiałem z młodą żoną ministra. Była foremna, z dekoltem tak głębokim, że (jak mówią artyści i dziennikarze) można było zobaczyć podłogę. Bardzo mnie podrajcowała. Jestem przekonany, że ja – nordyk – również się podobałem tej śródziemnomorskiej piękności. Zaczęliśmy tańczyć. Później przeszliśmy do innych salonów. I dalej nie będę panom opowiadał.

*

Stroop poczynał sobie w Grecji dość energicznie. Z chwilą jego przybycia do Aten i zapoczątkowania nowego Ordnungu w policji greckiej, popełniono szereg mordów na ludności greckiej. Np. w końcu września 1943 hitlerowcy rozstrzelali w jednej ze wsi w Tessalii czterdziestu czterech patriotów. Szczególne represje dotknęły Kretę. Tam liczba Stroopowskich ofiar dosięgła tysiąca osób (w tym kobiety i dzieci). Wybuchały strajki robotników i pracowników umysłowych, demonstracje. Sytuacja ludności pogarszała się. Ceny towarów pierwszej potrzeby rosły zawrotnie. W październiku 1943, jak opowiadał Stroop, 30 tysięcy pracowników i robotników demonstrowało w Patras nad Zatoką Koryncką, żądając chleba. Władze greckie musiały uruchomić punkty dożywiania oraz rzucić na tamtejszy rynek (przy pomocy Stroopowskich kolumn samochodowych) dodatkowe przydziały żywności. Jednocześnie wzmagała się działalność dywersyjno-bojowa greckiego ruchu oporu, szczególnie oddziałów partyzanckich. Między innymi rozbiły one koło Larissy duży konwój samochodowy. Zabito stu dwunastu Niemców, a kilkunastu wzięto do niewoli.

Dekrety i zarządzenia, wymierzone przeciwko antyhitlerowskiej konspiracji, nie przyniosły znaczących rezultatów – mimo że Stroop potrafił zorganizować w Grecji dziewięć dystryktów policyjnych i zreformować częściowo policję.

Zmienił on również charakter oddziałów sprawujących ochronę pałacu, gmachów i ogrodów królewskich oraz rządu. Idzie o ewzonów, żołnierzy gwardii typu porządkowego. Żaden aktywny turysta nie wyjeżdża z Aten bez sfotografowania ewzona, przybranego w oryginalne saboty, białe pończochy, białą, plisowaną spódniczkę, białą koszulę z szerokimi rękawami i w haftowaną kamizelę. We wrześniu i październiku 1943 Stroop zarządził dodatkowy pobór do tej formacji. Z młodych ludzi, wyselekcjonowanych i sprawdzonych przez kolaboracyjny rząd grecki, utworzył bataliony uderzeniowo-policyjne ewzonów.

Stany personalne policji greckiej (z „doradcami" niemieckimi na czele) zwiększyły się. Pensje greckich policjantów podniesiono i przyznano im specjalne deputaty żywnościowe, tekstylne, skórzane, tytoniowe i alkoholowe. Jednak nie udało się Stroopowi oddzielić policji greckiej od społeczeństwa. Jak bowiem opowiadał w celi, formacje „nowej policji" były nasycone patriotami greckimi różnych orientacji.

– W tym greckim bałaganie – Stroop mówił z nutą usprawiedliwiania się – trudno było realizować zamierzenia. Społeczeństwo zliberalizowane do szpiku kości, handlujące, śpiewające, tańczące, a jednocześnie zdolne do odważnych czynów żołnierskich, przesypywało się nam jak piasek między palcami. Na inteligencję nie mogliśmy liczyć. Masy robotnicze i chłopskie również były przeciwko nam, prowadzone na sznurku przez organizacje podziemne i rozbudowaną partyzantkę. Ważnym czynnikiem w Grecji jest kler prawosławny. Popi i zakonnicy mają tam duże wpływy w masach.

– Stwierdziliśmy wielokrotnie, że wędrujący po kraju mnisi są emisariuszami greckiego ruchu oporu. Gdy utrwaliłem się w tym przekonaniu, złożyłem wizytę arcybiskupowi ateńskiemu Damaskinosowi[7]. Mieszkałem w willi niedaleko jego domu. Przeprowadziłem z Damaskinosem długą i zasadniczą rozmowę. Wskazywałem na niebezpieczeństwa wpływów ateistycznych, masońskich, marksistowskich, komunistycznych i kosmopolitycznych. Damaskinos był człowiekiem opanowanym. Nie przeciwstawiał się moim wywodom, ale ich nie popierał. W dyskusji kładł nacisk na krzywdy, jakie wojna przynosi ludowi greckiemu. Mówił o głodzie, o karleniu ludności, o nędzy dzieci i o losach więźniów oraz o krwi licznie poległych w walkach i zabitych na skutek „przypadkowych" postrzeleń przez siły policyjne. Tylko on jeden ze wszystkich osobistości Aten potrafił mnie, jak mówi Herr Moczarski, wykiwać. Nie chciałem z nim zadzierać. Myślę, że Damaskinos współpracował tak z Anglikami, jak i z Rosją Radziecką oraz z Żydami.

– A jak pan postępował z ludnością żydowską Grecji? – spytałem.

– Wkrótce po moim przybyciu do Aten wydano dekret o przymusowym zarejestrowaniu wszystkich Żydów w Grecji. Tego dekretu nie przygotowałem, gdyż opracował go Główny Urząd Bezpieczeństwa Rzeszy. Część Żydów nie zastosowała się do postanowień dekretu i uciekła w góry. Ja się w Grecji Żydami specjalnie nie zajmowałem, ale wiem, że mój zastępca SS-Brigadeführer Schimana[8] oraz SS-Hauptsturmführer Bach przyjęli od Żydów, jako dar, mnóstwo wspaniałych perskich, smyrneńskich i afgańskich dywanów dla udekorowania siedziby SS w Atenach.

– Czy to ładny gmach? – pytam.

– Na siedzibę SS w Atenach zarekwirowaliśmy pałac ambasady włoskiej. Żołnierze włoscy oraz urzędnicy i policjanci poszli do niewoli. Stosunki zerwane, bo byliśmy na stopie wojennej z rządem

---

[7] Damaskinos (właśc. Dimitros Papandreu), duchowny prawosławnego autokefalicznego Kościoła greckiego: metropolita Koryntu, następnie arcybiskup Aten (do 1949).

[8] Schimana..., SS-Obergruppenführer, zastępca Stroopa, później jego następca na stanowisku Wyższego Dowódcy SS i Policji (HSSPF) w Grecji z siedzibą w Atenach.

Badoglio. Więc i ambasadę zabraliśmy im. To ogromny, nowoczesny budynek, wyłożony białym marmurem. Mebli mało, ludność je rozszabrowała. Kazałem więc natychmiast sprowadzić z miasta pełne wyposażenie gmachu. Schimana i Bach wspaniale to zorganizowali. Po kilku dniach pałac przy alei Królowej Zofii w Atenach został luksusowo wyekwipowany i przystosowany do trudnych działań SS i policji bezpieczeństwa. W moim gabinecie kosztowne persy na posadzce. Ściany obwieszone dywanowymi oponami, modlitewnikami i innymi tkaninami z Bliskiego Wschodu.

*

– Mimo nawału pracy i wielu sytuacji, z którymi nie mogłem sobie poradzić bez rozmów telefonicznych z Berlinem – opowiadał Stroop – wyjeżdżałem często z adiutantami na plaże. Odbywaliśmy przejażdżki kutrami pościgowymi Kriegsmarine. Czarowna jest Grecja! Chciałbym tam wrócić! Nigdy nie zapomnę ruin Akropolu. Raz, dumając pod jedną z kolumn antycznych, myślałem o moim synku, Olafie, i tak pragnąłem, żeby i on zobaczył piękno Grecji, odetchnął greckim powietrzem i wykąpał się w kryształowej wodzie Morza Egejskiego.

– Niech pan nam powie, ilu ludzi, a szczególnie Żydów, kazał pan stamtąd wysłać do obozów koncentracyjnych, w tym do obozu na terenach getta w Warszawie?

Stroop speszył się. Pobladł i zaczął oślinionymi palcami przygładzać włosy na skroniach. Milczy. Mówię wtedy:

– Za pańskiego panowania w Grecji pańscy ludzie wysłali do Polski kilkanaście tysięcy greckich Żydów. Wiedzieliśmy o tym. Większość spalono w krematoriach Oświęcimia, a około 1–2 tysięcy Żydów greckich znalazło się w Konzentrationslager Warschau dla porządkowania spalonego getta i przygotowania fundamentów pod dzielnicę germańską w Warszawie. Przecież tak było. Niech pan albo potaknie, albo zaprzeczy.

Stroop milczy chwilę. Zmienia się na twarzy. Patrzy to w okno, to na Schielkego, to na mnie. W końcu, mrugając oczyma o kolorze rybio-niebieskim, potakuje głową.

XXI. OŚMIOLETNI SS-OWIEC

Październikowe popołudnie 1949 roku. W celi fatalny nastrój. A dzień zaczął się od radości, bo Stroop z rana otrzymał zasobną paczkę żywnościową od córki Renate. Jesteśmy podnieceni i zadowoleni, choć może u Schielkego i u mnie pojawił się cień zazdrości – nie o nadesłane Stroopowi frykasy, lecz o to, że los pozbawił Sittenpolizistę i mnie kontaktu z bliskimi.

Stroop celebrował nabożeństwo paczkowe. Oglądał każdy papierek, próbował smaku tłuszczów, wędzonego mięsa, dżemów, kandyzowanych owoców i holenderskich cukierków. Przesłany dobytek złożył na stoliku pod oknem i zasłonił ramionami.

Szanowaliśmy jego „spotkanie z rodziną". Siedząc w drugim końcu wąskiej celi, przy drzwiach, gawędziliśmy (Schielke i ja) o nieważnych sprawach. Stroop nie odzywa się słówkiem. Czasem cmoknie, zamlaska językiem, coś gryzie. Doświadczeni więźniowie mają sprawny węch, więc denerwowały nas zapachy wędlin, smalcu, czekolady, towarów kolonialnych. SS-Gruppenführer na nic nie zważa, nikogo nie poczęstuje. („Milczał i żarł" – relacjonuje później Schielke). Ukrywa przed nami zawartość gastronomicznego skarbu. Przed obiadem ładuje go szybko do więziennego majdanu.

Kalifaktorzy przynieśli zupę grochową i gulasz. Schielke i ja pałaszowaliśmy dania, aż łyżki furkotały. Stroop mimo paczkowego podobiadku, wtroił swą podwójną porcję więziennego wiktu. Podał Schielkemu obie miski do umycia i ukradkiem wsunął do gęby cukierek. Po kilkunastu minutach – drugi, trzeci, czwarty. Przymyka oczy, zapada w półdrzemkę. Trawimy w ciszy.

Czuję, jak Schielkego bierze cholera. Mija godzina, dwie. Stroop pogwizduje *O! Du, mein Vaterland!* Czyta list przesłany w paczce, od czasu do czasu coś łyknie. Tak zbiegło do późnego popołudnia. Rozmawiamy luźno o przejściach wojennych. Schielke ze Stroopem coś wyjaśniają. Krótka sprzeczka. W tonie Stroopa władczość i arogancja. Raptem słyszę, jak Schielke mówi bulgocącym głosem:
– Co tam pan będzie opowiadał! Pan prawdziwych trudów wojny nie zna. Pan, Herr General, nie żołnierz, lecz „Kurortskämpfer"[1].
Awantura. SS-owcy się kłócą. Schielke krzyczy (półgłosem):
– Powtarzam to, co już raz w celi mówiłem, że pan generał dużą część wojny spędził w kurortach. Rok w Karlovych Varach, później w Berchtesgaden (gdzie przygotowywał pan swych alpejskich policjantów do działań na Kaukazie), wreszcie półtora roku w Wiesbadenie. Pomijam wycieczki na Kaukaz i kąpiele w Morzu Egejskim. Ale tak plus minus spędził pan w sumie trzy lata wojny w miejscowościach wypoczynkowych, leczniczych i turystycznych. My, żołnierze z I wojny, nazywaliśmy takich ustosunkowanych oficerów „Kurortskämpferami"!
Gruppenführer wściekły. Gada dużo i bełkotliwie. Schielke przechodzi na dialekt berliński. Zaczynam się gubić w ich szybkiej wymianie zdań, naładowanych gwarami i żargonem partyjno-policyjnym. W końcu Stroop używa nowego argumentu:
– Niemiec powinien być zawsze precyzyjny i nie fałszować danych. Ja mieszkałem w Wiesbadenie, Herr Schielke, nie półtora roku, lecz dokładnie: rok, cztery miesiące i dwa tygodnie. Od 10 listopada 1943 do 24 marca 1945.

※

Jürgen Stroop opuścił Grecję już w mundurze SS-Gruppenführera. Ponadto awansowany został przez Hitlera i Himmlera do stopnia generała-leutnanta policji, a jednocześnie mianowany Höhere SS- und Polizeiführerem Rhein-Westmark i dowódcą SS-Oberabschnittu o tej samej nazwie, z siedzibą w Wiesbadenie.

---

[1] „Kurortskämpfer" (niem.) – określenie pogardliwe: kurortowy wojownik.

Nie bardzo się początkowo orientowałem, którymi obszarami Stroop wtedy zarządzał, na losy ilu ludzi wpływał i jakiej liczbie podwładnych rozkazywał. Przypuszczałem, że był jednym z wielu dysponentów hitlerowskich zachodniej Rzeszy i że osadzono go na terytorium równym naszemu województwu. Ale pewnego dnia Schielke, który lepiej znał Niemcy niż ja (chociaż byłem niezły z geografii), zapytał:

– Jaką powierzchnię obejmował pański Bereich?

– Około 50 tysięcy kilometrów kwadratowych podzielonych na okręgi, licząc od wschodu: Giessen, Frankfurt nad Menem, Wiesbaden, Kaiserslautern, Saarbrücken, Trier, Koblenz, Luksemburg i Metz. Według podziału partyjno-terytorialnego były to drei Gaue der NSDAP[2].

– Wspomniał pan o Luksemburgu, jakby to chodziło o rdzenny powiat Rzeszy. A przecież Wielkie Księstwo Luksemburga, małe bo małe, jest suwerennym państwem, uznanym od prawie stu lat przez układy międzynarodowe za kraj o pełnej niepodległości i wieczystej neutralności. Mniejszość niemiecka wynosi tam około 2% ludności.

– Wymienił pan Metz – ciągnę dalej – a więc Lotaryngię, prowincję francuską, w której z powodzeniem gospodarzył w XVIII wieku Stanisław Leszczyński, nasz król; po abdykacji – zachowując tytuł monarchy – został księciem lotaryńskim z siedzibą w Nancy. Hitler wcielił więc bezprawnie do pańskiego Bereichu ziemie dwóch obcych państw, bez uprzedniego zawarcia traktatu pokojowego – stwierdzam, bo Stroop wciąż milczy.

– Pan chyba żartuje, Herr Moczarski. Alzacja i Lotaryngia były od wieków germańskimi dzielnicami, zamieszkanymi przez pobratymców plemienia Cherusków. Sprytni Francuzi, zawsze imperialiści, zagarnęli te krainy. Odebraliśmy je po wojnie 1870–1871, a w listopadzie 1918 roku zmuszeni byliśmy oddać wskutek przegranej. Mimo intensywnego wynaradawiania przez Francuzów, większość mieszkańców mówiła tam zawsze po niemiecku...

---

[2] Drei Gaue der NSDAP (niem.) – trzy okręgi NSDAP, o których mówi Stroop niżej.

– W Lotaryngii jest bardzo niedużo ludzi pochodzenia niemieckiego. W Alzacji procent Niemców trochę większy – przerwałem. – Cały świat uważał i uważa, że Lorraine i Alsace są, będą i były terytoriami francuskimi. No, a w Luksemburgu ludność używa francuskiego i niemieckiego, analogicznie do Szwajcarii. Czy pan uważa Szwajcarów za Niemców?

Stroop nie chciał podjąć dyskusji na temat Wielkiego Księstwa Luksemburga. Dość miękko mówił też o niemieckim charakterze Lotaryngii, z wyjątkiem Metzu.

– Sama nazwa Metz wskazuje – stwierdził z miną historyka i geografa – że ten teren był i jest niemiecki.

Ale innych argumentów nie miał i szybko wrócił do relacji o swoim Rhein-Westmarku:

– Znaczna część Lotaryngii, wcielona do obszaru, jakim dowodziłem – wyjaśniał – wchodziła w skład Gau Westmark z głównymi miastami: Saarbrücken i Metz. W obu stacjonowały dwa pułki SS, a Saarbrücken było siedzibą SS-Abschnittu.

– Następny Gau nosił nazwę Gau Moselland z włączonym do Rzeszy Luksemburgiem. W stolicy Luksemburga osadziliśmy SS-Standarte, a poza tym garnizony SS-owskie stały w Koblenz i w Trierze, gdzie znajdował się SS-Abschnitt.

– Trzeci Gau w moim Bereichu nazywał się Gau Hessen-Nassau z Frankfurtem nad Menem, w którym ulokowano siedzibę SS-Abschnittu. Drugim ważnym miastem był Wiesbaden. Tu mieściła się moja rezydencja oraz centrala polityczna, partyjna i wojskowa Bereichu.

– Ale Wiesbaden to kurort – przyczepił się Schielke. – Czy i tam pluskał się pan także w „wannie Churchilla"?

Stroop miał dość ciągłych przygaduszek Schielkego o jedwabnym życiu „Kurortskämpfera". Wycedził kilka ostrych słów i zarzucił Sittenpoliziście, że jest niekoleżeński.

– Ja niekoleżeński!? – parsknął Schielke, aż ślina tryskała przez zniszczone zęby. – Ja nigdy nie zażerałem się ukradkiem cukierkami holenderskimi z paczki przysłanej przez rodzinę. Kiedy udało mi się czasami „zorganizować" Speck[3] w więzieniu, to zawsze podzieliłem

---

[3] Speck (niem.) – słonina.

się w celi. A pan, panie Jürgen Stroop, wcina swoje Würstchen und Schinken[4] w tajemnicy przed kolegami.

W celi – wojna domowa. Stroop tłumaczy, że jest generałem, że „święte podarki" przesłane przez ukochaną córkę Renate musi (zgodnie z jej wolą) spożywać tylko sam itp., itd.

Po pewnym czasie zapanował spokój. Następnego dnia Stroop wyjął z zawiniątka trzy holenderskie cukierki w granatowych papierkach z kunsztownym nadrukiem, poczęstował Schielkego i mnie, mówiąc po rosyjsku z niemieckim akcentem: „Boh trojcu lubit". Niby na znak zgody.

Schielke zdecydowanie odmówił. Ja także. Powiedziałem, że zęby mnie bolą. Stroop nie nalegał.

Schielke nieraz wracał do holenderskich cukierków. Gdy Stroopa nie było w celi, powiedział:

– Jaki z niego generalski egoista! Ja nie otrzymuję paczek od Mutti z Hanoweru, mam Bauch[5] wydęty kartoflami i sweter bardzo zniszczony. A ten „brat z SS" nigdy się ze mną niczym nie podzieli. Ani wiktuałami z paczek od córki, ani podwójną racją żarcia, jaką codziennie dostaje.

Stroop wrócił ze spaceru i wyciągnął otrzymany w paczce list od córki wraz z fotografią. Renate siedzi na ławce z narzeczonym. Przystojna, lekko przy kości, oko błyszczące, włosy ciemne. Narzeczony, szczupły blondyn, obejmuje ją lewą ręką, trzymając dłoń na piersi Renate.

– Ładną mam córkę? – pyta Stroop i dodaje: – A jak się panu podoba przyszły zięć?

– Ma całkiem rozsądne spojrzenie, jest dość miły, chyba inteligentny. Panu, Herr General, powinien odpowiadać, bo jest n o r-d y k i e m. Blondyn z wąskim czołem. Ale musi być kogut, bo nawet w czasie fotografowania nie zdjął ręki z biustu pańskiej córki.

I dodałem:

– Bardzo mi przykro, ale muszę powiedzieć, Herr Stroop, że to nietakt przysyłać ojcu do więzienia fotografię córki zabawiającej się z narzeczonym.

---

[4] Würstchen und Schinken (niem.) – kiełbaski i szynka.
[5] Bauch (niem.) – brzuch.

Stroop speszył się, myślał długo, patrzał w okno, w końcu rzekł:
– Oni się wkrótce pobiorą. Ponadto musiały zmienić się po wojnie obyczaje młodzieży w NRF.

– A ja myślę – rąbnął bez ogródek Schielke – że pańska Renate zaszła w ciążę z nordyckim narzeczonym.

Tylko tę jedną przykrość osobistą wyrządziliśmy Stroopowi podczas wspólnego pobytu w celi.

*

Stroop był w okresie wiesbadeńskim naprawdę ważnym człowiekiem na zachodzie III Rzeszy. Pod względem politycznym faktycznie mu podlegali trzej gauleiterzy ze swym rozbudowanym aparatem NSDAP. Dowodził sprawną ochroną bezpieczeństwa, spokoju i porządku publicznego, złożoną z wielu rodzajów policji. Współkierował kontrwywiadem i wywiadem SS – Służbą Bezpieczeństwa (SD) – choć sam był nadzorowany przez tę Służbę. Pełnił funkcję naczelnego sędziego, ostatecznej instancji odwoławczej od orzeczeń sądów policyjnych. Był komendantem głównym obozów jenieckich w Bereichu, zastępcą dowódcy XII okręgu wojskowego[6], a od lipca 1944 – s z e f e m   a r m i i   w e w n ę t r z n e j, rezerwowej.

Sto trzydzieści tysięcy uzbrojonych i skoszarowanych Niemców w Rhein-Westmark wykonywało rozkazy Stroopa. Ponadto zarządzał około stu tysiącami jeńców – żołnierzy państw alianckich; działał w stalagach i oflagach przez wehrmachtowskiego generała-majora dra Hörmanna, który wchodził w skład Stroopowskiego sztabu[7]. Wpływał na los nieustalonej przez niego w naszych rozmowach liczby zatrzymanych, aresztantów i więźniów w wielu obozach pracy („zwykłych" i „specjalnych") dla cudzoziemców i niekiedy dla Niemców.

---

[6] Dowódcą XII Okręgu Wojskowego (Wehrkreis XII) z siedzibą w Wiesbaden był gen. Walther Schroth.

[7] Maximilian Hörmann, generał niemiecki, dr, szef wydziału jeńców wojennych w sztabie Wyższego Dowódcy SS i Policji (HSSPF) Rhein-Westmark (Reńska Marchia Zachodnia), czyli Stroopa, z siedzibą w Wiesbaden.

*

Nikły odsetek cywilnych więźniów, Luksemburczyków, pracował na rzecz III Rzeszy w rozległym ogrodzie-parku, który otaczał rezydencję Jürgena Stroopa w Wiesbadenie. Jasne, że budynek nie był jego własnością, lecz niemieckiego Żyda, który wyemigrował w 1933 roku. Willa miała dziesięć wielkich pokoi. Mieszkali w niej: Stroop, żona Käthe, córka Renate i syn Olaf. Obsługiwały ich dwie służące (kucharka i pokojówka).

– A było co sprzątać – wspomina Stroop. – Piękne dywany, wymyślne posadzki, wygodne meble (częściowo antyki), zbiór białej broni, obrazy kupowane przez żonę i mnóstwo porcelany rosenthalowskiej. Żona nabywała serwisy, a ja – figurki ceramiczne. W serwantkach umieściłem kolekcję porcelanowych kawalerzystów w rozmaitych uniformach. Szczególną słabość miałem do półmetrowej rosenthalowskiej figury cesarskiego huzara na jabłkowitym ogierze.

– Ordynansi przywozili raz na tydzień wszystkie artykuły żywnościowe, alkohole i używki dla domu oraz na przyjęcia oficjalne i półoficjalne. Pod willą – dwupiętrowe piwnice, wśród nich trzy odrębne pomieszczenia: dla wódek, wina i piwa; ponadto spiżarnia z mąką i nabiałami. Oddzielna piwniczka, specjalnie wentylowana, dla przechowywania mięs i wędlin. Papierosy (najwięcej „Juno" oraz – dla lepszych gości – egipskie „Simony") przechowywałem w szafce na kółkach, w moim wielkim gabinecie, gdzie wisiała szabla, zwycięska szabla spod Sedanu, portrety Hermanna der Cheruskera, Fryderyka Wielkiego, Bismarcka, Ludendorffa, Mackensena, Adolfa Hitlera i (z własnoręczną dedykacją) Heinricha Himmlera. Między oknami, na perskim modlitewniku, gablota z moimi orderami bojowymi, odznaczeniami państwowymi i partyjnymi. Honorowe miejsce zajmował piękny, lecz skromny w formie, Julleuchter.

– Co to takiego? – pytam.

– Julleuchter to porcelanowy świecznik, jakim Heinrich Himmler obdarowywał zasłużonych członków SS na Nowy Rok. Taki prezent był wręczany osobiście przez SS-Reichführera i tylko niewielu przywódcom SS. Ponadto miałem trzy inne honorowe dary od

Heinricha Himmlera: szpadę, sztylet i pierścień SS z wygrawerowaną trupią główką.

– Służące miały sporo roboty – wtrąca się Schielke – bo musiały dbać także o park i ogród.

– Nie – rzekł opryskliwie Stroop. – Kucharka i pokojówka obsługiwały tylko mieszkanie, mnie, żonę i dzieci. Samochodami zajmowali się dwaj szoferzy. Konserwowali także urządzenia mechaniczne i elektryczne w domu. Ponadto przychodzili na dzień do pomocy dwaj zaufani ordynansi. A ogród, panie Schielke, i wielki park pielęgnowali specjaliści. Szpalery musiały być zawsze przycięte, ścieżki wygracowane. Trzeba było dbać o klomby i strzyc murawę. Na skraju parku urządziłem ogród warzywno-owocowy; przy trudnościach ze świeżymi jarzynami był konieczny dla moich dzieci. Roboty parkowo-ogrodowe wykonywał nieduży oddział Luksemburczyków. To znawcy w dziedzinie uprawy roślin. Kto wie, czy nie są lepsi od Bułgarów, którzy kulturę ogrodniczą mają we krwi. Ci więźniowie Luksemburczycy (łagodni, zdyscyplinowani fachowcy) byli zadowoleni z pracy u mnie. To zawsze lepiej niż siedzieć za drutami lub harować w kamieniołomach.

– Kto pilnował więźniów?

– Mój synek, Olaf. Miał co prawda tylko 8 lat, ale był bojowy i żołnierski. Sprawiłem mu czarne długie buty z giemzowej[8] skóry i kazałem uszyć mundur SS-mański. Mały wyglądał wspaniale. Pamiętam, jak przechadzał się w pełnym uniformie SS wokół pracujących chłopów i ogrodników luksemburskich. Pan myśli, że był bezbronny? Nie! Mój Olaf, dozorując więźniów, miał sztylet SS-mański oraz prawdziwy karabinek włoski (tylko Włosi produkowali bardzo krótkie karabiny o normalnym kalibrze). Karabinek był nabity.

W celi szaro.

– Herr Gott! – westchnął Schielke.

*

Stroop miał – powtarzam – dużo zajęć w Wiesbadenie, m.in. podpisywał wiele dokumentów i decyzji. Jego personel biurowy był do-

---

[8] Giemza (z niem. Gemse) – wyprawiona skóra kozia.

brze wyszkolony: wytrawne maszynistki, wyspecjalizowane sekretarki, ruchliwi adiutanci oraz fachowi sztabowcy. Gdy Stroop skarżył się kiedyś, że miał masę roboty typu kancelaryjnego i że bronił się przed nawykami biurokratycznymi, zapytałem:

– Czy pan nie lubi siedzieć za biurkiem? Czy ma pan wstręt do samej instytucji urzędowego biurka?

Stroop zdziwiony:

– Biurka? O co panu idzie? Owszem, lubię od czasu do czasu zasiąść przy biurku, masywnym, rozległym, bez teczek i papierzysk na blacie. Takie biurko nadaje splendoru urzędowi i mężczyźnie, który wydaje polecenia, przyjmuje prośby. Biurko powinno być z dala od wejścia i robić wrażenie na petentach. Adolf Hitler miał pięknie urządzone gabinety specjalne. Wielka, długa sala. Przy tylnej ścianie kolosalne biurko. Szło się i szło od drzwi do tego biurka jak do ołtarza. Małe biurko – mały folwarczek. Duże biurko – wielkie dobra, centralne zarządzanie i najodpowiedniejsze decyzje.

– Ale chyba pan nie lubił działać zza biurka? Wolał pan, myślę, robotę nie typowo urzędniczą czy sprawozdawczą, ale pracę w ciągłym ruchu, na powietrzu.

– Naturalnie! Polityka i walka wymagają czynu, a nie urzędolenia (to słowo powiedział Stroop po polsku) i hemoroidów. Zawsze przydzielałem sobie do sztabu kilku uczonych oficerów SS dla prac koncepcyjnych i kalkulacyjnych, dla opracowań naukowych i planowania. Ponadto pilnowałem, żeby personel kancelaryjny był nieduży, lecz wyszkolony, sprawny...

– ... i przystojny – wtrącił Schielke. – Blondynki, silne w piersiach i w biodrach szerokie, pięknie dekorują urząd, pod warunkiem, że ortograficznie piszą.

Zaczęli wesoło obgadywać kobiety ze służb pomocniczych SS, przy czym Schielke wielokrotnie powtarzał słowa: „Arsch"[9] i „Pflaumfedern". Ale Stroop szybko zreflektował się, że to zbyt frywolna rozmowa dla g e n e r a ł a. Wrócił więc do mego pytania o biurka.

– Biurko, urząd i papierki są konieczne, bo porządek ideologiczny i wierność partii oraz narodowi uzewnętrznia się w dokumentach

---

[9] Arsch (niem.) – tyłek.

i w archiwach. Lecz istotą życia i działań człowieka jest ruch fizyczny, akcja bezpośrednia, manewrowanie grupami ludzkimi, ziemia uprawna, las, powietrze, koń, auto, marsz, bieg, strzał. Pot cieknący ze skóry, a nie pusta głowa po nocy nieprzespanej wskutek rozważań i dyskusji, cechują nowoczesnego obywatela nowoczesnej zbiorowości. Zbyt intensywne myślenie zabija człowieka.

– Ale podpisywał pan akta przy biurku?

– Tak. Musiałem podpisywać, lecz mnie to męczyło. Starałem się większość spraw przekazywać sztabowcom, referentom i adiutantom. Pisma przedstawiane do mojego podpisu czytałem bardzo uważnie. Aparat wykonawczy może być zdyscyplinowany i wierny, pamiętać jednak należy, że podwładni mogą z głupoty, z zawiści lub z cudzej inspiracji podłożyć szefowi świnię. Człowiek podpisze głupstwo, a potem się tłumacz w Głównym Urzędzie SS! W takich sytuacjach zawsze byłem uważny. Przydała się praktyka w inspektoracie katastralnym księstwa Lippe i w kancelarii kompanijnej podczas I wojny! Lepiej mniej niż więcej napisać i podpisać.

*

Stroop nie miał łatwej sytuacji jako wielkorządca Rhein-Westmark. W czasie jego pobytu w Wiesbadenie Niemcy zachodnie (a więc i Bereich) były obiektem coraz dotkliwszych bombardowań alianckich. Front zachodni przybliżał się, a południowy trzeszczał w szwach. Eskadry angielskie i amerykańskie zrzucały co noc tysiące bomb w pasie Renu. Dla ochrony urządzeń wojskowych i gospodarczych oraz ludności Stroop ściągał skąd mógł artylerię przeciwlotniczą rozmaitego kalibru. Po Renie pływały opancerzone jednostki Wasserpolizei[10] z działkami przeciwlotniczymi. Ważne obiekty otoczono zaporami balonowymi. Stroop kazał rozbudować sieć posterunków alarmowych. Wskutek systematycznych bombardowań (szczególnie w 1944 i 1945 roku) stale wybuchały pożary, trzeba było ciągle reperować zdruzgotane tory kolejowe i dworce, chronić zakłady zbrojeniowe oraz zapobiegać awariom.

---

[10] Wasserpolizei (niem.) – policja wodna (rzeczna).

– Musiałem trzymać naród za mordę, a cudzoziemskim robotnikom i jeńcom wojennym nałożyć takie kagańce, żeby nie śmieli pisnąć – powiedział raz Stroop.

– Ale kraj był niszczony, a ludność nękana. Czy meldowano panu o przejawach niezadowolenia, protestu, buntu? – spytałem.

– Paraliżowano nam przemysł – Stroop nie odpowiedział, tylko ciągnął swą kwestię. – Jeden koncern w pobliżu Frankfurtu nad Menem nie był bombardowany przez aliantów. Na koncern mieli chrapkę Anglicy i część jego akcji wykupili przed wojną i w czasie wojny (na giełdach szwajcarskich). Niedaleko gmachów i hal koncernu biegły dwie drogi samochodowe. Ta bliższa zakładów nie była nigdy bombardowana. Jeździłem więc nią, bo dawała pełne bezpieczeństwo.

– W Wiesbadenie szyby często wypadały z ram okiennych. W mojej willi wszystkie okna były po bombardowaniu natychmiast oszklone. Nie mogłem dopuścić, żeby ludność, oficerowie i żołnierze widzieli, jak wyższy dowódca SS i policji w Rhein-Westmark śpi przy wybitych szybach.

– Miałem kłopoty – ciągnął Stroop – bo moi sztabowcy także chcieli mieszkać za szybami. A tu „szklane deputaty" skąpe, nawet dla oficerów SS. Ludność pozabijała otwory deskami, magistraty przydzielały szkło na dwa okna dla rodziny. Niedaleko zajmował małą, własną willę ten wehrmachtowski generał, doktor Hörmann, który kierował w moim sztabie wydziałem jeńców wojennych. Skarżył się, że ziębnie nocami, nie może w domu pracować, a jego rodzina ciężko chora. Prosił o dodatkowe szklenie. Musiałem odmówić, gdyż trzeba było za każdą cenę respektować rozkazy, zgodnie z wytycznymi Heinricha Himmlera.

– Dlaczego pan tego generała nie umieścił w pokoju swej zawsze oszklonej willi? – pyta Gustaw Schielke.

Stroop szybko odpowiada:

– Im poważniejsze kłopoty, tym silniej należy ściągać cugle dyscypliny. Dowództwo nie może się zbytnio spoufalać z podwładnymi, nawet gdyby reprezentowali wysoką rangę, intelekt i charakter.

– W piwnicach wiesbadeńskiej willi zbudowano dla pana i rodziny betonowy schron. Generał Hörmann miał chyba podobny schron u siebie?

– Nie – odpowiada Stroop. – Generał mieszkał w swojej willi, a przepisy zabraniały dostarczania cementu dla przeróbek (nawet schronowych) w prywatnych domach SS-mannów, wojskowych i urzędników.

*

– Czy pan odwiedzał skałę na prawym brzegu Renu, skąd Lorelei wabiła żeglarzy, aby – urzeczeni jej głosem – wpadali na głazy i rozbijali łodzie? – spytałem kiedyś Stroopa w trakcie jego gawęd o starogermańskich sagach.

– Od Wiesbadenu do wzniesienia lorelajskiego było w prostej linii około 30 kilometrów; tyle, co do Frankfurtu nad Menem. Nieraz przejeżdżałem horchem lub potężnym maybachem obok tej skały. Patrząc na nią i na zakręt Renu, dziś bezpieczny dla żeglugi, myślałem często o naukach, jakie wypływają z tej germańskiej legendy dla wszystkich prawdziwych Niemców. Trzeba być twardym, dzielnym i likwidować życiowe zapory. I nigdy nie należy słuchać w poważnych kwestiach głosu niewiasty, nawet najforemniejszej, niebieskookiej blondynki. Kobieta to piękny twór, ale kobieta niemiecka ma wielkie zadanie narodowe przed sobą. Jest potrzebna do prowadzenia domu, do kuchni, do salonu, do wychowania dzieci...

– ... i do czego jeszcze? – wtrącił Schielke. Roześmieli się rubasznie, po germańsku, a więc tak głośno, że oddziałowy musiał zapukać ostro w drzwi.

*

Stroop, powtarzam, nie miał lekkiego życia w Wiesbadenie. Często musiał jeździć w dalekie podróże, naglony pilnymi sprawami. Bywał w Luksemburgu, niekiedy w Paryżu, gdzie w związku z kwestią lotaryńską przeprowadzał konsultacje i podejmował wspólne decyzje z okupacyjnymi szefami Francji. Żonie przywoził z Paryża jedwabną bieliznę i pantofle, czasami perfumy. Kosmetyków nigdy, gdyż „prawdziwa Germanka nie pudruje się i nie maluje".

Raz wracał z takiej wyprawy, upojony paryskimi sukcesami.

– Kierowca wolno prowadził wóz – opowiada Stroop – bo noc, a reflektory samochodowe zakryte (szparki w pokrowcach) zgodnie z przepisami o zaciemnieniu. Było już blisko domu, jakieś 50 kilometrów od Wiesbadenu, po zachodniej stronie Renu. Szofer poprosił o zgodę na zwiększenie prędkości. Pozwoliłem. I mnie było tęskno do żony...

– W Paryżu pan generał wypościł się? – pyta Schielke.

– Mówiłem wielokrotnie, że żaden niemiecki generał nie chodzi do burdelu – złości się Stroop.

– Nie chodzi w mundurze, lecz po cywilnemu. A pan generał zawsze nosił uniform. Ile taki mundur musiał kosztować! Ho, ho!

– Cena pełnego umundurowania generalskiego razem z płaszczem i dodatkami wynosiła kilkaset marek – odpowiedział Stroop już spokojnie.

– Musiałem mieć stale siedem takich uniformów, polowych, garnizonowych, galowych. Ale mnie drogo nie kosztowały, bo w SS-owskich zakładach krawieckich kalkulowano taniej niż w normalnych firmach. To samo z obuwiem. Dopłacałem po pięć marek szewcom z warsztatów SS za „wypieszczenie" długich butów kawaleryjskich.

– Masę pieniędzy wydawał pan na umundurowanie – stwierdzam.

– Stać mnie było na to – odpowiada Stroop. – Miałem wysoką pensję.

– Ile zarabiał miesięcznie generał SS? – pytamy jednocześnie.

– Otrzymywałem zasadniczej pensji 1 300 Reichsmarek. Do tego premie i specjalne nagrody wręczane w adiutanturze Heinricha Himmlera. W sumie zarabiałem do 2 000 Reichsmarek miesięcznie.

Schielke gwałtownie ożywiony. Poróżowiał na twarzy, w oczach złe błyski.

– To dlaczego – ryknął – na odprawach partyjnych i SS-owskich wmawiano, że w czasie wojny pensje najwyższych dygnitarzy nie przekraczają 1 000 marek miesięcznie? – spytał. – Do pańskich pieniężnych poborów, Herr General, doliczyć trzeba d o d a t k i: darmowe mieszkanie, przydziały żywności, alkoholu, papierosów, dwa auta, dwóch ordynansów, dwie kuchty, dwóch szoferów, kilkunastu darmowych Luksemburczyków w ogrodzie i parku oraz bezpłatne usługi Lebensbornu, Heimów, kurortów, klubów jeździeckich, knajp i bufetów. Teraz widzę, jaka to była „braterska równość" między wyższymi SS-führerami a Mannschaftem Sztafet Ochronnych i szeregowymi nazistami!

Schielke rąbnął pięścią (po raz pierwszy!) w żelazny blat stolika przyokiennego, aż Biblia podskoczyła. Stroop nie zareagował zwykłym u niego kontratakiem słownym, pełnym pasji, złośliwości, a niekiedy obrazy. Wprost przeciwnie – spokorniał, skurczył się i zestrachał. Na twarzy półuśmiech służalczy i przymilny. Milczy milczeniem posłuszeństwa.

Po niejakim czasie Schielke przypomniał, że generał ma dokończyć opowiadanie o powrocie autem z Paryża do Wiesbadenu. Stroop z chęcią podjął temat:

– Więc pozwoliłem szoferowi przekroczyć normę nocnej prędkości samochodowej. Nagle kierowca przeklął, ostro hamując. Melduje, że przejechał owcę. Wysiadam z adiutantem, świecimy latarkami. Pod kołami owca. Szofer wjechał w stado, które właśnie jakiś starszy chłop przepędzał przez drogę. Adiutant go ruga: „Jak śmiesz narażać pana generała na takie niebezpieczeństwo i przepędzać barany przez drogę!". Chłop na to: „Bardzo przepraszam Waszą Ekscelencję, ale Ortsleiter nakazał przeprowadzać stado przez drogę publiczną tylko nocą, z uwagi na naloty bandytów angielskich. Mam łąki z dwóch stron szosy. Muszę dostarczać kontyngenty mięsne. Jeśli mam być ukarany, to niech Wasza Ekscelencja spowoduje, abym dostał karę chłosty, gdyż nie mogę siedzieć w areszcie jako j e d y n y opiekun i pasterz stada. Synowie i wnuki na froncie, a żona zginęła podczas nalotu".

– Wzruszyłem się szczerą, chłopską prośbą – kończy Stroop. – Widać było, że to stary żołnierz jeszcze sprzed I wojny światowej. Przebaczyłem winę i dałem mu błyszczącą dwumarkówkę. Dwie marki to kawał grosza!

XXII. „Trzymałem ludność w garści!"

Kilka razy zagadywałem Stroopa, czy podległy mu w Rhein-Westmark aparat wywiadowczy, polityczny, policyjny notował objawy niezadowolenia opinii publicznej (lub oporu) – zawsze udawało mu się wymigać od konkretnych odpowiedzi. Prześlizgiwał się wtedy na inne zdarzenia – również ciekawe – motał wywód dygresjami i anegdotą zza kulis hitlerowskiej Rzeszy. Czasem korzystał z nagłych przerw, wywołanych życiem więziennym i już nie wracał do interesującej mnie kwestii.

Orientowałem się w Stroopowskiej taktyce, ale nie chciałem przyciskać go do muru. Doświadczenie uczyło, że przyjdzie chwila, gdy z własnej inicjatywy zacznie z chęcią opowiadać.

Była niedziela, spokojna. Ruch na korytarzu osłabł. Rzadko słychać trzaskanie drzwiami i stukoty w trójkondygnacyjnej hali Oddziału X Mokotowa (przerzucono nas do celi drugiego piętra dziesiątki; po tygodniu wróciliśmy na Oddział XI). Stroop pogodny, beztroski, gawędzący, nawet gadatliwy. Opisywał pejzaże reńskiego kraju, chabrowy błękit nieba i „boski smak wina Liebfraumilch". Wyspany, ogolony, w pąsowej wiatrówce i białym halsztuku pod szyją zwróciłby „męską nobliwością" uwagę każdej kobiety.

I właśnie w tę niedzielę zapytałem, chyba po raz piąty:

– Czy do pana generała dochodziły w tym czasie, szczególnie na przełomie 1944/45 roku, meldunki o aktach sabotażu, dywersji, zamachów, wrogiej propagandy lub protestów ludności tubylczej i napływowej?

– Sabotaże i dywersje zdarzały się, zwłaszcza w Lotaryngii – odpowiedział Stroop. – Coraz częściej dawała o sobie znać sieć organizacyjna de Gaulle'a. Dowódcy policji i SD oraz oficerowie Abwehry mieli coraz więcej roboty z działaniami Francuzów, tamtejszych Polaków-emigrantów oraz robotników i jeńców cudzoziemskich. Zwiększała się liczba sabotaży w ważnym dla nas przemyśle węglowym i hutniczym Lotaryngii.

– Szczególnie groźni byli polscy dywersanci – ciągnął z ożywieniem – których większość rekrutowała się z emigracji przybyłej niegdyś z Westfalii. Stąd znajomość języków i obyczajów Francji oraz Niemiec, podparta macierzystym nacjonalizmem, utrwalanym po 1918 roku przez konsulat generalny RP w Strasburgu. Według doktora Trummlera, szefa bezpieczeństwa, lotaryńscy Polacy związali się z ugrupowaniami francuskiego ruchu oporu (od katolików do komunistów) oraz z polską wojskową organizacją podziemną. Paryska centrala tej organizacji otrzymywała bezpośrednią pomoc z Londynu i miała (jak podejrzewał doktor Trummler) łączność z Warszawą, z AK.

– Dlaczego Polacy byli groźni? – jestem zaciekawiony.

– Bo dobrze maskowali się i zacierali ślady. Ich sabotaże pozbawione były elementów demonstracji. Nie niszczyli zakładów, ale potrafili je unieruchamiać na pewien czas lub okazywało się np., że wytopiona stal nie nadaje się do zaplanowanych celów. Efekty walki z nimi były mizerne, mimo sprytu doktora Trummlera i energii kierownika SD w Metzu, doktora Schwedera.

– Przy końcu wojny natrafialiśmy coraz częściej w Bereichu na ulotki przeciwhitlerowskie. Zdarzało się (ale bardzo rzadko), że nieliczni, zanarchizowani Niemcy wypowiadali opinie pacyfistyczne, wrogie Adolfowi Hitlerowi, żądali zakończenia wojny za każdą znośną cenę. Wiedzieliśmy, że to był rezultat chytrej propagandy socjaldemokratycznej, komunistycznej, sowieckiej, anglosaskiej, masońskiej, żydowskiej oraz jezuickiej i wielkokapitalistycznej. Dlatego ostro przeciwdziałaliśmy tym niebezpiecznym czynom i nastrojom.

– W jednym z miast Hesji – mówił Stroop po krótkim namyśle – mieszkał stary sędzia, doświadczony prawnik. Nie był członkiem NSDAP, ale też w jego kartotece osobowej nie znaleziono śladu związania z organizacjami politycznymi. Po prostu bezpartyjny liberał, przesiąknięty „humanitaryzmem". Wielokrotnie wydawał wyroki niezgodne z naszym poczuciem ideologicznym oraz ze wskazówkami NSDAP. Pewnego razu ogłosił na jednej sesji sądowej kilka wyroków uwalniających od winy i kary niemieckich robotników pracujących w wielkiej fabryce, gdzie zdarzył się nieszczęśliwy wypadek przy pracy i tok produkcyjny musiał być zatrzymany na 2 godziny. Sędzia, powtarzam, uniewinnił oskarżonych w sposób (według nas) ostentacyjny, obciążył kosztami postępowania skarb państwa, a ponadto wytknął rzekome zaniedbania pewnemu członkowi partii z tak zwanej Alte Garde.

– Po zreferowaniu sprawy – w głosie Stroopa pasja – zgodziłem się z argumentami Kreisleitera NSDAP i tamtejszego komendanta tajnej policji politycznej. Kazałem zamknąć sędziego do aresztu. Ale przyjaciele sędziego, między innymi rozmaici profesorowie prawa i nadreńscy naukowcy oraz filozofowie, spowodowali, że ówczesny minister sprawiedliwości Rzeszy, doktor Otto Georg Thierack[1], nakazał natychmiastowe zwolnienie sędziego. Ja się tej decyzji przeciwstawiłem i trzymałem sędziego nadal w areszcie, pozwalając tylko na odwiedziny rodziny i na przynoszenie obiadów, wspaniałych potraw, bo (jak się później okazało) chłopi przynosili pani sędzinie dla męża jajka, kurczaki i mięso baranie.

– Nasz aparat partyjny – ciągnie Stroop – nie potrafił przeciwstawić się opinii publicznej i skłonić jej do zmiany stanowiska. Zrobił się szumek i Heinrich Himmler nakazał telefonicznie, abym natychmiast zwolnił sędziego, który (jakby dla demonstracji) wkrótce po opuszczeniu aresztu rozpatrywał następne sprawy przy gromadnej asyście okolicznych chłopów, robotników i nawet inteligentów. Patrz pan, Herr Moczarski, jak taki biurokrata, minister sprawiedliwości, potrafił zwyciężyć wyższego dowódcę SS i policji na ważnym obszarze przyfrontowym. Wtedy zrozumiałem, że nasza spoistość mięknie. I rzeczywiście, wkrótce potem ta kanalia von Stauffenberg

---

[1] Otto Georg Thierack (1889–1946), SS-Gruppenführer, przewodniczący Volksgerichtshof (VGh, Trybunał Ludowy, Trybunał Narodowy) w Berlinie w latach 1936–1942, minister sprawiedliwości Rzeszy w latach 1942–1945, po wojnie popełnił samobójstwo.

dokonał zamachu na Adolfa Hitlera w porozumieniu ze zgrają generalską i dawnymi, demokratyzującymi politykami.

– Ale później to chyba uspokoiliśmy trochę i tego sędziego, i zwolnionych od winy robotników-„sabotażystów"? – pyta Schielke.

Stroop spojrzał podejrzliwie i odpowiedział:

– Sędzia szybko przeszedł na rentę inwalidzką, bo go odłamek bomby amerykańskiej zranił w nogę, a uniewinnionych przez sąd robotników przeniesiono do nadzoru nad więźniami, którzy budowali podziemne hale zakładów zbrojeniowych.

Schielke krzywił się, drapał po głowie, ale milczał. Stroop kontynuuje:

– W lipcu 1944 roku objąłem (z rozkazu Heinricha Himmlera) dodatkowy urząd: szefa wojsk armii wewnętrznej, rezerwowej, na terenie mojego Bereichu. W domu bywałem bardzo rzadko. Ze spraw rodzinnych załatwiłem tylko jedną, ale za to bardzo ważną. Mianowicie spowodowałem, że szkoły średnie w Rhein-Westmark przyspieszyły termin egzaminów maturalnych, które przeprowadzono na przedwiośniu 1945 roku. Szło przede wszystkim o dobro tysięcy dzieci oraz o to, żeby chłopcy-maturzyści mogli zaciągnąć się do wojska i pójść na front. Ale pragnąłem również, aby moja Renate jak najszybciej dostała maturę. Bo przecież nie wiadomo, jak się w przyszłości mógł ułożyć los mego dziecka. A ze świadectwem maturalnym zawsze dostałaby jaką taką posadę, nawet po niewygranej wojnie. Żona i córka pięknie mnie za ten prezent ucałowały, a ja wyprawiłem Renacie luksusowe przyjęcie pomaturalne. Kazałem dodatkowo uszczelnić zasłony przeciwlotnicze w oknach willi. Jej koleżanki i koledzy tańczyli całą noc. Później moi dwaj szoferzy porozwozili młodzież do domów. Następnego dnia Wiesbaden przeżył silny nalot. Zniszczono wiele ważnych punktów i miejsc dowodzenia oraz węzeł kolejowy. Zostałem lekko ranny odłamkiem szyby w lewą dłoń.

Stroop pokazuje rękę. Znalazłem z trudem maleńką szramkę.

*

Często opowiadał Stroop o oficerach swego sztabu partyjnego, policyjnego i wojskowego. Na pytanie, kogo z nich najbardziej lubił, odpowiedział:

– Najtęższą głową był SS-Oberführer dr Hans Trummler, szef policji bezpieczeństwa i SD. Inteligentny, przewidujący, taktowny i sprytny, a więc bardzo podobny do doktora Ludwika Hahna z Warszawy. Szanowałem Trummlera i lubiłem go. Mój szef sztabu nie był najlepszym nabytkiem, ale jego zastępca, SS-Brigadeführer dr Richard Wagner, to oficer pierwszej klasy. Gruntownie znał ideologię NSDAP, wielbił Adolfa Hitlera i Heinricha Himmlera, był twardy, stanowczy, wytrwały i ofiarny. Zawsze u niego znajdowałem wykonawcze poparcie projektów i decyzji. Moim osobistym adiutantem był lubiany przez całą rodzinę, a szczególnie przez Olafa, SS-Hauptsturmführer Kaleske.

– Szczególną sympatią obdarzałem oficera policji, którego nazwisko już panowie znają. Idzie o zasłużonego w czasie Grossaktion in Warschau majora Bundtkego. Nie tylko zachowywał się bohatersko w getcie, ale po wysadzeniu Wielkiej Synagogi w Warszawie przeprowadzał długie boje wykańczające spacyfikowane formalnie getto.

– W 1944 roku przyjechała do mnie żona Bundtkego. Przywiozła list prywatny majora, w którym prosił o przeniesienie na mój obszar, gdyż w pobliżu mieszkała jego rodzina. Z chęcią się na to zgodziłem i natychmiast zażądałem sprowadzenia Bundtkego, wybitnego specjalisty policyjno-wojskowego. Przyleciał do Wiesbadenu samolotem i ochoczo się zameldował. Poczęstowałem go kawą i koniakiem. Powinszowałem nowego odznaczenia, które Heinrich Himmler przyznał mu za bohaterską akcję przeciw Żydom w Warszawie. Mianowałem majora Bundtkego dowódcą oddziału do zadań specjalnych. Był to wyborowy batalion 700-osobowy, doskonale wyposażony w środki transportu i łączności oraz w broń. Ten uderzeniowy, zawsze dyspozycyjny batalion, złożony z samych zuchów, oddał Rzeszy i Heinrichowi Himmlerowi ogromne przysługi. Wszystkie ważne, niebezpieczne i poufne akcje w moim Bereichu przeprowadzał major Bundtke, dzielny chłop i uczciwy nacjonal-socjalista.

*

Słoneczny dzień październikowy. W celi łagodny nastrój, nikt się nie kłócił. Zresztą często żyliśmy w (więziennej) zgodzie. Stroop, zapatrzony w smugę słoneczną na asfalcie podłogi i na łóżku z trzema siennikami, zaczął miękkim tonem zwierzenia:

– W Wiesbadenie spotkał mnie raz wielki zaszczyt i ogromna przyjemność. Przyjechał Heinrich Himmler całą kolumną samochodów. Odbył wiele konferencji, zlustrował gmach sztabu i koszary SS, a na zakończenie pobytu zjadł wczesną kolację w mojej willi. Dlaczego to zrobił – nie wiem. Ale myślę, że dlatego, iż poznał kiedyś żonę, że słyszał o naszych dzieciach, że widział fotografię Olafa w uniformie SS-manna oraz że tylko moja willa była wówczas oszklona. Nie chciałem, aby SS-Reichsführer się zaziębił, więc zaproponowałem kolację u nas.

– Byliśmy szczęśliwi w czasie tej rodzinnej wieczerzy. Reichsführer wyraźnie się u nas rozluźniał i wypoczywał. Chwalił żonę za smaczne jedzenie. Dowcipkował, wspominał dzieciństwo, później przeszedł do tematyki antropologicznej, czystości rasowej oraz kwestii uczciwości moralnej. Gdy spytał Olafa, jaki jest najcenniejszy walor Niemca III Rzeszy, ten bez namysłu wyrecytował: „Meine Ehre heisst Treue!". Nie mógł zrobić większej przyjemności SS-Reichsführerowi, który ucałował go i wziął na kolana, głaszcząc mądry łepek m o j e g o chłopaka. Potem rzekł: „Tak. Wierność, wierność, wierność aż do śmierci cechuje braci z Czarnego Korpusu oraz naszych synów, urodzonych i wychowanych w historycznej erze Adolfa Hitlera".

– Następnego dnia wyruszyliśmy wczesnym rankiem na południe Francji. Heinrich Himmler zażądał, abym mu towarzyszył w tej ważnej wyprawie służbowej.

– SS-Reichsführer przeprowadził inspekcję SS, policji i wojsk w Metzu. To samo w Nancy. Pozytywnie ocenił stan bezpieczeństwa i sytuację na lotaryńskich terenach mego okręgu. Potem wizytowaliśmy Lyon. Tam pobyt Heinricha Himmlera trwał dwa dni. Przeprowadził setki rozmów i wydał chyba z tysiąc decyzji. Następnie pojechaliśmy jedną z najpiękniejszych dróg świata, wspaniałą autostradą wzdłuż słonecznej doliny Rodanu, aż do Marsylii. Pejzaż czarujący. Słońce, granatowy Rodan, zielone łąki, szare lasy, oliwkowe i niebieskawe winnice na stokach podgórza alpejskiego. Siedziałem w trzecim aucie za Himmlerem. Od czasu do czasu zapraszał mnie do swego sześcioosobowego pojazdu. Na czele – wozy pancerne oraz samochody z uzbrojonymi po zęby SS-mannami i lekką artylerią przeciwlotniczą. To samo w straży tylnej. Krążył nad nami messerszmit z czarnymi krzyżami na skrzydłach i kadłubie.

– Messerszmity chroniły Himmlera w czasie jego samochodowych podróży – Schielke stwierdza rzecz oczywistą i pyta: – Czy piloci tych maszyn podlegali w sensie rozkazodawczym dowództwu Luftwaffe, to jest Göringowi lub feldmarszałkowi Milchowi[2]?

– Skądże?! – odpowiada Stroop. – Heinrich Himmler dysponował w ł a s n y m i (choć nielicznymi) myśliwcami, a nawet bombowcami, nie mówiąc o najszybszych typach uzbrojonych i opancerzonych samolotów łącznikowych dalekiego zasięgu. Personel SS-owskiego lotnictwa (piloci, obserwatorzy, obsługa lotnisk i lądowisk, mechanicy, konstruktorzy, naukowcy w laboratoriach badawczych, a ponadto szybownicy, spadochroniarze itp.) podlegał faktycznie osobistemu sztabowi Heinricha Himmlera, choć formalnie mógł niekiedy znajdować się w gestii Luftwaffe czy przemysłu lotniczego.

– Nie darmo partia rozwijała od lat Nationalsozialistisches Fliegerkorps (NSFk)[3] – mówi Schielke. – Hermann Göring i Rudolf Hess, piloci z I wojny, kładli Hitlerowi w głowę, od początku monachijskich czasów, że lotnicy to mężczyźni najbardziej odważni, ryzykanci i w i e r n i oraz zdolni do błyskawicznych działań... również politycznych. Członkowie NSFk mieli przywileje w partii, która ogromne fundusze przeznaczała na tę formację. Piloci Himmlerowskich messerszmitów byli z pewnością wychowankami tzw. Flieger-Hitlerjugend i nosili przed wojną jasnoniebieskie wypustki na mundurach i furażerkach. Nawet w dziecięcej organizacji pod nazwą „Das Deutsche Jungvolk in der HJ" (do której przyjmowano dzieci od dziesiątego roku życia, a później – młodsze) prowadzono grupy zainteresowań lotniczych i rozbudzano pasje do modelarstwa i szy-

---

[2] Erhard Milch (1892–1972), feldmarszałek niemiecki, szef Wydziału Technicznego w Ministerstwie Lotnictwa Rzeszy w latach 1942–1944, po wojnie więziony w latach 1945–1954.
[3] Nationalsozialistisches Fliegerkorps, NSFk (niem.) – Narodowosocjalistyczny Korpus Lotniczy.

bownictwa. Czy pański Olaf, Herr General, był w lotniczym Hitler-jugend?

– Niestety, nie! Ale przyzwyczajałem go do pokonywania lęku przed jazdą samolotem i rykiem motorów lotniczych. Gdy Olaf miał osiem lat, kazałem mu pojechać „tajfunem" (którego miałem do dyspozycji) z zaufanym pilotem. Smarkacz się opierał i darł ze strachu. Rzeczywiście silniki warczały przed startem jak szatany. Ale wydałem mu r o z k a z, kazałem wnieść Olafa do kabiny „tajfuna", a pilot przywiązał go pasami do fotela. Chłopiec początkowo trochę rzygał. W czasie lotu pilot (jak wynikało z jego raportu) wylał na Olafa bańkę zimnej wody i otrzeźwił go. Po wylądowaniu Olaf był nawet szczęśliwy.

Schielke splunął i przerwał Stroopowi:

– Jeśli trzynastoletni dzisiaj Olaf jest nerwowym chłopcem, to pańska wina, Herr Stroop. Niech cholera weźmie takie wychowanie!

Stroop próbował tłumaczyć, ale Schielke nie dał się zbić z pantałyku. Po prostu wymyślał. Stroop spytał, co sądzę o stosowanych przez niego, jako ojca, metodach wychowawczych.

Powiedziałem szczerze. Stroop zrobił smutną minę, co mu się rzadko zdarzało. Widząc to, chwilę odczekałem i wracając do (przerwanego dyskusją o lotnictwie) tematu, zapytałem:

– Do jakiej miejscowości na Riwierze dojechał pan z Himmlerem?

– Heinrich Himmler zwiedził bardzo dokładnie Marsylię, jeździł kutrem bojowym po porcie (m.in. do ujścia Rodanu), a następnie udaliśmy się brzegiem Morza Śródziemnego przez Toulon do Nicei. Krótka przejażdżka do Monte Carlo i na rozkaz SS-Reichsführera wróciłem z eskortą szybkimi wozami bmw do Wiesbadenu.

– W domu musiałem wszystko i dokładnie opowiadać rozpromienionej żonie, córce i Olafowi. Miał chłonną wyobraźnię i tak kochał Heinricha Himmlera, że wielokrotnie powtarzałem mu szczegóły podróży, którą będę pamiętać zawsze. Takie wspomnienia nie zachodzą mgłą.

✳

Któregoś dnia rozmawialiśmy o „cudownej broni". Całe Niemcy łudziły się w 1944/45 nadzieją jej wyprodukowania.

– O co to szło? – pytam. – Czy o udoskonalone odmiany pocisku rakietowego V? A może o nowy typ artylerii, analogiczny do rosyjskich „katiusz", ewentualnie o samoloty odrzutowe?

– Düsenflugzeugów[4] tośmy jeszcze seryjnie nie produkowali, choć prototypy były oblatywane. Widziałem próbny samolot w moim Bereichu. Osiągał zawrotną prędkość! Ale nie o to chodziło Adolfowi Hitlerowi. Ani o dalsze modele V czy artylerię. Byliśmy o krok od odkrycia i zrealizowania nowego ładunku wybuchowego bomby lotniczej...

– Byliście o krok od wynalezienia bomby atomowej?

– Tak! – potwierdził z energią i szczyptą radości. – Przez całą wojnę trwał wyścig naukowców niemieckich i anglosaskich.

– Ale przegraliście wyścig, bo Amerykanie pierwsi użyli bomby, na Hiroszimę.

– Mieliśmy za mało fizyków i chemików najwyższej klasy, a nasze laboratoria badawcze były bombardowane.

– Mściła się na nas polityka antyżydowska – wtrącił się Schielke.

– To pan, Herr Schielke, uważa, że tylko Żydzi mogą być wielkimi twórcami i wynalazcami? – Stroop zacietrzewił się.

– Nie! Bo nie jestem rasistą ani szowinistą. Nie uważam Żydów za jakiś naród wybrany przez Boga. Wybitni ludzie rodzą się we wszystkich społeczeństwach. Ale tak się złożyło, że wśród niemieckich profesorów i doktorów od fizyki, chemii, nauk przyrodniczych i matematycznych, znajdowało się sporo Żydów, pół-Żydów i ćwierć--Żydów. Jak ich naziści wylali z kraju albo zgnoili w obozach i więzieniach, to nie ma się co dziwić, że naukowcy tak zwani aryjscy nie mogli dać sobie rady. Gdy trzeba było wykombinować nową Wunderwaffe[5], to brakło tych „chemicznych" i „fizycznych" pomocników. Stąd przegrana.

– Ględzi pan, Herr Schielke! – wybuchł Stroop. Oczy mu zsiniały, kark poczerwieniał. Machał rękami.

---

[4] Düsenflugzeug, Flugzeug mit Düsenantrieb (niem.) – samolot z napędem odrzutowym.
[5] Wunderwaffe (niem.) – „cudowna broń".

– Może i piędzę – odciął się Schielke. – Tym niemniej żadnej „cudownej broni" nie wyprodukowaliśmy. A przepraszam! Wynaleźliśmy taką broń, tylko Himmler schował ją pod koszem i nie użyczył Rzeszy, nawet kiedy Rosjanie podchodzili pod Berlin!

Zdziwiony, patrzę na Schielkego i na Stroopa, który raptem spokorniał. Sittenpolizist zaczyna chichotać, potem śmieje się coraz głośniej, powtarzając: „Himmlers Wunderwaffe!"[6]. Co powie, to się zarykuje. Nic nie rozumiem. Pytam, ale żaden z Niemców nie odpowiada. Pytam po raz drugi i trzeci. Schielke wciąż się zaśmiewa (kartoflany brzuch mu się trzęsie). W końcu, na moje naleganiá, mówi:

– Niech panu opowie generał o tej cudownej broni Himmlera.

Sprawa ma związek ze śródziemnomorską podróżą służbową, o której wspominał Herr Stroop.

Stroop wzrusza ramionami, milczy. Zagaduję i pytam, a on nic. Zrobiłem minę obrażonego (złość i ciekawość we mnie nabrzmiewały). Rzekłem:

– Jeśli tak, to dobrze! Mówicie między sobą o jakichś publicznych „tajemnicach" III Rzeszy, a mnie nie chcecie dać wyjaśnień, mimo że proszę. Dobrze! Ja będę robił to samo.

– Radzę, Herr General – Schielke zwraca się do Stroopa – opowiedzieć wszystko panu Moczarskiemu, bo dotrzyma słowa. On jest uparty i zacięty jak buldog-bokser.

Obaj Niemcy wyolbrzymiali tę cechę mojego charakteru, tym niemniej nie protestowałem. Po kilku minutach Stroop zaczął:

– SS-Reichsführer interesował się zawsze odkryciami i wynalazkami. Był na wskroś nowoczesnym człowiekiem i torował drogę postępowi. Każdy wyższy SS-owiec miał obowiązek meldować głównej kwaterze SS o każdym nowatorskim pomyśle lub wynalazku na swoim terenie. Jakąś drogą doszła do Heinricha Himmlera wiadomość, że pewien Włoch czy Szwajcar (w którego żyłach płynęła, po matce, niemiecka krew) odkrył metodę wysadzania w powietrze – przy pomocy tajemniczych promieni – magazynów amunicyjnych wroga. Na osobiste polecenie SS-Reichsführera sprawę zbadali fachowcy z SS. Ich ekspertyzy sygnalizowały, że pomysł jest wart za-

---

[6] Himmlers Wunderwaffe (niem.) – „cudowna broń" Himmlera.

interesowania. Przyjęto warunki wynalazcy. Wpłacono z 10 tysięcy marek na uzupełniające prace techniczne. Pierwszą próbę, na małą skalę, przeprowadzono potajemnie w Szwajcarii. Wypadła doskonale. Znów wyasygnowano jakąś niemałą sumę i zaakceptowano cenę: milion funtów szterlingów.

– Himmler zgodził się zapłacić wynalazcy fałszywymi banknotami brytyjskimi, które w tajemnicy produkował – przypomniał Schielke.

Stroop się speszył. Ale ja nie dopuściłem do nowego konfliktu i po chwili Stroop ciągnął z wyraźną niechęcią:

– Ostateczna próba (trzykrotna) odbyła się w północnych Włoszech. Dano wynalazcy wszelkie gwarancje i list żelazny. Pamiętam, że w całą historię był m.in. zaangażowany generał SS Karl Wolff. Ten, z którym w roku 1943 rozmawiałem w Wolfschanze. Ułożono stos amunicji rozmaitego typu. Wynalazca ze swoją aparaturą i pomocnikiem znajdował się w odległości kilometra. O kilkadziesiąt metrów od niego – Heinrich Himmler ze sztabem. Wynalazca sprawdził zgromadzoną amunicję, wrócił do swego stanowiska, nastawił aparaturę, wypuścił wiązkę niewidzialnych promieni i amunicja zapaliła się, wybuchając. Drugi eksperyment przeprowadzono z odległości dwu kilometrów. Te same czynności. I stos amunicyjny znów wyleciał w powietrze. Heinrich Himmler, uradowany, powinszował wynalazcy i kazał realizować finalne warunki umowy. Ale ktoś przypomniał mu w ostatniej chwili, że wynalazca przed każdym eksperymentem chodził oglądać przygotowaną amunicję. Zaproponowano wobec tego trzecią próbę, ale w warunkach bojowych, to znaczy bez uprzedniego oglądania i sprawdzania obiektu, który należało zniszczyć.

– Ta próba się nie udała – ciągnął Stroop – mimo że Włoch (czy Szwajcar, nie pamiętam) z dziesięć razy nastawiał aparat i wysyłał wiązki promieni. Skończyło się ujawnieniem, że rysunki techniczne i wzory fizyczne są blefem (wynalazca tłumaczył, że je zaszyfrował i nie może bez specjalnych tablic rozszyfrować) oraz że przed próbą coś podrzucał do zgromadzonej przez saperów i zbrojmistrzów amunicji. Wynalazcę i pomocnika na miejscu zastrzelono. Okazało się później, w wyniku drobiazgowego śledztwa, że obaj byli notowani w Interpolu jako międzynarodowi oszuści i hochsztaplerzy.

*

Kiedyś opowiadałem w celi o zniszczeniach, jakim uległa Warszawa w dniach Powstania 1944, o bombardowaniu lotniczym i o ulicy Jasnej, którą szedłem od banku „Pod Orłami"[7] na Królewską. Mówiłem, jak z obu stron dopalały się zdruzgotane domy. Gruz zalegał jezdnię do wysokości pierwszego piętra. Wspinałem się raz w górę, raz w dół ścieżką wydeptaną przez łączników pośród cegieł, szkła, bloków cementowych i kamieni. Krajobraz górsko-księżycowy z wysepkami ognia i dymu. Smród spalenizny.

– Znam takie pejzaże. Niektóre miejscowości mojego Bereichu przeszły piekło bombardowań – wyznał Jürgen Stroop. – Żadna godzina nie była pewna. Ciągłe alarmy lotnicze. Syreny ryczały na trwogę. Dudniły motory bombowców. Artyleria grzmiała. Huki. Wybuchy. Grzmoty. Pożary. Płonęły dzielnice, szczególnie przemysłowe, i węzły komunikacyjne. Masa trupów, ludzie zasypani w piwnicach, tysiące rannych. Wieczne remonty fabryk i naprawy dróg oraz mostów. Dymy i odory spalenizny ciągnęły się po systematycznie rujnowanym Wiesbadenie, Frankfurcie, Moguncji, Darmsztadcie, Mannheimie. Myśmy dotkliwie odczuli bombardowania i pożary...

Tu Stroop się spostrzegł, że może zbyt szczerze mówi o sytuacji Rhein-Westmarku w ostatnim roku wojny. Więc uzupełnia:

– Dawaliśmy sobie radę. Straż pożarna działała bez zarzutu, komanda reperacyjne i porządkujące wypełniały swą powinność. Dzieci, starców i kobiety (o ile nie były zmobilizowane do służb pomocniczych) wysyłaliśmy na wieś.

– Gdzie wyjeżdżała pańska rodzina? – pytam.

– Często do Teutoburskiego Lasu, w okolice Detmoldu. Tam mieszkała matka i wielu przyjaciół. Niekiedy wysyłałem żonę z dziećmi pod Wiesbaden. Okolicą spokojną i bezpieczną był rejon Usingen, Bad Homburg i Bad Nauheim. Między Usingen a Bad Nauheim znajdowała się miejscowość nazwana przez nas „oazą ciszy". Kilka tysięcy hektarów lasu, pagórków, łąk i zamek. Ruch nieznaczny, ludno-

---

[7] Dom Pod Orłami przy ul. Jasnej 1, zbudowany w latach 1912–1917 dla Banku Towarzystw Spółdzielczych, obecnie siedziba kilku instytucji bankowych.

ści bardzo mało (część chłopów wysiedliliśmy). Większość budynków, a nawet dróg, zamaskowana. Ta miejscowość to Ziegenberg, 10 kilometrów na zachód od Bad Nauheim. W zamku była (mogę teraz panom wyjawić) jedna z kwater wojennych Adolfa Hitlera. Dodatkowo zaprzysiężony na okoliczność tej tajemnicy oddział SS pilnował terenu, dozorowanego ponadto przez zespół fachowców z SD. Tak zamaskowaliśmy to miejsce, że nigdy nad zamkiem Ziegenberg nie ukazał się nieprzyjacielski samolot! Zamek miał głębokie schrony, a obok – również umocnione (i porozrzucane w terenie) niewielkie budynki mieszkalne i koszarowe. Tam właśnie Adolf Hitler przygotowywał w początku grudnia 1944 roku słynną ofensywę przez Ardeny w kierunku na Antwerpię.

– Pan, Herr Stroop, musiał być człowiekiem szczególnego zaufania Hitlera i Himmlera, jeśli na terenie przez pana administrowanym znajdowała się kwatera główna Hitlera, z której niekiedy sterował operacjami frontu zachodniego.

Sprawiłem Stroopowi dużą przyjemność. Zrobił minę jak kot, którego się drapie za uszami. A potem dodał:

– U mnie nie tylko było bezpiecznie. W Rhein-Westmark panował p o r z ą d e k   i   d y s c y p l i n a. Mimo bombardowań produkcja rolna i przemysłowa stale wzrastała. T r z y m a ł e m   l u d n o ś ć w   g a r ś c i. Budowano u mnie nowe fabryki, których nie mogło ugryźć alianckie lotnictwo. Podwładni ze sztabu i Gauleiterzy dali budowniczym i przemysłowi całą dyspozycyjną siłę roboczą...

– Więźniów również? – pytam ostro.

– Również – potwierdza Stroop jeszcze ostrzejszym tonem. – Wyborowaliśmy w zboczach gór setki tysięcy metrów sześciennych sztolni, hal warsztatowych i magazynów. Tam umieściliśmy znaczną część fabryk zbrojeniowych. Albert Speer wielokrotnie u nas bywał. To był genialny organizator i najlepszy w świecie minister uzbrojenia i amunicji. Panie Moczarski, nas rąbali z góry, jak cholera. A my nic, tylko tempo! tempo! W krótkim czasie potroiliśmy produkcję samolotów i dział (szczególnie samobieżnych, szturmowych) oraz amunicji. W grudniu 1944 roku Adolf Hitler dziękował mi na zamku Ziegenberg, w obecności Heinricha Himmlera, Speera i generała Seppa Dietricha za zdyscyplinowanie i ofiarność ludzi z mojego

Bereichu, za intensywne wytwarzanie broni i amunicji oraz za to, że największy (w stosunku do ludności obszaru) procent Volksgrenadierów i Volkssturmistów zgłosił się z Rhein-Westmarku.

– Panie Stroop – rzekłem, gdy skończył entuzjastyczne wywody.

– Mam dwa pytania. Pierwsze, co to za imię: Sepp?

– Zaraz wyjaśnię – szybko odpowiedział. – Sepp to stara, bawarska odmiana imienia Józef. Generał SS Sepp Dietrich, bojowy oficer, odważny do szaleństwa, ryzykant, sprawność fizyczna najwyższej klasy, były szef osobistej ochrony Adolfa Hitlera. Zaopatrzył w 1932/33 roku swoich ludzi w najnowsze pistolety maszynowe oraz pejcze ze skóry hipopotama, najtrwalsze i najbardziej skuteczne w walce...

Wybuchnąłem:

– W walce? W a l c z y l i ś c i e pejczami?

Stroop zbaraniał. A ja wtedy:

– Pan miał również przez 46 lat imię Józef, zamienione potem na Jürgen. Widać, Józef (Sepp) Dietrich pochodził także z rodziny katolickiej. Ale mniejsza z tym. Moje drugie pytanie brzmi: ilu więźniów z obozów koncentracyjnych, aresztów, więzień, obozów jenieckich i obozów pracy dla cudzoziemców zmarło lub zginęło w Rhein--Westmarku podczas owej wytężonej produkcji i morderczego tempa budownictwa przemysłowego?

Nie odpowiedział.

XXIII. Stroop likwiduje feldmarszałka

Niezwykle interesowały mnie więzienne opowiadania Stroopa o jego okresie wiesbadeńskim (listopad 1943–marzec 1945), a więc o etapie zmierzchu i klęski III Rzeszy.

Stroop, człowiek „tamtejszy", był b e z p o ś r e d n i m świadkiem i współaktorem zdarzeń w rejonie pasa reńskiego. Mimo jednostronności ocen górował wiedzą o tych czasach zarówno nade mną, jak i nad wieloma, którzy obserwowali wojnę z peryferii czy „ze schronów alianckich stolic" lub prześledzili ją w publicystyce prasowej, książkach i archiwach.

Rozmów o tym okresie Stroop nie prowadził z platformy gloryfikowania przeszłości własnego narodu, „zawsze wspaniałej i zwycięskiej". Przesiąkł co prawda od dzieciństwa szowinizmem i propagandowymi landszaftami germańskich triumfów. Ale cięgi, jakie oberwała hitlerowska Rzesza (i on, z rodziną), oraz sytuacja więzienna i perspektywy wyroku – sprzyjały pokorze i niejakiemu obiektywizowaniu.

Jedną ze spraw trudnych i drażliwych dla Stroopa (a mimo to, często do niej wracaliśmy) był nieudany zamach na Hitlera w dniu 20 lipca 1944 roku.

Stroop potępiał zdecydowanie i ostro każdy pomysł zabicia Hitlera lub próbę odsunięcia go od władzy.

Ile razy rozmawialiśmy na ten temat – zawsze gwałtownie podniecał się. Z wściekłością opowiadał o szczegółach zamachu z Wolfschanze, o von Stauffenbergu (nie szczędził mu rynsztokowych epitetów) oraz o „bandytyzmie zgrai generalskiej i cywilno-talmudystycznej", która utworzyła grupę spiskową. Mówił wtedy zajadle, z wypiekami na twarzy, ale oczy miał zimne, ołowiane. Płaszczyznę wyjściową postawy Stroopa stanowiły dwie przesłanki. Pierwsza, to mistyczna wiara, że Hitler był wysłannikiem sił wyższych („opatrzność", „Wotan", „bogowie germańscy"). Druga: p e w n i k (stale to podkreślał), że nikt nigdy nie może Rzeszy pobić bez pomocy samych Niemców.

– Gdyby nie znajdowały się w naszym narodzie – twierdził – jednostki słabe moralnie, obciążone zgnilizną, to dalibyśmy sobie radę z c a ł y m   ś w i a t e m. Byliśmy zawsze zbyt tolerancyjni i nieostrożni, bo pozwoliliśmy degeneratom żyć pod wspólnym dachem ze zdrową masą narodu. Do tych nielicznych Niemców-miazmatów docierały macki obcych wywiadów oraz trucizny ideologiczne, poparte srebrnikami. Rakowate indywidua zaczęły się aktywizować z chwilą pierwszych porażek wojennych, organizowały mafie i koła r z e k o m o dyskusyjne, patriotyczne. Sprowadzili w końcu nieszczęście na naród!

W celi cisza. Schielke wyciera niewidzialne pyłki z blatu stolika. Za oknem gęsta mgła – zjawisko rzadkie w Mokotowie.

– Trzeba nam było wcześniej przeprowadzać likwidacje – ciągnie Stroop. – Rżnąć nożami wyrodków i wieszać na hakach jak połcie w rzeźni, z rodzinami i przyjaciółmi! Wszystkich pod chodnik! Nawet tych, co dali się chwilowo otumanić!

Stroop mówi coraz głośniej. Gdy wypluł strumień nienawiści, kończy:

– Las z drzewami chorymi lub skłonnymi do zarazy trzeba nie tylko wyciąć, ale (żeby się nigdy nie odrodził) wykarczować oraz spalić jego nasiona. Taka właśnie myśl, dalekosiężna politycznie i będąca syntezą najwyższej moralności narodowej, leżała u podstaw idei i czynów Heinricha Himmlera. Gdyby mu nie przeszkadzano, gdybyśmy od początku 1933 roku twardo realizowali wobec wszystkich Niemców nakaz pełnej czystości rasowej, a więc i d u c h o w e j, toby już dawno Rzesza przeistoczyła się w germański monolit państwowy ludzi w i e r n y c h, hermetycznie odpornych na wrogie podszepty. I nie byłoby zamachów, spisków, intryg, protestów i głupich dyskusji, a więc z d r a d y.

Słuchałem przerażony. Zerknąłem na Schielkego. Właśnie podniósł głowę i, patrząc w sufit nad drzwiami, rzekł dobitnie:
– Panowie! Pajączek tam biega. Nie ma jeszcze południa, więc zły omen dla celi.
Zaniepokoiliśmy się wszyscy. W więzieniu człowiek staje się przesądny.

*

Jeszcze tego samego dnia Stroop wrócił do puczu generałów i „politykierów". Było popołudnie. Wypoczywaliśmy po zdenerwowaniu „hipiszem"[1] oraz późniejszym sprzątaniu celi i układaniu rzeczy. Schielke – dumny, że przy pomocy pajęczego sygnału przepowiedział hipiszową kontrolę i uchronił celę od zaskoczenia – był wesoły, choć utrudzony. Po obiedzie drzemaliśmy i wymienialiśmy uwagi na temat ostatnich wydarzeń.
– Więzień koncentruje się w zasadzie na tym (nie mówię o okresie śledztwa), jak wywieść w pole strażników – wyłuszcza swe poglądy Schielke. – Ma dużo czasu na obserwacje oraz obmyślanie swych czynów i forteli. A nieliczni (w stosunku do liczby więźniów) strażnicy zajęci są masą spraw urzędowych, regulaminowych i osobistych. Więzień w normalnym zakładzie karnym może, mimo swej bezsiły, zawsze „pokonać" dozorcę w drobnych, codziennych kwestiach (a czasem – nawet w poważnych). Może go względnie łatwo oszukać, przetrzymując np. w czasie rewizji przedmioty „zabronione".
Stroop nie wytrzymał:
– Ależ, Herr Schielke, oddziałowy, oficer śledczy, naczelnik, to władza. Nie wolno działać przeciw regulaminowi. Nigdy!
– Głupstwa pan opowiada, Herr General! – parsknął Schielke. – Czy nie zna pan życia?
I pokazał nam dwie żyletki bardzo przemyślnie schowane oraz dodał:
– Przeszedłem przez 50 rewizji więziennych, a tego u mnie nie znaleźli.

---

[1] Hipisz (kipisz) – rewizja w celi (w żargonie więziennym).

Stroop zbladł. Wyszeptał, że zamelduje oddziałowemu o żyletkach. Powiedzieliśmy:
– Mamy więcej ostrych przedmiotów w celi i jeśli pan generał za-
kapuje o tych żyletkach, ktoś zarżnie pana w nocy innym narzędziem.
Stroop uwierzył w te głupstwa. Zaprzysiągł na życie i zdrowie
swoich dzieci („jeśli was wydam, to niech Olaf w tej chwili umrze"),
że zachowa tajemnicę.

*

Stroop raz po raz powtarzał nazwiska Stauffenberga, generała
Ludwiga Becka[2], feldmarszałka von Witzlebena[3], doktora Gördelera
i stu innych, a ponadto wielu „biernych spiskowców" (chadeków, duchownych katolickich i protestanckich, socjalistów, komunistów).
Kiedyś wymienił feldmarszałka Erwina Rommla[4] i feldmarszałka
Günthera von Kluge.
Ponieważ wielokrotnie wychwalał Rommla, jako nieskazitelne-
go herosa III Rzeszy, Schielke natychmiast zażądał wyjaśnienia:
– Jak pan może wieszać psy na Rommlu, który zmarł z ran i został pochowany z niezwykłą pompą. W październiku 1944 czytałem komunikat oficjalny, że feldmarszałek Rommel „wszedł
do historii jako jeden z największych generałów niemieckich". W Kra-
kowie byłem na akademii żałobnej ku jego czci. A teraz pan szkaluje
Rommla słowami: lump, zdrajca, agent, kanalia itp. Co to znaczy?
Albo jestem głupi, albo panu, Herr General, coś w mózgu trzasnęło.

---

[2] Ludwig Beck (1880–1944), generał niemiecki, Szef Sztabu Generalnego Wojsk
Lądowych (Oberkommando des Heeres, OKH) w latach 1935–1938, jeden z czołowych przywódców antyhitlerowskiej opozycji w armii, popełnił samobójstwo
20 lipca 1944 r.
[3] Erwin von Witzleben (1881–1944), feldmarszałek niemiecki, dowódca Grupy Armii „D" od 1940 r., następnie dowódca Obszaru Operacyjnego „West" do
1942 r., jeden z czołowych przywódców opozycji antyhitlerowskiej w armii (kandydat na naczelnego dowódcę Wehrmachtu), aresztowany 21 lipca 1944 r., skazany
na śmierć i stracony 8 sierpnia 1944 r.
[4] Erwin Rommel (1891–1944), feldmarszałek niemiecki, dowódca Afrika-Korps
w latach 1941–1942 („lis pustyni"), dowódca Grupy Armii „B" we Włoszech w 1943
i Grupy Armii „B" we Francji w latach 1943–1944, popełnił samobójstwo 14 października 1944 r.

Schielke zaczerwienił się z oburzenia. Stroop, skonfundowany, podszedł do okna i patrzył na bezmgliste już podwórze. Schielke z tego skorzystał i mrugnął do mnie wesoło. Schielke miał zdolności aktorskie. Nie darmo jako policjant śledczej służby kryminalnej musiał wielokrotnie udawać i grać.

Stroop opowiedział rzeczy dziś znane. Że Rommel, dowodząc w roku 1944 Grupą Armii „B" na froncie zachodnim, we Francji, nie zgadzał się z dyrektywami Hitlera. Że w lipcu 1944 napisał do niego memorandum, w którym żądał skrócenia frontu i uruchomienia w walce kilkunastu dywizji, oczekujących – na północ od Sekwany – drugiej, „prawdziwej" (zdaniem Hitlera) inwazji alianckiej. Że, przede wszystkim, podejrzany był o udział w „spisku generalskim".

Co mnie w tym opowiadaniu uderzyło, to wzmianka o sposobach działania Rommla. Mianowicie, przygotowując memorandum dla Hitlera, zastosował metodę a n k i e t o w ą. Rommel zadał wszystkim podległym dowódcom i ich szefom sztabu szereg pytań na piśmie. Dotyczyły one realnej sytuacji i perspektyw wojsk hitlerowskich we Francji, Belgii i Holandii. Rommel nie dobierał respondentów. Nie pominął też głosu wyższych dowódców Waffen SS – generała Seppa Dietricha i generała Paula Haussera (obaj byli SS-Obergruppenführerami). Pytania ułożył sprytnie i drobiazgowo w formie kwestionariusza. Generałowie nie wyczuwali, że idzie Rommlowi o jakieś przesłanki do syntezy; ot, po prostu Rommel, lubiany i sprawny dowódca Grupy Armii „B", żąda szczerych i sprawdzonych meldunków!

– Rommel objechał osobiście w ciągu trzech dni adresatów – opowiadał Stroop. – Wszystkie opinie (na piśmie, podkreślam) były pesymistyczne. Opierając się na nich, żądał w imieniu swoim, a p o ś r e d n i o w imieniu ankietowanych, szybkiego zakończenia wojny na Zachodzie. Ale fakt tego memorandum dla Führera nie byłby tak skandaliczny i karygodny, gdyby nie ścisłe powiązania Rommla ze spiskowcami. Rommel potraktował wysłanników wojskowego sprzysiężenia w Berlinie (kiedy przybyli do niego) jak sobie równych, ujawnił im tajemnice zachodniego frontu, uważał, że jeśli Adolf Hitler nie zawrze pokoju z zachodnimi aliantami, to spiskowcy powinni odsunąć go od władzy. Rommel postawił ultimatum Adolfowi Hitlerowi.

– Tymczasem raniono go we Francji – wtrącił się Schielke.
– Tak. 17 lipca 1944 jego samochód (o ile wiem, to „horch") został ostrzelany przez angielskie myśliwce. Wielokrotnie ranny, Rommel żył, ale rokowania lekarzy były pesymistyczne. Szpital, a potem rekonwalescencja w rodzinnym domu. W październiku 1944 popełnił jednak samobójstwo po przedstawieniu mu dowodów o udziale w spisku generalskim. Dano do wyboru: ciche samobójstwo, upozorowane zgonem na skutek ran, albo sąd i hak. A Rommel znał sprawozdania z przebiegu rozprawy w Volksgerichtshofie[5] i wolał popełnić Selbstmord[6].

Stroop na chwilę przerwał tok opowieści, a potem dodaje:
– Rommel postawił ultimatum i brał udział w spisku, więc powinien zawisnąć na haku...
– O jakim haku pan mówi, Herr General?
Stroop nie odpowiada. Schielke powtarza pytanie. Znów milczenie. Więc Schielke wraca do głównego tematu:
– Opowiadano mi już wtedy, po 20 lipca 1944, że brutalnie rozprawiliście się ze spiskowcami...
– A czy takiemu zdrajcy i oberszpiegowi, lawirantowi i szalbierzowi jak Canaris nie należała się kara wielomiesięcznych cierpień, a nie łaska krótkiego śledztwa i bezbolesnego zawiśnięcia na szubienicy? – spytał zimno Stroop. – Adolf Hitler był sprawiedliwy. Póki nie miał niezbitych dowodów zbrodni Canarisa, a jedynie podejrzenia, zdjął go z szefostwa Abwehry i trzymał na stanowisku referenta do spraw wojny handlowej i ekonomicznej. Gdy zdemaskowano prawą rękę Canarisa, generała Hansa Ostera[7] z Abwehry, Führer nakazał osadzić Canarisa w obozie koncentracyjnym we Flossenburgu. Papiery, notatki sekretne, zgubiły go ostatecznie. Znaleziono w ostatnim miesiącu wojny, w kwietniu 1945, osobisty kuferek pan-

---

[5] Volksgerichtshof, VGh (niem.) – Trybunał Ludowy (Trybunał Narodowy), najwyższa instancja sądowa Rzeszy Niemieckiej; patrz wyżej przyp. 1 w rozdziale XXII.
[6] Selbstmord (niem.) – samobójstwo.
[7] Hans Oster (1888–1945), generał niemiecki, szef sztabu Abwehry w latach 1939–1943, aresztowany 21 lipca 1944 r. i powieszony 9 kwietnia 1945 r. w więzieniu we Flossenburgu.

cerny Canarisa z jego pamiętnikiem o montowaniu i prowadzeniu sprzysiężenia z 20 lipca. No i cóż? Przed zgonem dostał za swoje. Tłuczono go kilka dni i nocy w bunkrze. Gdy znalazłem się przed samym końcem wojny w Austrii, w Zell am See, spotkałem jednego z przyjaciół, SS-Gruppenführera, który był dobrze wprowadzony w sprawy likwidowania spiskowców 20 lipca. Ten przyjaciel opowiadał o ostatnich dniach Canarisa, który przed egzekucją wyglądał na osiemdziesięcioletniego starca, a miał przecież 56–58 lat. Siwe włosy. Wychudzony do ostateczności. Oba ramiona i żebra obandażowane po złamaniach. Czerwonawy i siny na twarzy...

Tu Stroop przerwał. Schielke i ja siedzieliśmy z oczami wbitymi w podłogę. Milczenie. Stroop skończył rześkim głosem:

– Panie Schielke, to właśnie admirał Canaris zmarł przez powieszenie na haku rzeźnickim. Aby dobrze wypełnić postanowienia nadzwyczajnego regulaminu egzekucyjnego, odwinięto bandaże opatrunkowe z jego klatki piersiowej. Musiał przecież wisieć na żebrze, a nie na bandażu...

∗

Kiedyś, znacznie później, zapytałem Stroopa:

– Skąd się wziął u Hitlera pomysł z hakiem? Zastosowanie takiej formy wykonania kary śmierci jest nie byle jakim barbarzyństwem.

– Nie zna pan widać historii postępowania egzekucyjnego w Europie. Wieszanie na haku za żebro i powolny zgon skazanego stosowano od tysięcy lat u Germanów. Ta procedura znalazła się później we wzorcowych kodeksach niemieckich, m.in. w znanym powszechnie prawie magdeburskim. Gdy herszt bandy dostał karę śmierci, wieszano go na haku. Takie prawo obowiązywało przez wieki w północno-środkowej Europie – aż po Bug. Na wschód od Bugu stosowano inną metodę egzekucji. We wschodniej części waszego dawnego królestwa herszta bandy wbijano na pal. Jeden ze współwięźniów Polaków streścił mi kiedyś ten fragment powieści laureata Nobla, Sienkiewicza, w którym opisuje on scenę wbijania na pal (od kiszki odbytowej) oficera waszych garnizonów na Ukrainie. Myślę, że zarządzenie zgonu przez powieszenie za żebro na haku jest kulturalniejsze od decyzji nadziania na zaostrzony pal. Zresztą Adolf Hitler wyjątkowo zastosował karę żebra i haka. O ile wiem, to tylko wobec Canarisa.

✳

Pewnego dnia wróciliśmy do rozmowy o śledztwach, przewodach sądowych i wykonywaniu wyroków na uczestnikach spisku 20 lipca. Dyskusja zaczęła się tym razem od portek Schielkego, które nagle zaczęły mu opadać. Guzik się oderwał i Schielke – zażenowany – jedną ręką trzymał górę spodni, a drugą szukał igły i nici w swoim majdanie. Gdy guzik przyszył, mówi:

– Ja nie jestem dygnitarz, więc mało mnie dziś przejęły opadające portki, choć przyznam, że to nieprzyjemne. Ale jak się musiał czuć stary feldmarszałek von Witzleben, któremu (dla ośmieszenia) kazano włożyć na rozprawę przed trybunałem ludowym spodnie bez guzików, paska i szelek! Ten Freisler[8], przewodniczący trybunału, to gagatek!

– Roland Freisler był doskonałym prawnikiem – zaripostował Stroop. A Schielke na to:

– Ciekawym, co by pan powiedział, gdyby w przyszłym pańskim procesie przewodniczący sądu zaakceptował pańską obecność na ławie oskarżonych w opadających spodniach. Gdyby pan musiał trzymać ręce przy brzuchu, bo inaczej sala oglądałaby pańskie gacie albo coś więcej.

– W polskich sądach nie ma takich praktyk. Wiem z opowiadań współwięźniów – odpowiedział Stroop, ale zreflektował się. Już nie bronił więcej metod prowadzenia procesu przed Volksgerichtshofem, za to dorzucił wiele faktów o likwidowaniu przeciwników Hitlera po zamachu 20 lipca. Sypał nazwiskami ofiar, aż nam się zaczęło plątać. Zapytałem go przy okazji przerwy w potopie słów:

– Ilu wtedy zlikwidowaliście ludzi? Chyba z pół setki.

---

[8] Roland Freisler (1903–1945), SA-Brigadeführer, sekretarz stanu w Ministerstwie Sprawiedliwości Rzeszy w latach 1934–1942, przewodniczący Volksgerichtshof (VGh, Trybunał Narodowy) w Berlinie od 1942 r., zginął podczas bombardowania Berlina 3 lutego 1945 r.

– O, daleko więcej. Według moich obliczeń, około czterech i pół tysiąca.

– Niemożliwe! – krzyknąłem.

– Możliwe, możliwe! – odpowiada Stroop. – Niech pan nie zapomina, że już 20 lipca rozwalono wielu spiskowców i ich przyjaciół. W ciągu następnych paru dni przeprowadzono czystkę na wszystkich terenach. Nie było garnizonu, gdzie nie znaleźli się winni lub sprzyjający winnym. Każda komórka SD, każde biuro policji bezpieczeństwa musiały unieszkodliwić spiskowców, a szczególnie tych, którzy dobrze maskowali się i umieli zacierać ślady swej nikczemnej działalności przeciwko Adolfowi Hitlerowi.

– Panie Stroop, już rozumiemy sens wyjaśnień – przerwałem – chociaż pan z pewnością temu zaprzeczy. Otóż korzystając z nadarzającej się sposobności, zlikwidowaliście – poza spiskowcami – aktualnych przeciwników politycznych, swoich wrogów osobistych w partii i w wojsku, konkurentów do lepszego stołka, do wyższej premii, dochodów, zaszczytów, orderów, nagród. Kto wie, czy szef pańskiego sztabu w Rhein-Westmark nie zamieścił na liście zamordowanych, rzekomych członków sprzysiężenia z 20 lipca, kochanka swej żony, o którą był piekielnie zazdrosny!

Schielke potakiwał głową. Stroop nie zaprotestował, tylko rzekł:

– Nie należy zapominać, że śledztwa i egzekucje, związane z Niemcami zamieszanymi w spisek i zamach na szczęśliwie nam ocalałego Führera (tu Stroop wyciągnął ręce w górę, jakby dziękując Wotanowi), trwały do ostatnich dni wojny, a więc ponad dziesięć miesięcy. Dlatego jestem przekonany, że liczba czterech i pół tysiąca straconych jest obiektywnie prawidłowa. Zresztą było kilku takich, co ustalili ją, dysponując wiarogodnymi informacjami.

– Niech pan opowie, jak wyglądała procedura egzekucji – prosimy.

– Od 8 sierpnia 1944 dokonywano egzekucji na spiskowcach przez powieszenie n a g o na haku rzeźniczym. Do powieszenia konieczny jest stryczek z bardzo mocnego i gładkiego sznura albo ze specjalnej plecionki skórzano-jedwabnej. Pętla takiego stryczka (posmarowanego mydłem) zaciska się błyskawicznie na szyi skazańca i śmierć przychodzi natychmiast. Ale wobec zdrajców ze sprzysiężenia 20 lipca zastosowano inną metodę. Stryczkiem była struna fortepianowa, basowa. Pętla z takiej struny zwiera się powoli i zgon powieszonego następuje dopiero po 5–10 minutach. Schielke skrzywił się boleśnie. Ja chyba też. Widząc to, Stroop podniósł głos:

– Tak, tak! Męczyli się przed śmiercią. Ale tylko przez 10 minut, w najgorszym razie. Jednak to lepsze od powieszenia za żebro na haku rzeźniczym, jak w przypadku Canarisa.

W celi cisza. Po pół godzinie chyba Schielke powiedział:

– Nie chce mi się wierzyć, żeby było prawdą, co Herr General opowiadał o wykonaniu wyroku śmierci na admirale Canarisie. Nie mieści się w głowie, żeby go powieszono na haku jak cielaka, i to jeszcze nie ubitego. Może się pan myli, Herr Stroop, może to tylko plotka, puszczona dla postraszenia wojskowych i członków NSDAP? Czy jednak Canarisa nie zgładzono w taki sposób, jak feldmarszałka von Witzlebena, na fortepianowym stryczku przytwierdzonym do haka rzeźniczego?

– Nie! – stwierdza z przekonaniem Stroop. – Początkowo myślałem tak samo, jak pan, Herr Schielke. Ale wspomniany SS-Gruppenführer, spotkany w Zell am See, opowiadał wszystko ze szczegółami. Między innymi, że Berlin nakazał zachowanie najgłębszej tajemnicy o okolicznościach egzekucji na Canarisie. SS-Gruppenführer (nie ujawnię nigdy jego nazwiska), człowiek wiarygodny, poważny, zaprzyjaźniony ze mną, opowiadał mi 4 lub 5 maja 1945 tam, w Austrii, że ci SS-owcy oraz więźniowie, którzy byli przy egzekucji, już nie żyją. Na zakończenie SS-Gruppenführer prosił, abym uwierzył, że Adolf Hitler tylko z jednym Canarisem obszedł się okrutnie.

Mimo zaklęć Stroopa o prawdziwości opisanych wyżej faktów, nie mogę wykluczyć, że ów SS-Gruppenführer z Zell am See fantazjował.

* *

– Wśród nazwisk generałów wplątanych w zamach na Hitlera wymienił pan von Klugego – powiedziałem. – Czy on naprawdę był członkiem generalskiego sprzysiężenia?

– Był, był – szybko odpowiada Stroop. – Tylko wykazał więcej sprytu w działaniach spiskowych niż Canaris. Nie zostawiał śladów na papierze. Z von Klugem zetknąłem się bezpośrednio.

– Gdzie? Na froncie wschodnim? – pyta Schielke i dodaje: – Kluge był przecież dowódcą słynnej czwartej armii, która wzięła udział w pierwszym uderzeniu na Związek Radziecki. Za te sukcesy Hitler mianował go generałem-feldmarszałkiem. Na wschodzie dostał również Rycerski Krzyż Żelaznego Krzyża i objął dowództwo Grupy Armii „Środek". Był pupilkiem Hitlera.

– No! Pupilkiem to nie – przerwał Stroop.

– Jak to nie pupilkiem? – upiera się Schielke. – Tylko pupilkowi daje się najwyższe premie pieniężne i majątki ziemskie. A von Kluge dostał od Führera chyba z milion Reichsmarek.

– Głupstwa pan mówi. – Stroop zły, nie daje wygadać się Schielkemu. – Von Kluge otrzymał, myślę, około 400 tysięcy marek nagrody. Z tej sumy kupił sobie nieduży majątek ziemski na Śląsku.

Stroop zaczął skrupulatnie opowiadać życiorys Klugego.

– Von Kluge pochodził z prowincji poznańskiej, jak Erich Ludendorff. Jego ojciec, oficer kajzerowskiej armii, zwykły sobie Kluge, pod koniec życia generał-major artylerii został (wraz z synem, porucznikiem, właśnie naszym Güntherem) uszlachcony przez Wilhelma II. Stąd feldmarszałek III Rzeszy von Kluge, szlachecki neofita, starał się dorównać we wszystkim tym generałom, których nobilitacja sięgała dawnych wieków. Odbiło się to na jego mentalności. Ostrożny, ciągle lawirował, aby nikomu się nie narazić. Kartę służby wojskowej miał ładną, nie powiem. Przed dojściem NSDAP do władzy był dowódcą artylerii III Korpusu w Berlinie. Później...

– Po co nam ten Dienstlaufbahn[9] Klugego? – niecierpliwi się Schielke.

Stroop odpowiada:

– Warto przecież wiedzieć, dla charakterystyki feldmarszałka, że wszystkie poważne awanse, zaszczyty i honory von Kluge zawdzięczał Adolfowi Hitlerowi. Bo do stycznia 1933 był tylko pułkownikiem. W dwa tygodnie po słynnych wyborach w naszym Lippe został generałem-majorem, w rok później – generałem-leutnantem, po kilkunastu miesiącach – generałem artylerii, a w lipcu 1940 – generałem-feldmarszałkiem.

---

[9] Dienstlaufbahn (niem.) – przebieg kariery służbowej.

– Ciekawy jestem, skąd się pan, policjant, tak dokładnie orientuje w aktach personalnych wehrmachtowca von Klugego?
– Poznałem go i przeprowadziłem z nim dwie rozmowy w 1944 roku, w sierpniu. Ale przedtem zanalizowałem jego życiorys nadesłany mi samolotem z archiwum SS-Reichsführera w Berlinie...
– Rozumiem. Mieliście podejrzenia, więc go obserwowaliście – mówię. – Wiemy, że von Kluge był „zamieszany" w spisek generalski. Gdyby nie to, że powszechnie wiadomo o samobójczym zgonie von Klugego (podobno się otruł), to bym dzisiaj podejrzewał, że pan, Herr General, osobiście powiesił go na rzeźniczym, ostrym haku za żebro – dodałem dość pogodnym tonem, choć temat był nie do zniesienia dla normalnego człowieka. Ale więzień nie jest normalnym człowiekiem.
Stroop się obraził i zamilkł. Potem zaczął świstać, popatrywać w okno i przygładzać śliną skronie. Wyraźnie pragnął wyrzucić z siebie zasób informacji o sprawie von Klugego. Wreszcie, chyba po pół godzinie, zaczął tonem obojętnym, ale bardzo grzecznym:
– Von Kluge był wtedy naczelnym dowódcą (OB)[10] frontu zachodniego. Objął to stanowisko po feldmarszałku von Rundstedcie, odwołanym 31 czerwca 1944. Przed wyjazdem na front Kluge długo rozmawiał w Obersalzbergu z Adolfem Hitlerem, który w ciągu chyba dziesięciu dni wtajemniczał go w położenie, w swoje plany polityczne i strategiczne, ujawniał wszelkie poufności wojny itd. Uważa się powszechnie, że von Kluge, przez Führera nauczony i przekonany, pojechał jako „jego człowiek" robić porządek na froncie zachodnim i realizować ustalone plany. Ale takie mniemania i opinie oparte są na nieznajomości stanu faktycznego. Kluge nabrał Adolfa Hitlera, oszukał, wkradł się w jego łaski, dowiedział się wszystkiego, a potem zdradził. On, panowie, zdradził Führera i III Rzeszę!
Jesteśmy zaskoczeni.
– Jeśli takie zarzuty stawia pan von Klugemu, to niech pan opowiada wszystko, nawet o drobiazgach – proponuję. – Teraz rozumiem, że pan, oberszef policji i kontrwywiadu SS w Rhein-Westmark,

---

[10] OB – Oberbefehlshaber (niem.) – Naczelny Dowódca.

prowadził na rozkaz Himmlera śledztwo przeciwko Klugemu. Jak ono przebiegało?

– Kluge był od początków lipca 1944 roku naczelnym dowódcą frontu zachodniego, a po ciężkim poranieniu Rommla musiał również dowodzić osobiście Grupą Armii „B", która trzymała w Lotaryngii znaczną część etapów i nawet odwodów. Lotaryngia wchodziła w skład mojego Bereichu. Ponadto Rhein-Westmark był najbliższym zapleczem wojsk Rommla. Dlatego SS-Reichsführer zlecił mi zajęcie się sprawą podejrzanych działań obu tych wyższych dowódców.

– Okazało się – Stroop opowiada dalej – że rola feldmarszałka von Klugego nastręczała mnóstwo wątpliwości, i to od samego początku jego dowodzenia na Zachodzie. Po prostu nie wykonywał dyrektyw i rozkazów Adolfa Hitlera. Führer kazał np. walczyć jakiejś dywizji do upadłego i nie oddać ani piędzi ziemi. Kluge po pewnym czasie wycofywał dywizję bez pozwolenia naczelnego wodza.

– A może von Kluge miał rację – replikuję – bo znał położenie z bezpośredniego realizowania operacji, a nie zza biurka odległej kwatery głównej. Nie chciał pewno dopuścić do zbyt dużych strat w ludziach, sprzęcie i broni.

– Kluge nie wypełniał rozkazów Führera – Stroop powtarza z naciskiem. – Ale jest stokroć ważniejsze, że brał pośredni (a według mnie bezpośredni, choć bardzo zatajony) udział w mafijnym przygotowywaniu zamachu stanu w III Rzeszy, w usiłowaniu mordu na Adolfie Hitlerze. On jeszcze na froncie wschodnim pozwalał na próby uśmiercenia Führera. Takich prób było (jak się później dowiedzieliśmy) s i e d e m. Jeśli idzie o ostatni zamach, o bombę zegarową Stauffenberga, to Kluge wiedział o wszystkim. Przyjmował wysłanników generała Becka oraz generałów Olbrichta[11] i Ostera, a także feldmarszałka von Witzlebena. Korespondował z „przyszłym kanclerzem" drem Gördelerem, znał się dobrze z admirałem Canarisem. Stale konferował na tematy spiskowe z Rommlem. Kluge łączył dużą inteligencję, błyskotliwość, spryt i przytomność umysłu z ostrożno-

---

[11] Friedrich Olbricht (1888–1944), generał niemiecki, szef sztabu i zastępca dowódcy Armii Rezerwowej w latach 1940–1943, czołowy przywódca antyhitlerowskiej opozycji w armii, aresztowany i rozstrzelany 20 lipca 1944 r.

ścią i wręcz polską umiejętnością maskowania się i konspirowania. Wszystko to się w końcu wydało.

– W sierpniu 1944 nie miał pan chyba na to dowodów, co najwyżej dysponował pan poszlakami.

– Trochę ma pan racji, Herr Moczarski. Ale posiadaliśmy dowody jeszcze cięższych zbrodni Klugego.

– Zbrodni?

– Tak, zbrodni. I to najwyższego rzędu. Bo cóż może być wstrętniejszego od pertraktowania głównego dowódcy frontu z nieprzyjacielem, w tajemnicy przed naczelnym wodzem, przed Adolfem Hitlerem.

– Czy pan nie koloryzuje?

– Skądże? Zaraz panom wszystko opowiem. Otóż von Kluge w pełnym toku walki nawiązał kontakt z Anglikami. Mianowicie zgodził się na pertraktacje w tak „niewinnej" sprawie, jak wymiana niektórych rannych jeńców, personelu kobiecego (pielęgniarek i „Blitzmädeln") oraz zwłok poległych wyższych oficerów. Zapoczątkowano pertraktacje drogą radiową. Kluge udawał, że on sam nie macza w tym palców; odkomenderował do tej tajnej akcji zaufanego pułkownika ze swego sztabu. Rozmowy radiowe, prowadzone w dalszych fazach specjalnym szyfrem (patrz pan! on miał wspólny szyfr z Anglikami!), przekształciły się w kontakty bezpośrednie parlamentariuszy! To znaczy, na jakimś odcinku bojowym przerywano obustronnie ogień i nasz oficer szedł, pod osłoną białej flagi, do placówek wroga – na konszachty przy koniaku lub whisky!

– Von Kluge przejawiał zmysł humanitaryzmu, respektował cele i zasady Czerwonego Krzyża – wtrąciłem.

– Tak, tak! On był „humanitarny", ten lis, inteligent, esteta! – drwił Stroop. – Ale mówiąc poważnie, natrafiliśmy w tajnym postępowaniu przeciw Klugemu na ślady pozwalające przypuszczać, że należał od czasów porucznikowskich do wolnomularstwa.

– Ludendorff również pochodził z Poznania i również jako młody oficer był członkiem wojskowej loży masońskiej. Wynika to z jego opublikowanych pamiętników – wtrąciłem.

– Lecz generał Ludendorff zerwał z wolnomularstwem, a Kluge przez całe życie trzymał się (według informacji SD z roku 1944) masonerii. Nie wykluczam, że pertraktacje o wymianę rannych były zainspirowane przez wywiad angielski przy pomocy angielskich wolnomularzy (tzw. szkotów).

– Jedynie te wspólne szyfry z Anglikami – włącza się Schielke – byłyby obciążeniem von Klugego, ale to pewnie wymysły p r o w o-k a t o r ó w od Kaltenbrunnera.

Stroop nie zareagował na „prowokatorów" i pospiesznie mówił:

– Kluge poszedł jeszcze dalej. Wymiana jeńców to nie byłoby nic szczególnie groźnego, mimo że Adolf Hitler ostro zabraniał wymiennych kombinacji w czasie walk frontowych (cóż to bowiem za wspaniała okazja dla wroga do penetracji wywiadowczej!). Kluge pertraktował do ostatniej chwili, pomimo fiaska zamachu Stauffenberga, o zawarcie separatystycznego pokoju z Anglosasami i Francuzami na zachodnim froncie.

– Czy o zawarcie pokoju, czy o krótkotrwałe zawieszenie działań bojowych? – pytam, coraz bardziej zaciekawiony.

– Zawieszenie działań miało być pierwszą fazą. Wojsko, uwolnione od ciężkich walk i nalotów bombowych, objęłoby pełną władzę na obszarach frontowych oraz na terytoriach p a s a r e ń-s k i e g o. Kluge stanąłby (jako głównodowodzący zbuntowanej, wielkiej armii) na czele tego wojskowo-politycznego organizmu. Pełniłby również funkcje swoistego namiestnika Rzeszy dla terenów, które miałby w swej wojskowej garści. Potem mieli przystąpić do Klugego inni generałowie oraz pozostali przy życiu opozycyjni i półopozycyjni politycy. Adolfa Hitlera zaaresztowano by albo zabito, Heinricha Himmlera także. Anglicy typowali na członków tego samozwańczego rządu lub komitetu „wyzwolenia Niemiec" starych polityków typu Adenauera oraz liberałów i socjaldemokratów.

– Zdaje się, że pan nam bujdy zasuwa – wyrywa się Schielke. – Nigdy o tym nie słyszałem, nawet w formie plotek.

– Jak pragnę życia i zdrowia mojego Olafa, mówię tylko to, czego się dowiedziałem z najtajniejszych informacji, dostarczanych przez SS-Reichsführera, oraz z osobistych przeżyć. Przecież to mój urząd w Wiesbadenie, a właściwie ja sam (z zastępcą mojego szefa sztabu oraz z dowódcą służby SD w Bereichu) prowadziłem na miejscu, w Lotaryngii, całą tę delikatną sprawę.

– A zaczęło się wszystko w dniu opuszczenia przez Rommla stanowiska dowódcy Grupy Armii „B" (17–18 lipca 1944). Zatelefonował Heinrich Himmler i kazał nie opuszczać Wiesbadenu oraz przygotować się do ważnego zadania. Nie podawał szczegółów (widać bał się ewentualnego podsłuchu na linii telefonicznej; wehrmachtowcy mieli sprytnych fachowców od łączności kablowej). Polecił, żebym czekał na zaszyfrowany rozkaz teleksowy. Gdy depesza nadeszła, sam ją szybko odszyfrowałem na specjalnej maszynie. Zbaraniałem, czytając, że idzie o Rommla i Klugego, ale natychmiast wziąłem się do roboty. Wkrótce przywieziono mi samolotem tajną teczkę z życiorysami, dokumentami, meldunkami i opracowaniami.

Stroop chwilkę odsapnął (Schielkemu błyszczały oczy z ciekawości, mnie chyba także) i dalej relacjonował:

– W tę sytuację wtłoczył się zamach 20 lipca. Nie będę opisywał moich perypetii w tym dniu i w następnych. Wojsko nas nie zaaresztowało, bo w Bereichu aktywnych spiskowców było niewielu. Co prawda, nie spałem kilka dni w mojej willi, a i żona z dziećmi była nieobecna. Dopiero późną nocą z 20 na 21 lipca dotarł rozkaz SS-Reichsführera o mianowaniu mnie szefem armii rezerwowej w XII Wehrkreisie i o nadzwyczajnej akcji śledczej. Zajęci byliśmy spiskowcami oraz ich ewentualnymi zwolennikami. Na wszelki wypadek wielu podejrzanych i potencjalnych opozycjonistów kazałem przetrzymać w aresztach.

– Ale nie zapomniałem o feldmarszałku Kluge. Obserwowało go stale trzech agentów najwyższej klasy, wojskowych. Na wieść o zamachu na Adolfa Hitlera, von Kluge zakazał bombardowania Anglii pociskami rakietowymi „V1". Ale sprytnie tę decyzję umotywował: zniszczone wyrzutnie, niewypróbowane nowe urządzenia, brak dostaw z głębi kraju, bombardowania przez aliantów. Mimo zaognionej sytuacji, wstrzymywaliśmy się z powzięciem wobec niego ostatecznych kroków.

– A może w „zaognionej sytuacji" bał się pan osobistych niepowodzeń i ewentualnych konsekwencji? – pytam i patrzę wprost w oczy.

Stroop się zmieszał, głowę opuścił, ale nie zareagował. Po chwili ciągnął dalej:

– Poza wstrzymaniem „V1" Kluge nic więcej nie zrobił w zakresie sprzysiężenia generalskiego. W przeciwieństwie do członków sztabu spiskowego, zorganizował sobie doskonale działający system łączności oraz informacji. To przecież Kluge powiadomił berlińską centralę spisku (generała Becka), że Adolf Hitler uniknął śmierci. O tej rozmowie z Beckiem dowiedzieliśmy się daleko później. Widać, nasza sieć podsłuchu telefonicznego nie najlepiej wówczas funkcjonowała.

– Po klęsce spiskowców von Kluge (doskonały aktor) nie dał po sobie znać, że go to obeszło! Dowodził, jak dawniej: sprężyście, precyzyjnie i autokratycznie. Oraz (pozornie) z wielką lojalnością wobec Adolfa Hitlera, którego od roku 1942 nienawidził. Jednak cały czas utrzymywał tajny, radiowy kontakt z Anglikami pod pozorem wykonywania międzynarodowej konwencji o Czerwonym Krzyżu.

*

Na pytanie, co się mogło Hitlerowi nie podobać w operacjach wojennych von Klugego, Stroop odpowiedział mniej więcej tak (relacjonuję jego słowa):

Von Kluge przewidywał niebezpieczeństwo okrążenia i odcięcia piątej armii pancernej i siódmej armii polowej w rejonie Avranche--Falaise. Przeciwdziałał tej groźbie, jak mógł, pragnąc realizować błyskawiczny manewr. Proponował, a właściwie żądał od Hitlera, aby natychmiast ściągnąć obie te armie za Sekwanę, przy jednoczesnym wycofywaniu Grupy Armii „G" z południowego-zachodu i południa Francji. Siły Grupy Armii „G" wraz z wycofującą się na północy Grupą Armii „B" powinny – według przekonania von Klugego – stworzyć nową linię obronną opartą na południu o granicę szwajcarską.

Von Kluge wielokrotnie ponawiał żądania. Nie mając przez kilka dni odpowiedzi z kwatery głównej Hitlera, rozkazał na własną odpowiedzialność, aby piąta armia rozpoczęła odwrót, osłaniany przez siódmą armię. Hitler zmuszony był zatwierdzić ten rozkaz, ale rozwścieczył się na „pesymistę" von Klugego.

Gdy po 2–3 dniach von Kluge ponowił swe poprzednie wnioski o realizację manewru odwrotowego w wielkim stylu (od południa do północy teatru wojny na Zachodzie), Hitler zdjął go ze stanowiska naczelnego dowódcy frontu „West". Było to 15 sierpnia 1944. W nocy z 15 na 16 sierpnia von Klugego zastąpił feldmarszałek Walter Model[12], „impulsywny, brutalny, przysadzisty, o kwadratowej szczęce – mówił Stroop – nieposzlakowany nacjonal-socjalista, legendarny bałaganiarz, ale i legendarny zuch".

*

– 16 sierpnia rozpocząłem action directe przeciw Klugemu – stwierdził Stroop. – Dzień przed tym Heinrich Himmler zawiadomił mnie, że Führer odwoła w ciągu kilkunastu godzin Klugego z dowodzenia frontem. Zdjęliśmy Klugego dosłownie w ostatniej chwili...

– Co to znaczy „zdjęliśmy"?

– „Zdjęliśmy" oznacza w żargonie policyjnym: zaaresztowaliśmy. Więc zaaresztowaliśmy go w samochodzie wraz z dwoma sztabowcami. Właśnie wyjeżdżał na ostateczną rozmowę z Anglikami. Miało to być pierwsze osobiste spotkanie Klugego i przedstawicieli Wielkiej Brytanii, poprzedzone przygotowaniami radiowymi oraz akcją parlamentariuszy, o czym już opowiadałem – zrelacjonował Stroop.

– Gdybyśmy się spóźnili z tym aresztowaniem, to mogłoby dojść do Bóg wie czego, Kluge na pewno zostałby politycznym i wojskowym władcą „zachodnioniemieckiego państwa r e ń s k i e g o", a potem całej III Rzeszy.

– Kluge był w czasie zatrzymania zupełnie zaskoczony, ale (jak to on) spokojny i opanowany. Udawał zdziwienie i oburzenie, bo nie wiedział, że Heinrich Himmler miał od dawna osobistą wtyczkę wśród najwierniejszych Klugemu sztabowców. Ta wtyczka podała wszystkie dane o terminie wyjazdu Klugego na zawarcie układu z Anglikami.

– Co pan zrobił z von Klugem?

– Zawiozłem go do przygotowanej kwatery na terenie mego Bereichu, do Dombasle sur Meurthe w Lotaryngii, 16 kilometrów od Nancy. Traktowaliśmy go z wyszukaną kurtuazją i honorami należnymi niemieckiemu generałowi-feldmarszałkowi, którego wojska stanęły przecież aż pod samą Moskwą. Najpierw ja z nim roz-

---

[12] Walter Model (1891–1945), feldmarszałek niemiecki, dowódca Grupy Armii „Mitte" („Środek") w 1944 i Grupy Armii „B" w latach 1944–1945, popełnił samobójstwo 21 kwietnia 1945 r.

mawiałem w cztery oczy. Przedstawiłem swoje pełnomocnictwa od Heinricha Himmlera, a następnie podałem w skrócie zarzuty. Prosiłem (tak! tak! prosiłem uprzejmie) o udzielenie na nie odpowiedzi dla Adolfa Hitlera i SS-Reichsführera, który był wtedy głównodowodzącym Armii Rezerwowej III Rzeszy. Kluge zaczął się śmiać, twierdząc, że wszystkie zarzuty są bzdurą, wyssaną z palca „intrygantów oraz imbecyli" (tak dosłownie powiedział). Przekonywałem go, jak mogłem i umiałem. Potem odmeldowałem się. Ale dałem do zrozumienia, że może mieć trudną sytuację. Radziłem namyślić się.

– W ciągu następnych dni maglowali go moi dwaj sztabowcy oraz specjalny wysłannik SS-Reichsführera. Porozumiewałem się cały czas z Heinrichem Himmlerem, który (mimo że był piekielnie zajęty setkami ważnych spraw) udzielał wskazówek, informacji i rad.

– 19 sierpnia, wczesnym rankiem, odbyłem drugą rozmowę z von Klugem. Ale już byłem twardy. Oświadczyłem, że ma do wyboru: popełnić samobójstwo lub stanąć przed trybunałem ludowym. A Kluge na to, że go nie obchodzą nasze „bezczelne propozycje". Używałem wielu argumentów, przedstawiałem dowody przeciwko niemu, mówiłem o patriotyzmie niemieckim i tradycjach generalskich jego rodziny. A on – nic. Uśmiechał się i od czasu do czasu rzucał kilka zdań tonem autorytatywnym. Jego krótkie sformułowania były niesłychanie logiczne. Nie mogłem sobie dać z nim rady. Zostawiałem nabity pistolet w pokoju i wychodziłem. Myślałem, że popełni Selbstmord. Po piętnastu minutach wracałem. W końcu zabrałem broń, a na stole postawiłem szklankę wody oraz truciznę.

– Wszystko bez rezultatu. Nie ugiął się. Napisał tylko list do Adolfa Hitlera. Wbrew opiniom, jakie znalazłem w tajnej teczce personalnej von Klugego (założonej w osobistej kancelarii SS-Reichsführera), feldmarszałek nie miał inteligencko-szlacheckich cech mięczaka. Szedł „w zaparte"[13] na całego, jak mówią w Polsce.

Tu Stroop przerwał i zajął się porządkowaniem swoich rzeczy. Po kilkunastu minutach spytałem:

– I jak się skończyło?

---

[13] Te słowa powiedział Stroop po polsku – przyp. aut.

Stroop początkowo nie odpowiadał. Gdy ponowiłem pytanie, powiedział, wyraźnie się ociągając:

– A jednak znalazł się w końcu na podłodze, na pięknym dywanie, z dziurą w głowie...

– Zamordowaliście go!!! – krzyknąłem.

Schielke nagle zbladł.

Stroop nic nie mówi, tylko bierze swą Biblię do ręki i podnosi oczy w górę. Stoi tak około minuty. Obraca się do okna, poprawia fotografie rodzinne, kładzie Biblię na stoliku i głaszcze piórko kraski ze smugą błękitu. Schyla się po miotełkę i śmietniczkę. Sprząta i po jakimś czasie, dość długim, mówi, jak gdyby tamtych wynurzeń nie było:

– Heinrich Himmler w rozmowie telefonicznej kazał mi wysłać do swej kwatery głównej raport, że Kluge wsiadł we Francji do samolotu, którym miał polecieć do Adolfa Hitlera, i przed samym startem popełnił samobójstwo.

✳

Po wyjściu z więzienia przejrzałem sporo książek, prac naukowych i doniesień historycznych, w których znajdują się fragmenty poświęcone von Klugemu. Źródła radzieckie, niemieckie, francuskie, amerykańskie, polskie, mówią o s a m o b ó j s t w i e von Klugego.

Rzadko kto uwzględnia możliwość „porozumiewania się von Klugego z przeciwnikiem", ale czyni to generał Guderian we *Wspomnieniach żołnierza*[14].

Fachowa literatura brytyjska jest powściągliwa. Alan Bullock (*Hitler. Studium tyranii*) podaje wersję samobójstwa von Klugego i powtarza niesprawdzoną pogłoskę, że podobno Hitler obawiał się, iż „próbuje on nawiązać rokowania z aliantami na temat kapitulacji"[15]. Myślę, że nie należy chyba być tak powściągliwym w 30 lat po SS-owskim mordzie na feldmarszałku Güntherze von Kluge.

---

[14] Heinz Guderian, *Wspomnienia żołnierza*, wyd. 2, Wydawnictwo Bellona, Warszawa 1991, s. 265.

[15] Alan Bullock, *Hitler. Studium tyranii*, op. cit., s. 598.

XXIV. WERWOLF – OSTATNI SZANIEC

W ostatnich miesiącach pobytu w Wiesbadenie zwiększyło się tempo działań Stroopa. Od czerwca 1944 miał nieograniczoną w praktyce władzę na terenie Bereichu (przypominam: Westmark z Lotaryngią, Hesja-Nassau i Moselland z Luksemburgiem). Żadne ważne zdarzenie nie odbywało się bez jego bezpośredniego lub pośredniego udziału.

*

Stroopowi imponowało uzbrojenie i wyposażenie nacierających aliantów. Wielokrotnie opisywał „stada" czy „chmury" samolotów, które atakowały jego obszar. Opowiadał o frontowych bombardowaniach tak wyraziście, że nam, słuchaczom, udzielało się jego przerażenie sprzed wielu lat.

Któregoś dnia relacjonował akcję desantową Amerykanów przez Ren.

– Wschodni brzeg rzeki obsadzili spadochroniarze niemieccy. Grzmiała artyleria aliancka. Lotnictwo bombardowało metr po metrze. Później eskadra kilkuset samolotów i holowanych szybowców przetransportowała na nasze tyły alianckich spadochroniarzy. Setki „Liberatorów" zataczało kręgi nad przerzuconymi oddziałami, zrzucając ciężką broń, amunicję i prowiant. Jednocześnie zmasowany ogień dział przydusza naszych, okopanych na wschód od rzeki. Ziemia dygoce od ciężkich pocisków, bomb i rakiet.

Wreszcie obrońcy prawego brzegu Renu – opowiada Stroop – ujrzeli najnowsze barki desantowe (wyposażone w ogromną siłę ognia); wiozły one czołgi i wozy pancerne. Widziałem tam barki z wyrzutniami; każda wyrzutnia mogła wystrzelić tysiąc pocisków rakietowych. Przez Ren szedł taran, wobec którego byliśmy bezbronni. A co się działo na bliskich tyłach reńskiego frontu, w Bereichu? Piekło, ale piekło uporządkowane przez bezwzględnego Stroopa.

– Mimo bombardowań, pożarów, fatalnej komunikacji, braku opału, szyb i żywności, ludność pracowała w zakładach produkcyjnych, nie buntowała się...

– Ponosiliśmy wielkie straty – wtrącił Schielke.

– Tak. Trupów niemało. Lecz trudności z grzebaniem nie było, gdyż powołaliśmy nowy typ jednostek pogrzebowych.

✻

– Do którego dnia przebywał pan w Wiesbadenie? – pytam któregoś dnia.

– Do 24 marca 1945 – odpowiada Stroop. – Przeniosłem wtedy biura wyższego dowódcy SS i policji z Wiesbadenu do zamku Kranzberg koło Usingen. Ale ostatni raz znalazłem się w Wiesbadenie 26 marca, musiałem bowiem sprawdzić, czy wszystkie akta mego urzędu zostały wywiezione lub spalone oraz czy urządzenia radiowe, teleksowe i telefoniczne całkowicie zdemontowano lub zniszczono.

– Wiemy, jak długo palą się dokumenty. A wyście pewno mieli ich bardzo dużo i to poukładanych w skoroszyty – wtrącam. – Jaką metodę pan zastosował, żeby być pewnym, iż archiwa zostały zniszczone?

– Jeden z podwładnych oficerów SS, z wykształcenia technik, a z powołania wynalazca, zaprojektował i skonstruował piec do błyskawicznego zwęglania dokumentów. Dodatkowe urządzenie mieszało masę spalonych papierów, która przy pomocy strumienia wodnego spływała do kanałów miejskich. Właśnie po ponownym przyjeździe do Wiesbadenu, 26 marca, nakazałem wysadzić piec w powietrze.

– Jak daleko był front aliancki w dniu ewakuacji z Wiesbadenu i która armia atakowała ten odcinek? – pytam.

– Na Wiesbaden i Frankfurt natarła z impetem III Armia amerikańska generała Pattona. George Patton znany był z ryzykanctwa, szybkich decyzji i umiejętności zaskakiwania. Umiał wyrywać się do przodu. To kowbojska dusza ten Patton.

– Panie! Co za siła! – ciągnie Stroop. – Ile samochodów, artylerii, czołgów, wozów pancernych! Jacy rośli i uzbrojeni po zęby żołnierze! Sytuacja tak nabrzmiała, że już 27 marca musiałem się wycofać ze sztabem do Strebendorfu, a po kilku godzinach zniszczyć tajne dokumenty. Miałem w dalszym ciągu masę roboty. Organizowałem punkty zborne dla maruderów, dezerterów i zabłąkanych żołnierzy. Uaktywniliśmy pomoc społeczną dla miejscowej ludności. Po naradzie ze Sprengerem, Gauleiterem Hesji-Nassau, zwolniłem wszystkie kobiety z podległych mi jednostek.

– Tościе pozbyli się maszynistek? – pyta Schielke. – Ani jedna blond Venus nie towarzyszyła panu w czasie ucieczki?

Stroop się oburzył:

– Opowiadam o tragicznych chwilach Rzeszy, Herr Schielke, a pan takie głupstwa!

1 kwietnia Stroop udał się autem w dość daleką podróż na północ, aż do Brunszwiku. Wziął z sobą żonę i dzieci. Odbył tam rozmowę z wyższym dowódcą SS i policji SS-Obergruppenführerem Quernerem[1]. Myślę, że chodziło o decyzję, w jakim kierunku udać się w dalszą podróż ewakuacyjną. Czy przedzierać się na północ do Szlezwigu (gdzie zmierzał Himmler), czy do Bawarii i Alp. Stroop wybrał południe, gdyż tam (według niego) zamierzono zorganizować „twierdzę oporu do ostatniej kropli krwi".

4 kwietnia Stroop znajduje się w Goslar.

– Nasze auta były po drodze ostrzeliwane przez samoloty alianckie. Bałem się wtedy bardzo o losy rodziny.

Chociaż Stroop nigdy nie chciał wyraźniej na ten temat powiedzieć, to przypuszczam, że właśnie w Goslar zostawił żonę, córkę i syna. Mógł ich odesłać – myślę – do zaprzyjaźnionego domu w okolicy, a może do rodzinnego Detmoldu.

8 kwietnia wycofał się (on się zawsze „wycofywał", a nie uciekał) do Pottenstein koło Norymbergi. Stamtąd jeździł do wielu miej-

---

[1] Rudolf Querner, SS-Obergruppenführer, Wyższy Dowódca SS i Policji (HSSPF) w Wiedniu, następnie w Brunszwiku.

scowości (między innymi do Monachium). „Odwiedzał" wyższych oficerów SS, odbywał narady, uzgadniał postępowanie, planował. Ale w istocie umykał na południe w lęku przed obcymi wojskami, które wdzierały się od wschodu i od zachodu, rozdzielając armię hitlerowską na grupy: północną i południową. Do tej południowej części dążył Stroop jak do ziemi obiecanej. Myślał, że tam bezpieczniej i że w alpejskich „okopach Świętej Trójcy" bronić się będą „aż do zwycięstwa".

*

W potwornym zamieszaniu i bałaganie wojennym, w zamęcie klęski dotarła do Stroopa depesza teleksowa, w której wzywano go do Berlina, do raportu u Himmlera. Mimo specjalnych znaków na czarnym „horchu", dających pierwszeństwo w ruchu drogowym, Stroop długo jechał do stolicy. Zameldował się w Dienststelle Persönlichen Stabes Himmlera w Berlinie przy Kaiserallee, gdzie zakomunikowano mu, aby się stawił 14 kwietnia u Himmlera w specjalnym pociągu koło Prenzlau, jakieś 120 kilometrów na północ od Berlina.

Niecałe trzy dni Stroop spędził w Berlinie. Był świadkiem potężnych bombardowań, pożarów. Stolica Rzeszy dogorywała.

– 14 kwietnia 1945 odbyłem ostatnią w życiu rozmowę z SS-Reichsführerem. Heinrich Himmler nie najlepiej wyglądał. Miał oczy zmęczone, ale ręce zawsze wypielęgnowane i wymanicurowane paznokcie. Przyjął mnie nadzwyczaj serdecznie. Pytał o rodzinę, o zdrowie, kazał raportować o wszystkich zajściach w Wiesbadenie. Pogratulował sukcesu w sprawie von Klugego. Przedstawił elementy sytuacji militarnej i politycznej. Z niechęcią mówił o Bormannie. Dawał do zrozumienia, że Adolf Hitler zachowuje się „dziwnie" i że nie jest wykluczona choroba Führera. W końcu zaproponował, abym wszedł do jego osobistego sztabu i ewentualnie pojechał z nim na północ w kierunku Lubeki, a potem Danii.

– I wtedy po raz pierwszy w życiu nie zgodziłem się z SS-Reichsführerem. Wyraziłem pogląd, że tymczasem, w okresie chwilowych niepowodzeń, należy organizować, do czasu użycia nowej broni, centralny punkt oporu w niemieckich Alpach.

– Heinrich Himmler zapytał, czy wierzę, że III Rzesza wygra wojnę. Odpowiedziałem z całym przekonaniem, że tak. Jasne bowiem, że germańskiego ducha, wyzwolonego przez myśl i czyn Adolfa Hitlera, nic nie zdoła przezwyciężyć. Heinrich Himmler zgodził się ze mną. Ale ponowił sugestię, żebym w tych kłopotliwych chwilach znajdował się przy nim. Wtedy użyłem następującego argumentu: „Czy mam, wchodząc w skład ścisłego sztabu SS-Reichsführera, pozostawić na pastwę losu tych braci z SS oraz kilkuset młodych bojowców z Werwolfu, którzy z mojego rozkazu jadą w Alpy bawarskie i austriackie dla zorganizowania narodowosocjalistycznego szańca III Rzeszy?".

– Ta motywacja przekonała Heinricha Himmlera. Łzy pokazały mu się w oczach. Uściskał mnie serdecznie, pogratulował germańskiego charakteru i powiedział mniej więcej tak: „Jeżeli tysiącletnia Rzesza ma takich żołnierzy Adolfa Hitlera jak ty, mój kochany Jürgen Stroop, to nigdy nie zginie!!".

A Schielke na to:

– Pan okazał wielki spryt, Herr General. Bo przecież lepiej było przedzierać się na południe w górskie, bezpieczniejsze tereny niż towarzyszyć Himmlerowi. A zresztą Himmler pana też bujał. Daleko wcześniej zaczął nawiązywać kontakty z aliantami.

Stroop udał, że nie słyszy, i ciągnął:

– Heinrich Himmler dał mi pełną swobodę działania, wiele sytuacji wyjaśnił i udzielił rad w zakresie uruchamiania Werwolfu. Otrzymałem od niego specjalną instrukcję, którą przekazałem wszystkim wyższym dowódcom SS i policji w południowych Niemczech. Głównym elementem tej instrukcji była opinia, że (mimo chwilowych poważnych trudności) Niemcy mogą jeszcze wygrać i na pewno wygrają wojnę.

– Następnego dnia wróciłem do Pottenstein i zaraz pojechałem do Turyngii, gdzie znajdował się doktor Trummler. Poinformowałem go o poglądach i decyzjach Heinricha Himmlera oraz pomagałem w przygotowaniach linii oporu w tym rejonie. Dr Trummler okazał się wspaniałym organizatorem jednostek wojskowych (złożonych częściowo z cywilnej ludności) i kierownikiem robót fortyfikacyjnych. Wkrótce wycofałem się do Bawarii, gdzie przeprowadziłem narady z dowódcami SS najwyższych szczebli. Pojechałem do Augsburga, Monachium i Dachau. Poza obozem koncentracyjnym (o którym wszyscy wiemy) znajdował się w Dachau ważny ośrodek SS. W czasie rozmów ustaliliśmy plany ostatecznego zorganizowania obronnej twierdzy SS w Alpach. Zgodnie z tym porozumieniem, pojechałem autem do Lindau nad Jeziorem Bodeńskim.

– Pewnie pan szukał w Lindau możliwości względnie łatwej ucieczki do Szwajcarii – wtrącił Schielke. – O ile wiem, to Szwajcaria nie wydawała przestępców wojennych, jeśli posiadali spory zapas twardych walut.

W celi wybuchła straszna awantura.

*

Po kilku dniach znów rozmawialiśmy o końcowych miesiącach wojny. Zapytałem Stroopa:

– Co pan miał wspólnego z Werwolfem, o którym pan mówił w Prenzlau u Himmlera?

– Zorganizowałem oddziały Werwolfu w Rhein-Westmark na jesieni 1944 roku i miałem na tym polu pewne sukcesy.

Stroop mnie bardzo zaciekawił. Zawsze interesowałem się hitlerowską konspiracją niemiecką, o której wieści dochodziły w ostatnich latach wojny. Prosiłem, żeby możliwie dokładnie opowiedział, co wie o Werwolfie i jak montował konspirację na swoim terenie.

– Pierwsze pogłoski, ściśle poufne, o przygotowywaniu jakiejś organizacji konspiracyjnej – relacjonował Stroop – dobiegły do mnie zimą 1943 roku po przyjeździe do Wiesbadenu. Nie przywiązywałem do nich większej wagi, gdyż uważałem to za nieprawdopodobne plotki. Dopiero we wrześniu 1944 roku SS-Oberstgruppenführer Hans Adolf Prützmann poinformował mnie (odebrawszy przed tym specjalną przysięgę), że przygotowuje się ogólnoniemiecką organizację konspiracyjną pod nazwą Werwolf[2]. Według określenia generała Prützmanna, miała to być „organizacja powstała z ducha narodowosocjalistycznego Wielkiej Rzeszy". Projektodawcy przewidy-

---

[2] Werwolf (niem.) – wilkołak, postać z legend germańskich, człowiek zamieniony w wilka.

wali potrzebę tajnego związku w przypadku, gdyby Niemcy znalazły się pod okupacją. Żołnierze i cywile, SS-owcy i bezpartyjni, chłopcy i dziewczęta (a nawet dzieci i kobiety) mieli być systematycznie szkoleni w sabotażach, w likwidowaniu przeciwnika oraz jego agentów, w zatruwaniu żywności i wody, w akcjach przeciwko transportowi wroga itd.

– Mam dwa pytania – przerwałem. – Pierwsze: kiedy powzięto inicjatywę założenia takiej organizacji? I drugie: kto stał na czele Werwolfu?

– O ile wiem, sama idea organizacji konspiracyjnej działającej w przypadku chwilowej okupacji części Niemiec narodziła się w końcu 1943 roku. W jakim kręgu ta myśl powstała, nie wiem. W skład inicjującej grupy wchodził SS-Oberstgruppenführer Prützmann. Od niego mam te informacje. Generała Prützmanna znałem dobrze od czasu mego pobytu na Ukrainie. Jak pamiętają panowie, pełniłem w roku 1942 funkcje inspektora do spraw zabezpieczenia budowy trasy strategicznej D-4 (Lwów–Rostów–Kaukaz). Kierownikiem tej gigantycznej inwestycji drogowej był właśnie Hans Adolf Prützmann, najwyższy dowódca SS i policji w Komisariacie Rzeszy Ukraina, którego sprowadził tam zarządca tego kraju, a jednocześnie nacjonal--socjalistyczny szef Prus Wschodnich, Erich Koch.

– Hans Adolf Prützmann – ciągnął Stroop – urodził się (jak mi kiedyś opowiadał) w 1901 roku nad Zalewem Wiślanym, w Tolkmicku...

– To z pewnością płynęła w nim krew słowiańska, jak w von dem Bachu-Zelewskim, którego matka mówiła bardzo dobrze po polsku i językiem tym posługiwała się od dzieciństwa na Mazurach, skąd pochodziła ich rodzina – włączył się do rozmowy Gustaw Schielke.

– Ma pan trochę racji – odpowiedział Stroop. – Babka generała Prützmanna także była Polką. Ale muszę dodać, że Prützmann, wielki patriota, miał charakter oraz intelekt, von dem Bach zaś był zwykłą świnią i zdrajcą, co się ujawniło na procesie norymberskim oraz w czasie świadkowania w Warszawie. Ale, wracając do generała Prützmanna, odpowiedzcie sobie sami panowie na pytanie, jakie on musiał przejawiać talenty, jeżeli został wyznaczony na naczelnego dowódcę przyszłej armii Werwolfu!

– Prützmann był wzorem w i e r n o ś c i. Należał do najstarszego kręgu, do rdzenia Alte Garde. Jego legitymacja SS-owska miała numer 3002, gdy Friedricha Krügera – ponad 6000, a moja – 44 611. W 40 roku swego życia Prützmann objął jedną z najbardziej odpowiedzialnych przed wybuchem wojny funkcji: wyższego dowódcy SS i policji w Królewcu. Później przeszedł na analogiczne stanowisko dla Litwy, Łotwy i Estonii z siedzibą w Rydze, a następnie (o czym już wspomniałem) dokonał wielkich prac na Ukrainie[3].

Nie przerywałem Stroopowi, gdy szczegółowo charakteryzował Prützmanna. Chciałem się bowiem dowiedzieć, kim był człowiek, którego przeznaczono na tak niezwykłe stanowisko.

– Generał Prützmann to jeden z najwybitniejszych dowódców i wychowawców Czarnego Korpusu – Stroop podniecił się. – Wykształcony. Wszechstronnie sprawny pod względem intelektualnym i fizycznym. Umysł twórczy. Siła charakteru. Zdecydowanie, pracowitość, upór oraz sprężystość organizacyjna. Powaga wewnętrzna przy młodzieńczym wyglądzie, a przy tym bezpośredniość i skromność w postępowaniu. Surowy i wymagający (przede wszystkim od siebie), lecz wyrozumiały. No! i cechowało go głębokie zrozumienie dalekosiężnych myśli Adolfa Hitlera oraz pasja realizacyjna celów NSDAP.

– Każda rozmowa z nim, czy odprawa służbowa, była przyjemnością. Wzbudzał zaufanie, wszyscy go szanowali, a prawie wszyscy lubili. Swoimi walorami imponował podwładnym, kolegom i nawet Adolfowi Hitlerowi oraz Heinrichowi Himmlerowi. Prützmann nie był związany z żadną grupą wewnątrzpartyjną. Mówiono, że jest „człowiekiem Gauleitera Ericha Kocha z Królewca". To nieprawda.

---

[3] Z odnalezionych przez dr. Szymona Datnera akt personalnych Hansa Adolfa Prützmanna wynika, iż podczas urzędowania na Ukrainie (do 28 sierpnia 1943 r.) ponosi on odpowiedzialność za 27 595 „zabitych nieprzyjaciół" (Feindtote) i przeszło 11 tysięcy „jeńców" (czyli cywilnych mieszkańców wysłanych do obozów koncentracyjnych) – patrz Sz. Datner, *Niemiecki okupacyjny aparat bezpieczeństwa w okręgu białostockim (1941–1944) w świetle materiałów niemieckich (opracowania Waldemara Macholla)*, „Biuletyn Głównej Komisji Badania Zbrodni Hitlerowskich w Polsce", t. XV, Warszawa 1965, s. 16.

Do Prützmanna pasowałoby tylko jedno określenie: człowiek Rzeszy Germańskiej, o duszy rycerza i najwyższej moralności, SS-owskiej. W praktyce był kierowniczą postacią na naszych wschodnich terenach.

– Co pan rozumie pod w a s z y m i wschodnimi terenami? – pytam.

Stroop odpowiada, po pewnym zreflektowaniu się:

– Myślę o tych obszarach, które leżą z obu stron linii Ryga- -Odessa. Tymi ziemiami zarządzał Hans Adolf Prützmann w latach wojny.

– Pan generał robi z Prützmanna jakiegoś półboga – odezwał się Schielke. – Że był zdolny i błyskotliwy, to fakt. Pracowało się pod nim przyjemnie, bo nie puszył się i rozumiał, co się do niego mówiło. Ale twardy. Żądał bezwzględnego posłuszeństwa i błyskawicznego wykonywania rozkazów. Pan generał nazywał go szlachetnym rycerzem, moralnym i cnotliwym. Tak! tak! On cnotliwie wyrzynał obce nacje między Rygą a Odessą. To pas użyźniony dziesiątkami tysięcy tzw. m o g i ł p r ü t z m a n n o w s k i c h...

– Milcz pan! – ryknął Stroop. – Nie wolno bezcześcić pamięci Prützmanna, naczelnego dowódcy Werwolfu!

– A panu, Herr General, nie wolno wynosić na ołtarze tego, który z „rycerskim wdziękiem" uśmiercał masami Żydów, Rosjan i Ukraińców oraz grabił i wprowadzał niewolnictwo. I który zainkasował sobie na Ukrainie, około Żytomierza, największe dobra rycersko- -nazistowskie. SS-owski anioł na 10 tysiącach hektarów zdobycznego czarnoziemu!

Wobec dynamicznego ataku Schielkego, Stroop zamilkł. Chyba uznał swą porażkę. Ale do końca dnia już nie rozmawialiśmy.

*

– Zawsze pan mówił – zaczęłem kiedyś – że najwyższym stopniem generalskim w SS (poza stopniem SS-Reichsführera) był SS-Obergruppenführer. A tu nam pan tworzy dla Prützmanna jakąś nową rangę, SS-Oberstgruppenführera. Co to ma znaczyć?

– W końcowym okresie wojny – wyjaśnia Stroop – zaszła konieczność ustanowienia jeszcze jednego stopnia, wyższego od SS-Obergruppenführera[4]. Był to stopień SS-Oberstgruppenführera, który uzyskało niewielu ludzi z najwyższej czołówki SS. Wśród nich generał Prützmann.

– Prützmann musiał mieć do pana zaufanie – zagaduję.

– Tak. On mi wierzył. A zaczęło się wszystko od pięknych czasów ukraińskich. Dotychczas brzmi mi w uszach wieczorne rżenie koni, wypuszczonych z SS-owskiej stajni na ogrodzone balami pastwiska Ukrainy. Wybrałem się wtedy z Prützmannem konno na spacer. Rozmawialiśmy długo i serdecznie o naszej przeszłości i przyszłości. W 1944 roku generał Prützmann przyjechał do mnie, do Wiesbadenu, jak do przyjaciela. Był starszy rangą, ale w stosunkach pozasłużbowych panowała między nami braterska równość i szczerość wypowiedzi.

– Co Prützmann mówił o Werwolfie i o pańskich zadaniach?

– Hans Adolf Prützmann wyjaśnił, na czym polega idea i organizacja tego tajnego związku. Mówił, że decyzję powołania Werwolfu powzięto po długich przygotowaniach i przeprowadzeniu naukowych studiów nad znanymi dotychczas organizacjami konspiracyjnymi, szczególnie w Europie. Studia przeprowadzała supertajna komórka w SS. W jej skład wchodzili nie tylko naukowcy (historycy, socjologowie i psychologowie), ale i terenowi badacze związków konspirujących aktualnie przeciw Niemcom. Ludzie ci, niezależnie od stopnia w SS, mieli jednakowe legitymacje, które byli zobowiązani pokazywać naszym władzom policyjnym tylko w wyjątkowych okolicznościach.

– Na przykład w jakich? – pytam.

– Gdy członek tej specjalnej grupy dowiedział się o jakimś przestępcy politycznym przeciwko III Rzeszy, zaaresztowanym przez Gestapo lub przez Policję Bezpieczeństwa i Służbę Bezpieczeństwa, to mógł go zwolnić nawet z celi śmierci i zabrać do swojej dyspozycji. Ale pod warunkiem, że ów przestępca pomoże mu w teoretycznych badaniach nad istotą swej macierzystej konspiracji. Zastrzegam się, że taki nasz terytorialny badacz organizacji konspiracyjnej nie

---

[4] W rzeczywistości nastąpiło to nie w końcowym okresie wojny, lecz w kwietniu 1942 r. – patrz wyżej przyp. 3 do rozdziału XII.

żądał od badanego żadnych kapowań, danych personalnych, adresów itp.

– Nie przerywałem panu, Herr Stroop, chociaż świerzbiał mnie język – mówię do Stroopa. – Ale wydaje mi się, że pan ma rację. Zetknąłem się bowiem z członkiem takiej specjalnej komórki studiującej doświadczenia i metody konspiracji AK-owskiej. Było to w czasie Powstania Warszawskiego, na drugi dzień po zdobyciu przez nas centrali telefonicznej przy ulicy Zielnej, tak zwanej PASTY[5].

– Poza służbą w BIP KG AK działałem również w komórce śledczo-dochodzeniowej KWP na m.st. Warszawę. Z tego tytułu zachodziłem od czasu do czasu do szefa powstańczego kontrwywiadu, w którego lokalu (w gmachu PKO) prowadzono badanie jeńców oraz postępowanie przeciwko podejrzanym o współpracę z Niemcami. Pewnego razu, właśnie w dwa dni po zdobyciu PASTY, szef kontrwywiadu przesłuchiwał SS-owca, wziętego do niewoli w PAŚCIE.

– Ów jeniec – ciągnę – był brudny i zmęczony. Przesłuchujący, kapitan AK „Lotny"[6], polecił Niemcowi umyć się i doprowadzić umundurowanie do porządku. Kazał przynieść mu kolację i kawę. Poczęstował papierosami. Wtedy Niemiec pyta przesłuchującego, czy jest oficerem zawodowym. Po otrzymaniu twierdzącej odpowiedzi Niemiec zaczął wszystko o sobie opowiadać, ale nie obciążał nikogo z SS. Ujawnił imię i nazwisko. Nie pamiętam, jak brzmiało, ale wydaje mi się dzisiaj, że Wellendorf. W czasie przesłuchania poprosił o scyzoryk. Otrzymał. Jeniec, w stopniu młodszego oficera SS, zdjął mundur i wypruł z niego małą legitymację. Była to legitymacja owej specjalnej grupy badającej strukturę i metody konspiracji polskiej.

---

[5] Ośmiopiętrowy gmach Polskiej Akcyjnej Spółki Telefonicznej (PAST) przy ul. Zielnej 37/39 został – po zaciętych walkach, trwających od pierwszego dnia Powstania Warszawskiego – zdobyty 20 sierpnia 1944 r. przez oddziały powstańcze, które wzięły do niewoli 115 jeńców.

[6] Ponieważ dowódcą całości walczących sił polskich w czasie Powstania Warszawskiego był komendant Okręgu Warszawa Armii Krajowej płk dypl. / gen. bryg. Antoni Chruściel „Monter" (a nie Dowódca Armii Krajowej gen. dyw. Tadeusz Komorowski „Bór"), szefem powstańczego kontrwywiadu był dotychczasowy szef tego pionu w sztabie „Montera", czyli wspomniany wyżej por. Wincenty Kwieciński „Lotny" (a nie szef kontrwywiadu na szczeblu Komendy Głównej Armii Krajowej).

Powiedział przy tym, że od roku działa w czymś, co można nazwać hitlerowskim biurem studiów Polski Podziemnej. Celem biura jest przejęcie doświadczeń i osiągnięć polskiej konspiracji na wypadek zorganizowania niemieckiego ruchu oporu po przegranej wojnie.

– Słuchaliśmy z zainteresowaniem szczerej relacji SS-owca – opowiadałem dalej. – Twierdził on, że dotychczasowa ocena berlińskiego sztabu biura przedstawia się następująco: Polacy mają największe ze wszystkich krajów europejskich doświadczenie w spiskowaniu. Przyczyną tego stanu jest ponad 150-letnia konspiracyjna walka Polaków o niepodległość. Naukowa analiza polskiej organizacji konspiracyjnej, a przede wszystkim Armii Krajowej, wykazała – według relacji jeńca – że przyszłą konspirację niemiecką należy oprzeć na wzorach polskich. Dodał, że dwaj znani funkcjonariusze Policji Bezpieczeństwa i SD w Generalnej Guberni (Spilker oraz Fuchs z Radomia[7]) również zajmują się poważnymi badaniami nad konspiracją AK-owską.

– A więc znalazł pan, Herr Moczarski, w 1944 roku potwierdzenie tego, co opowiadałem o genezie Werwolfu. Według mnie, Polacy są rzeczywiście najlepszymi spiskowcami świata. Mają konspirację we krwi. Czy zgadza się pan ze mną? – mówi Stroop.

– Polacy chyba nie są najlepszymi konspiratorami, chociaż w istocie mają poważne tradycje spiskowe, niepodległościowe. Wydaje mi się jednak, że lepsi od Polaków byli Macedończycy. Kiedyś natknąłem się w Paryżu, przed wojną, na członków konspiracji macedońskiej przeciw Bułgarom, Serbom i Grekom. Ale mniejsza z tym. Wróćmy do pańskiego Werwolfu, Herr Stroop. Jak go pan organizował na terenie swojego Bereichu?

– Otóż Hans Adolf Prützmann ujawnił w największej tajemnicy, że został przewidziany na naczelnego dowódcę Werwolfu w całej Rzeszy. Jego półoficjalne tytuły brzmiały: Generalinspekteur für

---

7 Paul Fuchs (ur. 1908), SS-Hauptsturmführer, kierownik referatu IV A w Urzędzie Dowódcy Policji Bezpieczeństwa i Służby Bezpieczeństwa w Dystrykcie Radomskim, obok A. Spilkera uważany był już wówczas za najbardziej niebezpiecznego dla podziemia funkcjonariusza Gestapo na terenie Generalnego Gubernatorstwa. Śledztwo przeciwko niemu umorzono w Republice Federalnej Niemiec w 1976 r.

den passiven Widerstand[8] lub Generalinspekteur für Spezialabwehr[9]. Miałem trzy spotkania z Prützmannem w Wiesbadenie, we wrześniu, październiku i grudniu 1944 roku. Prützmann przydzielił mi z werwolfowskiej centrali zaufanego oficera, SS-Sturmbannführera Besta. Best był łącznikiem między mną a Prützmannem oraz głównym konsultantem i koordynatorem na terenie Bereichu działań dotyczących Werwolfu.

– Organizacja Werwolfu w Rhein-Westmark, a właściwie na terenie XII Wehrkreisu, miała kryptonim „Angelegenheit W"[10] lub „SS-Wkr XII" i powołaliśmy ją u nas 8 października 1944. Tegoż dnia wysłano pierwsze listy z r o z k a z e m do wielu zgłaszających się przedtem (drogą poufną, ale wybranych przez kilku członków NSDAP), aby stawili się do Wiesbadenu.

– Kto wybierał ochotników? – pyta Schielke.

– Gauleiterzy Mosellandu, Westmarku i Hesji-Nassau. Gauleiterzy podali nazwiska kandydatów pułkownikowi policji Niemannowi, mojemu szefowi Ordnungspolizei. Kandydaci do Werwolfu mogli być bezpartyjni, nie musieli należeć do NSDAP, HJ lub SS. Powinni tylko objawić nieprzepartą chęć działania w przyszłej konspiracji i być godni zaufania. Nie stosowano granicy wieku, ale jasne, że lwia część kandydatów rekrutowała się spośród młodzieży męskiej.

– O ile dobrze rozumiem, Werwolf na pańskim terenie był zakładany i prowadzony oraz nadzorowany przez popularnych działaczy NSDAP, członków SS i SA. Czy tak? – pytam zdziwiony.

Stroop potwierdził oraz dodał nazwiska ponad dwudziestu ludzi odpowiedzialnych za organizację Werwolfu w XII Wehrkreisie. Wielu nazwisk nie pamiętam, ale zanotowałem natychmiast po wyjściu z więzienia, że wśród tych „odpowiedzialnych" znajdowali się poza Stroopem: Gauleiter Simon, Gauleiter Bürckel, Gauleiter Sprenger,

---

[8] Generalinspekteur für den passiven Widerstand (niem.) – generalny inspektor ds. biernego oporu.

[9] Generalinspekteur für Spezialabwehr (niem.) – generalny inspektor ds. ochrony specjalnej.

[10] Angelegenheit (niem.) – sprawa.

Gauleiter Stöhr, kilku wyższych dowódców SA oraz Hitlerjugend, a ponadto jakiś hitlerowiec Kloss i inny o nazwisku Goss. Nie zapomniałem również polskiego nazwiska: Piekarski, który był w owym czasie – jako rodowity Niemiec – Bürgemeistrem Wiesbadenu. Relacja Stroopa rozbawiła mnie. Jak można tworzyć konspirację przy pomocy r o z k a z ó w, a ponadto w oparciu o grupę popularnych (a niekiedy może znienawidzonych) działaczy partyjnych?!

Z opowiadań Stroopa wynikało, że struktura organizacyjna Werwolfu opierała się na systemie czwórkowym. Podstawową jednostką był oddział (patrol), w skład którego wchodził dowódca i trzech podwładnych. Dowódca musiał być absolwentem szkoły dla członków „Angelegenheit W", która mieściła się (dla tego obszaru) w klasztorze Tiefenthal.

Kierownikiem szkoły mianowano SS-Sturmbannführera Besta, a prowadzącym zajęcia praktyczne – doktora Gossa. (Goss to dawny adiutant Stroopa). Instruktorami byli podoficerowie rozmaitych jednostek SS. Kurs trwał trzy tygodnie i obejmował musztrę formalną, wychowanie fizyczne (ze szczególnym uwzględnieniem forsownych marszów w trudnym terenie i w lesie), umiejętność posługiwania się mapą i kompasem, ćwiczenia z różnymi rodzajami broni oraz z urządzeniami saperskimi (technika wysadzania w powietrze) itp. Ponadto uczono akcji sabotażowych, cichego uśmiercania przeciwnika oraz demontażu urządzeń przemysłowych i komunikacyjnych. Naturalnie nie zapomniano o nauce łączności i o specjalnych metodach sygnalizacyjnych.

Stroop wizytował szkołę z dziesięć razy. Starał się zetknąć bezpośrednio z każdym kursantem i okazać mu zainteresowanie. Gdy Stroop opowiadał o tych wizytacjach i o tym, że znał osobiście każdego z dowódców przyszłych patroli Werwolfu, roześmiałem się.

– Cóż to za konspiracja? – rzekłem. – Pan znał, jako naczelny dowódca Werwolfu w Rhein-Westmark, wszystkich głównych werwolfowców i oni znali osobiście pana, z nazwiska i tytułu, bo przecież pan tam jeździł w mundurze i bez maski na twarzy. Gdyby w przyszłości okupacyjne władze śledcze natrafiły na jednego mięczaka wśród was, tak zwanych „konspiratorów", toby cała organizacja w ciągu trzech dni została wyłapana. Muszę stwierdzić, że żadnych mądrych wniosków nie wyciągnęliście z naukowych badań nad polską konspiracją. Ale może się mylę, bo nie znam całości sprawy. Stroop zaczął opowiadać, w jaki sposób organizował i prowadził Werwolf na terenie obszaru. Przyjęto zasadę, że poszczególne czteroosobowe (1 +3) oddziały powinny być rozmieszczone co 10 do 12 kilometrów. Zespół dziesięciu oddziałów (to znaczy 40 ludzi) nazywał się „sektorem", a grupa 6–8 sektorów tworzyła Abschnitt. Na obszarze dowodzonym przez Stroopa znajdowały się 4 Abschnitty Werwolfu. W sumie siły Werwolfu liczyły w początku 1945 roku w XII Wehrkreisie około 1100 liniowych członków. Myślę, że sztaby oraz służby zaopatrzeniowe, szkoleniowe, sanitarne, transportowe i inne (związane bezpośrednio z działalnością Werwolfu) musiały liczyć co najmniej drugie tyle.

Kadrą Stroopowskiego Werwolfu byli absolwenci szkoły w klasztorze Tiefenthal. Po zniszczeniu klasztoru przez aliantów szkołę przeniesiono do Wiesbadenu, a następnie do Wallrabenstein, koło Idstein.

Jakiś czas Werwolf nosił kryptonim: „Stabskompanie". Absolwenci szkoły Werwolfu otrzymywali „znak tożsamości" w postaci blaszki z numerem i wyrytymi literami „SS-Wkr XII", a ponadto otrzymywali SS-Soldbücher, czyli SS-owskie książeczki żołdu.

Stroop zaopatrzył członków Werwolfu w mapy, na które naniesiono obiekty przeznaczone w przyszłości do zniszczenia. Część werwolfowców miała się umieścić w grotach, sztolniach kopalnianych, kamieniołomach lub innych dobrze zamaskowanych miejscach. Każda z podstawowych jednostek Werwolfu (1+3) musiała dysponować co najmniej trzema kryjówkami dla ludzi oraz zapasów żywności, amunicji itp.

Kiedyś zapytałem Stroopa, czy wizytował miejsca postoju oddziałów (patroli). Odpowiedział, że nie – bo nie chciał dekonspirować członków Werwolfu. Stroop wielokrotnie podkreślał, że wszystkie sprawy związane z Werwolfem należały do klasy najbardziej tajnych. Ale posiadał spis nazwisk i adresów wszystkich liniowych oddziałów oraz mapę z zaznaczonymi miejscami ich postoju i lokalizację zmagazynowanego wyposażenia.

Zadawałem oczywiście Stroopowi wiele pytań dotyczących szczegółów organizacyjnych i techniki działania jego konspiracji. Nie zawsze umiał mi odpowiedzieć, na przykład, jak zorganizowano dopływ informacji do patroli Werwolfu, czy Werwolf prowadził działalność uświadamiającą i propagandową oraz wywiadowczą i kontrwywiadowczą. Gdy zapytałem, jak by się zachował dowódca oddziału po stwierdzeniu, że jakiś Niemiec doniósł policji okupacyjnej o działaniach Werwolfu, Stroop odpowiedział:

– Dowódca patrolu powinien uśmiercić konfidenta!

Na to ja:

– Czy ktoś kontrolowałby działanie Werwolfu, kończące się likwidacją Niemca-konfidenta?

Stroop oświadczył, że żadnych kroków organizacyjnych w tej dziedzinie nie przewidywano.

W październiku 1944 Stroop otrzymał z Berlina, od Prützmanna, ampułki z trucizną (większość z cyjankali, reszta z arszenikiem). Miał je rozdzielić członkom Werwolfu, ale nie zgodził się na natychmiastowe rozprowadzenie ampułek. Mówił, że „ciągłe noszenie przy sobie trucizny byłoby szkodliwe dla morale bojowców z Werwolfu". Ponadto, w razie schwytania konspiratorów przez okupanta, byłaby to okoliczność niepotrzebnie ich obciążająca.

– Ja po prostu nie znosiłem samego widoku ampułek z trucizną – powiedział kiedyś tonem zażenowania.

Poza trucizną nadesłaną z Berlina (którą Stroop trzymał w sejfie, a potem oddał Bestowi) Werwolf z jego obszaru dysponował innymi zapasami trucizn. Produkcję tych śmiertelnych porcji zainicjował Gauleiter Bürckel z Westmarku-Lotaryngii.

Stroopowski Werwolf posiadał duże zapasy żywności, broni, amunicji, środków wybuchowych oraz sprzętu do sabotażu. Wszystkie chemikalia do przyszłych akcji dywersyjnych Werwolfu wytwarzano na miejscu w chemicznych fabrykach zbrojeniowych.

Któregoś dnia zagadnąłem Stroopa, jak się przedstawiała organizacja Werwolfu na sąsiednich terenach. Odpowiedział, że zupełnie nieźle, ale że w jego Bereichu było w tym względzie najlepiej.

Jedną z ważnych spraw, które poruszaliśmy w czasie rozmowy o Werwolfie, był udział młodzieży w tej konspiracji. Stroop ujawnił, że w listopadzie 1944 wybitny działacz Hitlerjugend z miasta Usingen, Kloss, otrzymał od Reichsjugendführera, Artura Axmanna[11], rozkaz, aby wychowywać całą Hitlerjugend dla Werwolfu. Utworzono nawet specjalną szkołę HJ Werwolf w pobliżu Bonn. Całość prac szkoleniowych przebiegała, według opinii Stroopa, dość sprawnie. Nigdy nie dowiedziałem się, ilu absolwentów wypuścił klasztor Tiefenthal. Stroop raz podawał liczbę 150, a w innym przypadku – około 250. Mogło ich wystarczać dla zorganizowania dywersyjnej sieci Werwolfu na zachodnich terytoriach obszaru Stroopa. Montowanie Werwolfu na wschód od Renu szło wolniej, gdyż Stroop przede wszystkim zadbał o przyszłą, antyaliancką dywersję w Mosellandzie, w Luksemburgu (dwa patrole po czterech ludzi, złożone z tamtejszych volksdeutschów) oraz w północno--wschodniej Lotaryngii.

W związku z tymi działaniami Stroop chwalił się wynikiem próbnej akcji sabotażowej Werwolfu, którą nazywał „Unternehmen[12] Balduin". Rozpoczęto ją z inicjatywy Himmlera, który zaakceptował projekty przywódcy Hitlerjugend w Mosellandzie, Rolfa Karbacha. Coś niecoś rzeczywiście zrobiono w okolicach Hunsrück--Höhenstrasse. Zerwano szyny kolejowe, zapalono składy benzyny oraz wysadzono w powietrze niedużą fabrykę zbrojeniową. Próba wypadła nieźle, ale akcji szybko zaniechano z powodu zmasowanego najazdu oddziałów wojsk alianckich. Kilku członków Werwolfu straciło wtedy życie.

Uciekając z Wiesbadenu, Stroop nakazał również ewakuację znacznej części konspiratorów z Werwolfu przeszkolonych już na kursach sabotażowo-dywersyjnych, a ponadto „szczególnie chętnych i sprawdzonych", którzy nie byli „absolwentami Tiefenthalu". Oddziałek liczył około 250–300 młodych mężczyzn i chłopców; jechał mniej więcej tym samym szlakiem co Stroop – na Alpy bawarskie i austriackie.

---

[11] Arthur Axmann (1913–1996), wódz Hitler-Jugend, Reichsjugendführer (RJF, wódz młodzieży Rzeszy) w latach 1940–1945, po wojnie skazany w 1949 r. na trzy lata więzienia.

[12] Unternehmen (niem.) – przedsięwzięcie, operacja.

Impreza szańca alpejskiego była tak nieprzygotowana, że Stroop musiał jeździć w kwietniu i początkach maja 1945 roku po rozmaitych zakątkach, od Lindau nad Jeziorem Bodeńskim do Zell am See na południe od Salzburga.

W czasie prawie półtoramiesięcznej podróży ewakuacyjnej Stroop demonstrował patriotyczną i niezłomną postawę – przy pomocy młodych zapaleńców z Werwolfu, których prowadził znad Renu do ziemi obiecanej, do SS-owskiej twierdzy alpejskiej. W każdym garnizonie i w czasie każdej odprawy lub narady wyższych SS-führerów szermował „batalionem Werwolfu", który prowadzi na odsiecz ojczyzny do „górskiej fortecy". Jak wywnioskowałem z jego opowiadań i wspomnień, ta gra udawała się znakomicie. Wszędzie otrzymywał pierwszeństwo przejazdu, benzynę, zaopatrzenie, pieniądze i rekomendacje do SS-owskich kumotrów z Bawarii i Austrii.

W końcu umieścił swój oddział (byli tam również czternastoletni chłopcy) w Kufsteinie. Młodzi ludzie umacniali miejscowość, budowali zapory przeciwczołgowe, ściągali porzucone działa i karabiny maszynowe, fortyfikowali się.

Jednocześnie Stroop rozpuścił znaczną część swego sztabu, pozostawiając adiutanta i dwóch, trzech oficerów. Cały czas „prowadził narady z gauleiterami, wyższymi dowódcami SS i policji, SS-Obergruppenführerami i SS-Oberstgruppenführerem Paulem Hausserem"[13]. Rozsiedli się oni 9 maja w pociągu Himmlera, zamaskowanym ze wszystkich stron, w pobliżu miejscowości Taxenbach, niedaleko Zell am See. Wśród zgromadzonych znajdował się SS-Obergruppenführer Erbprinz zu Waldeck[14]. Jeśli wierzyć Stroopowi, łączyła go serdeczna przyjaźń z tym SS-owskim arystokratą. Miał w celi więziennej Mokotowa luksusowe, skórzane pantofle nocne podarowane mu niegdyś przez Erbprinza zu Waldecka. Pokazywał je z dumą i nawet prosił, abym te „książęce tufle" przymierzył.

---

[13] Paul Hausser, SS-Obergruppenführer / SS-Oberstgruppenführer, dowódca 2. Korpusu Pancernego SS w latach 1942–1944.

[14] Josias Erbprinz (książę dziedziczny) von (a nie: zu) Waldeck und Pyrmont, SS-Obergruppenführer, Wyższy Dowódca SS i Policji (HSSPF) na terenie IX Okręgu Wojskowego (Wehrkreis IX) z siedzibą w Kassel.

Narada resztek generalskich pretorianów Himmlera zakończyła się decyzją: przebieramy się w mundury Wehrmachtu, przyszywamy dystynkcje poruczników i kapitanów rezerwy oraz poddajemy się aliantom wraz z armią marszałka lotnictwa Alfreda Kesselringa! (21 marca 1945 Kesselring został głównodowodzącym zachodniego frontu III Rzeszy. Objął to stanowisko po feldmarszałku von Rundstedcie). Stroop opuścił w złej doli swój oddział Werwolfu, obwarowany zbrojnie w Kufsteinie. Sam, przebrany w mundur oficera piechoty, zaopatrzył się w autentyczny dokument wojskowy na nazwisko Hauptmanna der Reserve Josefa S t r a u p a. Następnego dnia (8 maja 1945) oddał się do niewoli wojskom amerykańskim w miejscowości alpejskiej Rottau.

*

Opowiadając kiedyś o organizacji i personaliach urzędników i policjantów w Reńskiej Marchii Zachodniej, Stroop wymienił nazwisko doktora Ludwika Hahna, długoletniego dowódcy Policji Bezpieczeństwa i Służby Bezpieczeństwa w Warszawie. Zapytałem, w jakich okolicznościach zatrudnił wtedy Hahna u siebie. Nie dawał początkowo jasnych odpowiedzi, ale – po naleganiach Schielkego – wyjaśnił, że w początku marca 1945 mianował Hahna szefem dystryktu wiesbadeńskiego. Stroop pamiętał o ludziach z okresu Grossaktion in Warschau!

– Jak panu opowiadałem nieraz – mówił Stroop – ceniłem zawsze doktora Ludwika Hahna. W lutym 1945 przydzielono Hahna do sztabu SS-Gruppenführera Oberga, który wycofywał się z Francji (dowodząc oddziałami Waffen SS)[15] w kierunku na Lotaryngię i Hesję. Gdy Amerykanie rozproszyli zgrupowanie Oberga, doktor Hahn znalazł się w pobliżu Wiesbadenu. Zameldował się u mnie, prosząc o zatrudnienie. Ponieważ znałem jego walory, mianowałem go natychmiast Kommandeurem dystryktu policyjnego w Wiesbadenie. Miałem 8 takich dystryktów, ale dystrykt Wiesbaden był naj-

---

[15] Karl Albrecht Oberg, SS-Gruppenführer, Wyższy Dowódca SS i Policji (HSSPF) we Francji.

ważniejszy, bo tam mieszkałem. Właśnie rozmyślałem nad obsadzeniem go przez kogoś oddanego i bardzo zaufanego, a tu zjawia się jak z nieba doktor Hahn. Rządził u mnie co prawda krótko, bo w dwa tygodnie później musieliśmy się ewakuować[16]. Ja udałem się na południe, a Hahn na północ w okolice Hamburga. O ile wiem, to zamelinował się gdzieś w pobliżu Lüneburga. W tamtej okolicy mieszkała jego rodzina.

– Czy Hahn miał dużą władzę w Wiesbadenie? – pytam.

– Bardzo dużą – odpowiada Stroop. – Przecież to były czasy niezwykłe, płynne, wszystko się zmieniało z godziny na godzinę. W tym okresie i ja, i moi szefowie ośmiu dystryktów mieliśmy pełnię władzy. My, dowódcy z SS, dysponowaliśmy aparatem policyjnym, partyjnym, wojskowym, administracyjnym itd. Gdyby nie szefowie SS i policji, życie byłoby sparaliżowane, zapanowałaby anarchia, ludzie nawzajem zaczęliby się mordować, a Rzesza Adolfa Hitlera nie stawiałaby oporu do końca.

❉

Często Stroop wracał w opowieściach mokotowskich do „świetlanej postaci" Prützmanna. Opowiadał masę szczegółów z jego życia, przypominał „zasługi i osiągnięcia" oraz „genialne zdolności i wyjątkowe talenty" tego „wielkiego patrioty Niemiec". Kiedyś znudzony, zapytałem:

– Czy Prützmann żyje?

– Nie! Zginął na posterunku, bohatersko.

---

[16] W V aneksie do poufnego raportu wywiadu wojskowego USA o działalności Stroopa na obszarze XII Wehrkreisu III Rzeszy (Headquarters United States Forces European Theater, Military Intelligence Service Center, APO 757. Data i sygnatura akt: 18 października 1945, CI–IIR/25. Podpis: Leroy Vogel, Captain, Inf., CI Section) w punkcie 3 czytamy, że Hahn był (według stanu na 24 marca 1945) District Commandorem policji bezpieczeństwa w dystrykcie I – Wiesbaden. Stroopowi podlegały wówczas wszystkie siły policyjne oraz wszystkie wiodące organizacje polityczne („political leader organizations"). Analogiczne uprawnienia mieli komendanci wszystkich ośmiu, ustanowionych przez Stroopa, dystryktów – a więc i L. Hahn. Omawiany dokument znajduje się w aktach amerykańskiego General Military Court, nr sprawy 12–2000 etc, przeciwko Stroopowi (wyrok z 21 marca 1947) – przyp. aut.

– Może poległ w bitwie? Jak Spilker w 1945 roku w cytadeli poznańskiej, o czym wspomniał pan Schielke.

– Generał Prützmann stracił życie w walce z Anglikami – odpowiada Stroop. – Ale nie był to bój żołnierski, lecz walka mózgów, w której przegrał.

– Mózgów! O co panu idzie? O rozgrywki szachowe? – włącza się Schielke.

Stroop, odczuwając nasze niecierpliwe zaciekawienie, przekornie milczy. Otwiera okno i przegląda się w lustrze szyby, poprawia włosy na skroniach, przygładzając je śliną, potem wystukuje paznokciami kilka rytmów marszowych po kaloryferach i chodzi wzdłuż wąskiej celi z rękami splecionymi do tyłu i piersią wypiętą. Wojskowy sznyt, generalski fason!

Schielke daje mi ukradkiem znak, żeby nie pytać. Zrozumiałem, o co idzie: wytrzymamy manewry generała! W końcu sam będzie chciał mówić. Tak też się stało. Po półgodzinnym spacerku w celi (było to w naszym zwyczaju), widząc, że go nie naciskamy, wrócił do tematu.

– SS-Oberstgruppenführer Prützmann znalazł się w końcowej fazie wojny na terenach Gau Schleswig-Holstein, blisko granicy z Danią. Po kapitulacji przedzierał się z rejonu Flensburga do Bremy, a stamtąd – na południe Niemiec, gdzie chcieliśmy umieścić centrum dowodzenia Werwolfu. Początkowo jechał autem z grupą oddanych oficerów, potem szedł piechotą, przebrał się w strój półcywilny. Ludność udzielała pomocy tysiącom uciekinierów spod Lubeki, więc i jemu także. Zresztą nikt go nie rozpoznał. Ta wędrówka trwała kilka dni.

– Prützmann często spał pod gwiazdami, w stogach siana, na stacjach kolejowych. Bezdomny, przeprawił się przez Łabę, która tam (przy ujściu) osiąga szerokość 7–8 kilometrów. Później zatrzymał go patrol angielski w okolicy Bremervörde. Wielu żołnierzy niemieckich starało się przedostać do domu, więc armia Montgomery'ego zorganizowała liczne punkty kontrolne, gdzie sprawdzano tożsamość. Do takiego punktu trafił Hans Adolf Prützmann. Wozili go potem po kilku podobozach jenieckich, w końcu trafił do Lüneburga, do szefostwa wywiadu Montgomery'ego. Było to około 18–20 maja 1945

roku. Tam Prützmanna rozpoznano i wtedy rozgryzł kapsułkę z cyjankiem, którą miał między zębami.
– Skąd pan zna takie szczegóły? – pytam.
– Opowiadali mi bardzo dokładnie przyjaciele z SS w okresie powojennym – stwierdził. – Ale, co ciekawsze, losy generała Prützmanna sprzęgły się z losami Heinricha Himmlera w ostatnich dniach życia tych obu wspaniałych ludzi. Wojna przegrana, a oni dwaj, SS-Reichsführer i naczelny dowódca Werwolfu (czyli przyszły führer najzdrowszej, młodej części narodu) podejmują walkę konspiracyjną...
– Czy rzeczywiście Himmler zamierzał działać w tajnej organizacji? – pytam. – Przecież powszechnie wiadomo, że usiłował pertraktować z aliantami i nawiązywał z nimi kontakty przez księcia Bernadotte, przedstawiciela Szwedzkiego Czerwonego Krzyża.
– Gdy Heinrich Himmler stwierdził, że nie ma mowy o rozmowach z aliantami, postanowił przedzierać się na południe, gdzie w górach zamierzaliśmy umocnić twierdzę Werwolfu. Prützmann wyjechał wcześniej spod Flensburga i torował drogę Heinrichowi Himmlerowi, który jechał autem (a później szedł) śladem Prützmanna. To Prützmann zorganizował za 1000 marek od osoby przewóz łodzią przez Łabę. Dla siebie i dla Heinricha Himmlera.
– Za Łabą SS-Reichsführer stracił ślad Prützmanna – żwawo opowiada Stroop – ale tak się niezwykle złożyło, że (w kilka dni po śmierci Prützmanna) Heinrich Himmler zgryzł ampułkę z trucizną w tym samym pokoju, w którym zakończył życie Prützmann. Było to w Lüneburgu, w domu przy ulicy Ulzenerstrasse, zajętym przez komórki dochodzeniowe wywiadu brytyjskiego. I jeszcze jedno: tak Prützmann, jak i Heinrich Himmler potrafili oszukać tego samego Anglika, który usiłował nie dopuścić do zgryzienia przez nich fiolki z cyjankiem. Anglik był sierżantem wywiadu brytyjskiego i nazywał się Austin, jak marka znanych samochodów. Po wojnie nazwisko to stało się popularne wśród więźniów-członków SS, przebywających w więzieniach i obozach amerykańskich, brytyjskich i francuskich.
– Rzeczywiście, kiedy nasi jeńcy – powiedział Schielke – w obozie angielskim, gdzie siedziałem przed wydaniem Polakom, charak-

teryzowali pewnego dozorcę brytyjskiego, mówili: „To taki naiwniak jak sierżant Austin i można go wykiwać".

– Dlaczego pan, Herr Stroop, nie popełnił samobójstwa po dostaniu się do niewoli? – pytam go nagle.

Stroop milczy, ma twarz pogodną, spokojną, smutną. Po raz pierwszy i ostatni w ciągu 255 dni naszych rozmów[17] wyznał krótko i bardzo szczerze:

– Bałem się. Po prostu bałem się samobójstwa.

---

[17] Zob. przypis na s. 17.

XXV. Mord na amerykańskich lotnikach

Wielokrotnie Stroop przeglądał listy od rodziny, przysyłane do więzienia. Miał ich sporo. Z kilku paczek, okręconych nitką, wyciągał koperty i arkusiki, zapisane kobiecym najczęściej pismem – od żony, matki i córki. Zakładał okulary, studiował każde słowo, badał podteksty. Misterium listów, częste za kratami.

Po śniadaniu. Stroop przy „ołtarzyku" przeżuwa dawną korespondencję. Jest to zajęcie, które intensywnie pobudza wspomnienia o bliskich – czułe, zawsze wyidealizowane. Listy z domu pomagają przetrwać; niekiedy załamują – gdy więzień martwi się o dzieci lub jest zbyt zazdrosny o żonę.

Stroop czyta. Ma twarz frasobliwą, choć spokojną i nawet od czasu do czasu szczęśliwą.

Drzwi otwierają się znienacka.

– Nazwisko? – pyta strażnik, wskazuje na Stroopa, drugą rękę trzyma z tyłu. Stroop, wyprężony, odpowiada. Strażnik wyciąga dłoń zza siebie i wręcza list.

– Bardzo dżenkuje, panje oddżałowy – głos Stroopa przymilny, roześmiany.

Zostajemy sami. Stroop już przy stoliku. Ogląda kopertę skrupulatnie. Przedłuża tę wyjątkową w naszej sytuacji pewność, że po okresie, który tylko on może skrócić lub przedłużyć, oczekiwanie na pewno się spełni. List wyjęty. Nie czyta. Kładzie kartki złożone we czworo na blacie stolika, obraca je palcami, chce rozwinąć. Znów się wstrzymuje.

– Czy nie za dużo tych przyjemności?! A może on się boi wieści z Heimatu? – myślę.

Schielke i ja udajemy pełną obojętność, ale każdy nadsłuchuje szmerów od stolika i zerka na szczęśliwca. List był gruby, z załącznikami, pisany na maszynie. Stroop go czyta wielokrotnie. Ale pary z gęby nie puszcza.

Po dwóch godzinach, gdy zamiatałem celę przed umyciem podłogi (na mnie przypadał dyżur), Stroop niespodziewanie powiedział:

– Dostałem pismo od adwokata, który nie zdołał mnie obronić w Dachau przed sądem amerykańskim.

– Ma pan wyrok od Amerykanów?! – jestem zaskoczony i pytam, jakbyśmy się mieli zaraz rozstać: – Kiedy? Za co? Ile? Długo pan tam siedział?

– Szpokojnie, szpokojnie. Zaraz opowiem. Amerykanie przyskrzynili mnie 8 maja 1945 i po prawie dwóch latach skazali, jako byłego Höhere SS- und Polizeiführera Rhein-Westmark, na karę śmierci za czyny niepopełnione. Proces trwał ponad dwa miesiące i skończył się 21 marca 1947 w Dachau.

– Tam, gdzie obóz koncentracyjny i pańska SS-Führerschule?

– Tak. W Dachau, przed Military Government Court[1] odbywały się procesy wielu członków NSDAP i SS oraz wojskowych. Moja sprawa była poszlakowa. Narobiłem im początkowo bigosu, protestując, że nie ma generała w składzie orzekającym. Armia USA przestrzega, żeby generała sądził komplet, w którym zasiada również generał. Wiedziałem o tym.

– Ale pan był generałem p o l i c j i i to nie zawodowym, lecz z nominacji swej partii. W Waffen SS doszedł pan do porucznika. Jak się nazywał taki porucznik?

– Oberleutnant der Reserve.

– To nomenklatura wehrmachtowska, Herr Stroop. A w broni SS?

– Obersturmführer der Reserve in Waffen SS.

– Jeśliby nawet uznać Waffen SS za normalne wojsko, to był pan tam porucznikiem. Więc po cóż miał sądzić generał?

– Pan upraszcza sprawę – zaperzył się Stroop. – Przecież jestem od lipca 1944 generałem-leutnantem Waffen SS.

---

[1] Właściwie: General Military Court (ang.) – amerykański Najwyższy Trybunał Wojskowy w Dachau, w amerykańskiej strefie okupacyjnej w Niemczech.

– Skoro się pan pieklił, to nic dziwnego, że Amerykanie przydzielili generała do kompletu sądzącego. Nie chcieli dać argumentu, że lekceważą wnioski oskarżonego. A ten sędzia-generał był grzeczny?

– Bardzo. Nazywał się Kiel, jak nasza kilońska baza marynarki wojennej. Traktował mnie po dżentelmeńsku, z respektem dla wspólnej nam rangi. Ale, przy całej układności, chytrusik pierwszej klasy. Generał Kiel to Żyd.

– Skąd pan wie?

– Wiedzieć to nie wiem, ale tak się wydaje. Prawie wszyscy ze składu sędziowskiego byli Żydami lub masonami. Przyglądałem im się. Większość bruneci.

– „Nordyków" nie było?

– Jeden, jasnowłosy. A może dwóch. Ale psychicznie zjudaizowani. Prokuratorzy zaś...

– W jakich stopniach? – przerywa Schielke.

– Podpułkownik, kapitan oraz cywil. Wszyscy o cechach niearyjskich. Cywil miał nawet imię Dawid czy Natan.

– U Anglosasów istnieje obyczaj nadawania przy chrzcie imion biblijnych – mówię.

– Bo Anglicy i Amerykanie przeżarci są trądem żydowszczyzny – odparł Stroop z miną profesora.

– Kto był pańskim obrońcą? – pyta Schielke.

– Miałem dwóch: podpułkownik i major. Jeden nosił m a s o ń-s k i pierścień.

– Masoński?

– Tak mówili koledzy.

– Za co pana sądzili, że tak długo prowadzono rozprawę?

– Przecież nie byłem jedynym oskarżonym! Sądzono dwudziestu dwu ludzi.

– Wielki proces! Oskarżeni to elita SS?

– Skądże! Tylko kilku. Reszta – płotki SS-owskie, nie znane mi. Z ważnych oskarżonych był, poza mną, SS-Oberführer doktor Hans Trummler, mój dowódca Policji Bezpieczeństwa i Służby Bezpieczeństwa.

– Za co was sądzili? – ponawiam pytanie.

– Za to, żeśmy się rzekomo nie przeciwstawiali spontanicznym samosądom ludności nad spadochroniarzami USA.

– Toście amerykańskich komandosów linczowali?

– Pan mnie źle zrozumiał. Na procesie nie szło o wojska spado-chronowe czy komandosów na tyłach frontów, lecz o pilotów ame-rykańskich, którzy przymusowo lądowali na spadochronach po ze-strzeleniu lub katastrofie samolotu.

– O lotników? O żołnierzy US Aires Forces?

– Tak. To byli zbrodniarze. Bombardowali wsie, kościoły, zabytki, masakrowali ludność z lotniczych karabinów maszynowych, palili żłobki, przedszkola i dzieci – wyrzucił z pasją.

Kończyłem zamiatanie podłogi i nie wiem, czy dlatego, że już nie potrzebowałem trwać w półprzysiadzie, czy że Stroop mnie ze-złościł, zerwałem się na równe nogi i pytam:

– Lotnicy, którzy lądowali przymusowo, byli j e ń c a m i w o-
j e n n y m i?

– Tak – odrzekł Stroop.

– Więc podlegali procedurze sądowo-militarnej przewidzianej przez prawo międzynarodowe i wasze przepisy.

– Jasne! – szepnął Schielke, który bacznie brał udział w dyspu-cie, milcząc na ogół.

– Jeżeli tak, to z jakiej racji, Herr Stroop, może pan twierdzić, bez autorytatywnych ustaleń, że każdy strącony lotnik aliancki bombar-dował kościoły i szpitale oraz ostrzeliwał rolników i dzieci na polu?

Stroop zrazu nie odpowiedział. Namyślił się i rzekł:

– Powszechnie wiadomo, że lotnicy amerykańscy byli zwykłymi terrorystami, mordercami, że walczyli metodami sprzecznymi z nor-mami kulturalnego świata.

– Co to znaczy: „powszechnie wiadomo"?

– Mieliśmy takie stwierdzenie najwyższych władz, m.in. rozkaz Heinricha Himmlera.

– Rozkaz jawny czy tajny? – pytam.

– Tajny.

– A więc wykonywał pan polecenie Himmlera, aby lądującego przy-musowo lotnika USA zlikwidować drogą „spontanicznych" linczów?

Nie odpowiada. A ja znowu zezłościłem się i wygarnąłem:

– Takie rozumowanie opiera się na pojęciu odpowiedzialności zbiorowej, na afirmacji metod bandyckich.

– Jak pan śmie tak mówić? – atakuje Stroop.

– Bo staram się nazywać sprawy po imieniu, gdy rozmawiam nie z wariatem i nie pod lufą pistoletu.

– O zlinczowaniu dowiadywaliśmy się zawsze po fakcie – Stroop szepce podniecony. Ale nie patrzy w oczy, tylko na wizjerkę.

– Niech pan nie opowiada bajeczek. Może pan to robić poza celą. Panie Schielke – zwracam się do Sittenpolizisty – co przeciętni ludzie z niemieckich wsi i miasteczek zrobią z umundurowanym jeńcem?

– Zamkną go w komórce albo w paradnej izbie bauerskiej (toć więzień ma m u n d u r), natychmiast zatelefonują do wachy policyjnej lub wojskowej i będą czekać. Chyba że ten lotnik zacznie rabować, gwałcić dziewczyny. Wtedy go zwiążą i znów będą czekać na decyzję władzy.

– Słyszy pan – mówię do Stroopa. – Ale co tam będziemy się kłócić. Powiedz pan lepiej, jak was sądzono, a przez ten czas zmyję. Chlusnąłem wodą z miski i zacząłem zbierać szmatą brud z podłogi, wbity w chropowatości i szczeliny. Ścierkę wyżymałem w kiblu, a potem maczałem ją w misce, znów myłem asfalt i oczyszczony kawałek wycierałem innym gałganem, do sucha. Robota szła szybko. A Stroop opowiadał o procesie w Dachau. Opisywał salę sądową, strażników z MP[2], publiczność, metody porozumiewania się z żoną itp. W końcu rzekł:

– Oskarżali nas o zgładzenie dziewięciu lotników USA. Mnie przypisano pięciu. Karę śmierci dostałem za czyny, o które się nawet nie otarłem...

– Chwileczkę! – przerwałem. – Jak brzmiały te punkty oskarżenia?

– Wymieniono z nazwiska ośmiu lotników USA oraz jednego bez nazwiska i stwierdzono, przy pomocy świadków i zapisków, że w tych i tych dniach znaleziono ich martwych...

– Kiedy?

– Od jesieni 1944 do maja 1945 roku. Jeden przypadek miał miejsce w Wiesbadenie, pozostałe – w różnych miejscowościach XII okręgu wojskowego. Ja o tym nie wiedziałem ani nie dawałem rozkazów likwidacji.

---

[2] Military Police, MP (ang.) – amerykańska żandarmeria wojskowa.

– Kto ich zabił?

– Niektórzy niżsi funkcjonariusze, jak mówiono w sądzie.

– Podlegli panu?

– Nie bezpośrednio – odpowiada Stroop. – Przecież miałem pod sobą 130 tysięcy ludzi. Znałem tylko sztabowców i głównych dowódców policji, SS, NSDAP i wojska. Z takimi pętakami, co siedzieli obok mnie na ławie oskarżonych, nie miałem nigdy do czynienia, gdyż byłem generałem.

– „Pętaki" przyznały się.

– Bo im udowodniono.

– A panu nie?

– Nie mogli dowieść, bo nie brałem w tym udziału.

– Musieli zwalać na pana winę, bo inaczej, jak by sąd mógł pana skazać?

– Oczywiście. Ci współoskarżeni to hołota i gówniarze. Tłumaczyli się przed trybunałem, że rozkazy szły z góry. No, i skazano mnie, niewinnego.

Zmywałem dalej podłogę, w kucki, niedaleko drzwi. Po chwili pytam znad asfaltu:

– Jak tych jeńców uśmiercano?

Stroop milczy. Słychać chwarszczenie szmaty. Czekam. Gdy inną ścierką myję dalszy odcinek podłogi, ponawiam pytanie:

– No, jak ich uśmiercano?

– Rozmaicie – odpowiada Stroop z wyraźną niechęcią. Nagle ożywia się i mówi z odwagą: – Rozmaicie. Jednego z lotników-terrorystów tamci z mego procesu zabrali do auta, wywieźli za miasto w zarośla i...

Tu Stroop markuje wyciągnięcie rewolweru z kabury. Podnosi dłoń na wysokość czoła, szybko ją opuszcza, zginając palec, jakby naciskał cyngiel.

– ... ein Genickschuss mit der Pistole[3]. Porcja ołowiu w amerykański kark! – kończy dziarskim tonem.

Nadlatuje w tempie szybszym niż impulsy elektronowe przeszłość okupacji. Jestem wściekłością i zwierzęciem, przed źrenicami czerwono.

---

[3] Ein Genickschuss mit der Pistole (niem.) – strzał z pistoletu w potylicę.

Brudną ścierką rąbię w Stroopa. Miał szybki refleks. Byłem o trzy kroki, a uchylił się pod okno. Szmata pacnęła w białą ścianę, nad zieloną lamperią. Oprzytomniałem. Błyskawicznie wracam na drugi biegun człowieczeństwa. Mówię: przepraszam. Spoglądam w chmury. Słyszę, jak Schielke szepce przy drzwiach: Schade[4].

*

Wkrótce sytuacja uległa załagodzeniu przez konieczność wspólnego napełniania brzucha i przez incydent z „Blacharzem". Tak nazwaliśmy oddziałowego z przypiętymi na stałe odznaczeniami, które w żargonie więziennym noszą miano „blach". „Blacharz" obrugał Stroopa i mnie za wyglądanie oknem. Stroop, zawsze lojalny wobec strażników, bardzo się zdenerwował, że on – generał! – naruszył regulamin, że go zaraz na tym złapano i że po kiego diabła chciał się przez okno przyjrzeć szykorce z pralni.

Próbowałem rozładować jego napięcie. Mówiłem m.in., że tendencją wszystkich więźniów świata jest wymijanie regulaminów. Inaczej, nudno. A gdy się wpadnie, nie należy się zbytnio przejmować. Stroop powoli wracał do równowagi, ale jego potakiwanie było pozorne. Jak mogłem rozkruszyć, lub choćby nadwerężyć, wiekową skorupę posłuszeństwa wobec władzy?! Gdy podniecenie zelżało, Schielke rzekł:

– Za posłuchanie szczebiotu szykorki i za łypnięcie na jej wąskość w pasie i grubość w biuście warto ryzykować „blacharskie" ruganie. Co?

Stroopowi twarz spąsowiała. W oczach ołów. Ale nie odpowiedział.

*

Nazajutrz znów rozmowa o Amerykanach. Drążył nas ów temat po wyznaniach Stroopa o Military Government Court i zlikwidowanych lotnikach.

– Pan zna Amerykanów, Herr Stroop, i z ostatniej fazy wojny, i z odsiadki w ich więzieniu – zaczynam ostrożnie. A on natychmiast odpowiada:

---

[4] Schade (niem.) – szkoda.

– A wy, tu w Polsce, ich nie znacie? To prymitywy, marni żołnierze, tchórze.

– Tchórze? – dziwię się. – Mówił pan, że mają kowbojską naturę, a kawalerzyści, według pana, nie są lękliwi.

– Tchórze! Oni się z zasady cofali, gdy nasi szli do bezpośredniego natarcia.

Schielke potakuje:

– Jak rozpoczynaliśmy gęsto strzelać, to Amerykanie nogi za pas. Podciągali artylerię, kładli zmasowany ogień i samolotami atakowali nasze pozycje, jakby to była linia Zygfryda. Niebo ciemniało od stad samolotów. Dywanowo bombardowali metr koło metra, bandyci! Drezno, choć ogłoszono je za miasto otwarte, tak strzaskali, że niech jasny szlag trafi! Wygolili tam dwieście tysięcy bezbronnych ludzi w ciągu kilku dni.

– 200 tysięcy? Bez przesady, Herr Schielke! Ile czasu potrzeba, żeby zabić 200 tysięcy osób normalną bronią (nie mówię o bombie atomowej). Podzielmy tę sumę na pół.

– Dobrze. Niech będzie 100 tysięcy.

– A na cztery?

– Co? Tylko 50 tysięcy ofiar w Dreźnie? Co to, to nie.

– Więc proponuję, krakowskim targiem, 75 tysięcy. Może się mylę, ale należy wątpić, żeby tylu ludzi można było uśmiercić bombami w kilkudziesięciu nalotach. Według szacunkowych obliczeń, na warszawskim Starym Mieście, w czasie Powstania 1944, zniszczyliście nękającym bombardowaniem samolotowym, artylerią i miotaczami min i inną bronią w ciągu miesiąca około 90 procent budynków. A poległo w tym piekle 10 procent przebywających tam ludzi. Zgódź się pan na te 75 tysięcy. I tak daję duży rabat, bo obaj nic dokładnego na temat Drezna n i e   w i e m y.

– Zgoda. Niech będzie 75 tysięcy[5]. Ale wróćmy do taktyki Amerykanów. Gdy ogniem przełamali opór, znów szło wojsko, na gotowe. Ich żołnierz nie potrzebował walczyć wręcz.

---

[5] Według różnych danych, przytaczanych w literaturze przedmiotu, w czasie największego nalotu dywanowego lotnictwa sprzymierzonych na Drezno w lutym 1945 r. poległo około 200–300 tysięcy osób.

– Czy to źle? – pytam. – Po co męczyć się i ewentualnie zginąć, gdy za człowieka walczy technika: artyleria i samoloty.

– Racja – rzekł Schielke. – Bandyci to oni byli, ale swoich ludzi oszczędzali.

– Amerykańskie dowództwo za bardzo cackało się z prostym żołnierzem – włączył się Stroop. – Musiało się cackać, gdyż rozpieszczony Amerykanin, bez tradycji żołnierskich, wyznawca dolara, z ciągotami pacyfistycznymi, nie chciałby się bić, gdyby mu nie stworzono luksusowych i możliwie najbezpieczniejszych warunków walki.

– Tu idzie, Herr Stroop, o rzecz ważniejszą – powiedziałem ze zmarszczonymi brwiami – o odpowiedź na pytanie, czy dowódca zrobił wszystko, aby osiągnąć cel bez straty w ludziach? I pan zapewne rozmyślał nieraz, w jakim zakresie był pan odpowiedzialny za śmierć Paula, Willego lub Hansa.

– Ja nigdy żadnego Hansa...

– Panie Stroop, mówię symbolicznie.

– Aha! Rozumiem.

– ... za śmierć Hansa – kończyłem zdanie – posłanego przez pana z zadaniem bojowym. Albo przez pańskiego podwładnego, któremu pan nie stworzył warunków do wykonania rozkazu.

– Pan ma liberalny, inteligencki punkt widzenia – wywnętrza się Stroop. – Gdybym miał tak rozdzielać włos na części, żadnej akcji bym nie przeprowadził. Oficer lub generał powinien przede wszystkim dbać o zwycięstwo. Na wojnie krew się musi lać.

– Lepiej, żeby się lała benzyna – przerwał Schielke. – Dowódca musi być odważny, ale jednocześnie cwaniak. Oraz nie powinien zastępować sprzętu ludźmi. Tacy byli generałowie Eisenhowera. Toteż amerykański szeregowiec na nich nie narzekał. Przyszłe wojny, technicznie, nie będą potrzebowały tyle armatniego mięsa.

– Ale za to może być sto Hiroszim – mówi Stroop.

– Herr Gott! – jęknął Schielke. – Nie strasz pan.

Zgodnie pomilczeliśmy. Schielke wstał z zydla, wyprężył się, podciągnął portki i wrócił do „amerykańskiej" dyskusji:

– Po co ta filozofia! Spać po niej nie można. Amerykanie tacy, siacy. Zgoda. Ale oni niemożebnie mordowali z powietrza nasz cywilny naród, który nie walczył, tylko zarabiał na żarcie.

– Nie walczył? – głos mam (słyszę) podrażniony. – A wojna t o-
t a l n a to co? Chcieliście totalnych zmagań, toście je mieli w ostatniej fazie wojny. Ale przedtem wyście wyniszczali gromadnie Polaków, Żydów (tu Stroop ściągnął czujnie twarz), Cyganów, jeńców
radzieckich, inteligencję, marksistów, demokratów, liberałów, katolików itd.

Stroop milczy. Koniuszkiem języka zwilża wargi. Schielke, ela-
styczny urzędnik policji kryminalnej, przeskakuje do bezpieczniej-
szego tematu, do końca wojny:

– Tak. W latach 1944–1945 alianci przygniatali nas wyposażeniem
materiałowym, szczególnie lotnictwem. A pamiętam, jak gruby
Göring głosił na początku wojny, że jeśli nieprzyjacielskie samoloty
zdołają przedrzeć się nad Niemcy i jedna bomba spadnie na Altreich,
to można go będzie nazywać Mensch Meier. No, i został nim. „Reichs-
marschall Mensch Meier!”

※

Przed wyjściem na spacer Stroop zawsze czyścił buty, zmieniał
spodnie na zapasowe z kantami wyprasowanymi pod siennikiem,
zawiązywał wokół szyi fontaź z białej chusteczki, przygładzał włosy
i – jeśli nie było zbyt chłodno – wdziewał pąsową „jackę”. Schielke
żartował, że generał tak się stroi do szykorek, na które zerka podczas przechadzki. Ja zaś myślę, że Stroop nigdy nie chciał wyjść z roli generała, członka elitarnej, według niego, grupy społecznej. Demonstrował na spacerze klasę, twardość i niezłomność.

Czekając na spacer, Stroop czasem maszerował po celi i nucił
marsze wojskowe. Znał ich wiele. I te najnowsze, hitlerowskie, i dawne. Schielke również – mimo że nie miał tak dobrego słuchu jak Stroop
i takiej zaprawy. Obaj reprezentowali wyraźny typ wychowania umu-
zykalniającego, opartego częściej na marszach orkiestry dętej niż na
szansonach. Stroop świstał właśnie *Marsza Radetzky'ego*.

– To najpiękniejszy marsz kawaleryjski świata – powiedział. –
Niech pan posłucha. Gdy wczuć się w tę muzykę, to człowiek po
prostu widzi ruchy jeźdźca, unoszącego się w strzemionach.

Na chwilę przystanął i anglezował w takt marsza. Robił to całkiem zręcznie.

Nagle coś mnie podkusiło i zaśpiewałem *Horst Wessel-Lied*. Stroop i Schielke zbaranieli. Twarze im się rozluźniły, wygładzały. W oczach początek uśmiechu, potem rozrzewnienie i blask wspomnień. Przeniosłem ich w lata ubiegłych powodzeń i triumfów.

– Skąd pan to zna?

– Słyszałem czasami *Horst Wessel-Lied* w radio i na hitlerowskich uroczystościach w Warszawie, na placu Piłsudskiego, przez hitlerowców zwanym Saskim. W 1941 pracowałem tam w polskim sklepie (przy ulicy Ossolińskich) i mogłem obserwować wasze imprezy.

Stroop zaczął coś mówić, ale przeszkodził oddziałowy, zabierając go na spacer. W celi milczenie. Schielke rozklejony hymnem NSDAP zaczął coś opowiadać. Początkowo słuchałem piąte przez dziesiąte, ale później, kiedy Schielke powtórzył komentarz zasłyszany od kolegi Stroopa z ławy oskarżonych w Dachau, zainteresowałem się. Już nie pamiętam, czy Schielke sam się widział z komentatorem, czy też siedział w celi z kimś, komu ów „dachauowiec" bezpośrednio opowiadał o Stroopie.

*

Więźniowie-Niemcy na ogół dobrze znali los współrodaków za kratami w Polsce. Mieli spore możliwości rozeznania, gdyż zatrudniano ich w magazynach, warsztatach i na funkcjach porządkowo--gospodarskich. A oni, przy każdej okazji, wymieniali między sobą informacje i poglądy.

*

Oto, co Schielke usłyszał od zaufanych kolegów na temat zachowania się Stroopa w 1947 roku na procesie w Dachau.

– Świnia to on był podczas rozprawy – mówi Schielke. – Udawał niewiniątko. Dowiadywał się wszystkiego w Dachau „po raz pierwszy w życiu". Obciążał współoskarżonych i dlatego wielu dostało karę śmierci. Aż trzynastu na dwudziestu dwóch. Od Stroopa, jako wyższego dowódcy SS i policji, szły wszystkie rozkazy i zalecenia, a on w sądzie nic, tylko że ci jego podwładni samowolnie uśmiercali lotników amerykańskich. Powiedz pan, czy taki powinien być niemiecki dowódca?

– Jednym z obowiązków dowódcy jest bronić podkomendnych i przyjmować za nich odpowiedzialność. Ale dla wielu rozstrzygnięcia są tu trudne. Szczególnie, gdy idzie o własną głowę. Niektórzy dla zachowania życia idą za daleko. Czy są moralni? W jednych sytuacjach – nie, w innych – nie wykluczam okoliczności łagodzących...

– Przepraszam – przerwał mi Schielke – ale moi dawni współwięźniowie z cel kryminalnych mieli chyba rację, mówiąc o „pierdzielowanych inteligentach"! Albo popełniło się świństwo, albo nie. A pan to filozofuje, krytykuje i surowo osądza, ale jednocześnie wyszukuje jasne plamy.

Milczałem. Po kilku minutach Schielke ciągnie:

– I ja obecnie, po latach doświadczeń, nikogo specjalnie nie potępiam. Ale co do zachowania się Stroopa w czasie procesu w Dachau to mam, na podstawie wiarogodnych informacji, zdanie wyrobione. Gdyby on wziął na siebie część winy, gdyby powiedział, że jako wyższy dowódca SS i policji w Rhein-Westmark kazał, czy zalecał, likwidować jeńców-lotników, bo przecież k a z a ł, toby Amerykanie nie skazali w Dachau tylu szaraków na śmierć. A Stroop wszedłby do historii jako uczciwy Niemiec, wzorowy generał.

– Żeby pan wiedział, co mi opowiadali kumple więzienni o tym procesie w Dachau. Stroop grał rolę wielkiego pana i odgradzał się demonstracyjnie od „knechtów", choć byli współoskarżonymi i „braćmi z SS".

Nigdy nie widziałem, żeby Schielke był tak przejęty. Gdy ochłonął, pytam:

– Czy pan naprawdę uważa, że Stroop, gdyby nawet wziął winę na siebie i nie kapował podwładnych, wszedłby do historii jako „uczciwy i wzorowy" generał?

Schielke stanął jak wryty. Nie wydobył głosu z krtani, tylko zatrzepotał rękami. Potem zaczął wolno opuszczać żylaste dłonie po sukiennej kurtce feldgrau, a kiedy palce dotknęły więziennych spodni, rzekł:

– Kto likwiduje jeńców, nie jest uczciwym generałem.

*

Gdy Stroop wrócił ze spaceru, obejrzałem dokładnie jego pąsową kurtkę-wiatrówkę. Dobrze skrojona, z popeliny, oryginalne guziki, staranne wykończenie. Efektowna, mimo zużycia.

– Skąd pan ma taką generalską „jackę"? – zagadnąłem.
– Nie generalską, tylko więzienną – warknął Schielke.
– I generalska, bo czerwona, i więzienna, bo wyfasowałem ją od Amerykanów w Landsbergu, wkrótce po ogłoszeniu wyroku – mówi Stroop.
– Czy inni więźniowie u Amerykanów nosili także czerwone wiatrówki? Czy dostawali je tylko więźniowie-generałowie?
Stroop nie odpowiedział. Milczenie przerwał Schielke:
– Amerykanie dawali czerwone „jacki" tym, których mieli powiesić.

*

Któregoś popołudnia znów rozmawialiśmy o wojskach okupacyjnych USA w Niemczech Zachodnich.
– Oni nie są tacy układni, jak się u was sądzi – informował Stroop.
– W jednym z miast podalpejskich ktoś zabił w 1945 roku żołnierza amerykańskiego. Zaraz wjechały czołgi oraz samochody pancerne US-Army i bez uprzedzenia ostrzelały przechodniów i domy. Bandyci! Mordercy!
– Skąd pan o tym wie, Herr Stroop?
– Opowiadali mi współwięźniowie w Dachau... Nas trzymali w dawnych budynkach Konzentrationslagru... Tam było fajnie. Wszystkie wojskowe więzienia amerykańskie w Europie dawały pewną swobodę. Mogliśmy odwiedzać się w celach. Jedzenie dobre. Nawet cerowano nam skarpetki...
– Niemożliwe – przerywam.
– Raz poskarżyłem się oficerowi amerykańskiemu, że świecę dziurami w skarpetkach i że, jako generał, nie umiem cerować. Natychmiast kazał strażnikowi je zabrać, a po dwóch dniach otrzymałem wyprane i wycerowane.
Schielke na to:
– Panu cerowano, bo pan jest generałem. Jestem pewien, że Amerykanie kazali uprać i pocerować skarpetki jakiemuś więźniowi-Niemcowi. Wracając do amerykańskich wojsk okupacyjnych, to trzy rzeczy mnie uderzyły. Pierwsza, że ich generały nie chodzili niby księża z monstrancjami, a poza służbą traktowali szeregowego jak człowieka równego sobie. Druga, że nie liczyli się z benzyną i wymieniali bez

bonów kanistry puste na pełne. A trzecie: byli często ufni i naiwni jak dzieci. Szczególnie Murzyni, których nasza ludność na swój sposób lubiła.

– O! Podobno bardzo – wtrącam. – Zdaje się, że Murzyni łatwo zdobywali względy waszych kobiet. Ile to półmurzyniątek i jednocześnie północdyckich dzieci musi być dzisiaj w Niemczech!

– Nie tak znów dużo – gwałtownie oponuje Stroop. – Kobieta niemiecka, poza prostytutkami, które są w każdym kraju, dba o czystość rasy i możemy jej być pewni.

– Wprost przeciwnie – wycedził Schielke przez szczerbate zęby. – Nasze niektóre blondynki chętnie przyjmowały do łóżek umundurowanych czarnuchów. Bo to i łagodni, i samce dobre. Obróbkę seksualną znają i wszystko oddadzą za białą Arsch. Taki smoluch przywiózł samochód paczek żywnościowych, papierosów i czekolady dla dzieci. Dolary można od niego wyciągnąć. Zaśpiewa jeszcze i zatańczy, nawet garnki pozmywa. Czego więcej chcieć, gdy mąż nie wiadomo gdzie i głód, a przedtem okres wyrzeczeń wojennych? A zresztą do obcych gachów tośmy nasze baby przyzwyczaili. Co miała jurna blond Venus z najzacniejszej hitlerowskiej rodziny robić, gdy jej chłop wędrował zapamiętale na Ural i Kaukaz, a ją swędziało? Puszczała się z tyłowymi bohaterami, z urlopowiczami wehrmachtowskimi, z cudzoziemskimi robotnikami. Albo łaziła na schadzki do pensjonatów Lebensbornu. Te lebensbornówny miały jeszcze najłatwiej, bo uzyskiwały oficjalne rozgrzeszenie, a nawet dyplom uznania za oddanie partii, a właściwie za oddawanie się rasowym samcom. Inne, nie tak uprzywilejowane, ułatwiały sobie życie, jak mogły i umiały. Nie potępiam ich, choć i nie pochwalam. A Murzyni zostawili nam, i zostawiają chyba nadal, dużo mieszanego potomstwa.

– Rassenschande!!! – zasyczał Stroop.

– Daj pan spokój, Herr General! – śmiał się Schielke. – Czystość rasy to bajka. Wszyscy Niemcy to mieszańcy. Moja prababka była Polką, a babka – Łużyczanką. Śpiewała pieśni słowiańskie. Mieszkała niedaleko Bautzen[6]. Ilu to Rzymian, Włochów, Francuzów, Szwe-

---

[6] Bautzen – niemiecka nazwa łużyckiego Budziszyna.

dów, Rusków, Polaków, Żydów, Czechów przerabiało od wieków nasze kobiety, gdy jeszcze nie znano prezerwatyw. Nie trzeba rozpaczać, że do tego grochu z kapustą przybyło trochę krwi murzyńskiej. Może za kilka pokoleń narodzi się w Niemczech nowy Puszkin!

*

Niedawno przejrzałem f r a g m e n t y akt dochodzenia oraz postępowania sądowego przeciwko Stroopowi i jego 21 współoskarżonym przed amerykańskim Najwyższym Trybunałem Wojskowym (General Military Court) w Dachau. Nie były to dokumenty, które znajdują się w Głównej Komisji Badania Zbrodni Hitlerowskich w Polsce, gdyż nie udało mi się do nich dotrzeć.

Z materiału, który poznałem, wynika, że Stroopowski proces w Dachau miał szczególne znaczenie dla amerykańskiego wymiaru sprawiedliwości w dziedzinie karania hitlerowskich ludobójców. Do początków bowiem roku 1947 odbyło się w amerykańskiej strefie okupacyjnej wiele procesów o uśmiercenie jeńców – lotników USA. Były to jednak sprawy b e z p o ś r e d n i c h wykonawców mordu, którzy – wobec nieodpartych dowodów oskarżenia – przyznawali się do zarzucanych im czynów, jednak usprawiedliwiali się koniecznością wykonywania r o z k a z ó w władz zwierzchnich. Takie procesy pospolicie zwano „Flyer cases"[7].

Cel oskarżycieli w sprawie Stroopa i towarzyszy był inny. Przygotowano bowiem i przeprowadzono proces tak, żeby zebrać przed sądem w s z y s t k i c h sprawców zbrodni: nie tylko bezpośrednich morderców, ale również – szczebel po szczeblu – ich przełożonych, aż po najwyższego hierarchicznie dygnitarza w XII Wehrkreisie, Jürgena Stroopa.

Główny oskarżyciel, podpułkownik John S. Dwinnel (doskonały i znany prawnik z Brooklynu), osiągnął swe zamierzenia. Wraz z kapitanem Williamem R. Vance i cywilnym prawnikiem (prokuratorem?) N. Frieske dokonał olbrzymiej pracy – przy pomocy setek

---

[7] „Flyer cases" (ang.) – sprawy lotników.

pracowników służby dochodzeniowej, przede wszystkim z Military Inteligence Service Center Kwatery Głównej wojska USA na europejskim teatrze wojny.

Podczas procesu Stroopa w Dachau udowodniono oskarżonym: zależność służbową bezpośrednich morderców od ich szefów oraz również winę tych szefów. Ustalono rolę decydującego w tym przypadku schematu rozkazodawstwa (Chain of command), który obowiązywał w XII Wehrkreisie. Oskarżenie i obrona toczyły w czasie przewodu sądowego zażarte boje o sprecyzowanie elementów tego schematu. Na okoliczności hierarchii rozkazodawstwa w XII Wehrkreisie dopuszczony został tylko dowód z przesłuchania świadków. Sąd wykluczył opinie biegłych.

Myślę, że zastosowanie takiej procedury było – mimo przewlekłości procesu – prawidłowe z punktu widzenia moralno-prawnego. Ekspertyzy bowiem najbardziej obiektywnych rzeczoznawców mogłyby być uznane przez pewną część opinii publicznej za stronnicze. A tak, to sami Niemcy – jako świadkowie – ustalili prawdę o systemie hierarchii i o odpowiedzialności każdego z rozkazodawców.

Orzeczenie General Military Court z 21 marca 1947 roku w sprawie Stroopa i towarzyszy miało znaczenie precedensu, który w sądownictwie anglosaskim odgrywa doniosłą rolę. Toteż Stroopowski „Flyer case" jest określany przez prawników amerykańskich mianem „Superior orders case"[8].

Ponieważ szło o precedens, o ustalenie wytycznych dotyczących karania nie tylko bezpośrednich sprawców zbrodni wojennych, ale i ich zwierzchników (zasada „Chain of command") – skład kompletu orzekającego został powiększony do ośmiu sędziów. Oto ich nazwiska: generał brygady Kiel (przewodniczący), płk Gilbert Ackerman,

---

[8] Superior orders case (ang.) – według zasady zwanej w nauce prawa (szczególnie prawa karnego wojskowego) zasadą „respondeat superior" (dosłownie: „niech odpowiada przełożony"). W drugiej połowie XIX w., gdy tworzyły się w świecie cywilizowanym nowe kodyfikacje karno-wojskowe, rezygnowano na ogół z tej zasady. Faktycznie nie obowiązywała ona w niemieckim wojskowym kodeksie karnym z 1872 r. (§ 47). Odrzucało ją także ustawodawstwo wojskowe amerykańskie (według tzw. Lieber's Code z czasów wojny domowej 1863) – przyp. aut.

płk Jacob Bechtold, płk William W. Robertson, płk Harry R. Pierce, płk Earl B. Dunning, płk Edward B. Walker i płk Frank A. Hunter. Stroop wspomniał w celi, że miał w Dachau dwóch obrońców. Byli nimi: podpułkownik William Berman i major Keene Saxon.

*

W czasie przewodu sądowego udowodniono 22 oskarżonym, że „celowo, z rozmysłem i wbrew prawu podżegali, popierali, pomagali i wzięli udział w zamordowaniu" następujących żołnierzy (lotników) armii Stanów Zjednoczonych AP, którzy znaleźli się na terenie XII Wehrkreisu oraz „byli nieuzbrojeni i oddali się do niewoli ówczesnego państwa niemieckiego":

1) żołnierz armii USA o nieznanym nazwisku (zamordowany 3 X 1944 w rejonie Giesen), 2) sierżant Willard P. Perry, numer statystyczny wojsk USA 36 591 162 (19 X 1944 – Wiesbaden), 3) sierżant Robert W. Garrison, nr 33 355 463 (30 XII 1944 – Delkenheim), 4) Ray R. Herman, nr 0-695 168 (15 II 1945 – Bensheim), 5) podporucznik William A. Duke, nr 0-825 602 (22 II 1945 – Bieber), 6) podporucznik Archibald B. Monroe jr., nr 0-834 852 (22 II 1945 – Offenbach), 7) Jimmie R. Heathman, nr 37 630 603 (18 III 1945 – Wallrabenstein) oraz 8) i 9) porucznik William H. Forman, nr 652 973 i szeregowiec Robert T. Mc Donald, nr 32 773 939 (obaj zamordowani 24 III 1945 w rejonie Bensheim).

*

Wyrok został w 8 miesięcy po jego wydaniu zatwierdzony przez głównodowodzącego wojsk amerykańskich w Niemczech, generała L.D. Claya. Oto treść tej decyzji (w tłumaczeniu na język polski): „Sąd Wojskowy. Zarządzenie o zatwierdzeniu wyroku. Sprawa karna nr 12-2000, itd.

Jürgen Stroop, za następującą działalność karalną: przynależność do przestępczej organizacji, udział w zbiorowym planie zabijania oraz zabójstwo jeńców wojennych, którzy się poddali, uznany został przez Najwyższy Trybunał Wojskowy w Dachau winnym [popełnienia zarzucanych mu przestępstw – KM] i skazany na śmierć przez powieszenie wyrokiem z 21 marca 1947 r.

Powyższą sprawę karną przedłożono mi do kontroli, więc po rozważeniu stanu rzeczy oraz zgodnie z mymi kompetencjami zarządzam: ustalenia i wyrok zostają zatwierdzone; dowodzący generał I okręgu wojskowego spowoduje wykonanie wyroku w Więzieniu nr 1 dla Zbrodniarzy Wojennych w Landsbergu, Niemcy, w wyznaczonym przez niego terminie.

22 listopada 1947 r.

LUCIUS D. CLAY
General USA
Commander-in-Chief[9]

✻

Organ armii USA na terenach Niemiec przez nią okupowanych, „Stars and Stripes", podawał wiele informacji o procesie Stroopa i współoskarżonych przed trybunałem w Dachau. Pismo to zamieściło m.in. notę korespondenta agencji UP z 19 marca 1947 r. zatytułowaną *Armia żąda śmierci dla ludzi z gestapo* (*Army Ask Death For Gestapo Men*). Relacjonując kończący się proces w Dachau, autor pisze w nocie, że Jürgen Stroop prosić miał rzekomo trybunał o obciążenie winą raczej jego, a nie towarzyszy z ławy oskarżonych.

Istota tego doniesienia jest diametralnie różna od stanu faktycznego, który jasno wynikał z wynurzeń więziennych Stroopa, potwierdzonych zresztą przez informacje, jakie posiadał Schielke. Obaj wielokrotnie i szczegółowo opowiadali o przebiegu procesu w Dachau. Opowiadali – według mnie – szczerze i prawdziwie. Jeszcze mi brzmią w uszach słowa Stroopa o swych niższych stopniem podwładnych, że to „pętaki", „hołota", „gówniarze", że kłamliwie zwalali winę na niego, choć on „w tych historiach [tzn. w mordowaniu lotników USA – KM] nie brał udziału".

---

[9] Generał Lucius D. Clay był w latach 1947–1949 głównodowodzącym (Commander-in-Chief, CIC) sił amerykańskich w Europie (US Forces in Europe) i jednocześnie gubernatorem wojskowym amerykańskiej strefy okupacyjnej w Niemczech.

XXVI. SZAFOT

Gdy Lucius D. Clay, szef wojsk amerykańskiej strefy okupacyjnej Niemiec, zatwierdził 22 listopada 1947 roku wyrok śmierci na Stroopa i nakazał jego wykonanie w odpowiednim czasie – skazany siedział już ponad pięć miesięcy w więzieniu mokotowskim w Warszawie i podlegał jurysdykcji państwa polskiego.

Amerykanie przekazali Stroopa oficerom Polskiej Misji Wojskowej w Berlinie dnia 30 lub 31 maja 1947 roku na lotnisku Tempelhof. Nie mogłem dokładnie ustalić tej daty, gdyż Stroop – o dziwo – jej nie pamiętał. Jak wynika z archiwaliów, naczelnik Więzienia Mokotów, A. Grabicki, doniósł zwierzchnikom w piśmie z 7 czerwca 1947, że „Stroop przebywa w więzieniu od 30 maja 1947 roku", zaś funkcjonariusz bezpieczeństwa, Stefan Kossowski, stwierdził w krótkim meldunku, że Stroop został do więzienia „przyprowadzony 31 maja 1947 roku o godzinie 15". Należy, według mnie, zgodzić się z Kossowskim – a nie z Grabickim[1].

Czym tłumaczyć, że Stroop n i e p a m i ę t a ł ważnej daty oddania przez Amerykanów w ręce polskie? Myślę, że wzburzeniem wewnętrznym, które się przez niego wówczas przetoczyło.

---

[1] W opracowaniu Elżbiety Kobierskiej-Motas (*Ekstradycja przestępców wojennych do Polski z czterech stref okupacyjnych Niemiec 1946–1950*, Główna Komisja Badania Zbrodni Przeciwko Narodowi Polskiemu-Instytut Pamięci Narodowej, cz. II, Warszawa 1992, s. 169 i 222) w notach obu ekstradowanych razem do Polski oskarżonych – Ericha Mussfelda i Jürgena Stroopa jako data ekstradycji figuruje dzień 30 (a nie 31) maja 1947 r.

– Gdy zobaczyłem na berlińskim lotnisku oficerów polskich – opowiadał raz – byłem półprzytomny, zrozpaczony, zmiażdżony. Amerykanie to oszuści! Wielokrotnie zapewniali, że nigdy nie wydadzą mnie wschodnim aliantom, że karę śmierci za lotników USA złagodzą na dożywocie itp. Z Frankfurtu nad Menem jechałem samolotem do Berlina. Spytałem majora amerykańskiego, który mnie eskortował, po co jadę i dlaczego ręce skuto mi kajdanami. Odpowiedział, że mam być przesłuchany w głównej czterostronnej komisji alianckiej na okoliczności tajnych, a dotychczas nie wyjaśnionych, działań Adolfa Hitlera i Heinricha Himmlera. Jeśli idzie o kajdanki, zasłonił się regulaminem postępowania penitencjarnego. „Wszyscy więźniowie muszą być w samolocie skuci, nawet generałowie" – powiedział. W takiej sytuacji nie protestowałem.

– Co pan pamięta z pobytu w Tempelhofie? – pytam.

– Prawie nic! Wiem, że było to przed południem, że świeciło ostre słońce, że odczuwałem nieznośne gorąco w mundurze i szynelu feldgrau, bez odznak. Spostrzegłem kilku oficerów amerykańskich i grupę oficerów polskich. Mieli furażerki polowe, a jeden rogatywkę o sztywnym denku. Skojarzyła mi się z ułańskim czako. Formalności trwały krótko. Widać uzgodniono wcześniej procedurę przekazywania.

– Stało się to, czego najbardziej się obawiałem. Wśród jeńców i więźniów wojennych u Amerykanów, Anglików i Francuzów panowała opinia, że wschodni alianci to diabły, że z Amerykanami można sobie jakoś ułożyć stosunki, a pobyt u Rosjan czy Polaków jest piekłem i torturami. W Berlinie, na Tempelhof, i w czasie podróży do Warszawy, wyrzucałem sobie poprzednie zlekceważenie informacji księdza Rotha[2]...

– Kto to?

– Niemiec, zakonnik, jezuita, więzień polityczny, który bodajże dwa lata przesiedział w Konzentrationslager Dachau. Gdy w 1945 roku odzyskał wolność, nie zajął się sobą, lecz natychmiast zorganizował pomoc dla byłych oraz dla nowych więźniów, wśród których znajdowali się również jego dawni prześladowcy, osadzeni w Dachau przez Amerykanów.

---

[2] Nie wiem, czy dokładnie piszę nazwisko, ale tak je słyszałem – przyp. aut.

– Vater Roth, bo tak go powszechnie nazywaliśmy – opowiada dalej Stroop – był wyjątkowym człowiekiem. Ofiarny i skromny, jak święty Franciszek z Asyżu. Nikomu nie odmówił pomocy. Wszystkich traktował jednako, bez względu na wyznanie, narodowość, rasę, przekonania polityczne i rodzaj przestępstwa. Zdeklarowany przeciwnik kary śmierci, obozów koncentracyjnych, zabijania bliźniego, zemsty i wszelkich rewanżów. Jako ofiara kacetów, cieszył się zaufaniem i szacunkiem władz okupacyjnych. Stworzył coś w rodzaju patronatu opiekującego się wszystkimi przestępcami i jeńcami wojennymi. Miałem z nim bliski kontakt. Początkowo podejrzewałem, że służy w wywiadzie anglosaskim albo watykańskim, i bałem się go. Ale później stwierdziłem, że jest stuprocentowo lojalny wobec więźniów. Vater Roth był łącznikiem między mną i żoną, przenosił grypsy, dawał rady, ostrzegał. W głosie Stroopa wzruszenie. (A do wzruszeń nie był skory). Przerwał. Schielke i ja milczeliśmy. Jasne, że jako więźniowie zareagowaliśmy żywo na opis działalności Ojca Rotha. Po chwili Stroop wrócił do tematu:

– A jednak nie bardzo rozumiem mentalność Ojca Rotha, choć tak dużo nam pomógł. Kiedyś w czasie długiej i szczerej rozmowy, która raczej przypominała spowiedź, zapytałem: „Za kogo się Ojciec modli?", a Vater Roth odpowiada: „Za wszystkich mieszkańców świata!". Zdziwiłem się. Pytam: „Czy za Żydów, Azjatów, Mongołów, za Churchilla, Eisenhowera, Stalina także?". Vater Roth na to: „Za wszystkich ludzi bez wyjątku, za zwierzęta, za wszechświat, a szczególnie za tych, którzy potrzebują pomocy". Wydawało mi się przez chwilę, że go zrozumiałem. Ale już w kilka minut po rozstaniu się z nim wiedziałem, że zacny Vater Roth nie ma racji. On się modlił za słabych, pobitych, upokorzonych i zgnębionych. A przecież tylko silni są godni uwielbienia. Modlić się trzeba za triumfatorów!

Nie zdążyłem odpowiedzieć, bo oddziałowy zabrał Stroopa na spacer. Schielke chodził, pukając drewniakami po asfalcie celi, i milczał. Ja także.

Stroop wrócił po godzinie, zaróżowiony listopadowym wiatrem. Potem obiad: zupa fasolowa i kasza jęczmienna z sosem (nie lubię kasz: za długo wchodziły w skład przymusowego menu). Później niespodziewana inspekcja. Wypadła dobrze, bo w celi porządek, okna wypucowane, nigdzie śladu kurzu – czystość wzorowa. Pod wieczór spytałem Stroopa, dlaczego żałował, że nie uwierzył wiadomościom od Ojca Rotha.

– Vater Roth dawał wyraźnie do zrozumienia po wyroku sądu amerykańskiego, że mogę być wydany Sowietom lub Polakom. Gdybym zaufał jemu, a nie prokuratorom USA, to nie znalazłbym się w Berlinie i Mokotowie.

Zrozumieliśmy, o czym Stroop myślał. W amerykańskich więzieniach dla zbrodniarzy wojennych panowała względna swoboda i można było – przy kontaktach ze światem zewnętrznym (a kontakty takie były) – przechytrzyć dozorców i skrócić sobie życie.

Wydaje mi się, o ile poznałem Stroopa, że myśl o samobójstwie mogła go opanować z chwilą, gdy zobaczył w Tempelhofie przedstawicieli państwa, które będzie go sądzić za zbrodnie na 71 tysiącach Żydów w getcie Warszawy, na Polakach w Poznańskiem i w dystrykcie warszawskim. A ponadto za działalność w dystrykcie lwowskim i na Ukrainie. Ale ta tendencja samobójcza była, według mnie, krótkotrwała i przelotna. Jak raz wyznał, brakowało mu siły moralnej do podjęcia podobnej decyzji.

✳

Niedawno rozmawiałem z dziennikarzem Leopoldem Marschakiem. Towarzyszył on w maju 1947 roku grupie polskich oficerów, „którzy z rąk Amerykanów odbierali wydanego w nasze ręce zbrodniarza". Przejmował go szef Polskiej Misji Wojskowej do Badania Hitlerowskich Zbrodni Wojennych w Berlinie, kapitan Wacław Kozłowski (obecnie adwokat w Warszawie)[3].

Redaktor Leopold Marschak opowiadał: „Stroop był w mundurze bez dystynkcji, pokorny i cichy... Na nasz widok uniósł skute ręce do głowy i zdjął czapkę"[4].

---

[3] Kpt. / mjr Wacław Kozłowski był w latach 1947–1950 szefem Polskiej Misji Wojskowej do spraw Zbrodni Wojennych z centralą w Berlinie, potem wicedyrektorem Głównej Komisji Badania Zbrodni Hitlerowskich w Polsce do 1954, następnie adwokatem w Warszawie.

[4] Opis tej sceny w notatkach ówczesnego korespondenta Polskiej Agencji Prasowej Leopolda Marschaka wyglądał następująco: „Pierwszy szedł Jürgen Stroop –

*

Na podstawie tego, co usłyszałem od Stroopa i czego byłem świadkiem w ciągu 255 dni wspólnego pobytu z nim i z Schielkem w celi, mogę stwierdzić, że Jürgena Stroopa dobrze traktowano w polskim więzieniu. Nawet wyjątkowo dobrze. Kto uważnie przeczyta niektóre fragmenty tej książki, sam dojdzie do podobnego wniosku. Stosunek Stroopa do przedstawicieli polskich władz śledczych był rzeczowy. Szczególnie cenił za kulturę przesłuchań i za wiedzę prawniczą sędziego Józefa Skorzyńskiego i prokuratora Arnolda Gubińskiego. Wyraźnie nie lubił dziennikarzy oraz pracowników bezpieczeństwa i informacji wojskowej. Opinie o funkcjonariuszach więziennych miał ujemne, mimo że nie mógł dać żadnego przykładu ich złego stosunku do siebie. Ale z tyloma więźniami siedział, że nie był w stanie mieć sympatii do „klawiszy" i ich rozmaitych zwierzchników.

*

Stroop starał się uczyć w celi języka polskiego przy mojej pomocy. Zacząłem od spraw podstawowych. A więc: czas teraźniejszy czasownika „być" i nazwy głównych kolorów. Po dwóch tygodniach codziennego wkuwania – zrezygnowałem. Stroop również. Nie udało mu się bowiem wyrecytować bezbłędnie (pomijałem akcent i czystość wymowy): „ja jestem, ty jesteś, on jest, my jesteśmy, wy jesteście, oni są". Również mylił stale polskie nazwy kolorów. Miał antytalent do nauki języków obcych. Z historią był także na bakier.

Znał dobrze tylko literaturę partyjną, a zwłaszcza SS-owską. Posługiwał się długimi wersetami sloganów propagandowych. Pewnego dnia czytałem w celi nazistowski podręcznik o organizacji partii hitlerowskiej (był własnością Stroopa). Natknąłem się tam na rozdział pod tytułem „Die Schutzstaffeln der NSDAP". Postanowiłem wtedy sprawdzić, czy Stroop zna dobrze swój „katechizm". Pytam więc: „W jaki sposób i kogo powinien zwalczać SS-owiec?" Stroop

w mundurze i płaszczu, bez generalskich dystynkcji. Na widok polskich oficerów zatrzymał się, uniósł obie skute ręce ku górze, zdjął czapkę i stanął na baczność" – patrz Wacław Kozłowski, Leopold Marschak, *Na tropach ludobójców*, Wydawnictwo MON, Warszawa 1965, s. 60.

odpowiada szybko i bezbłędnie, jakby czytał z tej książki: „Er bekämpft offen und schonungslos die gefährlichsten Feinde des Staates: Juden, Freimaurer, Jesuiten und politische Geistlichkeit"[5]. Zaimponował mi pamięciowym opanowaniem przedmiotu.

✽

Mogłoby się czytelnikowi tej książki wydawać, że głównie ja byłem stroną aktywną w rozmowach ze Stroopem, że go nadmiernie indagowałem i wypytywałem. W rzeczywistości sytuacja wyglądała inaczej. Stroop wykazywał duże zainteresowanie sprawami polskimi. Wielokrotnie opowiadałem „moim" Niemcom o domu rodzinnym, szkole średniej, studiach, podchorążówce, pracy zawodowej, organizacjach młodzieżowych, związkach zawodowych, o Klubie Demokratycznym.

Stroop nie był w stanie zrozumieć lub odczuć niektórych postaw i praktyk społeczeństwa polskiego, np. kwestii tolerancji w ogóle, a tolerancji religijnej w szczególności. Kiedyś, gdy opowiadałem o imieninach w rodzinie, wieczorkach szkolnych czy balach studenckich, zapytał:

– To wy, k a t o l i c y, tańczyliście i wspólnie bawiliście się z protestantami, kalwinami, Żydami, prawosławnymi, mahometanami? Rodzice wam pozwalali? Koledzy pańscy, księża i wychowawcy nie protestowali?

Roześmiałem się. Ale, widząc, że mówi poważnie, wyjaśniłem, jakie obyczaje panowały w Polsce od stuleci. Stroop na to:

– W Niemczech byłoby nie do pomyślenia, aby młodzież luterańską, katolicką i żydowską zapraszać na wspólne potańcówki, i to jeszcze rodzinne. Z innowiercami nie utrzymywało się bliskich kontaktów! Jeżeli pan nie koloryzuje w swych opowiadaniach, to wy naprawdę macie tolerancję we krwi. Tolerancję, ale i anarchię swoistą.

Miałem mu złośliwie odpowiedzieć, lecz Stroop kontynuował swoje refleksje:

---

[5] „Er bekämpft offen..." (niem.) – „On (SS-man) zwalcza otwarcie i nie oszczędzając się, najgroźniejszych wrogów państwa: Żydów, masonów, jezuitów i politykujące duchowieństwo".

– Bardzo pana przepraszam, Herr Moczarski, ale Polacy są (według mnie) przedziwnym narodem. Przed rozbiorami na czele waszego kraju stał zawsze król. Byliście m o n a r c h i ą. Jednocześnie oficjalna nazwa waszego państwa brzmiała: Rzeczpospolita. Jeżeli był król, to powinno być „Królestwo Polskie", bo w nazwie Rzeczpospolita (czyli r e p u b l i k a) tkwi zaprzeczenie instytucji króla. A poza tym dziwiły mnie zawsze (i dziwią nadal) demokratyczne na owe czasy instytucje samorządowe i parlamentaryzm polski oraz równość wszystkich członków licznej warstwy szlacheckiej. Wracając do naszego raportu o konspiracji polskiej, to przypominał on, że Polacy od wieków konspirowali przeciwko władzy centralnej, organizując spiski w postaci tak zwanych konfederacji. (Słowo „konfederacja" Stroop powiedział po polsku).

– Wy jesteście, nach meiner Meinung[6] – mówi – zbytni indywidualiści, macie niepohamowane pragnienie swobody osobistej, jak ptaki. Dążąc do wolności w każdej dziedzinie, musicie kierować się t o l e r a n c j ą, to zrozumiałe. Lecz czy nie chcecie za dużo wolności? Czy wasz buntowniczy charakter nie przynosi również krzywd? Naród musi być zdyscyplinowany, posłuszny i szanujący władzę...

– Ale nie obcą! – przerywam. – Swoją także powinien kontrolować.

＊

Stroop i Schielke prosili wielokrotnie (czasem nawet męcząco) o informacje związane z polską konspiracją antyhitlerowską. Pytali o setki spraw organizacyjnych, personalnych, techniczno-dywersyjnych, o likwidowanie wrogów, partyzantkę, bitwy, zamachy, o propagandę, gazetki, ulotki, o wszystko, co stanowiło istotę państwa podziemnego oraz życia jego żołnierzy i działaczy. Opowiadałem, jak umiałem. Wiele rozmów poświęciliśmy Powstaniu Warszawskiemu.

Któregoś dnia Schielke, pogodny i gadatliwy, oznajmił, że wiele lat stykał się z tematyką powstania. Zdziwiony – pytam o szczegóły, a on odpowiada mniej więcej tak:

---

[6] Nach meiner Meinung (niem.) – według mnie.

– W urzędzie Befelshabera der Sicherheitspolizei und des SD w Krakowie istniał (od początku ustanowienia GG) tajny zespół akt dotyczących przewidywanego powstania Polaków. Włączono do nich cenniejsze opracowania naszych fachowców, ich założenia badawcze i wyniki studiów, prognozy, oceny, opinie, meldunki agentów, notatki, uwagi itp. Dla tych papierów miałem specjalną, niewielką kasę pancerną i opiekowałem się nimi jako archiwista. Co miesiąc musiałem każdy dokument przeglądać, sprawdzać, „odkurzać" – jak mówiliśmy. Było z tym dużo nudnej roboty. Od czasu do czasu ktoś z ważnych fiszów żądał, abym sofort dostarczył taki a taki materiał „powstańczy". Pracowaliśmy, zatrudnialiśmy setki ludzi, którzy zapisali tysiące stron na ten temat (niektóre części meldunków były szyfrowane) – i co z tego wyszło? Szajs, panie Moczarski, szajs!

– Dlaczego szajs? – pytam.

– Dlatego, że jak wybuchło Powstanie Warszawskie, to okazało się, że Polacy nas zaskoczyli. Całe biuro Bierkampa latało jak oszalałe. Telefony się urywały. Łączność radiowa i teleksowa pracowały na najwyższych obrotach. Z dziesięć osób zaczęło wertować moje archiwum „powstańcze". Ustalono w końcu, że meldunki konfidentów są przestarzałe oraz że donosy o mającym wybuchnąć „wkrótce" powstaniu (wpływające od dawna i dość systematycznie) były chyba inspirowane przez wywiad AK-owski w celu dezinformacji i uśpienia naszej czujności. To nie znaczy, żeśmy nic nie wiedzieli. Nie! Ale to, cośmy znali, było grubo niewystarczające wobec pilnych potrzeb wynikających z sytuacji. Herr Moczarski, pan myśli, że jestem dzisiaj mądry i sam z siebie tak foremnie układam opinie i oceny? Nie, Herr Moczarski, ja powtarzam tylko słowa Alfreda Spilkera, którego znałem od lat jeszcze z Hanoweru. Spilker to, według mnie, najzdolniejszy policjant niemiecki w całej Generalnej Guberni. Mądrzejszy niż doktor Hahn. Tylko z jednym SS-Hauptsturmführerem Spilkerem mogłem w Krakowie szczerze rozmawiać, choć między nami była ogromna różnica w wykształceniu, w wieku, w stopniu służbowym. On – dygnitarz (mimo niewysokiej rangi) i jedna z szarych eminencji w GG. Ja – niższy funkcjonariusz policji kryminalnej i archiwista.

*

Opisywałem, jak Stroop się zdenerwował i przestraszył przyznaniem się Schielkego do przechowywania w celi dwóch żyletek. Po raz drugi to ja go przeraziłem, przeprowadzając „operację papierosową". A było tak. Siedzieliśmy przez krótki czas w celi drugiego piętra Oddziału X. Na pierwszym piętrze znajdowali się więźniowie. Brakowało nam od kilku dni papierosów. Na okna budynku nie założono tam jeszcze zasłon, tak zwanych „koszy" lub „blind". Postanowiłem więc użyć „windy". Przygotowałem ciemną nitkę, przywiązałem ją do zwiniętej i uczernionej z zewnątrz kartki z prośbą o papierosa. Opuściłem przesyłkę na wysokość celi pod nami. Stroop w czasie tej operacji szalał ze strachu. Schielke musiał go uspokajać. Po wyrzuceniu nitki na zewnątrz poczułem, że ktoś ją lekko poruszył i usztywnił. Czekaliśmy z pięć minut. Nieznany więzień zasygnalizował trzema delikatnymi szarpnięciami, że gotowe. Wciągam „windę". W szarym papierku przysłano pięć papierosów. Stroop głęboko odetchnął i warknął: „Ryzykant z AK!".

Jeżeli już tak szczerze piszę, to dodam, że prośbę o papierosy napisałem wierszem (kto w więzieniu nie układał strof!). Wierszyk był dość długi i kończył się: „Ktokolwiek jesteś, więźniu miły, bądź pozdrowiony! Ściskam rękę. Życzymy paczek, zdrowia, siły. Zaśpiewaj czasem nam piosenkę! I nie patrz na mnie tak z ukosa, gdy moją prośbę ci wyjawię: pożycz jednego papierosa! O papierosie śnię na jawie!".

Te pięć papierosów paliliśmy wszyscy przez dwa dni, każdy po krótkim sztachnięciu.

*

11 listopada 1949 roku w celi był spokój od rana. Po normalnych zajęciach porządkowych rozmawialiśmy o Antarktydzie (Stroop nie wiedział, że taki kontynent istnieje!) oraz o sztuce niemieckiej. Uwielbiał Wagnera. W malarstwie cenił tylko „germano-realizm", to znaczy „obrazy, które szczegółowo ilustrują sceny wojenne, piękno pracy rolników oraz zdarzenia z historii NSDAP", a w architekturze – wielkie budowle III Rzeszy. Gdy relacjonował, jak kolosalne obiekty

miały być wzniesione po wojnie (według projektów Hitlera) w Berlinie, Monachium, Hamburgu i we wszystkich większych miastach przyszłego imperium hitlerowskiego, Schielke zapytał:

– To dlaczego zatwierdzone już plany niemieckiej dzielnicy Warszawy na terenie byłego getta nie przewidywały jakiejś wielkiej budowli użyteczności publicznej, np. hali zwycięstwa lub pałacu zjazdów hitlerowskich?

– Tereny po byłym getcie – odpowiada Stroop – przeznaczono na dzielnicę mieszkaniową i wypoczynkową. Wille, ogrody, czerwone dachówki, zielone okiennice, róże, baseny kąpielowe, zadrzewione aleje, parki i ogrody. A ponadto trzy większe budynki: osiedlowy dom partii i Heim der SS oraz komisariat policji. Wielki gmach stanąć miał nad Wisłą, gdzie zamek warszawski. Taki na 30 tysięcy ludzi, o potężnej kopule zwieńczonej orłem z blach miedzianych. Na wysokości stu metrów dominowałby nad miastem, z dziobem skierowanym na wschód. Gmach miał nosić nazwę Weichselhalle[7].

Stroop rozmarzył się, uśmiechał.

Nagle drzwi otwarto, cichutko, bez zgrzytów i huku. Weszło trzech oddziałowych. Przymknęli drzwi. Padł rozkaz: „Zabierać się z rzeczami! Wszyscy trzej! Bez sienników!". Schielke i Stroop bladzi jak papier. Ja – myślę – także. Zauważyłem, że Stroopowi trzęsą się palce. W pięć minut byliśmy gotowi, z majdanami i tobołkami.

Stroop podał mi rękę, mówiąc: „Dzisiaj jest dzień pańskiego święta narodowego i 31. rocznica klęski Niemiec w I wojnie światowej. Do widzenia, Herr Moczarski, do zobaczenia niedługo u świętego Piotra".

Schielke rozrzewniony. Uścisnął dłoń i rzekł: „Danke! Herr Moczarski".

Wyszli. Mnie zabrano po pół godzinie do celi na parterze nowo otwartego pawilonu A, zwanego Oddziałem XII więzienia mokotowskiego.

Nigdy już Stroopa i Schielkego nie widziałem.

---

[7] Od: Weichsel (niem.) – Wisła.

*

Przygotowania do procesu przeciwko Jürgenowi Stroopowi za zbrodnie popełnione w Polsce trwały długo, bo do 5 lipca 1951 roku. W tym dniu prokurator m.st. Warszawy, K. Kosztirko[8], podpisał akt oskarżenia (Nr I.S.21/51) przeciwko Stroopowi. 18 lipca 1951 roku rozpoczęła się rozprawa w Wydziale IV Karnym Sądu Wojewódzkiego dla m.st. Warszawy.

Zespołowi orzekającemu przewodniczył wiceprezes Sądu Wojewódzkiego – Antoni Pyszkowski (później sędzia Sądu Najwyższego i kierownik wydziału Izby Karnej SN). W skład kompletu wchodziło ponadto dwóch sędziów SW.

Jako oskarżyciele publiczni występowali prokuratorzy: L. Penner i J. Rusek. Obrońcą Stroopa był adwokat Jerzy Nowakowski.

Na sali – mało ludzi. Ławę prasową zasiadło ośmiu dziennikarzy, wśród nich wspomniany redaktor Leopold Marschak. Widzów (czy słuchaczy) nie więcej niż pięćdziesięciu. Wbrew przewidywaniom Stroopa, proces nie był ani pokazowy, ani tłumny.

Przewód sądowy rozpoczął się w godzinach porannych. Trwał pełne trzy dni. Wyrok ogłoszono 23 lipca 1951. Rozprawa odbyła się przy udziale tłumacza i stenografów. Wezwano biegłych i wielu świadków.

Stroopa oskarżono o: 1) przynależność do organizacji przestępczej „Sztafety Ochronne" (SS); 2) zlikwidowanie getta warszawskiego i spowodowanie „wymordowania tam co najmniej 56 065 osób" oraz śmierć dalszych dziesiątek tysięcy Żydów; 3) zarządzenie rozstrzelania stu Polaków 16 lipca 1943 roku; 4) branie udziału w masowych zabójstwach i prześladowaniach ludności polskiej na terenie tzw. „Warthegau".

Stroop zajął stanowisko wobec zarzutów oskarżenia (i udzielał obszernych, zasadniczych wyjaśnień) w drugim dniu rozprawy, 19 lipca 1951. Oto fragment stenogramu sądowego, dotyczący tej kwestii:

---

[8] Kazimierz Kosztirko (1917–1977), późniejszy Prokurator Generalny PRL w latach 1961–1972.

„Przewodniczący: Proszę oskarżonego Jürgena Stroopa, czy oskarżony przyznaje się do winy popełnionych przestępstw zarzucanych mu w akcie oskarżenia?
Oskarżony: Nie przyznaję się.
Przewodniczący: Jakie oskarżony chce złożyć wyjaśnienia?
Oskarżony: Do jakich wypadków?
Przewodniczący: Może oskarżony nie pamięta, to przypomnę.
Oskarżony: Proszę bardzo".
Po tym wstępie przewodniczący, A. Pyszkowski, referuje elementy punktów oskarżenia.

Dzięki stenogramowi można prześledzić wielogodzinny tok pytań sądu i prokuratorów, odpowiedzi i ripost Stroopa oraz czasem głos obrońcy. Krok po kroku przeżywamy jeszcze raz zdarzenia z życia ludobójcy, zanotowane w poprzednich rozdziałach książki, z tym że w *Rozmowach z katem* znajduje się – moim zdaniem – znacznie więcej materiału o przestępstwach Stroopa niż w aktach dochodzenia i przewodu przed sądem PRL.

Czytelnik niniejszej książki zna więc pełniejszą prawdę i wie daleko więcej o Stroopie, niż wiedzieli wtedy (w 1951 roku) sędziowie, prokuratura, czynniki śledcze i słuchacze na sali. Nic dziwnego! Żaden z nich nie siedział ze Stroopem w celi, nie rozmawiał z nim szczerze, nie był jego „kumplem więziennym", nie brał udziału w przygotowaniach do zamachu na życie Stroopa w 1943 roku. Albo nie poświęcił czasu na możliwie najgłębsze przebadanie życia, czynów, całokształtu działań w SS i w SD, psychiki i postaw Stroopa, który – wraz z milionami Niemców – uznawał jako narzędzie „perswazji" tylko pięść, broń palną i ogień.

∗

Stroop do niczego się nie przyznawał. To nie znaczy, żeby negował fakty oczywiste, jak np. mord na Żydach warszawskich i spalenie oraz zburzenie getta w 1943 roku, na co istniał dowód na piśmie nie do obalenia. Sąd dysponował oryginalnym raportem Stroopa, podpisanym przez niego, pt. *Es gibt keinen Jüdischen Wohnbezirk – in Warschau mehr!* (*Żydowska dzielnica mieszkaniowa w Warszawie już nie istnieje!*).

Nie zaprzeczając pewnym faktom, naświetlał je w sposób korzystny dla siebie, niekiedy sofistyczny, a czasami wręcz kłamliwy. Np. na pytanie przewodniczącego Sądu, w jakim celu przyjechał 17 kwietnia 1943 roku do Warszawy, oskarżony odpowiedział: „Nie zastanawiałem się. Otrzymałem po prostu taki rozkaz".

*

Generalna teza Stroopa, przedstawiana w wielu wariantach podczas przewodu sądowego, opierała się na dwóch elementach: 1) jego przynależność do SS, do NSDAP i policji była służbą ż o ł n i e r s k ą, wojskową; 2) jako żołnierz i funkcjonariusz III Rzeszy oraz jako Niemiec, Stroop m u s i a ł skrupulatnie i wiernie wypełniać r o z- k a z y dowódców.

Zamiast komentarza do tej tezy przypomnę trzy hasła powtarzane wielokrotnie przez niego w celi: „Ordnung muss sein!", „Befehl ist Befehl!", „Meine Ehre heisst Treue". Oraz dodam: Jürgen (Józef) Stroop został ukształtowany psychicznie i światopoglądowo – tradycją pokoleń – przez zespół ludzi, których symbolem jest Hermann der Cherusker i Teutoburski Las. W czasie rozprawy sądowej w dniu 19 lipca 1951 roku Stroop powoływał się w sposób zdecydowany na ż o ł n i e r s k i e tradycje swej rodziny, zaś w celi, w ciągu 255 dni rozmów – na „najpiękniejszą w świecie historię Niemiec, czyli Germanii", której był zawsze „wiernym synem".

Alan Bullock trafnie napisał: „N a z i z m n i e s p a d ł n a n a - r ó d n i e m i e c k i j a k g r o m z j a s n e g o n i e b a. B y ł z a - k o r z e n i o n y w j e g o h i s t o r i i"[9].

*

Kapitan dr Paweł Horoszowski, późniejszy profesor, dokonał 22 lipca 1947 roku w Mokotowie zdjęć fotograficznych i pomiarów Stroopa. Stroop przekazał też profesorowi Horoszowskiemu próbki swego pisma. Kreśląc te próbki, Stroop wyszedł poza ramy potrzeb grafologicznych. Napisał bowiem z własnej inicjatywy następujące oświadczenie typu politycznego:

---

[9] Alan Bullock, *Hitler. Studium tyranii*, op. cit., s. 639.

„Po wszystkim, czego ja teraz doświadczyłem, o czym dowiedziałem się i co przeżyłem, uważam, że dyktatura niemożliwa jest dla narodu. Wielopartyjność może sprawy życiowe narodu najlepiej zaspokajać. Zdrowa krytyka jest dla kierownictwa państwa tylko pożyteczna!"[10].

Treść i ton owej deklaracji odbiega c a ł k o w i c i e od tego, co głosił Stroop w celi i co wypowiadał w śledztwie prowadzonym przez oficerów amerykańskich zaraz po wojnie oraz w czasie przewodu sądowego w Polsce.

Kapitan Leroy Vogel, który wielokrotnie przesłuchiwał Stroopa w Niemczech Zachodnich, napisał w swym raporcie z 10 października 1945 roku, że Stroop jest „przekonanym i aroganckim nazistą" („is a convinced and arrogant Nazi")[11]. Zaś w cytowanym poniżej uzasadnieniu wyroku Sądu Wojewódzkiego dla m.st. Warszawy czytamy o „butnej postawie" Stroopa i o jego „wykrętnych wyjaśnieniach, świadczących [...], że trwa on nadal przy hitlerowskim światopoglądzie".

✳

Sąd Wojewódzki dla m.st. Warszawy skazał Stroopa na k a r ę ś m i e r c i z pozbawieniem praw publicznych i obywatelskich praw honorowych na zawsze. Oto kilka fragmentów z dwudziestostronicowego uzasadnienia tego wyroku[12].

„W bezmiarze zbrodni dokonanych na narodach podbitych przez klikę hitlerowską, która [...] objęła w 1933 roku rządy w Niemczech, prześladowanie Żydów stanowi rozdział najbardziej haniebny i wstrząsający. Historia ludzkości nie zna przykładów zorganizowanego z taką drobiazgowością i wykonanego z tak nieludzkim okru-

---

[10] „Nach allem, was ich jetzt erfahren, gehört und erlebt habe, halte ich eine Diktatur für ein Volk für unmöglich. Ein Mehrparteieinheit kann die lebensnotwendigen Dinge eines Volkes bestens vertreten. Die gesunde Kritik ist für die Führung eines Staates nur nützlich!" – przyp. aut.
[11] Akta amerykańskiego General Military Court, nr sprawy 12–200 etc. przeciwko Stroopowi, raport kapitana informacji Vogla z 19 października 1945 r., sygnatura CI–II R/24. – przyp. aut.
[12] Sygnatura akt sądowych: IV. K. 222/51.

cieństwem bestialstwa. Antysemityzm objęty był programem partii hitlerowskiej i głoszony przez nazistowską naukę. Po objęciu władzy przez hitlerowców wyraził się on w szeregu ustaw, które dały początek systematycznemu prześladowaniu Żydów na terenie Rzeszy Niemieckiej. Po rozpoczęciu agresji wojennych i dokonaniu podbojów hitlerowcy rozszerzyli politykę eksterminacyjną w stosunku do narodu żydowskiego na tereny okupowane i opracowali plan ostatecznego wytępienia Żydów, [...] czyniąc przygotowanie do zastosowania podobnych metod w odniesieniu do narodów słowiańskich. Ofiarą tej polityki padły, wśród straszliwych cierpień, miliony niewinnych ludzi".

„Przy ocenie działalności przestępczej oskarżonego Stroopa [...] należało rozstrzygnąć kwestię, czy działalność tę, przejawiającą się [...] w szeregu konkretnych aktów zbrodniczych, traktować należy jako kilka samoistnych czynów, czy też jako jeden czyn w znaczeniu prawnym. Biorąc pod uwagę, iż całokształt przestępczej działalności oskarżonego, ogromem swym przerastający znacznie granice indywidualnej działalności przestępczej spotykanej w normalnych warunkach społecznych, wypływał z jednolitego nastawienia jego woli na realizację zbrodniczej polityki hitlerowskiej i zwracał się przeciwko temu samemu dobru prawnemu, a mianowicie przeciwko interesom ludności cywilnej okupowanej Polski, Sąd uznał, że poszczególne fragmenty działania przestępczego oskarżonego, różnorodne co do miejsca, czasu i formy, stanowią jeden czyn w znaczeniu prawnym, a więc jedno przestępstwo ciągłe".

„Sąd ustalił, że oskarżony Stroop, jako komendant Selbstschutzu na terenie poznańskim, odpowiedzialny jest za prześladowania i zabójstwa dokonane na ludności polskiej i że funkcje swoje pełnił ze szczególną gorliwością i okrucieństwem. Ta akcja oskarżonego Stroopa była realizacją planu hitlerowskiego całkowitego wyniszczenia polskości na terenach włączonych do Rzeszy".

„W odniesieniu do działalności oskarżonego Jürgena Stroopa na terenie getta warszawskiego w dniach od 19 kwietnia do 16 maja 1943 roku, która to działalność określona została mianem »Grossaktion« względnie »Stroopaktion«, dysponował Sąd bogatym materiałem dowodowym".

„Poszczególne fragmenty działania oskarżonego Stroopa w getcie, pomimo całej swej grozy i okropności, nie decydują jednak przy ocenie jego winy i rozmiaru jego odpowiedzialności. Cała bowiem akcja likwidacyjna getta, wszystkie morderstwa i całe zniszczenie, są jego dziełem. Obrona oskarżonego, że spełniał on tylko swój obowiązek żołnierski i wykonywał rozkazy swych przełożonych, sądząc, że są one zgodne z prawem międzynarodowym, znajduje odparcie w faktach wyżej ustalonych. Organizacja i rozmiar bestialskich mordów i prześladowań dowodzi, że nie były one spontanicznymi czynami bezpośrednich oprawców, lecz że metoda działania narzucona została przez kierownika akcji [...] przez specjalnie do tej akcji wyznaczonego oskarżonego Stroopa, który z całą świadomością włączył się we wprowadzoną przez hitlerowców politykę antyżydowską i niezliczone morderstwa popełnione na mieszkańcach getta objął swą wolą i zamiarem. Powołanie, na usprawiedliwienie tych czynów, konwencji haskiej, nie mającej zastosowania do sprawców zbójeckiej napaści, jakiej dokonali hitlerowcy wobec Polski w 1939 roku, i próba zbezczeszczenia uczestników bohaterskiego oporu piętnem »bandytów«, czynią wrażenie cynicznego szyderstwa".

„Ilości ofiar, które pociągnęła za sobą akcja oskarżonego Stroopa w getcie, dokładnie ustalić nie można. Nieznana jest liczba tych, którzy zginęli pod zgliszczami kamienic, w bunkrach i kanałach. Cyfry zawarte w dalekopisie Stroopa z dnia 24 maja 1943 roku, oparte na bezpośrednich obserwacjach, stanowią dolną granicę tych strat. Ponieważ ogólna liczba Żydów przebywających w getcie nie była dokładnie określona, trudno nawet w przybliżeniu ustalić, ile ofiar pochłonęła akcja w getcie ponad podane przez Stroopa 56 065 osób. Kierując się wskazaniami zawartymi w opinii biegłego Marka i zeznaniami świadków Edelmana i Walewskiego, Sąd przyjął, że prócz owych 56 065 osób, zginęły w getcie dziesiątki tysięcy ludzi, niemal wszyscy bowiem znajdujący się na terenie getta w dniu 19 kwietnia 1943 roku zostali ujęci lub wymordowani i tylko nielicznym jednostkom udało się pozostać przy życiu. Straty materialne wyraziły się w całkowitym zniszczeniu zabudowań getta oraz synagogi położonej poza jego obrębem i w rabunku mienia bardzo dużej wartości, obejmującego krajowe i zagraniczne środki płatnicze oraz wielkie ilości rozmaitej biżuterii. [...] Za tę akcję Stroop odznaczony został Krzyżem Żelaznym I klasy".

„Charakter i rozmiar zbrodni dokonanych przez Stroopa, jego butna postawa i wykrętne wyjaśnienia, świadczące nie tylko o braku skruchy, lecz przeciwnie – o tym, że trwa on nadal przy hitlerowskim światopoglądzie, nie pozwoliły Sądowi dopatrzeć się w postępowaniu oskarżonego Stroopa żadnych okoliczności łagodzących. Czyny jego świadczą, iż jest on osobnikiem wyzutym z wszelkich ludzkich uczuć, katem faszystowskim, pastwiącym się z zimnym okrucieństwem nad swoimi ofiarami, którego całkowita eliminacja ze społeczeństwa ludzkiego jest konieczna".

Sąd uwzględnił w swym orzeczeniu, że działalność Stroopa „obejmowała szerokie tereny zarówno w Polsce, jak i poza granicami kraju [...], że za zbrodnie wojenne popełnione w charakterze dowódcy SS i policji został już przez Amerykański Trybunał Wojskowy na śmierć skazany" oraz uznał, że wobec Stroopa „zastosować należy najwyższy wymiar kary" przewidziany w artykułach: 1 (punkt 1 i 2) oraz 2 i 4 (§ 1) dekretu z 31 sierpnia 1944 roku.

＊

Gdy znalazłem się już na powięziennej wolności, wielokrotnie rozmyślałem nad doznaniami Stroopa przed wykonaniem kary i jego zachowaniem się pod szubienicą. Ta egzekucja uparcie zaprzątała moją uwagę. Dokonano jej na człowieku, z którym przebyłem trudny więzienny okres w 1949 roku i z którym przeanalizowałem w wielogodzinnych rozmowach kwestię uśmiercania ludzi, psychikę skazańców i ich reakcje na nieuchronny stryczek lub kulę.

Ponieważ krążyły rozmaite (i często rozbieżne) pogłoski o wykonaniu kary na Stroopie – zwróciłem się 30 września 1961 do Prokuratora Generalnego PRL[13] z prośbą o pomoc. Złożyłem jednocześnie list. Oto jego fragment:

„Jak zachowywał się Stroop: a) na dzień przed egzekucją, b) w czasie prowadzenia na egzekucję i c) w czasie egzekucji? Do

---

[13] Prokuratorem Generalnym PRL był wówczas wspomniany wyżej Kazimierz Kosztirko.

tego pytania mam szereg pytań dodatkowych, a mianowicie: Jak on się bał śmierci? Czy był zdeterminowany? Czy był niemiecko-posłuszny wobec władzy dokonującej egzekucji? Czy może błagał o przedłużenie życia? Czy może stawiał opór? Czy był spokojny, czy rozhisteryzowany? Czy przypadkiem nie zachowywał się w czasie egzekucji w sposób pozerski, połączony ze swoistą bufonadą? A może zachowanie się jego wówczas cechował jakiś automatyzm (wynikający z otępienia lub z „żołnierskiej" postawy, jaką przyjmował często w czasie pobytu w Polsce)? Czy może dały się zauważyć u niego, w obliczu śmierci, jakieś ślady wyrzutów sumienia wobec zbrodni, które niegdyś popełnił w getcie? Czy mówił coś przed śmiercią (na temat Niemiec, Hitlera, Himmlera, odwetu i późniejszej zemsty współrodaków)? Czy nie wznosił okrzyków (jeśli tak, to jakie)? Czy może wspominał rodzinę – a szczególnie syna Olafa i córkę Renatę? Czy może prosił o papierosa? Czy miał jakieś inne życzenia?".

W jakiś czas potem (w październiku 1961 roku) wręczono mi w gmachu Generalnej Prokuratury pięciopunktowy dokument, stanowiący odpowiedź na moje pytania. Podaję jej pełną treść:

„1) Wyrok w stosunku do Jürgena Stroopa został wykonany przez powieszenie go w dniu 6 marca 1952 roku w Centralnym Więzieniu Warszawa I (Mokotów).

2) Na dzień przed egzekucją był on spokojny, lecz stale przebijała w nim hitlerowska buta i zarozumiałość. Nie spodziewał się tego, że egzekucja nastąpi w najbliższym czasie.

3) Po ogłoszeniu mu przez prokuratora wiadomości o mającej nastąpić egzekucji, Stroop początkowo był tą wiadomością zaskoczony. Za chwilę uśmiechnął się i odpowiedział, że „teraz nareszcie połączy się mój duch z moją żoną i córką w NRF". Nie miał żadnego „ostatniego życzenia". Do końca biła od niego buta hitlerowska. Śmierci się nie bał. Był posłuszny władzy dokonującej egzekucji. Był spokojny, stale trzymał się w postawie żołnierskiej.

4) Stroop nie miał żadnych wyrzutów sumienia. Na kilka dni przed egzekucją naczelnik więzienia zapytał go, czy może się on pogodzić z własnym sumieniem, że jako wierzący chrześcijanin sam mordował i przyglądał się, jak jego podwładni mordowali dzieci i ko-

biety w getcie w Warszawie. Stroop na to odpowiedział, że nie ma wyrzutów sumienia z tego powodu, że mordowano Żydów.

5) Na temat Niemiec, Hitlera, Himmlera oraz na temat późniejszego odwetu Stroop nie wypowiadał się".

٭

A teraz mój komentarz do punktu 3 odpowiedzi Generalnej Prokuratury. Warto by – sądzę – zatrzymać się nad pytaniem: dlaczego Stroop był wtedy „spokojny", nawet pogodny („uśmiechnął się"), „posłuszny władzy dokonującej egzekucji", „stale trzymał się w postawie żołnierskiej" oraz „śmierci się nie bał"?

Założyć trzeba wielość motywów, które wpływają na zachowanie się więźnia przed i podczas wykonania przez kata obowiązków służbowych. Nie sposób tu pominąć osobliwych procesów psychologicznych u części więźniów, którzy o d d a w n a siedzą za kratami, oczekując na prawdopodobny lub pewny wyrok śmierci, czy na jego wykonanie. Procesy te mogą spowodować: oswojenie się z rezultatami w ł a s-n y c h rozważań o s w o j e j nieuchronnej śmierci w więzieniu, p r z y z w y c z a j e n i e do bezbolesnej myśli o egzekucji, przygotowanie się do niej, a nawet – czasem – chęć, aby nadeszła szybko. Zachodzi wtedy zjawisko, błędnie kwalifikowane przez ludzi z zewnątrz (tzn. spoza celi śmierci) jako otępienie, samohipnoza, manifestacja skłonności samobójczych, pozerstwo itp. Błędnie – powtarzam – bo może tu wystąpić osiągnięcie stanu „pogodzenia się z życiem i śmiercią".

Przypuszczam, a właściwie jestem pewien, że u Stroopa zaszło podobne zjawisko. Siedział nieprzerwanie za kratami (u Amerykanów i w Polsce) przez sześć lat i niecałe dziesięć miesięcy, z tego prawie pięć lat „pod kaesem", tzn. w oczekiwaniu na wykonanie kary śmierci, orzeczonej po raz pierwszy przez wojskowy trybunał USA 21 marca 1947, a po raz drugi przez sąd PRL w lipcu 1951 roku.

Pięć lat to okres wystarczający na przeanalizowanie stanu rzeczy, na odgrodzenie marzeń i nadziei od realiów, na zmęczenie się sytuacją (niekiedy bez poczucia porażki) i na dostosowanie się do tego, co nastąpi.

Co może taki więzień czynić w godzinie egzekucji? Między innymi: automatycznie zachowywać spokój, „trzymać się", korzystając z dorobku swych przemyśleń w celi, oraz kontrolować się na podium szubienicy i w czasie trudnego marszu z celi do tego podium. Znałem Stroopa dość nieźle. Posiadam też niejakie doświadczenie. Upoważnia to do przypuszczeń, że mam chyba sporo racji.

*

I jeszcze drobne uzupełnienie do punktu 1 cytowanej wyżej odpowiedzi Prokuratury Generalnej PRL:

Według moich sprawdzonych informacji, Stroopa powieszono punktualnie o godzinie 19 tegoż 6 marca 1952 roku – w półtorej godziny po zachodzie słońca, gdy zapadł mrok, gdy warsztaty, magazyny, kuchnie i inne urządzenia Mokotowa były nieczynne, a na podwórzach i korytarzach tylko nieliczni funkcjonariusze więzienia. O tej porze wszyscy więźniowie musieli się znajdować w swoich celach, stojąc na apelach wieczornych lub przygotowując posłania do snu. Wszyscy – z wyjątkiem Stroopa, który wstępował na szafot.

*

* Nieraz zapytywali mnie przyjaciele i czytelnicy, czy patrząc wstecz – nie żałuję czasu „straconego" na więzienie. Zainteresowanym mogę wyznać, że n i e. Co prawda mógłbym przez te „zmarnowane" lata czegoś „dokonać" dla siebie czy dla innych. Ale za to nie byłbym w stanie poznać istoty wielu spraw generalnych – tych ogólnoludzkich i tych, które dotyczą losów mego narodu. A poza tym – z czego nie zdaje sobie sprawy – więzienie dawało w owych latach przywilej sytuacji klarownej, prostej, jasno określonej (w zasadzie tylko na „nie" lub tylko na „tak"). Podobne bytowanie sprzyja upartemu trzymaniu się z a s a d, a nie uleganiu o k o l i c z n o ś c i o m i konieczności lawirowania, które łatwo się może przekształcić w lawiranctwo.

Szczególnie nie żałuję tych 255 więziennych dni, spędzonych na rozmowach z Jürgenem Stroopem i Gustawem Schielke*.

---

* W pierwszych pięciu wydaniach *Rozmów z katem* – opublikowanych nakładem Państwowego Instytutu Wydawniczego w latach 1977–1985 – nie udało się opublikować tego zakończenia z przyczyn cenzuralnych.

ANEKS

1. KALENDARIUM ŻYCIA
opracował Andrzej Krzysztof Kunert

KAZIMIERZ MOCZARSKI
„Borsuk", „Grawer", „Maurycy", „Rafał", „Wolski" (1907–1975)

21 VII 1907, Warszawa – urodził się Kazimierz Damazy Moczarski, syn Jana Damazego (1876–1939, działacza tajnego skautingu i Drużyn Bartoszowych, w Polsce niepodległej nauczyciela i dyrektora gimnazjum) i Michaliny Franciszki z domu Wodzinowskiej (1878 – 1966, nauczycielki)

28 V 1926, Warszawa – otrzymuje świadectwo dojrzałości w Gimnazjum Michała Kreczmara

od X 1926 do XII 1932, Warszawa – studiuje na Wydziale Prawa Uniwersytetu Warszawskiego

od X 1928 do VI 1932, Warszawa – jednocześnie studiuje w Wyższej Szkole Dziennikarskiej

od VIII 1929 do VI 1930, Bereza Kartuska – odbywa służbę wojskową w Batalionie Podchorążych Rezerwy Piechoty Nr 9 (uzyskując 12. lokatę końcową wśród 60 podchorążych)

od 1930 do 1934 – wstępuje do Legionu Młodych

od VIII 1931 do X 1931, Paryż – odbywa praktykę konsularną („praktykant wakacyjny") w Konsulacie RP

13 XII 1932, Warszawa – otrzymuje dyplom magistra praw na Wydziale Prawa Uniwersytetu Warszawskiego

od XII 1932 do XII 1934, Paryż – kontynuuje studia w Instytucie Wyższych Studiów Międzynarodowych (Institut des Hautes Études Internationales) przy Wydziale Prawa uniwersytetu w Paryżu

od 1934 do 1935, Warszawa – jest redaktorem odpowiedzialnym i współredaktorem pisma „Płoń!", społeczno-politycznego dwutygodnika młodej radykalnej inteligencji

1 I 1935 mianowany podporucznikiem rezerwy piechoty

od XI 1935 do IX 1939, Warszawa – pracuje na stanowisku referendarza (a od maja 1939 – radcy) w referacie międzynarodowego ustawodawstwa pracy w Wydziale Organizacji i Ochrony Pracy Departamentu Pracy Ministerstwa Opieki Społecznej

od 1936 do 1938, Warszawa – uczestniczy w zebraniach Klubu Pracowniczego „Maurycy Mochnacki", nieformalnej grupy radykalnych działaczy związków zawodowych pracowników umysłowych. Zebrania te – odbywające się najczęściej w jego mieszkaniu przy ul. Hożej 42 – nazywano „maurycówkami" od imienia Mochnackiego (stąd także jeden z późniejszych pseudonimów konspiracyjnych Moczarskiego)

od 1936 do 1939 – uczestniczy w składzie delegacji polskiej w czterech corocznych Międzynarodowych Konferencjach Pracy w Genewie

III 1937, Warszawa – wybrany w skład Głównego Sądu Koleżeńskiego Stowarzyszenia Urzędników Państwowych

X 1937, Warszawa – uczestniczy w pierwszym zebraniu pierwszego w Polsce Klubu Demokratycznego i jest współautorem przyjętej wówczas tzw. Małej Deklaracji Klubu Demokratycznego

XII 1937, Warszawa – wybrany do Prezydium Okręgowej Komisji Społecznej Stowarzyszenia Urzędników Państwowych

III 1938, Warszawa – ponownie wybrany w skład Głównego Sądu Koleżeńskiego Stowarzyszenia Urzędników Państwowych

X 1938, Warszawa – wybrany do Zarządu Okręgu Stołecznego Stowarzyszenia Urzędników Państwowych od IV 1939, Warszawa – należy do nowo utworzonego Stronnictwa Demokratycznego

IV 1939, Warszawa – wybrany w skład Zarządu Głównego Stowarzyszenia Urzędników Państwowych

V 1939, Warszawa – wybrany w skład Komitetu Wykonawczego Zarządu Głównego Stowarzyszenia Urzędników Państwowych, tym samym wchodzi w skład komitetu redakcyjnego organu prasowego Stowarzyszenia – „Życie Urzędnicze"

31 VII 1939, Warszawa – poślubia Zofię z domu Płoską, pracownicę referatu prasowego Ministerstwa Opieki Społecznej

kampania wrześniowa 1939 – ewakuowany wraz z personelem Ministerstwa Opieki Społecznej trasą Siedlce – Łuków – Dubno, odmawia opuszczenia kraju i przez Równe – Uściług – rzekę Bug – Hrubieszów wraca 1 XII 1939 do Warszawy

od XII 1939 – mieszka w Warszawie pod różnymi adresami, najdłużej (od października 1943 do wybuchu Powstania Warszawskiego) przy ul. Słonecznej 50, używając dokumentów na nazwisko Kazimierz Sankowski. Utrzymuje się z dorywczych zajęć i z handlu, przez pewien czas będąc współwłaścicielem sklepu „Marywil" przy ul. Ossolińskich 4

od I 1940, Warszawa – uczestniczy w pracach konspiracyjnego Stronnictwa Demokratycznego (kryptonim „Prostokąt")

od I 1940, Warszawa – należy do konspiracyjnego Związku Walki Zbrojnej – Armii Krajowej

od VIII 1942, Warszawa – jest referentem w referacie C–1 (P–1) Podwydziału C (P) w Wydziale Informacji Biura Informacji i Propagandy Komendy Głównej Armii Krajowej, używając tu pseudonimów „Rafał", potem „Wolski"

od I 1944, Warszawa – jest jednocześnie kierownikiem działu dochodzeniowo-śledczego i zastępcą kierownika wydziału dywersji osobowej

(Włodzimierza Lechowicza) w Okręgowym Kierownictwie Walki Podziemnej m.st. Warszawy, używając tu pseudonimu „Maurycy"

od IV 1944, Warszawa – po odejściu Lechowicza zostaje kierownikiem wydziału dywersji osobowej i II zastępcą stojącego na czele Okręgowego Kierownictwa Walki Podziemnej m.st. Warszawy Eustachego Kraka

11 VI 1944, Warszawa – uczestniczy w przygotowaniu i przeprowadzeniu akcji uwolnienia więźniów ze Szpitala Jana Bożego przy ul. Bonifraterskiej 12

po 13 VI 1944, Warszawa – z upoważnienia grupy działaczy konspiracyjnego Stronnictwa Demokratycznego i pracowników Biura Informacji i Propagandy Komendy Głównej Armii Krajowej kieruje półoficjalnym dochodzeniem w sprawie zamordowania Jerzego Makowieckiego i Ludwika Widerszala (najgłośniejszy skrytobójczy mord polityczny okresu okupacji niemieckiej)

VII 1944, Warszawa – po połączeniu Stronnictwa Demokratycznego, Zjednoczenia Robotników Polskich, Polski Niepodległej i Związku Wolnej Polski zostaje członkiem Zarządu Głównego nowo utworzonego konspiracyjnego Zjednoczenia Demokratycznego

VII 1944, Warszawa – kieruje tworzeniem sieci łączności radiowej dla potrzeb Biura Informacji i Propagandy Komendy Głównej Armii Krajowej na czas przygotowywanego powstania (przy użyciu aparatów UKF produkcji konspiracyjnej)

Powstanie Warszawskie (1 VIII – 5 X 1944) – kieruje placówką informacyjno-radiową Biura Informacji i Propagandy Komendy Głównej Armii Krajowej (stacją „Rafał"), a kiedy podzielono ją na dwie stacje – stacją „Danuta" aż do kapitulacji oddziałów powstańczych. Jednocześnie współredaguje pismo „Przegląd Prasy", a potem redaguje pismo „Wiadomości Powstańcze. Dodatek do Biuletynu Informacyjnego dla Śródmieścia – Północ"

14 IX 1944, Warszawa – rozkazem L.418/BP Dowódcy Armii Krajowej gen. dyw. Tadeusza Komorowskiego „Bora" zostaje awansowany do stopnia porucznika rezerwy piechoty

22 IX 1944, Warszawa – na mocy rozkazu L.437/BP Dowódcy Armii Krajowej zostaje odznaczony Złotym Krzyżem Zasługi z Mieczami

23 IX 1944, Warszawa – zostaje mianowany „kierownikiem wychowania żołnierza" w sztabie 28 Dywizji Piechoty Armii Krajowej nowo utworzonego Warszawskiego Korpusu Armii Krajowej

7 X 1944 – opuszcza Warszawę, występując jako pracownik Polskiego Czerwonego Krzyża, i zatrzymuje się w Pruszkowie

około 10 X 1944 – uczestniczy w wywiezieniu z Warszawy Delegata Rządu RP na Kraj (wicepremiera) Jana Stanisława Jankowskiego

około 26 X 1944 – rozkazem ostatniego Dowódcy Armii Krajowej gen. bryg. Leopolda Okulickiego „Niedźwiadka" zostaje mianowany szefem Biura Informacji i Propagandy ostatniej Komendy Głównej Armii Krajowej. Pełni tę funkcję z siedzibą w Częstochowie, używając odtąd nowego pseudonimu „Grawer", także po rozwiązaniu AK (19 I 1945) – w sztabie „Armii Krajowej w likwidacji"

1 I 1945 – awansowany rozkazem Dowódcy Armii Krajowej do stopnia kapitana rezerwy piechoty

od IV 1945 – pełni funkcję szefa Biura Informacji i Propagandy w sztabie nowo utworzonej Delegatury Sił Zbrojnych na Kraj (na czele której stoi płk dypl. Jan Rzepecki)

18 VII 1945 – wraz z Zygmuntem Kapitaniakiem i Włodzimierzem Lechowiczem składa Delegatowi Sił Zbrojnych płk. Janowi Rzepeckiemu memoriał sugerujący „stwierdzenie w formie rozkazu, że walka zbrojna w kraju w sytuacji obecnej jest działaniem bezużytecznie osłabiającym naród" i „wezwanie do pracy na wszystkich odcinkach w imię ideałów wolności i niepodległości"

24 VII 1945 – Delegat Sił Zbrojnych wydaje rozkaz (opracowany razem z Moczarskim) Do żołnierzy byłej Armii Krajowej: „Jeśli tylko pozwala na to Wasze osobiste położenie, jeśli bezmyślne prześladowanie przez tzw. „bezpieczeństwo" nie zamyka Wam tej drogi, przystępujcie do jawnej pracy na wszystkich polach nad odbudową Polski, pozostając wiernymi drogim każdemu żołnierzowi

byłej AK demokratycznym hasłom Wolności Obywatela – Niezawisłości Narodu"

31 VII 1945 – na polecenie Delegata Sił Zbrojnych opracowuje Materiały dla terenu z wezwaniem: „Ludzie leśni, wracajcie na Wasze posterunki cywilne, na placówki odbudowy Kraju"

11 VIII 1945, Warszawa – pięć dni po formalnym rozwiązaniu Delegatury Sił Zbrojnych na Kraj zostaje aresztowany (osobiście przez kpt. Józefa Różańskiego) i osadzony w więzieniu mokotowskim

18 I 1946, Warszawa – Sąd Wojskowy Okręgu Warszawskiego skazuje go na 10 lat więzienia za działalność w okresie: kwiecień-sierpnień 1945

19 I 1946, Warszawa – ten sam sąd łagodzi wyrok na mocy amnestii do 5 lat więzienia i zawiesza wykonanie kary warunkowo na okres 2 lat.

1 II 1946, Warszawa – Najwyższy Sąd Wojskowy stwierdza, że w tym wypadku zastosowanie amnestii nie jest możliwe, oskarżony bowiem „zajmował w organizacji stanowisko kierownicze". Przewieziony jesienią 1946 do więzienia w Rawiczu, wiosną 1947 zostaje z powrotem osadzony w więzieniu mokotowskim

17 IX 1947, Warszawa – Okręgowy Sąd Wojskowy na mocy amnestii z 22 II 1947 łagodzi mu karę z 10 do 5 lat więzienia

30 XI 1948, Warszawa – rozpoczęcie nowego śledztwa, obejmującego jego działalność w okresie okupacji (płk Józef Różański oznajmia mu wówczas: „Pan, panie Moczarski i tak pójdzie do ziemi"). Torturowany (w znanym swoim późniejszym liście do adwokata Władysława Winawera z 25 II 1955 wymienia 49 rodzajów tortur), pozbawiony pomocy lekarskiej, przez 6 lat i 3 miesiące nie jest wypuszczany na spacer, przez 4 lata i 6 miesięcy pozbawiony kontaktu ze światem zewnętrznym (listów od rodziny, książek, gazet), przez 2 lata i dziesięć miesięcy pozbawiony możliwości kąpieli, z około 70 paczek przesłanych przez siostrę otrzymuje tylko około 10...

od 2 III do 11 XI 1949, Warszawa – przebywa w jednej celi więzienia mokotowskiego z SS–Gruppenführerem Jürgenem Stroopem

18 XI 1952, Warszawa – wyrokiem Sądu Wojewódzkiego dla m.st. Warszawy skazany na karę śmierci na podstawie art. 2 słynnego dekretu sierpniowego (Dekretu Polskiego Komitetu Wyzwolenia Narodowego z dnia 31 sierpnia 1944 r. o wymiarze kary dla faszystowsko-hitlerowskich zbrodniarzy winnych zabójstw i znęcania się nad ludnością cywilną i jeńcami oraz dla zdrajców Narodu Polskiego)

9 X 1953, Warszawa – Sąd Najwyższy zamienia mu karę śmierci na karę dożywotniego więzienia, ale Moczarski dowiaduje się o tym oficjalnie dopiero 2 lata i 3 miesiące później, 15 I 1955...

12 II 1955 – przewieziony z więzienia mokotowskiego do więzienia w Sztumie (a następnie 26 VII 1955 – do więzienia w Gdańsku, 28 X 1955 – ponownie do więzienia w Sztumie, 19 IV 1956 – do więzienia we Wronkach)

26 III 1955 – zwolnienie z więzienia żony Moczarskiego Zofii (aresztowanej 26 III 1949 i skazanej następnie na 6 lat więzienia), zrehabilitowanej 17 XII 1956

21 IV 1956, Warszawa – Sąd Najwyższy wznawia postępowanie w sprawie Moczarskiego, uchyla poprzedni wyrok z 18 XI 1952 i przekazuje sprawę do ponownego rozpatrzenia (pierwsza taka decyzja w Polsce)

24 IV 1956 – zwolniony z więzienia we Wronkach. Leczy się przez następne kilka miesięcy w sanatoriach w Iwoniczu-Zdroju (do 30 VIII) i od 5 IX w Wonieściu, skąd 18 XI 1956 wraca do Warszawy

28 VI 1956, Warszawa – Sąd Wojewódzki dla m.st. Warszawy na mocy amnestii z 27 IV 1956 postanawia „postępowanie w stosunku do oskarżonego Kazimierza Moczarskiego umorzyć"

5 IX 1956 – w liście do płk. Jana Rzepeckiego upomina się o jego „głośną interwencję" w sprawie jeszcze więzionych żołnierzy Armii Krajowej

8 X 1956 – Generalna Prokuratura zgłasza wniosek o wznowienie śledztwa w sprawie Moczarskiego

9 X 1956, Warszawa – Sąd Wojewódzki dla m.st. Warszawy (w odpowiedzi na pismo Moczarskiego z 7 VII, w którym odrzuca on zastosowanie amnestii i żąda ponownego „rozpoznania sprawy przez Sąd") uchyla swoje postanowienie z 28 VI 1956 o umorzeniu postępowania

13 X 1956, Warszawa – Sąd Wojewódzki dla m.st. Warszawy postanawia „wniosek prokuratora [z 8 X] pozostawić bez uwzględnienia" i następnie decyzją z 5 XI wyznacza termin rozprawy sądowej

2 XII 1956, Warszawa – Moczarski zostaje dokooptowany do Centralnego Komitetu Stronnictwa Demokratycznego

od 5 do 8 XII 1956, Warszawa – rozprawa rehabilitacyjna przed Sądem Wojewódzkim dla m.st. Warszawy

11 XII 1956, Warszawa – Sąd Wojewódzki dla m.st. Warszawy wydaje wyrok uniewinniający i rehabilitujący (fragmenty tekstu wyroku – patrz niżej Aneks 3.)

13 XII 1956, Warszawa – wybrany w skład Komitetu Organizacyjnego Obchodu XX-lecia Klubów Demokatycznych

od VII 1957, Warszawa – pracuje w redakcji organu prasowego Stronnictwa Demokratycznego – „Kurier Polski", zajmując tu od X 1958 stanowisko kierownika działu łączności z czytelnikami, a od V 1959 wchodząc także w skład kolegium redakcyjnego

I 1958, Warszawa – na VI Kongresie Stronnictwa Demokratycznego wybrany w skład Centralnego Komitetu SD. Jednocześnie odznaczony Krzyżem Kawalerskim Orderu Odrodzenia Polski

13 V 1958, Warszawa – narodziny córki Elżbiety

19 I 1959, Warszawa – zeznaje jako świadek przed Sądem Wojewódzkim dla woj. warszawskiego w procesie Ericha Kocha (z którym, podobnie jak ze Stroopem, przez pewien czas przebywał w jednej celi więziennej)

11 I 1960, Warszawa – członek rzeczywisty Stowarzyszenia Dziennikarzy Polskich

od 1960 do 1964, Warszawa – członek Prezydium Stowarzyszenia Dziennikarzy Polskich

II 1961, Warszawa – na VII Kongresie Stronnictwa Demokratycznego wybrany do Centralnego Sądu Partyjnego i do Rady Naczelnej SD

od 1964 do 1968 – wiceprzewodniczący Prezydium Naczelnego Sądu Dziennikarskiego

II 1965, Warszawa – na VIII Kongresie Stronnictwa Demokratycznego wybrany jednym z dwóch wiceprzewodniczących Centralnego Sądu Partyjnego SD (pozostaje nim do II 1969)

od V 1965, Warszawa – kierownik działu, od X 1965 do XII 1974 zastępca redaktora naczelnego, zaś od X 1973 do XII 1974 p.o. redaktora naczelnego pisma „Walka z Alkoholizmem", które w 1966 zmienia nazwę na „Problemy Alkoholizmu"

25 VII 1967, Warszawa – odwołany ze stanowiska kierownika działu i członka kolegium redakcyjnego „Kuriera Polskiego" z dniem 31 VII (jego krytyczną postawę wobec tendencji antysemickich nazwano postawą antypaństwową)

od V 1968, Warszawa – starszy publicysta w redakcji „Kuriera Polskiego", ale „bez obowiązku pisania"...

1969, Londyn – odznaczony Krzyżem Armii Krajowej

XII 1974, Warszawa – cenzura PRL zdejmuje jego artykuł w ostatnim numerze „Problemów Alkoholizmu" i zdjęcie członków redakcji

II 1975, Warszawa – przechodzi na emeryturę

27 IX 1975, Warszawa – śmierć Autora *Rozmów z katem*.

2. Fragment początkowy pisma Kazimierza Moczarskiego wysłanego 24 lutego 1955 r. z więzienia w Sztumie do Naczelnej Prokuratury Wojska Polskiego w Warszawie opisujący czterdzieści dziewięć rodzajów „maltretacji i tortur"

Do Naczelnej Prokuratury Wojska Polskiego w Warszawie

W dniu 5 listopada 1954 r. byłem przesłuchiwany w Pawilonie A Więzienia Mokotów w Warszawie przez przedstawiciela Naczelnej Prokuratury Wojska Polskiego na okoliczność stosowania wobec mnie niedozwolonych metod śledztwa przez oficerów śledczych b. MBP.

W związku z powyższym przesłuchaniem składam następujące oświadczenie. W czasie śledztwa prowadzonego przeciwko mnie na okoliczności mej rzekomej współpracy z Niemcami (inkryminowane mi rozpracowywanie lewicowców) zostałem – w okresie od 30 XI [19]48 do 22 IX [19]52 – poddany przez oficerów i podoficerów b. MBP: ppłk. Duszę Józefa, mjr. Kaskiewicza Jerzego, kpt. Chimczaka Eugeniusza, kpt. Adamuszka Adama, ppor. Szymańskiego Tadeusza, st. sierżanta Mazurkiewicza i sierżanta Stanisława Wardyńskiego (lub Wardeńskiego, Wardęskiego) c z t e r d z i e s t u d z i e w i ę c i u następującym rodzajom maltretacji i tortur:

bicie całego ciała („gdzie popadnie"): 1) ręką (Dusza, Kaskiewicz, Chimczak), 2) policyjną pałką gumową (Dusza, Kaskiewicz), 3) drążkiem mosiężnym (Dusza), 4) drutem (Dusza oraz oddziałowy Stanisław Wardyński lub Wardeński, Wardęski), 5) drewnianą linijką okutą metalem (Dusza, Kaskiewicz, Chimczak), 6) kijem (Dusza), 7) batem (Kaskiewicz), 8) suszką i podstawą do kałamarza (Chimczak, Adamuszek);

bicie szczególnie uczulonych miejsc ciała: 9) nasady nosa – pałką gumową (Dusza), 10) wystających części łopatek – pałką gumową (Dusza), 11) podbródka w okolicy gruczołów, które obrzękają przy tym do rozmiarów „świnki" – pałką gumową (Dusza), linijką (Dusza, Kaskiewicz), 12) stawów barkowych – pałką gumową, 13) wierzchniej części nagich stóp w okolicach palców batem, obciągniętym w tzw. lepką gumę (Kaskiewicz), 14) czubków palców rąk – suszką i podstawą kałamarza (Chimczak i Adamuszek), 15) czubków palców nagich stóp – pałką gumową (Dusza), 16) obnażonych pięt (seria po 10 uderzeń na piętę pałką gumową, kilka razy na dzień) – (Dusza);

wyrywanie włosów: 17) z wierzchniej części czaszki (Dusza, Kaskiewicz, Chimczak), 18) ze skroni, znad uszu i z karku – tzw. „podskubywanie gęsi" (Dusza, Kaskiewicz, Chimczak), 19) z brody i wąsów (Dusza, Chimczak), 20) z piersi (Chimczak), 21) z krocza i z moszny (Chimczak);

przypalanie: 22) rozżarzonym papierosem okolic ust i oczu (Chimczak), 23) płomieniem – palców obu dłoni (Dusza, Kaskiewicz i Chimczak);

24) miażdżenie palców obu rąk między ołówkami (Dusza, Kaskiewicz);

25) miażdżenie palców stóp (wskakiwanie butami na stopy) – (Dusza, Kaskiewicz, Chimczak);

26) kopanie nóg i korpusu ciała (Dusza, Kaskiewicz oraz oddziałowy Stanisław Wardyński lub Wardeński, Wardęski);

27) kopanie specjalnie w kości goleniowe (Dusza, Kaskiewicz, Chimczak);

28) kłucie szpilką, stalówką itp. (Dusza, Chimczak);

29) szczypanie twarzy i uszu ręką przy pomocy klucza (Chimczak);

30) siedzenie na kancie stołka (Dusza, Chimczak);

31) siedzenie na śrubie, która rani odbytnicę (Dusza);

32) skuwanie rąk do tyłu automatycznymi kajdankami, tzw. „amerykankami", oraz zrywanie siłą z przegubów tych kajdanek, które rzekomo nie chciały się otworzyć (Dusza przy pomocy ówczesnego starszego oddziałowego, plut. Tadeusza Szymańskiego);

33) „gimnastyka" – przysiady aż do omdlenia (Dusza);

34) bieganie po schodach (20–30 minut) – (dozorował oddziałowy z rozkazu ppłk. Duszy);

35) wielogodzinny karcer (m.in. nago) – (Dusza);

36) zmuszanie do niespania przez okres 7–9 dni drogą „budzenia" mnie (stojącego w mroźnej celi) uderzeniami w twarz, zadawanymi przez dozorującego urzędnika b. MBP; metoda ta, nazywana przez oficerów śledczych „plażą" lub „Zakopanem", wywołała u mnie stan półobłąkańczy i spowodowała zaburzenia psychiczne (m.in. widzenia barwne i dźwiękowe, zbliżone do odczuwanych po użyciu peyotlu lub meskaliny (Dusza przy pomocy oddziałowych);

37) wielogodzinna „stójka" w celi na baczność (Dusza przy pomocy oficerów inspekcyjnych i oddziałowych Oddziału XI Mokotowa oraz później (po 11 XI 1950 r.) Pawilonu A Mokotowa);

38) wielogodzinna „stójka" w celi i w pokoju śledczym z rękami podniesionymi w górę (Dusza przy pomocy oddziałowych oraz oficerów inspekcyjnych Oddziału XI i X Mokotowa);

39) pozbawianie paczek od rodziny (Siostra moja stale przysyłała mi paczki żywnościowe, co tydzień, w myśl obowiązującego wówczas regulaminu; z około 70 przysłanych mi paczek dopuszczono do moich rąk około 10–15 – reszty paczek nie zwrócono mej Siostrze) – zarządzenie ppłk. Duszy;

40) zmniejszona porcja jedzenia (w czasie największego nasilenia śledztwa otrzymywałem tylko 1/2 litra kawy, ok. 350 gr chleba oraz 1/2 litra wodnistej zupki dziennie), a ponadto w pewnym okresie – tortura pragnienia (przez kilka dni nie dawano mi absolutnie nic do picia) – ppłk. Dusza przy współudziale oddziałowych;

41) rewizje nocne w celi, przy czym musiałem (rozgrzany snem) stawać nago na „stójce" w mroźnym przeciągu, spowodowanym równoczesnym otwarciem okna i drzwi celi; taka naga „stójka" w zimowym przeciągu trwała do 1 godz. (z rozkazu ppłk. Duszy zabiegu powyższego dokonywał oficer inspekcyjny XI Oddziału, nazwany przez więźniów „Hiszpanem" lub „Grubym", wraz z oddziałowymi);

42) wyjmowanie okien w celi w październiku 1949 r. na 24 godziny, przy spaniu pod 1 kocem, częściowo bezpośrednio na betonie (1 siennik na 3 więźniów) – z rozkazu ppłk. Duszy przypilnowywał wykonania Inspekcyjny XI Oddziału oraz oddziałowy Mazurkiewicz;

43) wielokrotne wlewanie do celi kubłów wody (z rozkazu ppłk. Duszy – Inspekcyjny XI Oddziału oraz oddziałowi, m.in. Mazurkiewicz i Stanisław Wardęski czy Wardeński);

44) pozbawienie pomocy lekarskiej, mimo choroby (przez ok. 1 i pół miesiąca oddawałem mocz z krwią itp.); stan ten trwał z rozkazu ppłk. Duszy do czasu objęcia przez Dr Kamińską opieki lekarskiej (b. troskliwej opieki) nad więźniami Pawilonu A;

45) pozbawienie spaceru – z rozkazu ppłk. Duszy; w czasie mego pobytu w więzieniu nie wypuszczano mnie na spacer przez s z e ś ć l a t i t r z y m i e s i ą c e; po raz pierwszy poszedłem na spacer w dn. 22 września 1952 w celi Nr 22 Pawilonu A Mokotowa; dodaję, że w czasie mego pobytu w więzieniu n i e b y ł e m k ą p a n y przez 2 lata i 10 miesięcy;

46) maltretacje moralne – wymyślne i chuligańskie obrzucanie mnie i mojej rodziny stekiem obelg, zniewago, wymyślań przez ppłk. Duszę, mjr. Kaskiewicza, kpt. Chimczaka oraz oddziałowych XI Oddziału Mokotowa (m.in. Mazurkiewicza, Wardyńskiego i wielu innych) oraz ciągłe, codzienne szykanowanie na XI Oddziale przez oficerów inspekcyjnych i oddziałowych z rozkazu ppłk. Duszy;

47) pozbawienie absolutne kontaktu z rodziną (przez około 4 i pół roku żadnej wieści, żadnego listu od Matki, Żony, Siostry) oraz ze światem zewnętrznym (żadnych gazet itp.), jak również pozbawienie książek (od 30 XI 1948 do

6 XI 1952 nie przeczytałem nawet skrawka drukowanego papieru) – z rozkazu ppłk. Duszy;

48) zadawanie mi tortur moralnych przez: a) oficjalne (choć kłamliwe) oświadczenie mi przez płk. Różańskiego w obecności ówczesnego kapitana Duszy, iż Żona moja Zofia Moczarska, którą bardzo kocham, zmarła na płuca (żona jest gruźliczką), oraz przez b) insynuacyjne oświadczenie kpt. Chimczaka, przystrojone w brudne epitety, na temat nieetycznego rzekomo zachowania się mojej Żony;

49) zadawanie mi tortur moralnych: a) przez mjr. Kaskiewicza, który nazywając mnie – analogicznie do innych oficerów śledczych – „gestapowcem", wymalował mi anilinowym ołówkiem na czole duży napis „GESTAPO" i, nie pozwalając mi się myć, kazał mi go nosić w celi i na śledztwie, oraz b) przez ppłk. Duszę, który dla zhańbienia mnie zarządził osadzenie mnie w celi tylko z gestapowcami, m.in. z katem Getta Warszawskiego, gen. SS J. Stroopem.

Początkowy fragment pisma Kazimierza Moczarskiego do Naczelnej Prokuratury Wojska Polskiego z 24 II 1955 r. publikujemy według odpisu włączonego do listu K. Moczarskiego do adwokata Władysława Winawera, wysłanego z więzienia w Sztumie 25 II 1955 r. – odpis, maszynopis ze zbiorów Anieli Steinsbergowej (udostępnionych A.K. Kunertowi). Cały list K. Moczarskiego do W. Winawera został po raz pierwszy ogłoszony drukiem przez A. Steinsbergową (bez zaznaczenia jednak tego faktu przez redakcję) na łamach „Zeszytów Historycznych", zesz. 53, Paryż 1980, s. 123–147. Tekst drukowany zawierał kilkadziesiąt zniekształceń, które zostały poprawione w ponownej edycji: Kazimierz Moczarski, *Zapiski*, oprac. A.K. Kunert, Warszawa 1990, s. 289–320 (przytoczony wyżej początkowy fragment listu do Naczelnej Prokuratury Wojska Polskiego – s. 301–306).

3. Wyrok uniewinniający i rehabilitujący Kazimierza Moczarskiego (oraz współoskarżonych Eustachego Kraka i Alfreda Kurczewskiego) wydany przez Sąd Wojewódzki dla m.st. Warszawy 11 XII 1956 (fragmenty)

„[... zarzuty...] nie znalazły żadnego potwierdzenia, a ponadto, nie były one wynikiem uczciwego, przeprowadzonego zgodnie z przepisami prawa i zmierzającego do wykrycia i ukarania rzeczywistych kolaborantów i zdrajców Narodu Polskiego śledztwa, lecz przeciwnie, były wynikiem śledztwa naciągniętego wbrew faktom do powziętych z góry koncepcji, nie liczyły się z prawdą oraz były wyrazem zakłamania, jakie do niedawna jeszcze przez szereg lat zatruwało wiele dziedzin naszego życia państwowego i społecznego. [...]

Przeprowadzona obecnie ponowna rozprawa wykazała, że wszystkie wyjaśnienia i zeznania, złożone tak w śledztwie, jak i na pierwszej rozprawie, nie tylko nie budzą zaufania, ale pozbawione są wszelkiej wartości dowodowej, gdyż złożone zostały pod wpływem przymusu fizycznego i psychicznego, w warunkach zastraszenia i terroru, wbrew woli i świadomości osób przesłuchiwanych.

[...] postawienie bowiem w formie twierdzenia zarzutu, iż Krak, Moczarski czy Kurczewski działali «w interesie hitlerowskiej władzy okupacyjnej», jest sprzeczne nawet z tym, co zostało zebrane w czasie śledztwa, gdyż nawet w czasie śledztwa nie stwierdził nikt, aby wymienione osoby pozostawały w czasie działalności konspiracyjnej w kontakcie z jakimikolwiek władzami hitlerowskimi i aby cokolwiek zrobiły w interesie tych władz.

Twierdzenie powyższe jest więc zupełnie dowolne, na niczym nie oparte i zmierzające najwidoczniej, niezależnie od oceny politycznej, do praktycznego zdyskredytowania okupacyjnej działalności tych osób przez prawne zakwalifikowanie tej działalności jako hańbiącej zbrodni kolaboracji i zdrady wobec narodu polskiego.

Tendencyjność zatem oskarżenia widoczna jest w samej konstrukcji prawnej zarzutów, zakładającej, iż każde działanie przeciwko lewicy było działaniem w interesie hitlerowskiej władzy okupacyjnej i dlatego widocznie nie wymaga to udowodnienia. [...] Oskarżenie takie, jak w sprawie niniejszej, służyło zniekształceniu prawdy historycznej, odbierało wielkiej części naszego społeczeństwa to, co stanowiło dla niego w czasach okupacyjnej nocy wartość najwyższą, oraz szkalowało cały dorobek tych pionów organizacyjnych Delegatury i Armii Krajowej, które, jak to przedstawił świadek Jan Rzepecki, kontynuowały walkę z hitlerowcami i ich agenturami w ramach działalności kierowanej przez kilkuosobowe Kierownictwo Walki Podziemnej.

Uniewinniając zatem Eustachego Kraka, Kazimierza Moczarskiego i Alfreda Kurczewskiego z krzywdzących ich zarzutów oskarżenia, Sąd Wojewódzki uznał za swój obowiązek stwierdzić, iż przewód sądowy przeprowadzony po wznowieniu postępowania w niniejszej sprawie wykazał nie tylko bezzasadność, sztuczność i tendencyjność oskarżenia, czemu zresztą dał już wyraz przedstawiciel Generalnej Prokuratury PRL, od tego oskarżenia odstępując, ale także dowiódł, iż dobre imię polskiego podziemia okupacyjnego, które w swej masie nie zhańbiło się żadną kolaboracją na miarę quislingowską i którego, na swoim odcinku i w swoim zakresie okupacyjnej działalności, przez wiele lat pobytu w więzieniu z budzącym szacunek uporem i hartem ducha bronił Kazimierz Moczarski, zostało w ramach niniejszej sprawy zrehabilitowane".

Archiwum Sądu Wojewódzkiego dla m.st. Warszawy, sygn. akt IV.K.132/ 56, t.2, k.267 – 277 (rękopis) i 278 – 298 (maszynopis). Ostatni fragment wyroku uniewinniającego, mówiący o postawie Kazimierza Moczarskiego w więzieniu, został wprawdzie przytoczony w niektórych ówczesnych sprawozdaniach prasowych z procesu (np. w „Życiu Warszawy", 12 XII 1956, nr 298), ale później uznawany był przez władze PRL za... niecenzuralny (wycięty przez cenzurę ze wstępu Andrzeja Szczypiorskiego do *Rozmów z katem* na łamach „Odry" jeszcze w roku 1972 – patrz fot. nr 11).

4. O *ROZMOWACH Z KATEM*
opracował Andrzej Krzysztof Kunert

Pierwszy fragment *Rozmów z katem* Kazimierza Moczarskiego ukazał się drukiem w warszawskim tygodniku „Polityka" 29 VI 1968 (nr 26), a całość została opublikowana w odcinkach na łamach wrocławskiego miesięcznika „Odra" od kwietnia 1972 (nr 4) do lutego 1974 (nr 2); niektóre odcinki przedrukowały następnie m.in. wydawany w Warszawie „Fołks–Sztyme" (13 I 1973, nr 2, 10 II 1973, nr 6, 24 III 1973, nr 12, 12 V 1973, nr 19, 30 VI 1973, nr 26) i „Życie Warszawy" (7 XI 1973, nr 266).

Kilkakrotne próby Autora opublikowania osobnego książkowego wydania *Rozmów z katem* (tytuł pierwotny *Portret kata*) – m.in. w Państwowym Wydawnictwie „Iskry" (umowa wydawnicza z 22 IX 1961, rozwiązana 18 V 1962, ponowna umowa z 7 X 1968, rozwiązana 16 VII 1969), w Wydawnictwie Ossolineum (umowa wydawnicza z 15 VI 1972, rozwiązana 1 II 1973) i w Państwowym Instytucie Wydawniczym (propozycja wydawnicza z 5 III 1974, odrzucona w XI 1974) – zakończyły się niepowodzeniem.

Pierwsza edycja książkowa nakładem tegoż Państwowego Instytutu Wydawniczego miała miejsce dopiero dwa lata po śmierci Autora. Łącznie w latach 1977–1985 Państwowy Instytut Wydawniczy opublikował pięć wydań tej książki (tłumaczenia na języki obce ukazały się wówczas w 10 krajach: RFN, NRD, Francji, Finlandii, USA, Japonii, Czechosłowacji, Izraelu, Jugosławii i na Węgrzech). Pierwsze wydanie *Rozmów z katem* zostało wyróżnione dyplomem honorowym jako „wybitna pozycja wśród varsavianów okresu 1977/1978", otrzymało też wyróżnienie – obok *Ziemi Ulro* Czesława Miłosza i *Pokoleń literackich* Kazimierza Wyki – w konkursie Rozgłośni Polskiej Radia Wolna Europa w Monachium na najlepszą książkę roku 1977 (nagrody wówczas nie przyznano), o czym pisał drugoobiegowy „Puls", VIII 1978, nr 3, s.119.

W latach 1992–2002 nakładem Wydawnictwa Naukowego PWN ukazało się kolejnych dziesięć edycji *Rozmów z katem* jako lektury szkolnej, już w kształcie integralnym (z przywróceniem fragmentów tekstu wyciętych przez cenzurę i nieobecnego we wcześniejszych wydaniach, również z przyczyn cenzuralnych, autorskiego zakończenia), z tłumaczeniem na język polski przedmowy Andrzeja Szczypiorskiego do wydania w Republice Federalnej Niemiec (1978), z przypisami i kalendarium życia Autora w opracowaniu Andrzeja Krzysztofa Kunerta.

Tytuł charakterystycznej recenzji owego pierwszego pełnego wydania PWN-owskiego na łamach warszawskiego „Expressu Wieczornego" (18–20 XII 1992, nr 249) brzmiał: *Wreszcie bez cenzury*. Edycja ta znalazła się na liście książek, o które klienci najczęściej w księgarniach pytają („Gazeta Wyborcza", Warszawa, 17 II 1993, nr 40) i na siódmym miejscu listy książkowych bestellerów warszawskiego tygodnika „Polityka" (6 III 1993, nr 10).

W dniu 22 XII 1977 w Teatrze Powszechnym w Warszawie odbyła się premiera przedstawienia *Rozmowy z katem* w reżyserii Andrzeja Wajdy (adaptacja i układ tekstu – Zygmunt Hübner, scenografia – Allan Starski, wystąpili Zygmunt Hübner jako Kazimierz Moczarski, Stanisław Zaczyk jako Jürgen Stroop i Kazimierz Kaczor jako Gustaw Schielke). *„Zakaz cenzury pokazywania spektaklu na prowincji. Ostre ingerencje cenzorskie w teksty recenzji"* (Marta Fik, *Kultura polska po Jałcie. Kronika lat 1944–1981*, Londyn 1989, s.608).

Inscenizacji teatralnych *Rozmów z katem* dokonano następnie m.in. w Gdyni, Opolu, Wałbrzychu, Lublinie, Krakowie, a także w Niemieckiej Republice Federalnej (w Düsseldorfie), Niemieckiej Republice Demokratycznej (w Berlinie i Magdeburgu), oraz we Francji (Hede) i Holandii (Amsterdam).

Ponadto pojawiły się liczne adaptacje radiowe i telewizyjne: w Polsce, RFN i NRD, Izraelu i Finlandii.

5. JAK POWSTAŁY *ROZMOWY Z KATEM*
(wywiad Mieczysława Orskiego z Kazimierzem Moczarskim)

– Po zakończeniu druku *Rozmów z katem* otrzymaliśmy od naszych czytelników wiele zapytań na temat sposobu, w jaki zbierał pan informacje i napisał swoją książkę. Pańska książka powstała, jak wiadomo, w wyniku dziewięciomiesięcznego współżycia w jednej celi z generałem SS Jürgenem Stroopem, ludobójcą, likwidatorem warszawskiego getta. Jak się to stało, że zdołał pan – nie dysponując przecież papierem i ołówkiem – utrwalić w pamięci taki ogrom materiału, który posłużył panu do napisania powieści dokumentarnej po tylu latach?

– Sądzę, że na to zjawisko złożyło się kilka przyczyn. Przede wszystkim kapitalne znaczenie miało moje postanowienie, wynikające z faktu, że przebywam w jednej celi ze zbrodniarzami wojennymi; powiedziałem sobie wtedy: skoro już z nimi jestem i skoro mam z nimi pozostać, to niechże przynajmniej ich poznam, rozgryzę, rozłożę ich osobowości na włókna. Pragnąłem wykorzystać do maksimum tę „zaproponowaną" mi przez los, niesłychanie rzadką sytuację. Znajdowałem się przy tym wówczas w stanie niezwykłej, zaryzykowałbym nawet powiedzenie: fenomenalnej koncentracji, wypływającej z mojego szczególnego położenia, w napięciu – jak to nazywam – wielkich subiektywnych przeżyć, którym zresztą podlegał także mój rozmówca. Przecież skądeś się to brało, że tak mało inteligentny człowiek jak Stroop, który nie pamiętał często nic z tego, czego go poprzedniego dnia nauczyłem po polsku, zachował dokładnie wyryte w pamięci, jak fotografie, raporty z Grossaktion Warschau.

– Czyli dużą rolę w zapamiętaniu rozmów ze Stroopem przypisuje pan procesom psychicznym wiążącym się z okolicznościami?

– Doniosłą rolę. W tym czasie potrafiłem żyć równocześnie w dwóch światach: w celi i w wyobraźni. Kiedy słuchałem Stroopa, niemalże wcielałem się w jego osobowość; czułem, widziałem i przeżywałem to, co on czuł, widział i przeżywał. Pod jego opowieści podkładały się w mojej wyobraźni przeżyte przeze mnie zdarzenia i zapamiętane z przeszłości treści; na przykład, kiedy mówił o Ukrainie, stawały mi przed oczyma konkretne obrazy Masłowskiego i Bodisco, lokalizowałem Stroopa w ich – ożywionym – pejzażu. Obserwowałem przy tym w sobie jeszcze inne zjawisko: moje zmysły i instynkty rozwinęły się do zadziwiającego poziomu, a zarazem mój umysł osiągnął bardzo wysoką zdolność kombinowania, kojarzenia, wspomnianej już koncentracji. Umiałem pisać w myśli, wyobrażając przed sobą kartkę papieru, i to tak, że mogłem potem wracać do jakiegoś oznaczonego miejsca na tej kartce. Zresztą, ciągle te kartki „wertowałem", wracałem do nich, już po rozstaniu ze Stroopem. Sprzyjała mi samotność, brak jakichś innych bodźców zewnętrznych. Wbrew rozpowszechnionym na ten temat opiniom, samotność w celi była dla mnie po miesiącu stanem znośnym, a po sześciu tygodniach – błogosławionym.

– Czy jednak przez ten długi czas, przedzielający wspólny pobyt ze Stroopem w 1949 roku i chwilę odzyskania wolności przez pana, nie osłabła pamięć faktów?

– Nie, z pełną odpowiedzialnością mogę panu powiedzieć, że w momencie wyjścia na wolność, w kwietniu 1956, zachowałem stan stuprocentowej pamięci. A ponieważ bałem się, że wspomnienia rzeczywiście szybko stępieją, zacząłem z punktu zapisywać, trochę bezładnie, niechronologicznie, skrótami. Umiejętność skrótowego zapisu wydoskonaliłem w konspiracji, działając w sztabie KG Armii Krajowej. Zapisałem wtedy około tysiąca stron notatek. Najważniejsze dane: daty, fakty, nazwiska. Pierwszą historią, jaką zanotowałem, było opowiadanie Stroopa o jego działalności na Ukrainie.

– A czy nie wątpił pan w prawdomówność swego rozmówcy, w autentyzm jego wyznań?

– Ba, nawet podejrzewałem Stroopa, że buja i świadomie koloryzuje, choćby po to, aby przedstawić się w korzystniejszym świetle. Dlatego po zakończeniu notowania zacząłem sprawdzać. Starałem się sprawdzić najdrobniejsze szczegóły. Udostępniono mi w r. 1957 w Głównej Komisji Badania Zbrodni Hitlerowskich akta sprawy Stroopa, które dokładnie przestudiowałem. Przy pomocy przyjaciół z Polonii amerykańskiej zdobyłem także z archiwum Pentagonu akta z procesu Stroopa przed amerykańskim sądem wojskowym. I stwierdziłem z dużą ulgą, że Stroop jednak nie kłamał. Nawet w szczegółach. Nawet wtedy, kiedy na przykład przedstawiał swego ojca jako Hauptmanna policji w księstwie Lippe-Detmold, nie zaś jako Oberwachtmeistra, który to tytuł Konrad Stroop miał faktycznie. Okazało się, że przed pierwszą wojną światową dowódcę policji w księstwie niemieckim rzeczywiście tytułowano mianem Hauptmanna. Dokładnie badałem też prawdziwość podanych mi faktów z dzieciństwa i młodości Stroopa. Czy w Detmoldzie na rynku istotnie znajduje się fontanna z rzeźbą sarenki i nimfy zwana Donopbrünnen? Czy w miasteczku tym znajduje się Mühlenstrasse? Czy wygląd zamku pokrywa się z opisem Stroopa?

Czy w Detmoldzie zorganizowano w 1802 roku pierwsze w Niemczech przedszkole? I tak dalej.

– W jaki sposób sprawdzał pan te dane?

– Mój przyjaciel na moją prośbę przywiózł z Detmoldu prospekty, fotografie, plan miasta. I wszystkie informacje Stroopa okazały się zgodne z prawdą. Najwięcej trudu sprawiło mi sprawdzenie całej historii z mordem na feldmarszałku von Kluge; jak wiadomo czytelnikom *Rozmów*, wersja Stroopa odbiegała od ustalonych na ten temat poglądów. Przestudiowałem literaturę światową dotyczącą tej kwestii. Wiele dowodów świadczyło o szczerości mojego rozmówcy i w tym wypadku. Stroop zapewniał mnie, że von Kluge był masonem, okazało się, że rzeczywiście najprawdopodobniej nim był. Albo twierdził, że Himmler nadał do niego depeszę w sprawie von Klugego, korzystając ze specjalnej maszyny teleksowej, która u nadawcy zaszyfrowywała tekst telegramu, a u odbiorcy podawała znów tekst otwarty. Wyszło potem na jaw, że hitlerowcy rzeczywiście dysponowali takimi teleksami i że Himmler mógł szyfrować do Stroopa.

– Czym tłumaczyłby pan tak daleko posuniętą szczerość Stroopa w stosunku do pana?

– Dwieście dwadzieścia pięć dni [sic!] spędzonych w jednej celi to tak, jak pięć lat wspólnego życia na wolności, w jednym mieszkaniu. Intymność niektórych czynności dokonywanych w jednym pomieszczeniu inspiruje do intymności wyznań, szczerości. Wielokrotnie, w większe mrozy, musieliśmy spać obok siebie, ja w środku jako najbardziej podatny na przeziębienia, z prawej Stroop, z lewej Schielke. Poza tym, niech pan pamięta, Stroop żył w cieniu szubienicy, taka sytuacja zachęca do wygadania się. To była jego wojenna spowiedź, tym bardziej że lubił opowiadać o sobie. Mieć swoją publiczność.

– Niektórzy czytelnicy pańskiej opowieści twierdzą, że świetnie „skonstruował" pan postać Schielkego, swoistego Sanczo Pansy...

– Udział Schielkego w naszych rozmowach był istotnie nieoceniony, ale nie ma w jego sylwetce, jak w ogóle w całej książce, nic z zaplanowanej konstrukcji literackiej. On po prostu taki był. Łużyczanin z pochodzenia, z prababki Polki, zresztą często śpiewał nam w celi piosenki łużyckie, przedwojenny policjant obyczajowy, siłą zaciągnięty do SS. Jego obecność zobowiązywała Stroopa do prawdomówności, nie „podfarbowywania", tym bardziej że Schielke patrzył z innego punktu widzenia, niejako „z dołu", na prawdy wygłaszane przez generała SS. On był odczynnikiem sprawdzającym, co było dla mnie szczególnie cenne, na bieżąco autentyzm opowieści Stroopa, a także uzupełniającym niektóre wyznania.

„Odra", Wrocław, IV 1974, nr 4.

6. Andrzej Szczypiorski
O KAZIMIERZU MOCZARSKIM

I

Po zakończeniu II wojny światowej władzę w Polsce objął rząd komunistyczny. Wypełniając dyrektywy Stalina, podjął bezlitosną walkę z niezależnymi, narodowymi ośrodkami. Rozpoczęły się prześladowania żołnierzy i oficerów AK, którym udało się uniknąć śmierci z rąk Niemców. Więzienia zapełniły się najlepszymi i najdzielniejszymi bojownikami walk z nazistowską przemocą. Niewiarygodna perfidia Stalina podsunęła mu pomysł, niepojęty dla ludzi wychowanych w normalnym, demokratycznym świecie. Uznał on za właściwe, by ludzi, którzy w szeregach AK walczyli z hitlerowskimi Niemcami, traktować jako sojuszników nazizmu. Oficjalna propaganda nazywała najlepszych patriotów faszystami i pachołkami Gestapo. Oskarżano ich o współpracę z wrogiem i zdradę narodu polskiego. Na podstawie sfabrykowanych oskarżeń skazywani byli na śmierć lub długoletnie więzienie.

Procesy toczyły się w trybie niejawnym, a oskarżeni nie mieli prawa do obrony. Pod wpływem fizycznych i duchowych udręk wielu wybrało samobójstwo. Inni przyznawali się do niepopełnionych przestępstw, byle położyć kres cierpieniom. Ludzie ci przeszli przez piekło.

Jednym z nich był Kazimierz Moczarski. 18 stycznia 1946 roku został skazany na 10 lat więzienia. Na mocy amnestii z roku 1947 kara ta została zmniejszona do lat pięciu. W końcu listopada 1948 roku poddano go „piekielnym przesłuchaniom" w więzieniu mokotowskim w Warszawie. Trwały ponad dwa lata. Ponieważ Moczarski był człowiekiem niezłomnego charakteru, dręczono go ze szczególnym okrucieństwem. Oprawcy byli bezsilni wobec jego męstwa i to potęgowało ich wściekłość. Aby pognębić i złamać moralnie Moczarskiego, umieścili go w jednej celi z generałem SS Jürgenem Stroopem.

Stroop należał do osławionych, najbardziej brutalnych dowódców SS. Ciążyły na nim zbrodnie wojenne i zbrodnie przeciw ludzkości. Był katem warszawskiego getta, gdzie 19 kwietnia 1943 roku wybuchło powstanie. Na jego rozkaz setki tysięcy Żydów wysłano do obozów zagłady, dziesiątki tysięcy wymordowano w ruinach zdobytego getta. Schwytany po wojnie przez Amerykanów, został wydany władzom polskim. W Warszawie czekał na proces. 23 lipca 1951 roku został skazany na śmierć, a 6 marca 1952 roku stracony na szubienicy.

Stalinowscy dręczyciele wtrącili Kazimierza Moczarskiego właśnie do celi tego człowieka.

Tak oto powstała sytuacja niemal szekspirowska. Przez 9 miesięcy, od 2 marca do 11 listopada 1949 roku, w jednej celi przebywali dwaj śmiertelni wrogowie. Generał SS, który miał na sumieniu setki tysięcy niewinnych ofiar, i oficer polskiego podziemia, który przez pięć lat walczył z nazizmem w obronie swej ojczyzny i elementarnych zasad człowieczeństwa. Stalinowska brutalność i brak skrupułów postawiły między nimi znak równości. Niewątpliwy morderca Stroop stał się towarzyszem niedoli człowieka, który nie popełnił najbłahszego występku i zawsze był odważnym, ofiarnym patriotą. Stalinowcy sądzili, że to właśnie Moczarskiego duchowo złamie. Nie udał się jednak diabelski plan. Moczarski przetrwał i tę torturę!

18 listopada 1952 roku został przez Sąd Wojewódzki w Warszawie skazany na karę śmierci. „Przez dwa i pół roku w każdej chwili czekałem na kata" – pisze Moczarski. W listach do Sądu Najwyższego relacjonuje przejmujące metody śledcze, wymienia 49 rodzajów udręk fizycznych (przez 14 miesięcy przebywał w ciemnej izolatce).

W marcu 1953 roku umarł Stalin. Stalinizm wszedł w stadium kryzysu. W październiku tego roku Moczarski został „ułaskawiony" i skazany na dożywotnie więzienie. Wyrok ten zakomunikowano mu jednak dopiero po dwu i pół latach. Jürgen Stroop został stracony. W lutym 1956 roku na słynnym XX Zjeździe KPZR Chruszczow ujawnił zbrodnie Stalina. Rozpoczęła się „odwilż". Adwokaci Moczarskiego podjęli starania o rewizję wyroku. On sam został zwolniony z więzienia w kwietniu 1956 roku. Był jednak przeświadczony, że to nie koniec jego sprawy. Domagał się pełnego uniewinnienia i rehabilitacji, prostej ludzkiej sprawiedliwości. W grudniu 1956 roku toczył się w Warszawie kolejny proces Moczarskiego, którego celem była publiczna i ostateczna rehabilitacja. „W tej sali nie jestem oskarżonym – to ja oskarżam!" – powiedział wówczas Moczarski.

W wyroku z dnia 11 grudnia 1956 roku sąd orzekł, że oskarżenie i skazanie Moczarskiego oparte było na fałszywych dowodach, że skazany poddawany był przez wiele lat uwięzienia torturom i udrękom, że jest on ofiarą stalinowskiej tyranii.

Moczarski został całkowicie uniewinniony. Sąd w uzasadnieniu podkreślił, że jego postawa jako człowieka i Polaka zasługuje na najwyższy szacunek i uznanie.

II

Od 1957 roku Moczarski pracował w Warszawie jako dziennikarz. Wiele czasu i energii poświęcał problemom społecznym, głównie kwestii walki z alkoholizmem. W 1971 roku rozpoczął pisanie *Rozmów z katem*. Opublikował to dzieło w odcinkach na łamach miesięcznika literackiego „Odra" we Wrocławiu. Wywołało ono natychmiast żywy oddźwięk Czytelników. W tym okresie postalinowska „odwilż" w krajach komunistycznych była już przeszłością. Znów dochodziły do głosu tendencje totalitarne. W Polsce wzrastała rola policji politycznej. Rok 1956, kiedy sprawiedliwość odniosła zwycięstwo nad stalinizmem, należał do historii.

Kazimierz Moczarski zmarł jesienią roku 1975. W tym czasie jego książka *Rozmowy z katem* złożona w wydawnictwie PIW w Warszawie czekała na decyzję władz. Grono przyjaciół zmarłego, ludzie, którzy nierzadko nawet się osobiście nie znali, czynili zabiegi, by *Rozmowy*, ten jedyny w swoim rodzaju dokument historyczny, trafiły jednak do rąk Czytelników. Ludzi tych jednoczyła znajomość z Moczarskim i przekonanie, że jego śmierć nie może stanowić końca tego wyjątkowego losu.

Są dwie odrębne kwestie związane z książką Moczarskiego. Sprawa pierwsza, to treść i znaczenie samego dzieła. Sprawa druga, to osoba Autora, jego postawa, charakter i przekonania. Książka ta powstała w mroku. A przecież jest prześwietlona od pierwszej do ostatniej strony światłem tej wyjątkowej osobowości. Dla skołatanej, chorej Europy naszych czasów mogą być *Rozmowy z katem* drogowskazem człowieczeństwa.

Heinrich Böll w przedmowie do *Archipelagu Gułag* mówił o „boskiej goryczy Sołżenicyna". W odniesieniu do dzieła Moczarskiego trzeba mówić o świętości i tragizmie losu ludzkiego ujętego w tryby totalizmów. Czytelnik powinien sobie uświadomić, że los Kazimierza Moczarskiego nie był wcale wyjątkowym losem w połowie naszego stulecia. W gruncie rzeczy, w kategoriach historycznego obiektywizmu, był to los nawet dość typowy. Moczarski należał do tej olbrzymiej rzeszy Polaków, którym nic nie zostało oszczędzone.

Wyjątkowość tego człowieka, jego wielkość, wynika – jak w antycznych tragediach – z postawy, ze sposobu, w jaki swój los przyjął, udźwignął i przezwyciężył.

III

Kiedy we wrześniu 1939 roku wybuchła wojna, Moczarski był młodym prawnikiem i dziennikarzem. Sądzę, że nie odznaczał się wtedy niczym szczególnym, bo w tamtym świecie, w którym ludzie nie byli wystawieni na ciężkie próby, można było przeżyć wiele lat, nie mając nawet pojęcia o istnieniu piekła. Na pewno był już wtedy Moczarski człowiekiem prawym, o skrystalizowanych poglądach. Należał do założycieli Klubu Demokratycznego w Warszawie, organizacji o wyraźnie postępowym charakterze. Już wtedy były mu bliskie ideały socjalizmu, choć nigdy nie został marksistą. W ogóle do teorii miał stosunek sceptyczny, ufał bardziej praktycznemu doświadczeniu. Zapewne już wtedy, przed wojną, odznaczał się stałością przekonań i nie znosił wszelkiej dwuznaczności. Myślał niezależnie, co w owych czasach należało zresztą do cnót dość powszechnych.

Pozostaje pytanie – co to jest ład moralny? Moczarski przeniósł swoje sumienie przez próby, o jakich współczesny człowiek nie ma nawet wyobrażenia. Zdecydowała o tym wierność dla pewnych zasad humanizmu, osobista godność i poczucie honoru. Kiedyś, zapewne pod wpływem przyjaźni z autorem tej książki, napisałem, że „sumienia nie tylko nie można kupić ani sprzedać, lecz nie można go również scedować na państwo, naród, klasę – bo wtedy przestajemy po prostu istnieć jako ludzie".

Wróćmy jednak do autora tej książki.

IV

Jako oficer rezerwy Moczarski przebył na froncie kampanię wrześniową*, a natychmiast po klęsce, kiedy się Polska zawaliła pod naporem wojennej machiny Hitlera, rozpoczął działalność konspiracyjną. Jego odwaga, prawość i charakter sprawiły, że powierzono mu w pewnym okresie zadania wyjątkowo trudne i delikatne. W ramach Kierownictwa Walki Cywilnej prowadził śledztwo w sprawach o kolaborację. Można sobie wyobrazić, jak trudna była to robota. W warunkach pełnej tajności zbierał materiały, na podstawie których poszczególni ludzie byli sądzeni przez konspiracyjne sądy państwa polskiego. W rękach Moczarskiego ważyły się więc ich losy. Musiał być jednocześnie oskarżycielem i obrońcą, bo podejrzani nie mieli przecież pojęcia, że przeciw nim toczy się śledztwo. Musiał tych ludzi obserwować, zbierać informacje, maksymalnie

---

* W rzeczywistości Kazimierz Moczarski nie brał udziału w kampanii wrześniowej (przyp. red.).

obiektywne, a przecież kompletowane w tajemnicy. Musiał w każdej chwili pamiętać, że podejrzany zagrożony jest wyrokiem śmierci, bo taka była kara za zdradę narodu. Ileż trzeba było hartu, poczucia odpowiedzialności, ileż czujnego sumienia, aby w tych mrokach, w atmosferze zagrożenia, codziennie narażając własne życie, uganiać się za prawdą o innych ludziach, na których ciążył przecież zarzut nie tylko hańby, ale współpracy z mordercami.

V

Walczył, zgodnie z sumieniem, o człowieczeństwo, demokrację i niepodległość Polski. Narażał życie przez pięć lat okupacji. 1 sierpnia 1944 roku poszedł się bić na powstańczej barykadzie. Przetrwał i to, choć brał udział w krwawych walkach. Kiedy powstanie po 63 dniach zostało stłumione przez oddziały SS generała von dem Bacha, nie poszedł do niewoli, ale znów zaszył się w podziemiu. Armia Krajowa była rozbita, a ćwierć miliona ludzi poległo w gruzach doszczętnie zniszczonej stolicy Polski. Kraj musiał się borykać z nienowym, lecz coraz bardziej aktualnym problemem – zbliżaniem się Armii Czerwonej. Ta armia stała bezczynnie u wrót Warszawy, kiedy Niemcy masakrowali miasto. Stalin czekał cierpliwie, aby Hitler wymordował wszystko, co w tamtej Polsce było patriotyczne, ideowe i niezależnie myślące.

W pierwszym półroczu 1945 roku piekło hitleryzmu było już poza nami, narastała groza stalinizmu w Polsce. 11 sierpnia 1945 roku Kazimierz Moczarski został aresztowany. Wyślizgiwał się siepaczom Gestapo przez pięć lat, ale agenci stalinowskiej policji bezpieczeństwa dopadli go bez trudu, w biały dzień, na warszawskiej ulicy, w trzy miesiące po kapitulacji Berlina. To prawda, że nie żywił sympatii do komunistów, bo im nie ufał i nie wierzył, aby stali się rzecznikami prawdziwej suwerenności Polski. Lecz w armii radzieckiej widział w latach wojny sojuszników, liczył – jak miliony innych Polaków – na jej pomoc w walce z hitleryzmem, cieszył się z postępów na froncie wschodnim. Wówczas, w 1945 roku, Rosjan przyjmowano z mieszanymi uczuciami. Byli sojusznikami, bo dzięki nim powalony został Hitler, ale byli też współwinni tragedii Polaków i Polski, bo razem z Rzeszą uczestniczyli w rozbiorze kraju w 1939 roku, bo na ziemiach polskich inkorporowanych do ZSRR od pierwszej chwili zapanował stalinowski terror, setki tysięcy ludzi wywieziono do obozów, dziesiątki tysięcy zamordowano, jak np. polskich jeńców w Katyniu, bo Armia Czerwona bezczynnie patrzyła z drugiego brzegu Wisły na straszną śmierć Warszawy podczas Powstania 1944 roku, bo wreszcie Stalin powołał pod swoją kuratelą komunistyczny rząd polski, którego nikt wtedy w kraju nie traktował jako autentycznej, polskiej władzy, a ludzie pozostawali wierni legalnemu rządowi w Londynie.

Historia stosunków polsko-rosyjskich i polsko-radzieckich przez dziesiątki lat była przedmiotem nieopisanych nadużyć, zakłamania i urojeń. Prawda o tej historii stanowi fundamentalny warunek pojednania Polaków i Rosjan po wielu stuleciach wrogości i uraz. Nie tu miejsce na szczegółowe rozważania w tej kwestii. Jeśli ten temat rozwinąłem w odniesieniu do roku 1945, to dlatego, by skonstatować, że dalsze losy Kazimierza Moczarskiego należą także do dziejów stosunków polsko-radzieckich i nie są tylko wewnętrzną sprawą Polaków.

VI

Moczarskiego aresztowała polska policja polityczna, pozostająca wówczas – bardziej niż kiedykolwiek później – na usługach NKWD. To stwierdzenie w najmniejszym stopniu nie usprawiedliwia Polaków. Właśnie Polacy przez 11 lat dręczyli moralnie i fizycznie polskiego bohatera narodowego, jakim stał się Moczarski.

Nie znoszę wszelkiego nacjonalizmu. Te właśnie przekonania były fundamentem naszej przyjaźni z Moczarskim. Gdy piszę, że to moi rodacy dręczyli Moczarskiego, nie potępiam wcale mego narodu, ale też nie chcę go usprawiedliwiać. Myślę, że nie ma narodów złych i dobrych, szlachetnych i podłych. Po prostu stwierdzam, że kanalie istnieją wszędzie na tym najlepszym ze światów. I sądzę, że nawet porządnych ludzi można w odpowiednich warunkach tak spreparować, aby stali się pomiotem diabła. Nikt nie rodzi się świętym męczennikiem, nikt też nie został w kołysce naznaczony piętnem zbrodni. Jest to kwestia charakteru, a także warunków i okoliczności historycznych. W Sachsenhausen zostałem po raz pierwszy pobity przez kapo, który był Francuzem. Pierwszy mój więzienny towarzysz niedoli, który oddał mi własny kawałek chleba, był niemieckim socjaldemokratą z Kolonii. Nazywał się Osske. O tym człowieku będzie jeszcze mowa.

Napisałem kiedyś, że „ludzie z natury są słabi i dlatego podoba się im przemoc". Moczarski uznał ten pogląd za słuszny, a jego opinie w tej mierze uważam za decydujące, bo chyba nikt nie przeżył tak wiele i nie okazał tyle hartu, aby się wobec przemocy nie ugiąć...

Przesiedział w więzieniu prawie 11 lat, w tym dwa i pół roku w celi śmierci, każdej chwili oczekując kata. Przesiedział i przetrwał to wszystko w uporczywej walce o osobistą godność i honor polskiego żołnierza. Był oskarżony i skazany za to, że kolaborował z hitlerowcami, że mordował polskich patriotów, że był zdrajcą narodu i pachołkiem Gestapo. Potrafił wyliczyć 49 rodzajów tortur, jakim go poddawano w śledztwie. Nie chcę podawać tej listy. Powiem tylko, że przypalanie paznokci, bicie pałką, miażdżenie obcasami palców – należało do udręk banalnych. Jeśli powtórzę, że ten człowiek przez 30 miesięcy czekał na wykonanie wyroku śmierci, aby się wreszcie dowiedzieć, że mu karę w drodze łaski zamieniono na dożywotnie więzienie, to przeciętnie wrażliwy czytelnik uzna taką torturę za wystarczającą.

Ale nie to jest najbardziej upiorne. Najbardziej upiorny jest fakt, że wszyscy ludzie, którzy brali w tej sprawie udział, poczynając od więziennego klucznika, aż po dostojnych sędziów, wiedzieli doskonale, że jest to człowiek niewinny. Wiedzieli, że nie był faszystą, zdrajcą i agentem Gestapo, lecz dzielnym żołnierzem Podziemia, który walczył z hitlerowcami przez całą wojnę. Ale domagali się, aby się przyznał do tych wyimaginowanych zbrodni, z pokorą przyjął karę i żałował za niepopełnione grzechy. Żądali, by się wyparł pięknej, patriotycznej przeszłości i obrzucił ją błotem pod ich szaleńcze dyktando. Chcieli, aby wskazał wspólników, owych faszystów, zdrajców, agentów Hitlera, którzy w rzeczywistości byli żołnierzami antyhitlerowskiego podziemia i walczyli z okupantem, nie szczędząc przecież życia. Domagali się zatem, aby Moczarski wyparł się siebie, aby dobro nazwał złem, cnotę nazwał występkiem, patriotyzm nazwał zdradą, odwagę nazwał podłością, a diabła wyniósł na święte ołtarze.

Nie wiedzieli, że trafili na człowieka, który gotów był umrzeć, ale nigdy nie odstąpił od zasad sumienia. Wygrał z nimi! Wygrywał z nimi każdego dnia przez te 11 lat udręki. Pisali mu na czole słowo – „gestapowiec", trzymali w jednej celi z hitlerowskimi zbrodniarzami, szantażowali straszną karą, jaka spadnie na jego najbliższych. Ale przecież nigdy się nie ugiął! Moczarski mawiał często, że w gruncie rzeczy Hitler był bardziej prostolinijny niż Stalin. Hitler był kreaturą przeniknięta prymitywną nienawiścią. Mordując Żydów, głosił z fanatyzmem, że są to wszy. Obwieszczał, że Słowianie są plemieniem niewolników – i traktował ich jak niewolników. Zabijał i wcale nie chciał, aby go kochano, przyznawano rację, sprawiedliwość oraz humanitaryzm. Stalin zabijał i domagał się od swych ofiar miłości oraz potwierdzenia, że jest najlepszym przyjacielem ludzkości.

Jeden z recenzentów książki *Rozmowy z katem* napisał, że „grymas historii spowodował, iż Moczarski spędził w jednej celi ze Stroopem dziewięć miesięcy". Nie idzie o grymas, ale o zbrodnię. I nie była to zbrodnia historii, bo nie kanalie tworzą dzieje narodów. Prawdziwą historię Polski pisał swym życiem Moczarski i inni, jemu podobni. To Moczarski znajdzie się kiedyś w podręcznikach szkolnych, to on będzie jednym z tych, którym Polska zawdzięcza swoją samoświadomość, duchową suwerenność, gwałconą tak brutalnie przez wiele pokoleń, a przecież wciąż żywą w umysłach. Nazwisk dręczycieli Moczarskiego nikt dzisiaj w Polsce nie pamięta, należą do kroniki kryminalnej. Jednakże nie tylko oni dźwigają odpowiedzialność za to, co się z Moczarskim działo.

Los tego człowieka dowodzi, że nie ma różnic między totalizmami. Znaczenie *Rozmów z katem* polega na wieloznaczności wątków i jednoznaczności ocen moralnych, jakie zostały w tej książce zawarte. Oto we wspólnej celi snuje się wątła nić egzystencji dwóch skazańców. Jeden jest hitlerowskim oprawcą, mordercą setek tysięcy ludzi, klinicznym przykładem *par excellence* faszystowskiej postawy wobec życia. Drugi jest ofiarą oprawców, którzy właśnie swobodnie przechadzają się po więziennych korytarzach, naznaczeni piętnem innej ideowej barwy. Stroop jest typowym przykładem mentalności, która się ukształtowała w służbie hitlerowskiego terroru, Moczarski jest dręczony przez funkcjonariuszy terroru stalinowskiego. Znamiona ideologiczne nie grają tu jednak roli, okazuje się bowiem, że zarówno metody, jak i sposób myślenia są podobne.

Moczarski często mi mówił, że jego rozmowy ze Stroopem były nie tylko próbą ucieczki od strasznej egzystencji więziennej. Były też narzędziem poznania rzeczywistości, w jakiej się znalazł. Poznając zakamarki duszy Stroopa, Moczarski szukał pośrednio wiedzy o swych prześladowcach. I znajdował ją! Wspomniany recenzent pisał o „grymasie historii". Otóż było to raczej straszne szyderstwo, boska zemsta prawdy nad obłudą, cnoty nad grzechem, prawości nad występkiem, bo przecież to, co w zamyśle dręczycieli miało Moczarskiego znieważyć i zdeptać, okazało się, dzięki hartowi jego ducha – wielkim procesem demaskatorskim.

Moczarski nie mógł przeniknąć mrocznej umysłowości ludzi, którzy go męczyli. Lecz kiedy wracał do celi, czekały go tygodnie i miesiące rozmów z przedstawicielem tego samego plemienia. Stroop okazywał się *alter ego* tych wszystkich bezimiennych, zachowujących anonimowość dygnitarzy i pachołków stalinowskiej dyktatury, którzy jawią się czasem na kartach książek Sołżenicyna, wyzbyci jednak duchowego wizerunku. Bo przecież nie różnili się między sobą!

Ktoś powie, że takich postaci jest wiele we współczesnej literaturze. Będzie to fałszywy pogląd. Bo nikt, na całej kuli ziemskiej, nie znalazł się w podobnej sytuacji. Tu sytuacja decydowała o wszystkim! To właśnie ona stworzyła tę książkę, chyba jedyną w dziejach piśmiennictwa. Ci dwaj nie tylko rozmawiali w celi. Oni obaj wiedzieli, że niebawem umrą. Każde słowo Stroopa było rodzajem spowiedzi. Nie musiał niczego ukrywać. Mógł szeroko otworzyć swoje wnętrze, tak szeroko, jak nigdy w życiu. Szczerość jego wyznań spotęgowana była świadomością wspólnoty losu z Moczarskim. Przypadek sprawił, że Moczarski uniknął szubienicy. Gdyby Stalin pożył dłużej, gdyby się diabeł o niego nie upomniał w marcu 1953 roku, nie byłoby zapewne tej książki.

Rzecz znamienna – Moczarski nie lubił Stroopa. Dla ludzi starszej generacji, którzy pamiętają wojnę, brzmi to całkiem naturalnie. Jakże mógłby lubić człowieka, który wymordował tysiące niewinnych i był jednym z najokrutniejszych katów w III Rzeszy?! A jednak nie taka to prosta sprawa. Moczarski spędził z tym człowiekiem 255 dni i nocy w jednej celi, gdzie obaj czekali na śmierć. Kto tego nie przeżył, nie może mieć pojęcia o charakterze, barwie, napięciu uczuć w podobnej sytuacji.

VII

Kiedy Moczarski drukował *Rozmowy z katem* na łamach miesięcznika „Odra", wiele osób pytało, jak to jest możliwe, że po prawie 25 latach potrafi odtworzyć dokładnie wszystkie rozmowy? Byli ludzie, którzy przypisywali autorowi skłonność do konfabulacji, inni znów sądzili, że rekonstruuje przebieg wypadków na podstawie luźnych wspomnień. Te podejrzenia, które mogą nawiedzać Czytelnika, są nieuzasadnione w świetle wyznań, jakie mi Moczarski poczynił, obarczając mnie moralnym obowiązkiem wyjaśnienia sprawy. On sam nie czuł się zdolny do składania podobnych oświadczeń. I nie można się temu dziwić. Wiele razy podkreślał, że nie był wtedy zwykłym człowiekiem. „Może byłem bardziej zwierzęciem?!" – mówił. Mój pogląd jest inny. On trochę wyszedł poza zwykłe człowieczeństwo, on osiągnął coś więcej!

Człowiek, który latami czeka na śmierć, żyje w innym wymiarze czasu i przestrzeni. Człowiek skazany i zamknięty, aby przetrwać swój czas i egzystować w swojej przestrzeni, tworzy inną rzeczywistość. Znamy to z wielu wspomnień więziennych. Aby jednak ta nowa rzeczywistość mogła jakoś funkcjonować, niezależnie od realiów, potrzeba wielkiej siły wewnętrznej, z której więzień zapewne sam nie zdaje sobie sprawy. Moczarski rozpoznawał po zapachu zbliżających się do celi strażników. Słyszał szepty śledczych, rozmawiających w innym pokoju za szczelnie zamkniętymi drzwiami. Na swym procesie rehabilitacyjnym zdumiewał obecnych, cytując z pamięci fragmenty liczących tysiące stron akt, które otrzymał w więzieniu do przejrzenia na kilka godzin. Rzecz jasna, w późniejszych latach życia utracił tę straszną i bolesną zdolność, a jego zmysły, nie wystawione na próbę życia i śmierci, wróciły do leniwej normalności.

Każde słowo Stroopa, gest, spojrzenie, nosił w sobie troskliwie, jak skarb. Kiedy powiedział, trochę speszony – „Jest we mnie jakaś choroba. Wszystkie zdania Stroopa słyszę dokładnie, nawet z intonacją, jakbym spisywał z taśmy magnetofonu. I widzę go, każdy ruch, spojrzenie, grymas, jakby to było na ekranie".

Wierzyłem mu. I proszę Czytelnika, aby też uwierzył.

Ta książka nie jest ani monografią historyczną, ani nie należy do literatury faktu. Nie stanowi archiwalnej dokumentacji, ale jest dokumentem o zna-

czeniu historycznym. Także w tych fragmentach, które mogą zawierać nie-
ścisłości czy zgoła błędy w szczegółach, albo w wypowiedziach samych postaci dramatu.

VIII

Mój niemiecki przyjaciel, wspomniany tu już Osske, często powtarzał
w rozmowach toczonych intymnie w obozowej latrynie, że zazdrości mi moralnie czystego układu zależności. Jestem bowiem Polakiem, dręczonym przez
Niemców, gdy on znosi spotęgowane udręki, raz jako więzień kacetu, po drugie z powodu upokorzenia, że Niemcy upadli tak nisko. Cierpiał, bo jego rodacy dopuścili się tak strasznej zdrady ideałów humanizmu. Każdy ryk esesmana,
każdy cios pięści – upokarzał Osskego w jego niemieckiej tożsamości, obrażał
jego narodową świadomość.
     Wtedy, w 1945 roku, wydawało mi się, że ma rację i współczułem mu. Dziś
odnajduję w postawie Osskego pewien rys dwuznaczny, usprawiedliwiony za-
cną intencją, ale trudny do zaakceptowania. Ten rozumny i mężny człowiek
pozostawał jednak spętany nawykami myślenia, które dla mnie stały się całkiem obce. Tak czy owak, tkwiło w nim jakieś poczucie wspólnoty z ludźmi
w mundurach SS, którzy go przez długie lata męczyli w więzieniach i kacetach
III Rzeszy. Osske czuł się Niemcem i ta niemieckość wiązała go upokarzają-
cym węzłem wspólnoty z hitlerowcami.
     Nie odczuwam żadnej solidarności z kanalią tylko dlatego, że mówi po
polsku, nosi polskie nazwisko i uważa się za Polaka. Bliższy jest mi przyzwoity
Niemiec, Rosjanin czy Anglik od łajdaka, który tylko dlatego ma być moim
bratem, że urodził się na tej ziemi i mówi moim językiem. Ten pogląd w wielkim stopniu zawdzięczam przyjaźni z Moczarskim. Nigdy nie doznawał uczuć,
że najcięższe udręki znosił właśnie od Polaków. Traktował tych ludzi tak, jak na
to zasłużyli – uważał ich za kreatury, które wychynęły z ciemnych zaułków
świata. Polskość to nie było dla niego pochodzenie, język, a już na pewno nie
frazeologia narodowa. Polskość to była dla niego tradycja kulturalna tego narodu, który tyle wycierpiał, byle tylko swoją odrębność ocalić.

IX

Kiedy wiosną 1956 roku Moczarski wyszedł z więzienia, nad wschodnią
Europą wiały ciepłe wiatry postalinowskiej odwilży. Referat Chruszczowa uru-

chomił lawinę wypadków. Polska prostowała obolały grzbiet, ludzie wyzwalali się z pęt strachu, prasa pisała o bezprawiach minionego okresu.

Adwokaci warszawscy Władysław Winawer i Aniela Steinsbergowa, ludzie odważni i szlachetni, rozpoczęli walkę o przywrócenie prawa, o rehabilitację Kazimierza Moczarskiego. Nawet wtedy nie było to proste i łatwe. Ale opinia publiczna, zrazu nieśmiało, potem coraz pewniej, podnosiła głos w obronie tylekroć deptanej sprawiedliwości. Tysiące ludzi powróciły do kraju z zesłania na północy ZSRR, inni wychodzili na wolność z polskich więzień. Zbliżał się słynny Październik, który miał obalić dotychczasowe kierownictwo polityczne i wynieść do władzy Władysława Gomułkę. Człowiek ten okazał się potem wielkim rozczarowaniem dla narodu, jeszcze jednym fałszem totalitaryzmu.

W grudniu 1956 roku odbył się proces rehabilitacyjny Moczarskiego przed Sądem Wojewódzkim w Warszawie. Był to jedyny publiczny proces sądowy wytoczony w Polsce stalinizmowi. Był to, jak się zdaje, w ogóle jedyny na świecie proces, w którym oskarżono stalinizm.

Moczarski stanął przed sądem jako człowiek wolny, jako obywatel, który żąda pełnej rehabilitacji. Poprzednio został przecież skazany na podstawie fikcyjnych oskarżeń za współpracę z hitlerowcami i zdradę. Teraz domagał się sprawiedliwości. I otrzymał ją – przynajmniej w sensie moralnym. Bo lat więzienia i cierpień nikt mu już zwrócić nie mógł.

W uzasadnieniu wyroku z 11 grudnia 1956 roku Sąd Wojewódzki w Warszawie w imieniu Polskiej Rzeczypospolitej Ludowej oznajmił między innymi: „Sąd Wojewódzki uznał za swój obowiązek stwierdzić, iż przewód sądowy przeprowadzony po wznowieniu postępowania w niniejszej sprawie wykazał nie tylko bezzasadność, sztuczność i tendencyjność oskarżenia, czemu zresztą dał już wyraz przedstawiciel Generalnej Prokuratury PRL, od tego oskarżenia odstępując, ale także dowiódł, iż dobre imię polskiego podziemia okupacyjnego, które w swej masie nie hańbiło się żadną kolaboracją na miarę quislingowską i którego na swoim odcinku i w swoim zakresie okupacyjnej działalności, przez wiele lat pobytu w więzieniu z budzącym szacunek uporem i hartem ducha bronił Kazimierz Moczarski, zostało w ramach niniejszej sprawy zrehabilitowane".

X

Te słowa, cytowane za wyrokiem Sądu PRL, zostały w roku 1972 skonfiskowane przez polską cenzurę państwową. Cytat z wyroku sądowego pomieściłem w przedmowie do książki Moczarskiego, drukowanej wtedy na łamach czasopisma „Odra". Tak oto w roku 1972 cenzor polityczny znów okazywał się potężniejszy niż niezawisły sędzia, wyrokujący w imieniu i majestacie państwa. Dla kogoś, kto nie zna mechanizmów systemu, problem może się wydać niezrozumiały. Cóż bowiem znaczy konfiskata kilku zdań w druku w porównaniu z celami śmierci, katowniami stalinizmu, łamaniem kości i charakterów?! Żyjemy w zupełnie innych czasach, a postęp jest tak ogromny, że nie warto wspominać o drobnostkach...

Nikt przy zdrowych zmysłach nie kwestionuje, że przemiana jest kolosalna. Ostatecznie Moczarski po roku 1956 żył przez wiele lat spokojnie i bez większych trosk materialnych, mógł pisać i wydrukować swoje *Rozmowy*, na koniec zaś – niestety, już po jego zgonie – dzieło to ukazało się w edycji książkowej i zostało udostępnione Czytelnikom.

Żyjemy w warunkach stabilizacji, spokoju i ładu, w świecie rozwijającym się pomyślnie, gdzie wszyscy powinni być zadowoleni.

Bo niech okażą niezadowolenie! Nie, to prawda, uwięzienie należy do rzadkości, staje się faktem powszechnie komentowanym, wywołuje społeczne protesty. Co innego przejściowy areszt, rewizja, konfiskata książek, manuskryptów, prywatnej korespondencji. Co innego usunięcie z pracy albo wręcz utrata szansy wykonywania zawodu, szykany administracyjne, nawet drobne, ale przecież uciążliwe. Co innego wreszcie oszczercze ataki prasowe, na które ludzie nie mogą odpowiedzieć, bo nie ma innej prasy poza prasą kontrolowaną przez władze.

Nie wolno przeczyć, że jest to ogromny postęp w stosunku do dawnych metod. Za czasów Stalina, gdyby trwały dłużej, Moczarski byłby powieszony, a jego prochy, zmieszane z prochami jakiegoś Stroopa, rozsiane przez wiatr. A ja – być może – pozostając przy życiu, wiódłbym egzystencję bydlęcia!

Należy się wdzięczność Bogu, że powołuje do wieczności sługi swoje, choć niekiedy czyni to zbyt późno! Myślę, że w przypadku Stalina i Hitlera Bóg odczuwał tak wielką odrazę, iż zwlekał z decyzją ponad miarę, byle ich tylko nie oglądać z bliska. Zapłaciliśmy za to słono...

Wracam do meritum. Niewątpliwie zmieniło się bardzo wiele i nikt temu przeczyć nie powinien. Zawdzięczamy to przede wszystkim ludzkim charakterom, cywilnej odwadze setek tysięcy, dla których godność i wolność znaczyły więcej niż oportunizm albo poddańcza uległość. Zawdzięczamy to także cywilizacyjnym przeobrażeniom, które na pewnym etapie rozwoju gospodarki i życia społecznego wykluczają despotyzm władzy.

A jednak nie wszystko jest tak piękne na tym najlepszym ze światów! Na sto lat przed Hitlerem Heine pisał proroczo, iż „tam gdzie palą książki, niebawem ludzi palić będą!".

Można do tego dodać jedno: tam, gdzie władza nie liczy się z prawem, które sama ustanowiła, i lekceważy wyroki własnych sądów, gdzie obłuda i fałsz chcą uchodzić za szczerość i prawdę, gdzie państwo może upokorzyć obywatela, a obywatel nie znajduje ochrony przed samowolą państwa, gdzie niezależne myślenie traktuje się często jako wyraz wrogości wobec ustroju, a charaktery usiłuje się naginać do uległości wobec aktualnie rządzącej grupy – tam zawsze może dojść do bezprawia i niegodziwości.

Przeczytajcie uważnie, co mówi Jürgen Stroop, ten kliniczny przykład umysłu zniewolonego przez totalizm. Przeczytajcie uważnie *Rozmowy z katem* i pomyślcie o losach Kazimierza Moczarskiego, człowieka, który się nie ugiął, i gotów był zginąć, byle innych uchronić przed wegetacją pod władzą totalną.

1977

Tekst Andrzeja Szczypiorskiego został napisany w 1977 r. jako przedmowa do pierwszego wydania *Rozmów z katem* w języku niemieckim (*Gespräche mit dem Henker*, Dröste Verlag, Düsseldorf 1978). Przytoczony wyżej przekład na język polski został opublikowany po raz pierwszy na łamach drugoobiegowego czasopisma „Puls" (Warszawa, wiosna 1979, nr 6, s. 6–15). Przedmowa Szczypiorskiego stała się w 1979 r. obiektem kilku napaści w prasie PRL – „wyróżniały się" wśród nich głosy M. Góry w „Perspektywach" i Z. Ramotowskiego w „Życiu Warszawy" (zob. też A. Szczypiorski, *Z notatnika stanu rzeczy*, Warszawa 1987, s. 25–26).

7. Zbigniew Herbert
CO WIDZIAŁEM

Pamięci Kazimierza Moczarskiego

Widziałem proroków szarpiących przyprawione brody
widziałem szalbierzy wstępujących do sekty biczowników
oprawców przebranych w baranie skóry
którzy uchodzili przed gniewem ludu
grając na fujarce

widziałem widziałem

widziałem człowieka poddanego torturom
siedział teraz bezpiecznie w gronie rodziny
opowiadał dowcipy jadł zupę
patrzyłem na jego rozchylone usta
dziąsła – dwie gałązki tarniny odarte z kory
było to nad wyraz bezwstydne
widziałem całą nagość
całe poniżenie

potem
akademia
dużo osób kwiaty
duszno
ktoś bez przerwy mówił o wypaczeniach
myślałem o jego wypaczonych ustach

czy to ostatni akt
sztuki Anonima płaskiej jak całun

pełnej zduszonego szlochu
i chichotu tych
którzy odsapnąwszy z ulgą
że znów się udało
po uprzątnięciu martwych rekwizytów
wolno
podnoszą
zbroczoną kurtynę

(1956)

Pierwodruk (?) – „Ziemia i Morze", Szczecin, 6 IV 1957, nr 11 (tu bez dedykacji). Tekst według tomiku: Zbigniew Herbert, *Arkusz*, Krąg (drugi obieg), Warszawa 1984, s. 3 (tamże wiele różnic w stosunku do pierwodruku: w. 2 *„szalbierzy"* zamiast *„policjantów"*, w. 3 *„oprawców"* zamiast *„katów"*, w. 21 – 31 inny tekst).

8. Jerzy Ficowski
EPITAFIUM

pamięci Kazimierza Moczarskiego

On chyba lubił kwiaty
(niech pachną za jego duszę)
więc położyli mu u stóp
męczeńskiego krzyża
wieniec białoczerwony
chyba podobny do
koła ratunkowego
dla zmarłych na dnie
żeglarzy

Pierwodruk: „Zapis" (drugi obieg), Warszawa, IV 1978, nr 6. Tekst według tomiku: Jerzy Ficowski, *Gryps*, NOWA (drugi obieg), Warszawa 1979, s. 48.

9. Gustaw Herling-Grudziński
FRAGMENT *DZIENNIKA PISANEGO NOCĄ*

Kto nie wie (a dotyczy to wielu czytelników książki, o czym miałem oka-
zję się przekonać), że podczas dziewięciomiesięcznego pobytu w jednej celi
Więzienia Mokotowskiego z generałem SS Moczarski był nieludzko torturowany przez katów z UB we własnej „sprawie", kto w trakcie lektury ma przed
oczami całego Stroopa i tylko drobną cząstkę Moczarskiego, kto nie słyszał
o okupacyjnej karcie Moczarskiego w AK i o dziejach jego „sprawy" od aresztowania w roku 1945 do wyroku rehabilitacyjnego w roku 1956, ten nie zrozu-
mie znaczenia *Rozmów z katem*. Znaczenia tak ogromnego, że nie waham się
zaliczyć ich autora do najważniejszych świadków z okresu szczytowego nasilenia dżumy totalitarnej.

Rozmowy z katem drukowano w odcinkach na łamach *Odry* w latach 1972–74;
ze wstępu Andrzeja Szczypiorskiego cenzura usunęła nawet sentencję wyroku
rehabilitacyjnego z roku 1956.

Do wywalczonego z trudem przez przyjaciół Moczarskiego wydania książkowego doszło w roku 1977, w dwa lata po śmierci autora; na skrzydełkach
obwoluty [...] książkę rekomenduje się piórem Koźniewskiego jako tajemni-
czy (dla niewtajemniczonych) „grymas historii, który doprowadził do wspól-
nych (!) rozmów kata i ofiary". Czyjej ofiary? Tego właśnie kata ze „wspól-
nych rozmów"?

Gustaw Herling-Grudziński, *Dziennik pisany nocą*, „Kultura" (Paryż) 1979,
nr 7–8.

10. Tadeusz Konwicki
FRAGMENT KSIĄŻKI *WSCHODY I ZACHODY KSIĘŻYCA*

Siedział przede mną woskowożółty, żółty tą przedśmiertą żółtością, którą skądś pamiętam, dobrze pamiętam. Pod tą szarożółtą skórą sterczały kości i kosteczki, czasem drgnęło jakieś obłe ścięgno, nie tak ostre i krawędziaste jak te straszne kości. Kiedy mówił, pokazywały się poczerniałe pieńki zębów, okropne karczowisko po wybitym uzębieniu. Oczy, tak, oczy miał piękne. Żywe, młode, nie storturowane więzieniem. Tak, dobrze, chwalę oczy, bo coś chciałbym pochwalić w tej resztce człowieka, w tym złomie ludzkim, z którego już nikt nigdy nie odtworzy tego wspaniałego zucha z dobrych lat okupacji niemieckiej.

– Przepraszam, a ile pan ważył przed więzieniem? – pytam.

– Moja waga to dziewięćdziesiąt kilo – powiada to wyschnięte kurczę.

Patrzę na niego i serce mnie boli, i jakiś straszny, duszny strach ściska mnie za gardło, i jakaś okropna przykrość dzwoni pod czaszką, i chciałbym uciec, i nie wypada uciec. Tak, ja w jakiś sposób odpowiadam za jego los, czuję się winnym za to, że go nasz peerelowski reżym trzymał w więzieniu w celi śmierci ileś tam miesięcy, że ubowcy wybijali mu zęby i rozdeptywali palce, że w celi śmierci czekał na śmierć on, akowski oficer, razem z hitlerowskim generałem, z esesmańskim mordercą getta warszawskiego.

Siedzi przede mną jeden z dowódców akowskich, jeden z tych ludzi, przeciwko którym w czterdziestym piątym kierowałem swój szczeniacki gniew przegranego pokolenia, zbuntowanej generacji, co przeklęła swoich ojców i swoich dowódców. Potem ja obrastałem w piórka, a jego obdzierano z piór. Później ja walczyłem z nadwagą, a on walczył z nadciągającą śmiercią. Następnie ja... następnie on... Nie, nie, w końcu on zwyciężył, na pewno on zwyciężył, choć przegrał, choć dużą część swego życia stracił.

– A jak udało się panu przetrzymać więzienie, tortury, celę śmierci?

Wiedziałem, że on wie, o co mi chodzi. Bo obaj już znaliśmy cenę bohaterstwa i tchórzostwa, wielkości i nędzy człowieczej. Czytałem już fragmenty jego książki. To był mój brat, literat polski. Lepszy ode mnie o charakter, czcigodniejszy o biografię.

– Wie pan, oni popełnili pewien błąd – rzekł nieśpiesznie. – Chcieli mnie złamać, wobec tego powiedzieli, że moja żona, że moja córka, że one obie nie żyją. A tymczasem ja zrozumiałem, że jestem sam, że za nikogo już nie ponoszę odpowiedzialności, że nikogo nie narażam ani nie obciążam, że jestem samotnym i dlatego wolnym człowiekiem. Od tego momentu już w ogóle nie mogli mi dać rady. Zniosłem wszystko najlżej jak można. Wszystko potrafiłem przetrzymać, choć w innych okolicznościach psychologicznych może bym i nie przetrzymał.

Byłem mu wdzięczny za ten ludzki, mądry, piękny pierwiastek w interpretacji swojej nieludzkiej i szpetnej tragedii. W jego słowach odnajdywałem także jakieś rozgrzeszenie i dla moich win, dla moich zdrad, dla moich śmiertelnych grzechów.

Tego dnia po raz pierwszy i ostatni w życiu spotkałem się z Kazimierzem Moczarskim, autorem książki *Rozmowy z katem*.

Tadeusz Konwicki, *Wschody i zachody księżyca*, Warszawa 1982, s. 54.

INDEKS OSÓB

Spis treści

E-book dostępny na

woblink.com